나의 친구 마키아벨리

시오노 나나미 ▮ 르네상스 저작집 7

나의 친구 마키아벨리

시오노 나나미 ▮ 르네상스 저작집 7

오정환 옮김

한길사

WAGA TOMO MACHIAVELLI
by Nanami Shiono

Copyright © 1995 by Nanami Shiono

Original Japanese edition published by Chuokoron-Sha, Inc.
Korean translation rights arranged with Nanami Shiono
through Japan Foreign-Rights Centre

Translated by Oh Jung-hwan
Published by Hangilsa Publishing Co., Ltd., Seoul, Korea

목적을 위해서는 수단과 방법을 가리지 않는다는, 듣기에도 무시무시한 정치철학을
확립하여 오늘날에도 세인의 빈축을 사고 있는 마키아벨리. 하지만 마키아벨리즘이라는
말과 더불어 그릇 연상되던 가혹한 인간상과는 달리, 그도 취직을 부탁하기 위해
유력자에게 자기 저서를 바친다든가 외국에 대사로 나가 있는 친구에게 일자리를
부탁하는 등 우리와 같은 한 사람의 인간이었다.

피렌체공화국의 정부 청사인 팔라초 베키오. 마키아벨리는 스물아홉 살 봄부터 15년 동안
이곳 2층에 있는 제2서기국의 서기관직을 지냈다. 그는 때때로 출장비가 적다고
툴툴거리기는 했어도, 자기가 이곳에서 하고 있는 일을 진정으로 마음에 들어했다.
빛나는 피렌체공화국 시대의 상징이었던 대통령의 집무실은 보존되어 있지 않지만, 일개
비직업관료였던 마키아벨리가 쓰던 지난날의 사무실은 지금도 남아 있는데,
이는 그후 500년 동안 줄곧 물의를 일으켜온 마키아벨리의 문명(文名) 때문일 것이다.

마키아벨리가 그의 주저 『군주론』을 집필했던 산탄드레아 산장의 서재.
마키아벨리는 비리가 있었던 것도 아니고 업무상 실수를 저지르지도 않았지만, 1512년
그동안 추방되어 있던 메디치 가가 다시 정권을 장악하는 바람에 돌연 해임당한다.
이후 피렌체를 떠나 이곳 산장에서의 은둔 생활을 시작하면서 그는 본의 아니게 글쓰는
사람이 되었다. 『군주론』을 비롯한 그의 전 저작은 '생각하는 것밖에' 할 일이 없어진
이 시기의 산물들이다.

TANTO. NOMINI. NVLLVM. PAR. ELOGIVM
NICOLAVS. MACHIAVELLI
OBIT. AN. A. P. V. CIƆIƆXXVII

산타 크로체 성당 안에 있는 마키아벨리의 무덤. 그가 죽은 후 몇십 년도 지나지 않아,
마키아벨리 집안의 남자 혈통이 끊어지는 바람에 산타 크로체 성당에 있던 묘는 임자 없는
무덤이 되어버렸다. 오늘날 우리가 보는 이 장려한 무덤은 18세기에 마키아벨리의
애독자였던 한 영국인이 건립한 것이다. 그렇지만 이 무덤 밑에 그의 유골은 없다.

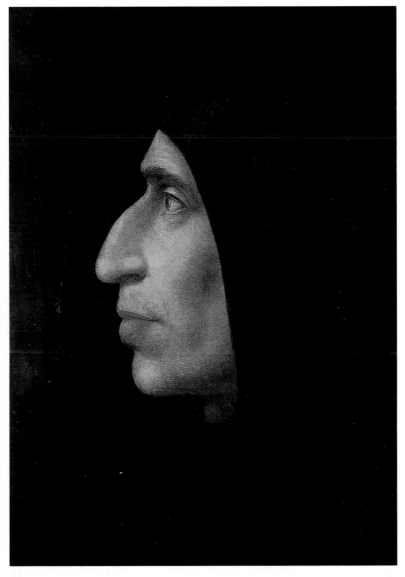

15세기 말 피렌체의 르네상스 풍조를 비난하며 신권정치의 수립을 획책한 광신적 수도사 사보나롤라. 그는 메디치 가와 피렌체를 조락으로 이끈 장본인으로, 그의 가르침은 피렌체 일반 시민뿐 아니라 피코 델라 미란돌라, 보티첼리, 피에로 구이차르디니, 마르실리오 피치노 등 많은 문인 및 예술가들의 마음을 움직였다.

아르노 강을 사이에 두고 남과 북에 형성된 15세기 피렌체 시가의 모습.
마키아벨리는 초등학교에 다닐 무렵부터 팔라초 베키오 안에 있는 직장에 다니던 시기까지
하루에도 몇 번이나 이 아르노 강을 건너 다녔던 피렌체에서 태어나고 피렌체에서 죽은
순피렌체내기였다. 피렌체 시를 빙 둘러친 시 성벽의 11개 시문이 보인다.

조르조 바사리가 그린 로렌초 일 마니피코. 마키아벨리는 『피렌체사』에서 로렌초를 두고
"그는 운명으로부터, 그리고 신으로부터 최대한의 사랑을 받은 사람이다"라고 쓰고
있는데, 실로 로렌초만큼 일생이 행운으로 채색된 인물도 드물다. 로렌초에게 신이 약간
짓궂은 짓을 한 것이 있다면, 그가 추남이었다는 것이리라.

교황 알렉산데르 6세의 아들로, 마키아벨리의 『군주론』의 모델이 되었던 체사레 보르자. 마키아벨리는 불행한 시대의 피렌체를, 그리고 이탈리아를 구하려면 시대의 요구에 부응할 수 있는 새로운 군주가 필요한데, 체사레 보르자야말로 새 군주의 모델로서 적격한 인물이라고 단언하였다.

프란체스코 살비아티가 그린 「카를 5세의 로마 침입」. 역사상 '사코 디 로마' 라고 불리는 6개월에 걸친 이 '로마의 약탈' 로 전 로마가 거의 파괴되다시피 하였고, 인구도 9만에서 3만으로 줄어들게 된다. 오늘날의 로마가 바로크 도시 같은 인상이 짙은 것은 이때의

약탈로 르네상스 건물의 8할이 불타거나 파괴되었기 때문이다. '사코 디 로마' 가
자행되었던 1527년에 마키아벨리도 병사하는데, 그의 죽음과 거의 때를 같이하여 그의
조국 피렌체공화국도 멸망하고, 찬란한 문예부흥의 꽃을 피운 르네상스도 종언을 고한다.

샤를 8세의 피렌체 입성. 1494년. 프랑스 왕 샤를은 9만 병력을 거느리고 알프스를 넘어 이탈리아로 쳐들어온다. 왕의 입성으로 피렌체는 메디치 가가 추방되고 수도사 사보나롤라의 지배를 받게 된다. 피렌체는 다른 도시에 비해 프랑스군의 횡포로 말미암은 피해가 거의 없었는데, 이를 두고 모두 사보나롤라의 덕이라 하여 그에 대한 피렌체 시민의 신뢰가 점점 더 높아졌다. 샤를 8세의 이탈리아 침입은 그때까지 몇백 년 동안 '질'로 승부를 가리는 데 익숙해 있던 이탈리아의 도시국가들을 '양'의 무서움에 눈뜨게 만들었다.

나의 친구 마키아벨리

시오노 나나미 ▮ 르네상스 저작집 7

오정환 옮김

한길사

나의 친구 마키아벨리

시오노 나나미 ▮ 르네상스 저작집 7

• 산탄드레아 산장 · 500년 후 23

제*1*부 마키아벨리는 무엇을 보았는가

1 눈을 뜨고 태어난 사나이 51

2 메디치 가의 로렌초 77

3 파치 가의 음모 101

4 꽃의 도시 피렌체 125

5 수도사 사보나롤라 151

제2부 마키아벨리는 무엇을 하였는가

6 비직업관료의 첫 등청의 날 183
  1498

7 이탈리아의 여걸 207
  1498~1499

8 서기 1500년의 일별 233
  1499~1502

9 체사레 보르자 257
  1502~1503

10 마키아벨리의 아내 283
  1502~1503

11 나의 생애 최고의 날 309
  1503~1506

12 '보좌관' 마키아벨리 333
  1507~1512

13 1512년 · 여름 359

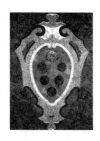

제3부 마키아벨리는 무엇을 생각했는가

14 『군주론』의 탄생 389
1513~1515

15 젊은 제자들 431
1516~1522

16 역사가, 희극작가, 비극작가 461
1518~1525

17 '나의 친구' 구이차르디니 481
1521~1525

18 나의 영혼보다 나의 조국을 더 사랑하노라 501
1525~1526

19 르네상스의 종언 543
1527

• 그후 567
• 인물은 스캔들로 살아난다 | 옮긴이의 말 571
• 『나의 친구 마키아벨리』 창작 뒷이야기 579

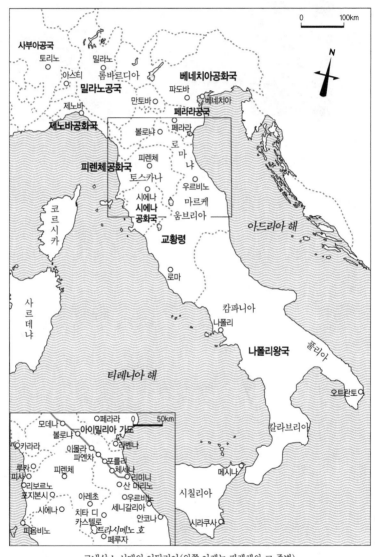

르네상스 시대의 이탈리아(왼쪽 아래는 피렌체와 그 주변)

산탄드레아 산장 · 500년 후

피렌체의 시가를 뒤로하고, 마키아벨리가 『군주론』을 쓴 산장이 있는 산탄드레아 인 페르쿠시나로 가는 데는 길이 셋 있다. 세 갈래 길이 다 피렌체의 남부로 열려 있는 로마 문(포르타 로마나)을 나가서 가루초 마을에 이르기까지 몇 킬로미터는 같지만, 거기서 먼저 볼테라 가도가 오른쪽으로 꺾어진다. 이것이 제1의 길이다. 거기서 꺾어지지 않고 곧장 가면 옛 로마 가도의 하나인 비아 카시아로 들어간다. 지금은 이것도 카시아 가도라고 불리지만, 고대 로마 시대의 비아 카시아는 시에나가 아니라 아레초를 거쳐 로마로 통했으므로, 포르타 로마나에서 시작되는 가도는 옛 카시아 가도의 갈림길이기도 했던 모양이다. 이것이 제2의 길이다.

아울러서 '로마로 통하는 문'이라는 뜻의 포르타 로마나, 다시 말해 로마 문이라고 불리는 이 문은 시의 성벽을 둘러치던 시대를 지내온 도시라면 어디에나 있다. 모든 길은 로마로 통했기 때문이다.

제3의 길은 볼테라 가도나 카시아 가도가 옛날부터 있었던 길인 것과는 달리, 20세기에 들어와서 만들어졌다. 카시아 가도로 곧장 들어가는 길을 왼쪽에 보면서, 오른쪽 직각으로 꺾어 그곳을 지나는 밀라노―로마 간 고속도로로 들어가지 말고, 그 중간에 입을 벌리고 있는 시에나로 통하는 슈퍼 스트라다를 택해야 한다.

이 피렌체와 시에나 사이의 도로는 아우토 스트라다(고속도로)라고 부르지는 않는다. 국영 기업이 건설한 길이 아니라서가 아니라, 고속도로면 없어서는 안될 갖가지 서비스가 갖추어져 있지 않기 때문이다. 하기야 피렌체에서 시에나까지는 한 시간 남짓이면 갈 수 있으므로, 주유소 같은 것이 없더라도 별로 불편할 것은 없다. 이 길은 또 고속도로와는 달리 통행료를 물지 않아도 된다.

보통의 스트라다(도로)가 아니라 슈퍼 스트라다라고 부를 만한 자격은 있어서, 왕복 4차선인 이 도로의 구조는 고속도로와 거의 다름이 없다. 이 길은 어느 사기업이 건설한 것이다. 시에나에 본점이 있는 몬테 디 파스키 은행이 건설한 것으로, 이윤의 사회환원의 일환이었다고나 할까. 이 은행은 마키아벨리가 태어난 시대에 문을 열었으며, 1929년의 대공황 때도 끄떡없었다고 한다. 토스카나 지방의 농업경영자들이 주된 예금주여서 우직하게 견디어냈다는 얘기다.

마키아벨리의 산장으로 가는 데는 이 길이 제일 가깝다. 차로 슈퍼 스트라다로 들어가서 5분만 달리면 짤막한 터널이 나오고, 그곳을 빠져나가면 얼마 가지 않아 오른쪽에 산 카시아노라고 쓴 표시판이 다가온다. 거기서 슈퍼 스트라다를 버리고 잠시 완만하게 기운 시골길을 끝까지 올라가 오른쪽으로 꺾어서 500미터만 가면 도착한다. 거리로 봐서는 나머지 두 길과 별 차이가 없지만, 고속도로로 가기 때문에 시간이 훨씬 단축된다.

카시아 가도 쪽은, 계류를 따라 조금 나아가면 계곡을 건너는

다리가 보이기 시작한다. 거기서 구도로를 버리고 잠시 가파른 언덕길을 오르면, 거기가 벌써 산탄드레아 인 페르쿠시나다. 다만 구도로를 버리고 난 뒤의 길은 북향의 숲 속을 지나가므로 울창한 나무에 가려 햇빛의 따스함이 지표에 이르기가 어렵다. 겨울에는 눈도 녹기 어려울 것이다. 언덕이 비교적 가팔라서 겨울철에는 사람들이 되도록 이 길을 피하지 않았을까. 그래도 이 길을 택하면 피렌체의 시문(市門)을 나와서 거리가 불과 10킬로미터밖에 되지 않는다.

가루초 마을에서 곧장 오른쪽으로 꺾어지는 길이 비아 볼테라나라고 불리는 볼테라 가도인데, 볼테라 시를 지나 티레니아 해로 빠지는 길이었기 때문에 이 이름으로 불려왔다. 옛날에는 소금을 실어내는 길로 알려져 있었다.

이 길은 가루초 마을에서 나오면 바로 경사가 완만한 꼬부랑길로 바뀐다. 한 굽이 꺾일 때마다 눈 아래서 다른 양상을 보이는 툴토자라는 성채처럼 생긴 해묵은 수도원이 아름답다.

언덕을 다 올라서면 중세의 수도원은 보이지 않게 되는 대신, 이번에는 전형적인 토스카나 지방의 전원 풍경이 시계 가득히 들어온다. 중부 이탈리아에 자리잡은 토스카나 지방은, 나직이 너울져 나간 구릉이 겹겹이 이어지는 것이 특색인데, 분지에 생긴 도시 피렌체의 시문을 나서서 5, 6분만 차로 달리면 금방 이것을 만끽할 수 있다.

짙푸른 사이프러스나무와 레스피기가 작곡한 「로마의 소나무」를 떠올리게 하는 유명한 우산소나무, 지중해 지방의 햇빛을 흠뻑 덮어쓰고 그것을 속으로 간직하고 있기나 하듯 아늑하고 포근한 푸른 우산소나무의 군락. 토스카나는 이 우산소나무의 북방 한계쯤에 있는 것이 아닐까. 그 사이사이를 바람이 불 때마다 잎사귀의 허연 뒤쪽이 빛을 받아 반짝이는 올리브밭과 계절을 따라 연거푸 모습을 바꾸는 포도밭이 메우고 있다. 코리나라고 부르는 구릉 꼭대기에는, 종루가 표적인 성당과 수도원, 요란스레 흉간성벽으로 둘러쳐진 산장 같은 것을 거의 빠짐없이 바라볼 수 있다. 그것들에 이르는 길을 찾기는 쉽다. 사이프러스의 줄이 구릉의 능선을 따라 이어져 있는 곳이 바로 그 통로이기 때문이다.

볼테라 가도는 구릉의 등성이를 따라서 나 있으므로 햇빛의 부족을 느끼지는 않는다. 한여름에는 견디기 어렵겠지만, 겨울에는 눈이나 얼음 때문에 고생하는 일은 없을 것이다. 가도의 좌우를 완만하게 흘러내린 사면은 온통 포도밭으로 덮여 있다. 구릉지대라 이 지방의 포도나무는 물만 잘 빠지면 포도주의 품질이 좋아지는 품종이 지배적이다.

키안티는 한 양조회사의 제품을 나타내는 명칭이 아니다. 피렌체와 시에나 사이에 펼쳐지는 구릉지대를 키안티라고 부르므로, 그곳에서 나는 포도주는 모두 키안티 주(酒)가 된다. 다만 상품과 보통품의 구별은 있어서, 상품은 키안티 지방 중에서도 어느 특정 지역에서 만들어지는 포도주를 가리키며, '키안티 클라시코' 곧 클래식한 키안티라고 부른다. 보통품은 그 이외의 키안티 지방에서 나는 포도주 전체를 말하며, 천사를 상표로 삼은 데서 '키안티 푸토'(천사의 키안티)라 부른다. 키안티 클라시코의 상표는 검정 수탉이다. 이밖에도 시에나의 키안티라고 부르는 품종이 좀 있으며, 모두 보통품에 속한다.

볼테라 가도로 해서 키안티 지방에 들어가면, 먼저 천사를 그린 입간판을 만난다. 보통 포도주의 산지에 들어왔다는 말이다. 그러나 곧 검정 수탉의 입간판이 보이기 시작한다. 거기에는, "여러분은 지금 키안티 클라시코의 산지에 계십니다"라고 씌어져 있다. 이 지방의 상품 포도주 산지는, 피렌체—시에나 사이에 펼쳐지는 키안티 지방 중에서도 훨씬 피렌체 쪽에 가깝다.

이 근방에서 산장을 갖고 있다는 것은, 산장 건물뿐 아니라 그 주변의 포도밭이라든가 올리브밭 같은 것도 소유하고 있다는 것을 의미한다. 마키아벨리의 산장도 예외는 아니었다. 다시 말해 마키아벨리의 포도밭에서 나는 포도주는 '상품'이었다는 말이다.

물론 이같은 구별은 불과 100년쯤 전에 정리되었을 뿐이다. 또 키안티 지방의 농업진흥이 본격적으로 시작된 것은, 피렌체공화국이 붕괴되고 메디치 집안이 토스카나 대공의 자리에 앉기 시작하고부터다. 마키아벨리는 그 반세기 전에 이미 죽고 없다.

그러나 공업 제품과는 달리 농산물은 아무것도 없는 상태에서 새로 만들기는 어렵다. 농업진흥책이 효과를 발휘한 것도 그 자리에 이미 상당한 기반이 있었기 때문이다. 실제로 마키아벨리의 동시대인인 교황청의 포도주 담당자 란체리오가 남긴 기록을 보면, 키안티라는 이름은 아직 보이지 않으나 이 일대에서 나는 포도주의 질이 좋았다는 것을 알 수 있다.

또 마키아벨리의 아버지가 남긴 기록에는, 1486년 티투스 리비우스가 쓴 『로마사』를 피렌체의 제본소에 제본을 맡겼다고 적혀있는데, 그 대금으로 하반부에 짚으로 엮은 거적을 두른 키안티

주 특유의 피아스코 병에 담은 붉은 포도주 세 병과, 역시 피아스코 병에 담은 포도주로 만든 초 한 병을 함께 들고 갔다고 한다. 맛없는 술이었다면, 제본소로서도 은화로 지불받기를 바라지 않았겠는가.

포도주나 올리브유로 지불을 대신했다는 것이 반드시 가난했다는 증거는 되지 않는다. 지불을 요구하지 않는 변호사나 의사, 혹은 자식이 다니는 학교의 선생에게 집에서 담근 술이나 올리브유나 햄 같은 것을 보내는 것은, 지금도 피렌체에서는 재치있는 사례 방법으로 간주되고 있다. 화폐경제가 확립되어 있어도 물물교환 역시 성했던 중세 · 르네상스 시대에는, 이것이 어쩌면 아주 흔히 통용된 지불 방법이었는지도 모른다. 피아스코 병 네 개를 들고 제본소에 가서 가죽이나 천으로 말쑥하게 제본된 『로마사』를 옆에 끼고 나왔을 것으로 짐작되는 사람이, 바로 열일곱 살 먹은 마키아벨리다.

여기서 15년 전부터 품어온 나의 의문을 피력하고 싶어진다. 그것은 다름 아닌, 마키아벨리는 과연 술을 좋아한 편이었을까 하는 것이다. 그의 저작 어디를 찾아보아도 혹은 편지를 샅샅이 훑어보아도, 술에 취했다든가 과음했다든가 하는 대목은 한 군데도 없다. 술꾼은 그런 것을 별로 쓰고 싶지 않은 것일까? 하기야 식사 때마다 조금씩 포도주를 마시는 습관이 있는 이탈리아인은 원래 취하는 사태에 이르는 일이 별로 없다. 다만 어떤 사람이, 마키아벨리는 체질적으로 알코올분을 받아들이지 않는 타입이 아니었을까 하고 말한 적이 있다. 드문 일이기는 하지만 때로 제법 야단법석을 떨곤 한 사나이라는 것을 생각하면, 늘 술도 마시지 않고

멀쩡한 정신으로 그런 짓을 했다고는 좀체 믿어지지 않는다. 게다가 피렌체 시내에서 태어나 자라서 죽은 그이지만, 외가 재산으로 여겨지는 이 별장은 상품의 포도주 생산지 한가운데에 있다. 그리고 여기가 가장 의심스러운 점이지만, 체질적으로 술을 안 받는 사나이가 어떻게 그런 냉정하고 불타는 문체를 만들어낼 수 있었을까?

이 의문은 도무지 풀릴 것 같지 않으므로 이 이상의 추리는 독자 여러분께 맡기고 앞으로 나아가기로 한다.

전원 풍경을 즐기면서 볼테라 가도를 한참 나아가면 산 카시아노 마을로 굽어들어가는 길모퉁이에 이른다. 여기서 왼쪽으로 꺾어 조금 가다가 다시 왼쪽으로 꺾으면, 산탄드레아 인 페르쿠시나에 도착한다. 이 길은 비아 카시아로 가는 것보다 거리는 좀 멀지만, 길이 구릉의 능선을 따라서 나 있고, 급한 경사도 없는 완만한 길이라 말을 타고 가도 별로 불편하지 않다. 피렌체라는 당시의 대도시에 필수품인 소금을 공급하는 길이기도 해서 교통량이 많았을 것이 분명하고, 따라서 치안도 전혀 걱정이 없었을 것으로 짐작된다. 급한 일이 아니라면 다들 평탄하고 조망도 환하게 트인 이 길을 택하지 않았을까.

지금은 세 갈래 길 어느 쪽에나 버스가 다닌다. 버스를 이용하면 가장 가까운 정류소에서 내려도 1킬로미터는 걸어야 한다.

산탄드레아 인 페르쿠시나는 마을이라 부르기가 망설여질 만큼 작다. 그래도 마을이라 부르기로 하지만, 언덕 위의 평지에는 조그만 성당이 하나, 지주인 마키아벨리가(家)의 주택과 선술집 하나, 우물이 하나, 소작인과 그밖에 자질구레한 직업을 가진 사람들이 사는 집이 몇 채, 이런 것들이 겨우 산 카시아노 마을과 카시아 가도를 잇는 좁은 길을 사이에 두고 조촐하게 몰려 있었을 뿐이다.

500년이 지난 오늘날에도 이에 덧붙여야 하는 건물은 세리스트리가(家)의 포도주 저장고뿐이다. 세리스트리 백작 집안은 마키아벨리의 후손인 한 여인의 재혼처라는 인연으로 마키아벨리의 산장과 그 부속 농원을 상속했으며, 지금은 마키아벨리의 옆얼굴을 상표로 하는 포도주를 팔고 있다. 선술집 간판에도 약삭빠르게 같은 상표를 이용하고 있다. 이 선술집은 마키아벨리 시대부터 있었으며, 지금은 세리스트리 양조회사의 마키아벨리 상표 포도주도 팔고 있다. 물론 키안티의 상품을 나타내는 검정 수탉표 포도주다. 키안티 지방에서는 흔히 볼 수 있는 양조회사 직매장 형식이다.

실직하여 급료가 들어오지 않게 되자, 닭이라도 쳐서 입에 풀칠하는 수밖에 없다고 쓴 적이 있는 마키아벨리인지라, 후손 가운데 이토록 경제능력이 뛰어난 자가 있다는 것을 알면 부러워할 것임에 틀림없다. 자기 얼굴이 상표에 이용되고 있다는 것을 알았더라도, 단테라면 노골적으로 불쾌해할 대목이지만, 그는 유쾌한 듯이 웃어 넘겼을 것이다. 당시는 포도주 판매가 사업이 된다는 것을 대부분의 사람들이 거의 생각지도 못한 시대였다. 키프로스와 크레타에서 말바지아 주를 조직적으로 생산하여, 교황과 왕후·군주들에게 증정하는 선전 방식으로 오늘날의 샴페인과 비슷한 인기를 얻음으로써 훌륭하게 영리사업으로 성공시킨 베네치아인 외에는 생각도 실행도 하지 못할 일이었다. 소유지의 수확만으로 유유자적할 수 있는 신분으로 태어나지 못한 마키아벨리는, 급료를 기대할 수 없게 되자 닭이라도 치는 수밖에 없었던 것이다.

포도주 창고와 선술집을 길 하나 사이에 두고 마주보고 서 있는 산장은, 길을 향한 쪽은 아무런 멋도 없는 평면 구조지만, 정원을 향한 반대쪽은 좀더 입체적으로 된 피렌체 근교의 전형적인 빌라 양식을 따르고 있다. 게다가 길에 서서 바라보면, 얼핏 보아 별장치고는 꽤 훌륭한 집으로 보인다. 그러나 볼테라 가도의 길가에 산재하는 견고한 성채 구조라든가 화려한 르네상스 양식의 빌라를 생각하면, 나는 가난하게 태어났다고 한 마키아벨리의 말에 순순히 고개를 끄덕이고 싶어진다. 이탈리아어에서는 호화롭거나 간소하거나 도시를 둘러싼 성벽 밖에 있는 단독 주택은 모두 빌라라고 부른다.

세리스트리 백작 집안은 고명한 선조 마키아벨리를 상표로 써먹기만 하는 것이 송구스러웠던지, 아니면 순전히 한 천재에게 경의를 표하기 위해서였던지, 산장은 지금 마키아벨리 자료관이 되어 있다. 건물 좌우의 날개는 후세에 단 것이지만, 산장 중앙부는 500년 전과 거의 같은 상태로 보존되어 있다.

조그맣게 낸 중세풍의 입구를 조심스럽게 들어서면 꽤 넓은 방이 나온다. 이곳에는 각국어로 옮겨진 마키아벨리의 저작이 전시되어 있다.

홀에서 통하는 각 방과의 칸막이도 두툼한 석조로 되어 있다. 벽난로를 파낸 방식과 크기, 좌우에 석조 계단이 있는 창문 구조는 이 산장이 16세기 이전에 지어졌다는 것을 말해준다. 2층은 가족의 침실로 사용되었던 모양이다. 3층은 농원이 딸린 빌라에서는 보통 농작물을 말리는 데 사용되었다.

아래층에 있는 방 가운데 하나가 마키아벨리의 서재였을 것으로 짐작된다. 이 방에는 벽난로가 마련되어 있어서, 밤에도 일을 했다는 그가 깊은 밤의 추위를 견딜 만했을 성싶다.

마키아벨리는 여기서 1513년 12월 10일 한 통의 편지를 썼다. 이탈리아 문학사상 가장 유명하고 아름다운 편지의 하나로 간주되고 있는 편지다. 로마 교황청에 피렌체 대사로 파견되어 있던 친구 프란체스코 베트리에게 보낸 것이다.

여기서 나는 해가 뜨면 일어나 숲으로 가네. 그곳에서 나무를 벌채시키고 있기 때문이지.

숲에는 두어 시간 머물러 있네. 그때까지의 작업을 다시 검토하기도 하고, 일꾼들과 함께 어울리곤 하면서 말일세. 이 친구들 손도 잘 다치고, 툭하면 저희들끼리 싸우고, 이웃마을 사람들과도 곧잘 다투곤 해서 도무지 사고가 그치지 않는 인간들이거든…….

숲에서 나오면 옹달샘으로 가지. 그 샘가에 가서야 비로소 나는 내 자신의 시간을 갖게 된다네. 보통 책 한 권을 들고 가는데, 단테나 페트라르카나, 아니면 더 마음 편한 티불루스나 오비디우스 같은 시인들의 작품이지. 그리고 거기에 읊어져 있는 정열적인 연애라든가 시인 자신의 사랑을 읽고, 내 자신의 그것들을 떠올리면서 잠시 그런 생각을 만끽하며 보낸다네.

그런 다음 한길로 돌아서 선술집으로 가네. 거기서는 나그네들과 이야기를 나누지. 그들 나라의 새로운 사건에 관해서 물어보기도 하고, 그들의 입으로 전해지는 정보에 귀를 기울이곤 하면서 말일세. 그러면 사람들의 취향의 차이랄지, 생각의 차이 같은 것을 알 수가 있다네.

그렇저렁하다가 식사 시간이 되면 집에 가서 가족들과 식탁에 둘러앉아, 이 가난한 산장과 보잘것없는 재산이 허용해주는 식사를 들지.

식사가 끝나면 다시 선술집으로 돌아가네. 이 시간의 선술집 단골들은 푸줏간 주인과 밀가루 장수와 두 사람의 벽돌공인데, 이 친구들과 나는 그날이 끝날 때까지 크리커나 트릭 트랙 놀이를 하면서 불한당이 되어 보낸다네. 카드와 주사위가 난무하는 동안 무수한 다툼이 벌어지고, 욕설과 폭언이 터져나오고, 생각할 수 있는 별별 짓궂은 짓은 다 자행되지.

거의 매번 돈을 걸기 때문에 우리가 질러대는 야만스런 목소리가 산 카시아노 마을에까지 들릴 정도라네. 이렇게 해서 나는 나의 뇌에 눌어붙은 곰팡이를 긁어내고, 나를 향한 운명의 장난에 분노를 터뜨리는 것일세. 이처럼 내 자신을 짓밟는 것은, 운명의 신이 나를 괴롭히는 것을 아직도 부끄러워하지 않고 있는지 시험하기 위해서라네.

밤이 되면 집에 돌아가서 서재에 들어가는데, 들어가기 전에 흙 같은 것으로 더러워진 평상복을 벗고 관복으로 갈아입네.

예절을 갖춘 복장으로 몸을 정제한 다음, 옛사람들이 있는 옛 궁정에 입궐하지. 그곳에서 나는 그들의 친절한 영접을 받고, 그 음식물, 나만을 위한, 그것을 위해서 나의 삶을 점지받은 음식물을 먹는다네. 그곳에서 나는 부끄럼 없이 그들과 이야기를 나누고, 그들의 행위에 대한 이유를 물어보곤 하지. 그들도 인간다움을 그대로 드러내고 대답해준다네.

그렇게 보내는 네 시간 동안 나는 전혀 지루함을 느끼지 않네. 모든 고뇌를 잊고, 가난도 두렵지 않게 되고, 죽음에 대한 공포도 느끼지 않게 되고 말일세. 그들의 세계에 전신전령(全身全靈)으로 들어가 있기 때문이겠지.

단테의 시구는 아니지만, 들은 것도 생각하고 종합하여 정리하지 않는 한 과학이 되지 않는 것이니, 나도 그들과의 대화를 『군주론』이라는 제목의 소논문으로 정리해보기로 했네. 거기서 나는 가능한 데까지 이 주제를 추구하고 분석해볼 참이네.

군주국이란 무엇인가? 어떤 종류가 있는가? 어떻게 하면 획득할 수 있는가? 어떻게 하면 보전할 수 있는가? 왜 상실하는가?

만일 자네가 지금까지 내 공상의 소산이 무엇 하나 마음에 들지 않았더라도, 이것만은 마음에 안 들 턱이 없을 것이라고 생각하네. 그리고 군주들에게는, 특히 신흥 군주들에게는 받아들여질 것임에 틀림없을 줄 알고 있네.

그의 등 뒤에는 오늘 밤에도, 견실한 주부이자 늘 남편을 생각하는 아내인 마리에타가 장작을 많이 지피지 않고도 오랜 시간 일정한 온기를 유지할 수 있도록 고안한 난롯불이 훈훈하게 타고 있었을 것이다. 남유럽이라고는 하나 전원의 겨울은 만만치가 않다. 석조 가옥은 조금만 방심하면 얼음 창고처럼 차가워진다. 반대로 조금이라도 온기가 끊어지지 않도록 해두면 거주 기분이 의외로 나쁘지 않다.

글을 쓰는 책상은 산장 가구에 걸맞게, 원래 프라티노라고 부르는 수도원 식당용 식탁이 그 원형인 간소한 나무 책상이었을 것이다. 간소할 뿐 아니라 이런 책상은 집필용으로도 아주 적합하다. 두께가 7, 8센티미터는 좋이 되는 널빤지가 보통 길이 2미터, 폭 1미터는 되며, 이것을 두 개의 굵은 나무다리로 받치고, 이 두 개를 다른 굵고 긴 나무로 밑에서 고정시켜놓은 것이 기본형이다. 처음 만들 때는 흰 나무지만, 조립한 직후에 갈색 물감을 칠하고, 다시 니스를 입혀 완성한다. 세월이 흘러 무게 있게 윤이 나는 이런 형태의 책상은 토스카나 지방의 구가(舊家)에는 반드시 있다. 이 지방 특유의 가구라고 할 수 있는 것이다.

수도원의 식당에서 사용되는 것은 수도사들이 한 줄로 나란히 앉기에 편리하도록 되어 있어서, 길이는 4미터나 되는 대신 폭은 50센티미터 안팎으로 좁은 편이다. 이래서는 일반 가정에서 쓰기에 불편한 점이 많아 길이를 줄이고 폭을 늘린 형이 보급된 것이다.

의자는 단테스카(단테풍)라고 부르는 접는 식이었는지도 모른다. 접는 식이라고는 하지만, 튼튼한 굵은 나무를 교차시켜 넉넉하고 안정성이 크다. 팔꿈치를 얹는 횡목의 구조도 자연스럽고, 엉덩이와 등이 닿는 부분에는 가죽이나 두툼한 비로드를 대어 감촉이 부드럽고 앉는 기분도 참으로 좋다.

단테풍이라는 데서도 알 수 있지만, 13세기부터 일반화된 의자로 이 또한 토스카나 지방 특유의 가구였다. 나도 10년쯤 전 골동

품 가구 경매에서 이것을 발견하고, 값이 어느 정도 맞으면 살까 하는 생각을 한 적이 있다. 다만 손을 들 준비를 하고 있는데, 생각한 것의 20배나 되는 값으로 시작하는 바람에 얼른 손이 굳어버린 기억이 난다.

16세기 전후의 피렌체와 그 근교에서는 대별하여 세 가지 형태의 의자가 사용되고 있었는데, 단테풍을 제1형이라고 한다면 제2형 의자는 같은 접는 식이라도 15세기 후반부터의 것으로 사보나롤라풍이라고 부른다. 이런 형태의 의자는 전체가 가느스름한 나무로 되어 있으며, 그래서 앉는 기분도 딱딱하고 나무끼리 삐걱거리는 소리가 좀 성가신 느낌이 든다. 외관이나 앉는 기분이 스토아학파적인 데서, 15세기 말 피렌체의 르네상스 풍조를 비난하며 신권정치의 수립을 획책한 광신적 수도사 사보나롤라와 너무나도 연관이 짙어 보여 오히려 우습다. 집회소 의자로 쓰면 적합할 것이다.

제3형은 등에 닿는 부분이 똑바로 높이 올라가 있는 의자로, 팔꿈치를 얹는 횡목이 있는 것도 있고 없는 것도 있다. 이 의자는 좀 형식적인 인상이며, 그래서 앉는 기분도 딱딱하다. 작은 인원이 식사를 하거나 회의를 하는 데 꼭 맞을 것 같은 느낌이 든다. 아서 왕의 원탁에 둘러앉은 의자는 이런 형의 의자 이외에 달리 있을 수 없었을 것이라는 생각을 해본다.

아무튼 이렇게 고찰해보면, 그 시대의 서재용 의자로서는 역시 단테풍이 제일 적합했을 것으로 여겨진다. 게다가 이런 형의 의자라면, 검은색과 붉은색의 모직 천을 풍성하게 써서 만든 피렌체공화국 정부의 외교관복을 입고 앉아서도, 넘치는 천의 처리에 곤혹스러워하는 사태에는 이르지 않았을 것이다.

등불은 높다란 쇠다리 위에 얹은 쇠접시에 기름을 채우고, 거기에 담근 심지 끝에 불을 붙이는 형식이었을 것이다. 초는 너무 비쌌다. 비쌌기에 중세에는 불을 붙인 초를 신에게 바친다는 뜻도 있었던 것이다. 기름이 타니 악취가 안 날 턱이 없다. 그래도 이런 식의 등불이 일반화되면 사람들은 자연히 이에 익숙해진다. 오늘날의 우리가 느끼는 그런 곤혹스러움은 느끼지 않았을 것으로 여겨진다. 게다가 마카아벨리는 '꿈'을 꾸고 있었다.

책상 앞에 앉은 마카아벨리의 눈은 약한 불빛 속에 부드럽게 가라앉은 방 한쪽 구석을 보고 있는 듯하지만 보고 있지 않다. 이따금 눈빛이 강하게 빛나는가 하면, 입가에 비웃는 미소가 떠돌곤 한다. 깃펜은 책상 위에 아무렇게나 던져져 있다. 책상에 세운 두 손에 턱을 괸 자세로 긴 시간이 흐른다.

그러다가 별안간, 이 기회를 놓치면 다시는 머릿속에 되돌아오지 않을 것을 두려워하기라도 하듯, 깃펜이 무서운 기세로 종이 위를 미끄러져 나가기 시작한다. 당시는 종이도 비쌌으므로, 잘못 썼다고 둘둘 뭉쳐서 집어 던진다는 것은 생각지도 못할 일이다. 여백을 되도록 적게 남기고 줄도 바꾸지 않고, 작은 글씨로 행간도 되도록 좁혀서 쓴다. 쓰기 시작하면 깃펜을 잉크에 찍는 시간조차 아까울 지경이다. 잠시 후 깃펜이 움직임을 멈춘다. 다시 두 손에 턱을 맡긴 모습으로, 그가 즐겨 쓴 말을 빌리면 '기리비차레', 곧 공상에 잠기는 일이 시작된다.

2층에서는 아내 마리에타와 열 살 난 장남을 맨 위로 사내아이

둘과 여자아이 하나가 순진한 숨소리를 내고 있었을 것이다. 그러나 마흔네 살의 피렌체 정부의 전직 서기관은 머릿속이 전혀 다른 것으로 가득 차 있었다.

마흔네 살의 사나이에게 해직을 당한다는 것은 어떤 의미를 갖는 것일까? 생계를 이어나갈 필요도 물론 있었지만, 그뿐 아니라 일하던 직장, 그 직장을 마흔네 살에 갑자기 쫓겨난다면 대체 어떤 심경일까?

마키아벨리는 스물아홉 살 봄부터 이해까지 15년 간 근무해온 피렌체공화국 제2서기국 서기관직을 좋아했다. 출장비가 적어서 툴툴거리기는 했지만, 자기가 하고 있는 일이 진정 마음에 들었던 것이다. 그것을 비리가 있었던 것도 아니고 업무상 실수를 하지도 않았는데, 돌연 해임당한 것이다. 공화 정체가 무너지고, 그동안 추방되어 있던 메디치 가가 다시 정권을 장악했기 때문이다.

그를 덮친 재앙은 이것으로 끝난 것이 아니었다. 이듬해에 반메디치 음모가 발각되고, 이에 가담한 혐의로 투옥되어 한달 반의 감옥살이를 강요당하는 불행까지 겹친 것이다. 감옥살이를 한달 반만에 그칠 수 있었던 것은 메디치 가의 조반니 추기경이 레오 10세로서 교황에 선출되었기 때문이다. 이 최초의 피렌체 출신 교황의 탄생으로, 피렌체인들은 메디치, 반메디치를 잊고 광희한다. 마키아벨리가 출옥할 수 있었던 것은 무혐의가 밝혀져서가 아니라 레오 교황의 즉위를 축하하는 대사령 덕분이었다.

서기관 해임뿐이라면 피렌체 시내에서 그냥 살아갈 수 있었을 마키아벨리도, 이런 사고로 해서 법적 조치는 아니었지만 자발적으로 추방 생활을 택하지 않을 수 없게 된 것이다. 1513년 4월, 그는 가족을 데리고 산탄드레아 인 페르쿠시나의 산장으로 향한다. 이 바라지도 않던 은둔 생활을 강요당한 것은 마흔네 살이 되기 한 달 전이었다. 친구 베트리에게 보낸 『군주론』의 집필을 알리는 편지는, 그해 12월 10일에 씌어졌다. 은둔 생활은 8개월째로 접어들고 있었다.

단테에게 추방이 없었더라면 『신곡』은 태어나지 않았을 것이고, 마키아벨리에게 그 불행이 덮치지 않았던들 『군주론』은 햇빛을 보지 못했을 것이라고 사람들은 말한다.

확실히 그랬겠지만, 본인으로서는 어떠했을까? 그렇게 간단히, 불운은 걸작의 어머니니 어쩌니 하는 말을 하고 있을 수만은 없는 심정이 아니었을까?

단테와 마키아벨리는, 두 사람 사이에 200년이라는 시대적 거리는 있지만, 촌철살인(寸鐵殺人)의 언어 창조 능력에서는 둘 다 정평이 난 순 피렌체내기다. 후세 사람들이 이런 말을 할 줄 알았더라면, 두 사람의 입에서 그야말로 후세의 우리 몸이 쫙 죄어들 만큼 날카로운 말이 분출했을지도 모른다. 두 사람은 그런 유의 말을 남기지는 않았다. 『신곡』도 『군주론』도 저자들이 살아 있는 동안에는 그에 걸맞은 평가를 누리지 못했던 것이다.

단테도 그렇지만, 마키아벨리는 인생을 문인으로서 출발하지는 않았다.

글을 쓰는 사람으로서의 인생을 살기 시작했다면, 그것이 얼마나 고독한 삶을 사는 방법인가 하는 것을 뼈저리게 깨달았을 것이다.

"예절에 맞는 복장을 갖추고 나서 옛사람들이 있는 옛 궁정에 입궐을 하는 셈일세. 그곳에서 나는 그들의 따뜻한 영접을 받고, 그음식물, 나만을 위한, 그것을 위해서 나의 삶을 점지받은 음식물을 먹는다네. 그곳에서 나는 부끄럼도 없이 그들과 이야기를 나누고, 그들의 행위에 대해 이유를 물어보곤 하지. 그들도 인간다움을 그대로 드러내고 대답해준다네.

그 네 시간 동안 나는 전혀 지루함을 느끼지 않네. 모든 고뇌는 잊혀지고, 가난도 두려워하지 않게 되며, 죽음에 대한 공포도 느끼지 않게 되지. 그들의 세계에 전신전령으로 들어가 있기 때문이라네."

이것이 글 쓰는 사람의 세계다. 실(實)의 세계에 사는 사람이 보면 머리가 돌지 않았나 싶어진대도 어쩔 수 없을 만큼 우스꽝스러운 허(虛)의 세계인 것이다.

그리고 허를 실 이상의 것으로 만드는 것은,

"단테의 시구는 아니지만, 들은 것도 생각하고 종합하여 정리하지 않는 한 과학이 되지는 않는 것이니, 나도 그들과의 대화를 『군주론』이라는 제목의 소논문으로 정리해보기로 했네. 거기서 나는 가능한 데까지 이 주제를 추구하고 분석해볼 참이네."

그밖에는 없는 것이다. 이것으로 허의 세계에 사는 주민의 임무는 끝난다. 허의 세계 주민이 제시한 것을 어떻게 사용하느냐, 혹은 또 사용하지 않느냐 하는 것은 실의 세계 주민들을 기다려야 한다. 실의 세계 주민들의 등장은 여기서 시작된다.

허와 실은 사람에 따라, 그리고 때에 따라 미묘하게 교차하는 경우가 있다. 사실은 이 상태가 가장 이상에 가깝게 삶을 보내는 방법이 아닐까? 적어도 생각하는 것이 몸에 밴 인간이라면 누구나 꿈꾸는 상태가 아닐까?

마키아벨리의 인생은 관료로서 시작되었다. 이런 그 앞에 메피스토펠레스가 나타나 고금의 걸작인 『군주론』과 지금까지와 같은 일을 계속하는 관료 생활 10년 중 어느 쪽을 택하겠느냐고 물었다면, 마키아벨리는 서슴지 않고 10년의 관료 생활을 택했을 것이다. 어쩌면 이 언저리에 실의 세계에서 완전히 빠져나와 문자 그대로의 은둔 생활에 들어간 사람들이 쓴 저작과, 마키아벨리의 것과의 차이를 푸는 열쇠가 숨어 있는 듯한 기분이 든다.

산탄드레아의 산장은, 아래층 홀을 지나면 베란다 구조로 된 마당으로 나간다. 이 마당은 집 앞을 지나는 길에서 보면 평행선상에 위치하지만, 뒤쪽에서 보면 한 단 높게 만들어져 있다. 구릉의 사면에 산장이 서 있기 때문이다. 그래서 베란다풍의 마당 아래는 농기구며 포도주통, 올리브 기름통 따위를 넣어둘 수 있는 곳간 구실을 했을 것이다. 말·양·돼지·닭 같은 것도 이 구획에서 길렀는지 모른다. 거기서 내려가 다시 맞은편 구릉에 이르는 사면이 지금은 온통 포도밭으로 덮여 있다. 조망이 아름답고, 마당이 한 단 높아서 전망대 구실까지 했을 성싶다.

그 마당에 나가서 무심코 오른쪽으로 시선을 돌린 나는, 가슴이 예리한 칼날 같은 것으로 콱 찔리는 듯한 육체적 아픔을 느꼈다.

피렌체가 보이는 것이다. 오른쪽 아래로 아득히 산타 마리아 델 피오레(꽃의 성모 마리아) 성당의 벽돌색에 하얀 능선이 그어진 둥근 지붕이 보인다.

남쪽에서 바라다본 피렌체 중심부

피렌체를 대표하는 이 성당의 둥근 지붕은 서유럽에서 처음으로 만들어진 쿠폴라(둥근 지붕)다. 건축가 브루넬레스키의 설계로 이것이 완성된 것은 1471년 5월, 마키아벨리가 두 살이 되었을 때였다. 마키아벨리가 보고 느끼면서 자란 이 쿠폴라는 피렌체공화국의 자랑이었으며, 벽돌색에 하얀 능선이 그어진 우아하고 아름다운 모습은 피렌체를 찾는 사람이 먼저 보게 되는 꽃의 도시의 표적이기도 했다. 마키아벨리는 외교 임무를 마치고 귀국하는 길에 몇 번이나 아르노 강 양쪽에 펼쳐진 피렌체의 시가 사이에 우뚝 솟은 이 산타 마리아 델 피오레의 쿠폴라를 바라보았을까.

쿠폴라 밑에 피렌체가 있다. 물체로서의 도시뿐 아니라, 당시의 이탈리아에서 제일 화려한 문명의 꽃을 피운 도시가 있는 것이다.

당시는 국가가 도시를 만드는 것이 아니라, 도시가 국가를 만드는 시대였다. 도시국가란 물리적인 현상을 표현하는 데 그치는 명칭이 아니다.

이탈리아가 르네상스 운동의 발상지가 될 수 있었던 것은, 국가가 도시를 만드는 것이 아니라 도시가 국가를 만든다는 일에 고대로부터 처음 눈을 떴기 때문이다. 피렌체인은 베네치아인과 나란히 이런 의미에서의 도시를 만든 민족인 것이다.

바다의 도시라 일컬어진 베네치아나 꽃의 도시라 일컬어진 피렌체나, 양쪽이 다 처음에 도시가 있었다는 점에서 공통적이다. 도시가 먼저 태어나고, 국가는 그 도시가 갖는 성격의 연장선상에 자연스러운 기세로 태어난 것이다. 마키아벨리는 이 '도시'에서 태어나 자라서 죽는다. 순수 도시인으로서의 삶을 받아 그 삶을 다한 것이다.

산탄드레아 산장의 마당에 서서, 운무가 끼거나 날이 흐리면 금방 보이지 않게 될 만큼 먼, 그러나 갠 날에는 보고 싶지 않아도 보이는 피렌체를 그는 어떤 심정으로 바라보았을까?

저 쿠폴라 밑에 펼쳐지는 거리에는 그가 15년 간 다닌 직장이 있다. 서기관 시절의 동료들이 있다. 동료는 아니지만 마키아벨리의 두뇌로 계발되고 친해진, 경제적·사회적으로뿐 아니라 지적으로도 상류에 속하는 사람들이 있다. 공통의 언어로 이야기를 나눌 수 있는 참된 친구들이 있는 것이다.

또 서기국에 모여서는 흩어져간 수없이 많은 정보. 그도 직권으로 거의 전부를 훑어보고 자기도 써 보낸 그 숱한 정보. 피렌체공화국 정부의 사절로서 그가 직접 만나고 이야기하고 서로 교섭하곤 했던 수많은 외국의 지도자들.

무엇보다도 저 쿠폴라 밑에는 독자적이면서도 보편성을 갖춘 문명을 창출하는 도시면 반드시 갖고 있는 '독'(毒), 창조하는 자가 다량으로 먹으면 자괴(自壞)하는 수밖에 없으나, 적량을 먹으면 그 이상의 자극제가 없는 독도 있었다.

마흔네 살의 마키아벨리는 이 모든 것에서 격리된 것이다. 피렌체에서 10킬로미터의 거리는 단순한 10킬로미터가 아니고, 마당에서 보이는 산타 마리아 델 피오레는 단순하게 아름다운 풍경이 아니다.

푸줏간 주인과 밀가루 장수와 두 사람의 벽돌공을 상대로 하찮은 돈을 건 카드 놀이에 넋을 잃고, 남의 존재도 아랑곳없이 고래고래 소리를 지르며 싸우고, 자기는 불한당이 되겠다고 말하는 마키아벨리. 그렇게 함으로써 뇌에 눌어붙은 곰팡이를 긁어내고, 자기에 대한 운명의 장난을 향해 분노를 쏟아부은 그. 이처럼 자기를 짓밟는 것은, 운명의 신이 자기를 괴롭히는 것을 여전히 부끄러워하지 않고 있는지 시험하기 위해서라고 말하는 마키아벨리.

그의 이같은 분노는 생계의 길만 끊긴 자가 느끼는 분노와는 그 강도와 질이 다르지 않았을까?

사람에게는 누구나 그 사람만이 특히 필요한 무언가가 있는 법이다. 그것을 빼앗겼을 때, 그것에 관심이 없는 자는 이해할 수 없을 만큼 탈취당한 본인의 노여움은 처절하다.

마키아벨리도 그에게 특히 필요한 무언가가 있었을 것이다.

그것을 이해하느냐 않느냐가 그 사람 자체를 이해하느냐 않느냐에 이어지고, 『군주론』을 비롯한 그의 저작에 나타난 사상을 이해할 수 있느냐 없느냐에 이어지는 것이 아닐까?

산탄드레아 산장의 마당에서 꽃의 성모 마리아 대성당의 쿠폴라가 보이는 것을 안 것은, 15년 전 어느 가을 날이었다. 구릉 사이에 놓인 아름다운 장식물 같은 그것을 바라보면서, 나는 언젠가 마키아벨리를 써야지 하고 마음 먹었다. '나의 친구 마키아벨리'라는 제목도 그때 정해졌다.

피렌체 시가도(15세기 후반부터 16세기 전반까지)

 1 팔라초 베키오(피렌체공화국 정청, 오늘날의 피렌체 시청)
 2 시뇨리아 광장
 3 산타 마리아 델 피오레(꽃의 성모 마리아 대성당)
 4 오늘날의 우피치 미술관
 5 폰테 베키오(피렌체에서 가장 오래된 다리)
 6 산타 크로체(교회 · 수도원, 프란체스코파)
 7 산타 크로체 광장
 8 산 마르코(수도원, 도미니쿠스파)
 9 산타 로렌초(교회, 메디치 가의 묘)
10 산타 마리아 노벨라(교회 · 수도원, 도미니쿠스파)
11 메디치 궁(오늘날의 토스카나 주 정청)
12 루첼라이 궁
13 스트로치 궁(오늘날의 전시장)
14 피티 궁(오늘날의 피티 미술관)
15 바르젤로 궁(오늘날의 국립미술관)
16 단테의 집
17 마키아벨리의 집
18 구이차르디니 저택
19 오리첼라리의 정원
20 형장
21 로마 문(로마 간 가도의 입구 · 남문)
22 산 프레디아노 문
23 프라토 문(피사 간 가도의 입구 · 서문)
24 파엔차 문(1534년에 요새 건설 시작)
25 산 칼로 문(볼로냐, 파엔차 간 가도의 입구 · 북문)
26 핀티 문
27 산타 크로체 문(동문)
28 판결의 문
29 산 니콜로 문
30 산 미니아토 문
31 산 조르조 문
32 모직물조합
33 변호사 · 공증인조합
34 금융업조합
35 여관 · 주류업소조합

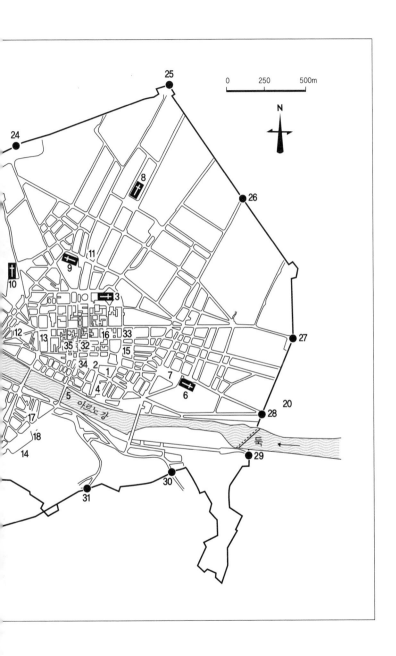

제1부

마키아벨리는 무엇을 보았는가

1 눈을 뜨고 태어난 사나이

"니콜로 마키아벨리는 눈을 뜨고 이 세상에 태어났다. 소크라테스처럼, 볼테르처럼, 갈릴레오처럼, 칸트처럼……."

바로 얼마 전 백 살을 맞을 때까지 살았던, 아니 그보다는 그 나이까지도 머리의 명석함을 잃지 않았던 이탈리아 작가 주세페 프레촐리니는 그의 저서 『니콜로 마키아벨리의 생애』를 이렇게 시작하고 있다.

그러나 그 당시 눈을 뜨고 태어난 것은 마키아벨리 한 사람만이 아니었다. 그리고 후세는 그 시대 유럽의 다른 나라들을 중세라고 부르는 것과 구별하여, 같은 시대의 이탈리아를 르네상스라고 부르게 된다.

니콜로 마키아벨리는, 1469년 5월 3일 피렌체 시내에서 태어났다. 아르노 강에 걸린 폰테 베키오 다리까지 1분, 그것을 건너 시가의 중심 시뇨리아 광장까지 가는 데는 대로를 걸어가도 5분이 걸리지 않는다.

피렌체는 중앙부에서 약간 남쪽으로 아르노 강이 흐르는 분지에 고대 로마 시대부터 사람들이 모여 살기 시작한 것을 기원으로 하는 도시여서, 시 성벽도 강을 사이에 두고 둘러쳐져 있다. 그 성벽을 북단에서 남단까지 걸어가봐야 4, 50분도 걸리지 않을 것이다. 그 공간에 7만 명이 살고 있었다. 무슨 일이 일어나면 온 도시가 통째로 반응했을 것이다.

그러나 중심부까지 5분의 거리라도 어쨌거나 '도심'(都心)이다. 그리고 그가 산 시대의 피렌체는 도심이 문자 그대로 도시의 중심인 시대였다.

시뇨리아 광장에는 '팔라초 베키오'(오래된 건물)로 통칭되는 정청이 있다. 그 앞 광장은 거의 언제나 피렌체에서 일어나는 큰 행사의 무대가 되었다. 폰테 베키오에서 이 광장에 이르는 일대는 견직물과 모직물을 취급하는 상점과 조합의 건물들이 들어차 있다. 북으로는 런던에서 남으로는 이집트의 알렉산드리아에 이르기까지 지점망을 가진 은행의 본점도 물론 도심에서 떠날 생각을 하지 않았다. 정치의 중심 시뇨리아 광장에서 종교의 중심 산타 마리아 델 피오레로 가는 데도 2분이 채 걸리지 않는다. 그 길목과 이 피렌체의 본당 주변에는 예술가들의 공방이 즐비했다.

공방은 장인들의 전통에 충실하게 도심에서는 4, 5층이 보통인 건물의 1층에 있었다. 2층부터 그 위로는 흔히 스승과 제자들이 기거하는 장소였다. 부엌은 화재를 조심해서 제일 위층에 있었다.

1층의 작업장은 상황이 이러하니 외계로 열려 있지 않을 수 없었다. 이름난 스승이 지도하는 공방은 흔히 중정(中庭)까지 널찍이 이어졌으며, 그곳의 작업 광경이나 완성된 작품을 길 가는 사람들이 쉽게 구경할 수 있었다. 예술학교이기도 했던 이런 종류의 공방에서 일하며 공부한 예술가들은 주야로 일반인들의 눈에 드러난 채 창작을 한 셈이다.

조각가 도나텔로의 공방도 산타 마리아 델 피오레 앞의 광장에 있었다. 그도 북이탈리아의 파도바에서 용병대장 가타멜라타의 기마상을 만들어 국외에서 단숨에 명성을 떨치게 되었는데, 피렌체로 돌아가고 싶어했다.

"그곳에서는 끊임없이 욕을 얻어먹는다. 욕은 공부에 자극이 되며, 결과적으로 더 큰 명성으로 이어진다."

이것이 이유였다.

그러나 밤낮 싫은 소리만 듣고 있어서야 아무리 도나텔로라도 애향심을 발휘하고만 있을 수는 없었을 것이다. 인정을 받지 못하고선 예술은 자라지 않는다. 우선 첫째, 그 당시 피렌체인의 '욕'은 이 점에 안목이 있는 사람들의 비판이었으므로 자극제도 되었다. 모르는 사람의 비판은 해로울망정 득이 되지 않는다. 그렇지 않았다는 것은 오늘날에 이르기까지 이탈리아인에게 밥을 먹여 주고 있는, 그 시대에 만들어진 작품의 질과 양이 실증하고 있다. 둘째는, 사 주는 사람이 있었다는 것이다. 사 주는 것만큼 큰 칭송은 없다. 피렌체 예술의 훌륭한 개화는 왕성한 내수의 덕이기도 했던 것이다.

그러나 외국에서 호평을 얻건 국내에서 유력한 패트런이 붙건, 사정없이 욕을 퍼부은 피렌체인도 억셌지만, 그것을 받아내며 굳건히 버틴 예술가들은, 겉으로 예술가입네 하고 뽐내는 데 열중하는 그런 물건들이 아니었다.

그런 올바른 소리를 한 도나텔로에게도 다음과 같은 에피소드가 남아 있다.

언젠가 제노바의 한 상인이 도나텔로에게 청동 두상(頭像)을 주문했다. 소개한 사람은 메디치 가의 당주로, 그 당시 피렌체의 사실상 지배자이자 도나텔로의 패트런이기도 했던 코시모였다. 청동상은 훌륭하게 완성되었다. 상인도 만족해하는 것 같았다. 다만 제노바 상인으로서는 도나텔로가 요구하는 금액이 좀 상식 밖으로 여겨졌을 뿐이다. 청동상 제작에 들어간 시간은 고작해야 한 달이나, 이에 조금 더 보탠 기간에 지나지 않는다. 하루의 노임을 반 피오리노로 치더라도 너무 비싸다고 말한 것이다. 화가 난 도나텔로는,

"당신 같은 사람의 조상(彫像)을 파느니 차라리 콩이라도 파는 편이 낫겠다."

라고 하고는, 막 완성한 청동상을 창 밖으로 집어던졌다. 길바닥에 내동댕이쳐진 상은 짜부라진 청동 덩어리가 되었다. 후회가 된 제노바 상인은 부르는 값의 두 배를 줄 테니 다시 만들어달라고 부탁했다. 도나텔로는 이제 귀를 기울이지 않았다. 코시모 데 메디치가 권해도 역시 듣지 않았다.

도나텔로와 함께 15세기 전반의 피렌체 예술을 지배한 브루넬레스키도 이런 종류의 에피소드가 부족하지 않다.

피렌체 제일의 성당인 산타 마리아 델 피오레의 둥근 지붕을 브루넬레스키가 구상한 프로젝트에 따라 건설하기로 정해졌으나, 그의 안이 건축기술상 너무나 혁명적이어서 후원자인 모직물조합은 겁이 났다. 그래서 건설공사의 공동감독으로서—실은 브루넬레스키의 대담함에 제동을 걸게 하기 위한 속셈이었지만—저명한

조각가이자 건축가이기도 한 기베르티와 또 한 사람을 브루넬레스키에게 붙여주기로 했다.

브루넬레스키는 비위가 상했다. 공동감독 따위는 바라지도 않았고 요청도 하지 않은 일이었다. 일대 사업이라며 요란스레 공사는 시작되었으나, 브루넬레스키는 아프다면서 나타나지도 않았다.

두 공동감독은 난처해졌으며, 브루넬레스키 없이 날짜만 갈 뿐이었다. 그들은 자기들만으로는 일을 할 수 없다는 뜻을 모직물조합에 전한다. 조합 간부들은 브루넬레스키의 안을 없애고 다른 프로젝트로 쿠폴라 건설을 진행하느냐, 아니면 그가 원하는 대로 하게 하느냐의 양자 택일을 하지 않을 수 없게 되었다. 장시간의 의논 끝에 마침내 조합 대표가 브루넬레스키의 집에 찾아가서, 건설공사를 지휘하는 감독은 그 한 사람으로 한다는 결정을 전했다. 이튿날 아침, 아무 일도 없었다는 듯이 시치미를 뚝 떼고 브루넬레스키가 건설현장에 모습을 나타낸 것은 두말할 것도 없다.

브루넬레스키가 죽은 것은 마키아벨리가 태어나기 23년 전이다. 장수한 도나텔로도 3년 전에 세상을 떠났다. 그러나 그들은 산의 정상과 같은 존재들이었다. 그 기슭은 넓고도 풍요로웠다. 정상이 사라지면 다른 정상이 솟아오른다. 보티첼리, 레오나르도가 있는 베로키오 공방, 이와 라이벌 관계에 있는 폴라이우올로 공방이 피렌체내기의 주목을 끄는가 하면, 얼마 안 있어서 기를란다요 공방에서는 강한 기질로도 피렌체 예술가들의 전통에 충실한 젊은 미켈란젤로의 배우고 일하는 모습을 볼 수 있었던 것이다.

예술의 측면을 간단하게 조명했는데도 이렇다. 마키아벨리는 이런 피렌체에서 태어나 자랐다.

집은, 시뇨리아 광장 쪽에서 가면, 폰테 베키오 다리를 건너 피티 궁으로 향하는 거리를 중간쯤 간 오른쪽에 있었다. 이 거리는 이 일대의 유력자 구이차르디니의 저택이 있었다고 해서 마키아벨리 때부터 구이차르디니 거리라고 불렸다. 오늘날 마키아벨리 집의 주소는 비아 구이차르디니 18번지다.

집은 남아 있지 않다. 오늘날의 18번지 건물은, 문 없는 입구를 들어서면 안쪽에 가게가 몇 있고, 2층부터 그 위는 사무실과 주거로 사용되고 있는데, 입구에 들어서서 바로 오른쪽 문미(門楣) 자리에 주위의 새 건축과는 도무지 어울리지 않는 느낌으로 한 변이 40센티미터는 됨직한 해묵은 각목이 얹혀 있다.

"이 들보는 1944년의 파괴 직후에 발견된 것으로서, 마키아벨리의 집에 사용되었던 것이다."

이런 설명이 붙은 해묵은 각목은 입구에서 안으로 쭉 들어간 곳에 또 하나가 있는데, 이 두 개의 들보가 마키아벨리가 살았던 집의 유일한 잔재다. 아주 평범한, 당시의 피렌체에서는 어디서나 볼수 있는 집이었다는 것은 알지만, 적어도 1944년까지는 그대로 서 있었던 것이다.

제2차 세계대전 때의 이탈리아는, 시칠리아에 상륙한 연합군과 후퇴를 계속하는 독일군이 이탈리아 반도를 남에서 북으로 전선을 이동해간 것이 로셀리니 감독의 「전화(戰火)의 저편」에 묘사되어 있는 그대로지만, 피렌체에서도 한때 아르노 강을 사이에 두고 남북으로 갈라진 전투가 벌어진 시기가 있었다. 독일군은 폰테 베키오 이외의 다리를 깡그리 파괴해버렸는데, 양군은 다 아르노 강 일대의 건물 가운데 사적·예술적 가치가 그다지 크지 않다고 본 건물의 파괴에는 별로 신경을 쓰지 않은 것 같았다. 반대로 피티 궁은 물론이고, 마키아벨리의 집에서 5, 60걸음 거리에 있는 구이차르디니의 저택도 상처를 입지 않고 남았다.

이런 까닭으로 마키아벨리가 태어나 자라서 죽은 집은 이제 볼 수가 없다. 갈릴레오의 집과 미켈란젤로의 집도 남아 있다. 마키아벨리의 후반의 생애에서 마음으로 어울린 친구이자, 역사가로서는 라이벌이기도 했던 프란체스코 구이차르디니의 저택은 빼어난 건조물이어서 전화를 피할 수 있었다. 그러나 레오나르도 다 빈치의 집은 어딘지도 모르니, 집 같은 것은 사적(史蹟)으로 지정되지 않는 편이 차라리 명예로울지도 모른다.

전략적 가치를 앞세워도 괜찮을 정도의 집에 태어난 것은 아버지 베르나르도가 그다지 인기 없는 법률고문이었기 때문이다. 어머니 바르톨로메아는 젊어서 미망인이 되어 마키아벨리의 아버지와 재혼했는데, 피렌체의 오래된 가문인 네리의 일족이었다. 종교시이기는 하지만 시 같은 것을 조금은 지었던 모양이다. 아버지는 서른여덟 살, 어머니는 스물아홉 살에 낳은 자식이었다. 다섯 살과 두 살이 많은 누나가 둘 있었다. 5년 뒤에 남동생이 하나 태어났다.

마키아벨리의 가계를 더듬어 올라가면, 토스카나 지방의 한 조그만 마을에 원류가 있는 모양이지만, 꽤 오래전에 피렌체로 옮겨와서 완전한 도시 생활자가 되었다. 농원이 딸린 시골집은 계속 유지했지만, 생활의 본거는 어디까지나 도시에 있었다. 다만 바다를 건너지 않으면 전원에 접할 수 없는 베네치아인이 불과 한줌의 중정이라도 녹색으로 메우려고 한 데 반해서, 시 성벽 밖으로 한 걸음만 나가도 겹겹이 구릉이 이어지는 풍경을 즐길 수 있는 피렌체인은 도시 속의 집 중정에 돌을 깔아두는 사치를 누릴 수 있었다.

피렌체 시내에 계획적인 녹지대가 만들어지는 것은 피렌체가 도시국가의 중심이었던 공화정이 붕괴되고, 토스카나대공국의 수도에 지나지 않게 된 16세기 후반에 들어와서다. 그래서 마키아벨리의 소년 시절에는 피티 궁 뒤쪽에 펼쳐진 보볼리 정원도, 나중에 베르사유 궁의 정원이 흉내를 내게 되는 정돈된 정원이 아니라 그저 녹지가 펼쳐져 있을 뿐이었다. 소년의 놀이터로서는 아주 안성맞춤이었을 것이다.

다만 피티 궁은 이미 존재해왔다기보다는 갓 세워진 신선함과 호화로움으로 주변을 압도하고 있었을 것이다. 스트로치나 메디치와 어깨를 겨루는 거상 루카 피티가 브루넬레스키에게 설계를 의뢰하여 이 궁을 완성한 것은, 마키아벨리가 태어나기 3년 전이었다. 아울러 미켈로초가 설계한 메디치 궁의 완성은, 마키아벨리가 태어난 해를 기준으로 한다면 9년 전이고, 스트로치 궁은 스물여덟 살 난 해였다. 여기에다 레온 바티스타 알베르티가 설계한 루첼라이 궁을 합친 네 개의 팔라초가 15세기 피렌체 건축의 4대 걸작으로 간주되고 있으며, 물론 연합군도 독일군도 손끝 하나 대지 않았다.

이 피티 궁 앞의 광장에서 폰테 베키오 다리까지가 구이차르디니 거리이고, 구이차르디니의 저택이 있는 쪽과 길을 사이에 두고 마주보는, 다시 말해 마키아벨리의 집이 있는 쪽은 당시부터 집이 들어찬 일대였다. 마치 탑이 숲을 이루었던 13세기 피렌체의 잔재이기나 하듯, 법률로 정해진 5미터 25센티미터의 폭을 가진 집들이 4층이나 5층 높이로 비비대고 있었을 것이다. 채광을 위해 고안된 중정이 있는 것이 보통이어서, 깊이는 상당히 깊었을 것으로 여겨진다. 1층은 상점이나 공방으로 사용되고, 그 오른쪽에 1미터 정도의 폭으로 열려 있는 문이 2층 위로 통하고 있었다. 그래서 현관문을 열면 바로 계단이 눈 앞에 나타나는 구조다. 물론 유력자나 부자의 집은 1층을 상점이나 공방으로 내주지는 않는다. 이른바상가 아파트는 당시의 피렌체에서 중류 아래 계급의 것이었다.

마키아벨리가 절대로 보지 못한 세 가지가 이 거리에 있다.

첫째는, 관광객과 그들을 노리는 가게의 홍수다. 현대의 비아 구이차르디니는 관광 일색으로 물들어 있다. 피렌체 최대의 미술관인 우피치와 피티 궁이, 전화(戰火)조차 접근하지 않은 폰테 베키오 다리를 사이에 끼고 있기 때문이다.

이만한 관광 코스 속에 있으니 마키아벨리의 집터도 '마키아벨리의 생가 터' 쯤으로 새긴 석탑이라도 세워두면 어떨까 하는 생각을 하지만, 그런 것은 없다. 들보 두 개로는 좀 민망하거나, 아니면 피렌체에는 사적이라는 것이 너무 많기 때문인지도 모른다.

둘째는, 우피치에서 시작하여 아르노 강을 따라 폰테 베키오까지 가서, 이 다리 가에 늘어선 상점 위를 지나 다리를 건넌 뒤에는 가까이에 있는 산타 펠리치타 성당의 정면을 가로질러, 구이차르디니 거리에 있는 집들의 뒤쪽으로 해서 피티 궁에 이르는 회랑(回

廊)이다. 양쪽에 쇠창살을 끼운 조그만 창문이 이어져 있는 이 회랑은, 토스카나 대공으로서 피렌체의 지배자가 된 메디치 집안 사람들이 대공의 관저가 된 팔라초 베키오를 피티 집안으로부터 사들여 사저처럼 만들고는, 마키아벨리 시대의 것보다 대폭적으로 확장한 피티 궁까지 일반인의 눈에 띄지 않게 왕래할 수 있도록 만들게 한 것이다. 완성된 것은 마키아벨리가 죽은 뒤 반세기가 지나서였다.

마키아벨리는 민중과 접촉하는 것을 당연한 것으로 생각하고, 또 그것을 좋아한 메디치 가의 시대에 살았던 것이다.

셋째는, 폰테 베키오의 변모다. 구이차르디니 거리는 아니지만 그 기점이고, 집에서 1분 거리에 있는 이 다리를 마키아벨리는 하루에도 몇 번이나 건너 다녔을 것임에 틀림없다. 이 다리의 변모는 피렌체 공화정의 괴멸과 궤를 같이한다.

폰테 베키오(오래된 다리)는 그 이름대로 피렌체에서 가장 일찍 만들어진 다리지만, 고대 로마 시대에서 중세에 이르기까지 줄곧 교각 위의 도리까지는 석조이고, 그 위에 걸친 부분은 목조인 시대가 오래 계속되었다. 1177년까지 그랬다. 다리의 폭도 좁았을 것이다. 1177년에야 완전히 석조교로 개조되었다. 다만 사람들의 발이 닿는 부분은 당시의 포장 방법에 따라 붉은 벽돌을 깔았다.

이것이 1333년의 대홍수 때 완전히 유실되고 만다. 세 개의 아치형 도리에 받쳐져서 튼튼하고 폭도 넓고 포장도 돌을 박아서 깐 다리가 건조된 것은 1345년이 되고서다. 이때 다리 양쪽에는 상점이 즐비하고, 중앙에만 공간을 남겨 사람들이 조망을 즐길 수 있게 한 다리가 만들어져서 오늘날에 이르고 있는 것이다.

다리 위에 늘어선 가게는 다리가 만들어진 후 200년 동안 푸줏간이 차지하고 있었다.

당시에는 쇠고기를 별로 먹지 않았으므로, 푸줏간의 점두에 벌여놓은 상품은 양·닭·비둘기·뿔닭 같은 고기가 많았을 성싶다. 토끼고기도 그 옆에 놓여 있었을 것이다. 돼지고기는 생 햄이나 살라미(이탈리아 소시지)로 만들어서 먹는 일이 많았고, 날고기도 돼지고기 전문점에서 파는 것이 보통이었다.

어쨌거나 당시의 폰테 베키오 위는 소란스럽기 짝이 없었을 것으로 짐작된다. 푸줏간이 양쪽에 늘어서 있었으니, 활기에 차지 않았다면 오히려 부자연스럽다. 게다가 점두를 장식하는 고기도 어느 부분의 살인지 모를 만큼 잘게 썰지는 않는다. 쇠고기와 돼지고기도 어느 부위의 살인지 첫눈에 알 수 있도록 해체된다. 그 이상은 손님의 요청에 따라 세분한다. 양도 껍질이 벗겨진 모습으로 매달려 있고, 닭은 살아서 꼬꼬거리며, 꿩·비둘기·뿔닭은 털도 뽑히지 않은 채 죽어서 매달려 있다. 상점 앞의 길은 청소하는 물 때문에 부드러운 가죽신으로는 더러운 물을 피해서 빠져나가기가 익숙하지 않은 사람은 꽤나 곤혹스러웠을 것이다. 상점 안쪽에서는, 해체하면서 나오는 쓸모없는 뼈다귀 같은 것을 등 뒤의 강물로 던지는 것쯤은 예사였다. 그럴 수밖에 없는 것이, 폰테 베키오의 상류에는 시 성벽 바로 밖에 형장이 있어서 처형된 자의 잘라진 사지까지 아르노 강물에 내던지는 습관이 있었기 때문이다.

폰테 베키오가 이래서는 남 보기에 창피하다고 생각한 것이, 토스카나 대공이 된 메디치 집안이다. 그들의 관저와 사저를 잇는 회랑은 폰테 베키오 위를 통하는 수밖에 없었다. 이 회랑 밑에서 전개되는 광경이 백정 작업이어서야, 딸을 프랑스 왕에게 출가시키게 된 대공 메디치로서는 매우 난처했을 것이다. 푸줏간은 이전을 강요당하고, 그 자리에 귀금속 상점이 들어섰다. 그 형태로 오늘날에 이르고 있는 것이다.

푸줏간과 보석상점의 차이는 그렇다 치더라도, 베네치아의 리알토 다리도 그렇지만, 다리 위에 상점이 즐비하게 늘어서는 구조는 도시국가 시대의 도시가 갖는 의미를 생각하게 하여 흥미롭다.

한 번이라도 폰테 베키오를 건넌 적이 있는 사람이면 동감할 줄 알지만, 양쪽 상점에 눈을 빼앗긴 채 걸어가고 있노라면 강 위에 걸린 다리를 걷고 있다는 것을 잊어버리기 십상이다. 물 위에 있다는 것을 잊어버리는 것이다. 잊고 있는 동안에 대안에 닿는다. 다시 말해, 강이 도시를 둘로 갈라놓고 있다는 것을 전혀 개의치 않게 되는 것이다. 다리 위에서 조망을 즐기고 싶은 사람을 위해서는 중앙에 어김없이 그럴 만한 자리가 마련되어 있다. 그런 데에 흥미가 없는, 다리를 건너는 것이 생활의 일부가 된 사람들은 다리를 건넌다는 것을 의식하지 않고 건널 수 있다.

이런 뜻으로 폰테 베키오는 가운데가 반원형으로 불룩한 배불뚝이 다리인 리알토 다리보다 이상적으로 되어 있다. 베네치아에서는 곤돌라를 마음대로 이용할 수 있고 도시 자체가 바다 위에 떠 있으니, 피렌체의 아르노 강에 해당하는 대운하도 도시를 양분한다는 뜻은 없었을 것이다.

그러나 베네치아와는 달리 피렌체는 등 뒤에 땅이 없는 것도 아닌데 왜 굳이 강 저편까지, 다시 말해 마키아벨리의 집이 있는 남쪽에까지 도시를 넓혀야 했을까 하는 생각이 들지도 모른다.

실제로 로마인이 건설할 당시의 피렌체는 아르노 강에 붙어 있었고, 강 북쪽에 집중되어 있었다. 그것이 시대가 흐르면서 점점 더 북쪽으로 퍼져나간 것이 제2기, 아르노 강을 끌어안고 남쪽으로 뻗어나간 것이 중세 중반쯤의 제3기다. 아르노 강을 끌어안음으로써 피렌체는 살기 좋은 도시로 변한 것 같다. 시내에 강이 흐른다는 것은 그곳에 사는 사람들에게 말로는 표현할 수 없는 편안함을 주기 때문이다.

게다가 중세의 피렌체인은 이 강을 찰랑찰랑 물이 넘쳐 흐르는 계류로 방치해두지 않았다. 상류와 하류의 두 군데를 막아 시내의 흐름을 느리고 부드러운 것으로 바꾼 것이다. 그것도 꽤 일찍부터다. 아마도 폰테 베키오가 오늘날의 형태로 바뀐 14세기 전반이었을 것으로 짐작된다.

어쩌면 홍수의 공포를 피하기 위해서도 그랬을 것이다. 갈수기의 대책이기도 했는지 모른다. 어쨌거나 당시의 피렌체인이 의식을 했는지 안했는지는 모르지만, 결과는 강경한 대책이 연성의 효과까지 가져온 좋은 예가 되었다. 조용히 흐르는 아르노 강은 시가를 양분하기는커녕 좋은 결과만 남기면서 사람이 사는 하나의 도시로 종합해놓은 것이다.

시험삼아 폰테 베키오의 바로 하류에 걸린 다리, 산타 트리니타 다리 위에 서서 바라보시라. 수면에 비치는 폰테 베키오 다리나 양쪽 강가의 집들이, 마치 호수에 떨군 그림자처럼 움직이지 않는다. 강 수면에 비치고 있다고는 생각할 수 없을 만큼 조용한 정경을 만들어내고 있는 것이다.

베네치아를 흐르는 운하도 흐름이 빠른 계류는 아니다. 흐르고 있는지 아닌지 모를 만큼 유연하다. 그러면서도 주민을 둘러싸고 있는 마음에 편안함을 주는 물임에는 틀림없다. 그 시가를 바둑판처럼 흐르는 운하가 모두 계류 같았다면, 물의 맑음을 유지할 수는 있었을지 모르지만, 도시를 하나로 묶는 데서는 완전히 빗나갔을 것이다.

바다건 하천이건 물은 있을수록 좋다. 다만 그 물을 어떻게 처리하느냐에 따라 도시가 인간의 것이 되느냐 안되느냐가 결정된다고 생각한다. 피렌체는 베네치아만큼 적극적으로 물을 이용할 필요가 없기는 했지만, 물의 처리를 그르치지 않은 점에서는 같다.

마키아벨리도 산타 트리니타 다리 근처에 있는 초등학교에 다닐 무렵부터 팔라초 베키오 안에 있는 직장에 다닌 시기에 이르기까지, 줄곧 하루에 몇 번이나 아르노 강을 건너 다녔다. 그런데 그런 그가 쓴 것 속에는 '강을 건넌다'는 뜻을 풍기는 말이 한마디도 없다.

다리 위에 건축물이 늘어서 있었던 것은 마키아벨리가 살아 있던 시대에는 폰테 베키오뿐이 아니었다. 또 하나 이 다리의 상류에 걸린 다리, 폰테 알레 그라치에 위에는 조그만 예배당이라든가 수사들이 사는 수도원 같은 것이 열 채 이상이나 늘어서 있었다. '신에 대한 감사'(그라치에)라는 다리 이름도 여기에서 유래한다.

다리 위에까지 상점과 예배당 같은 것을 세운 것은 한정된 토지의 활용만을 생각해서 실행한 아이디어가 아니다. 당시의 피렌체는 아직 도시 안에 굳이 녹지대를 만들 필요가 없을 만큼 시 성벽 가까이의 땅이 놓고 있었다.

피렌체는 아르노 강을 도시 공간 속에 완전히 끌어들여놓고 있었던 것이다.

"나는 가난하게 태어났다. 그래서 즐기기 전에 먼저 고생하는 것을 익혔다"고 후년에 마키아벨리는 쓰고 있다. 그전 같으면 나는 당장 동정을 했겠지만, 요즈음은 그렇지도 않다. 왜냐하면 빈부란 흔히 객관적인 것보다 주관적인 기준에 의하는 것이 아닌가 하는 생각을 하기 때문이다.

별로 인기 없는 법률고문이었던 마키아벨리의 아버지지만, 그의 1년 소득이 얼마였는지는 안다.

110피오리노 14솔리더스였다. 인플레이션이 제로였던 당시, 같은 시대의 베네치아에서는 국영 조선소의 기사장이나 상선 선장의 연수입이 100두카토였다. 피오리노는 피렌체공화국의 금화이고, 두카토는 베네치아공화국의 금화인데, 금의 함유량이 거의 비슷했으니까 가치도 같았다고 보아도 무방하다. 베네치아의 기술공에게는 관사가 주어졌고, 선장은 무역을 할 수도 있었으므로 실수입은 아마 더 많았겠지만, 숙련공의 연봉은 50두카토였다. 집세를 제하고, 조촐한 가족이 1년을 사는 데 15~25두카토만 있으면 그런 대로 해나갈 수 있었던 시대이다.

도나텔로가 청동 조각의 제작비를 한달에 15피오리노로 치는 바람에 화를 낸 것은 그가 이미 이름난 예술가였기 때문이지만, 아직도 그리 이름이 알려지지 않은 24세 때의 미켈란젤로도 지금은 바티칸의 귀중한 보물이 되어 있는 「피에타」의 대리석상을 만들었을 때, 이를 의뢰한 추기경은 미켈란젤로가 부르는 값이 비싸다고 이의를 제기했다. 그 값이 150두카토였다. 젊은 미켈란젤로는 비싸다는 말을 듣고도 대리석상을 부수지는 않아 오늘날 우리도 감상할 수 있게 되었지만, 그 대신 그는 서슴지 않고 대꾸했다.

"덕을 보는 것은 추기경이십니다."

예술 작품이 이 정도의 금액으로 비싸다는 말을 듣던 시대다. 16세기에 들어와서 유럽 최고의 화가라 일컬어지며, 황제를 비롯하여 각국의 왕후들로부터 초상화 제작의 의뢰가 끊이지 않았던 베네치아의 화가 티치아노조차도 그림 한 장 값이 200두카토였다.

연수입 110피오리노는 가난한 계급의 것이 아니다. 부유한 계급은 절대로 아니지만, 피렌체에서는 포폴로 미누토라고 부르는 영세시민 계급의 생활은 결코 아니다. 중류에 속했다고 하는 것이 적합할 것이다. 요컨대 가난하다는 것의 뜻을 두고 하는 말인데, 마키아벨리의 경우는 이 말이 사용된 방법이 달랐다고 생각해야 하지 않을까?

실제로 아버지 베르나르도가 남긴 기록에는 빈곤을 한탄한 대목이 아무데도 없다. 병으로 수입이 준 것은 사실(史實)로서도 남아 있으나, 그 자신이 가난을 한탄한 말은 없다. 마키아벨리의 아버지는 인기 없는 법률고문이어서 농원에서 들어온 수입을 살림에 보태기도 했지만, 자기가 즐길 수 있는 범위 안에서 조촐하게 살 수 있는 스타일의 인물이 아니었나 하는 생각이 든다.

반대로 그의 아들 마키아벨리는 상승의식과는 무관해도 직업상 왕후들과 사귈 기회가 많았고, 피렌체 안에서도 자기와 지적으로 동등한 수준의 사람들과 교제하려면 자연히 상류 계급에 속하지 않을 수 없었던 것이다.

아버지 베르나르도는 또 직업상의 만족은 그리 얻지 못했어도, 사생활에서는 만족을 얻는 타입의 인물이었던 모양이다. 그의 취미는 취미라기보다 삶의 보람이었는지도 모르지만, 서적이었다.

이 애서가가 남긴 '장서 목록'은 감동적이기까지 하다.

인쇄기술이 발명된 것은 구텐베르크를 떠올릴 것도 없이 독일이지만, 남의 발명을 순식간에 기업화하는 재능에 발군을 보였던 베네치아가 당시 서유럽 제1의 출판왕국이 되는 것은 1490년 전후부터다. 1495년에서 1497년에 걸쳐 전 유럽에서 1,821점의 저작이 간행되었는데, 그 가운데 447점이 베네치아에서 출판되었다. 2위인 파리는 181점, 피렌체는 40점 남짓밖에 되지 않는다.

마키아벨리의 아버지가 책을 사던 시기는 이보다 25년이나 앞서였다. 그 시기, 곧 1471년에서 1476년까지의 5년 동안 베네치아에서는 더 많았으나 피렌체에서 간행된 수는 불과 5점밖에 안된다.

그리고 이 시기의 책값인데, 비록 인쇄본이 필사본보다 훨씬 싸지기는 했어도 책값은 용지대 및 인쇄 부수와 무관할 수 없다. 저자에 대한 고료는 고전 같으면 지불할 필요가 없고 생존자라도 완성된 책을 몇 권 거저 주는 식의 지불 방식이었던 모양이니 생각하지 않아도 되었지만, 실제 제작비와 부수는 무시할 수 없다.

제작비가 어느 정도였는지는 도무지 알 수가 없으나, 부수는 추적이 가능하다. 1490년 이후의 베네치아에서는 400부에서 500부가 평균부수였다. 그전에는 초판 100부가 보통이었다. 예외는 이 시대에도 성서였으며, 초판이 1천 부였다. 이런 상황 아래서 책값을 낮게 눌러둔다는 것은 기업으로서는 무리다. 그래서 이 시대의 출판의 융성은 출판이 영리기업으로서도 충분히 성립된다는 것을 실증했으며, 책값은 수요도 적고 해서 오늘날에 비하면 대단히 비쌌다. 가장 비싼 책은 법률 관계 서적이었으며, 한 권에 4에서 5피오리노는 했다. 다음은 철학과 역사를 막론한 고전으로, 3에서 4피오리노였고, 단테나 페트라르카와 같은 '근대문학'은 2피오리노가 평균값이었다. 아리스토텔레스의 『윤리학』은 중류 계급 1년 소득의 100분의 3은 했다.

이러한 시대에 별로 인기 없는 법률고문의 장서가 20점이 넘었다. 한 점이 여러 권으로 된 것도 있으므로, 책수로 치면 40책은 되었을 것이다. 우리에게 낯익은 서적명과 저자명만 들어도 다음과 같은 것이 있다.

아리스토텔레스의 『윤리학』, 이것은 해설이 붙은 것과 안 붙은 것으로 2권
프톨레마이오스의 『천문학』
키케로의 『변론학』
플리니우스의 『박물지』
티투스 리비우스의 『로마사』

『구약성서』와 『신약성서』도 있었겠지만, 이것은 웬만한 가정에는 다 있는 것이라 목록에 넣지 않은 것 같다. 문학 부문에서는 단테가 있었다. 가족 중 여자들을 위해서였는지, 그림책으로 된 『역사』도 있다. 그밖에는 고전과 근대가 다 법률 관계 책이 많다.

이것들을 사 모으는 데 몇 해가 걸렸는지는 모르지만, 한 권을 사는 데 연수입의 100분의 3에서 4의 지출을 해야 했다면, 구입에 신중해지지 않을 수 없었을 것이다. 되풀이해서 읽는 동안에 표지가 해지면, 제본소에 보내어 표지를 새로 달아 다시 읽곤 한 모양이다.

그렇다고 이것으로 마키아벨리의 아버지가 특별히 인텔리였다는 것은 아니다. 당시의 지식인들 가운데는 이 이상의 책을 가진 사람도 많았다. 그러나 그들은, 서유럽 제1의 재벌이었던 메디치가는 별도로 치더라도, 피렌체의 명문 출신들이었다. 집도 500년 후의 전화가 비켜갈 정도의 것에 살고 있었다. 그런데 당시의 어느 그림을 보아도 책으로 가득 찬 책장이 있는 광경을 그린 것은 하나도 없다.

또 장서는 그것만 읽고 평생을 보내는 것이 아니다. 친구들끼리 빌려 보고 빌려 주고 하는 일도 있었을 것이다. 실제로 마키아벨리 아버지의 기록에는 '빌려 줌'이라고 적힌 것도 한 권 있다.

그리고 당시의 피렌체에는 공개적인 '도서관'도 있었다. 전용 건물에 들어 있지는 않았으나, 책을 좋아하는 메디치 가의 코시모가 책값 같은 것은 개의치 않고 사 모은 서적을 희망자는 읽을 수 있었다고 한다. 코시모 자신은 산 마르코 수도원 안에 도서관을 만들 작정이었으나 실현되기 전에 죽었다. 그 손자 로렌초 역시 책을 구입하는 데 열성이어서 장서가 계속 불어나, 진지하게 근대적인 뜻의 도서관 건립을 생각하게 된다. 그가 죽은 뒤 미켈란젤로의 설계로 완성된 메디치 가의 장서를 중심으로 하는 도서관이, 그래서 오늘날에도 로렌초의 도서관이라는 뜻으로 '비블리오테카 라우렌치아나'라 불리고 있는 것이다.

마키아벨리의 아버지가 가졌던 조촐한 장서는 500년이 지난 지금 한 권도 남아 있지 않다. 그러나 자긍심까지 조촐하게 표현한 이 간단한 장서 목록은 500년 후의 우리에게도 많은 것을 생각하게 한다. 그 생각의 마지막 힌트는 아마도 '장서'의 내용일 것이다.

거의가 고전이다. 종교서는 한 권도 없다. 이것은 어떤 뜻을 갖는 것일까?

마키아벨리의 아버지는 일개 시정인으로서 일생을 보냈다. 르네상스 문명을 만들어낸 피렌체의 시정인으로서 말이다. 르네상스는 고대를 부흥시킴으로써 시작되었다. 고대 부흥열을 비웃는 사람에게 안젤로 폴리치아노가 대답한 말이 남아 있다.

"당신은 나에게, 키케로를 그렇게 열심히 공부한 내가 키케로를 닮지 않았잖느냐고 말한다. 그러나, 첫째 나는 키케로가 아니다. 그리고 키케로를 앎으로써, 비로소 나는 내 자신을 알게 되었다."

아버지의 장서 중에서 한 권을 꺼내와 책장을 넘기는 것이 어린아이가 독서를 시작하는 첫걸음이다. 마키아벨리는 나중에 마음대로 고전을 인용하게 되지만, 더러 그 인용이 반드시 원본대로가 아닐 수 있다. 이것은 인용의 필요에 의해서 공부한 사람이면 범하지 않지만, 오랜 세월 머릿속에 있던 것이 필요에 자극되어 자연히 넘쳐났을 경우에 범하기 쉬운 과오다. 고전은 그에게 있어 자연환경 같은 것이었는지도 모른다. 그리고 독서가였던 아버지의 장서에 종교서가 한 권도 없었다는 것도, 후일 그의 사상 형성에 무관하지 않았을 것으로 여겨진다. 신앙심이 깊었다는 어머니는 시 같은 것을 조금은 지어본 여성이었다. 그는 풍부한 감수성을 이러한 어머니한테서 물려받은 것일까?

물질적으로는 가난해도 정신적으로 풍족한 가정이 있다. 마키아벨리가 태어나서 자란 가정은 그런 가정이 아니었나 싶다. 그가 쓴 내용 가운데 자기가 자란 가정의 불행을 암시하는 것은 아무것도 없다.

그런데 자신은 도토레(학사)이고, 그래서 이름에 메세레 또는 간략하게 세르라는, 마치 미스터의 어원으로 돌아간 듯한 느낌의 경칭이 붙고, 또 그래서 인기는 없지만 변호사를 개업할 수 있었던 아버지 베르나르도였는데, 정작 장남인 마키아벨리에게는 대학 교육을 시키지 않았다.

아버지의 『비망록』에는, 마키아벨리는 일곱 살 때 문법과 읽기·쓰기를 배우기 시작했고, 열 살에 산수와 부기, 열두 살에 라틴어를 배우기 시작했다고 적혀 있다. 이것은 당시 중류 계급 이상의 자제는 거의가 다 받는 교육이었다. 어릴 때부터 데생을 잘 그리는 아이라면, 곧장 공방에 제자로 들여보내기 때문에 학교에는 다니지 않는다. 예술가가 되겠다는 것은, 화가가 되겠다는 아들의 선언에 당황하는 요즘의 아버지들과는 달리, 당시는 '정업'(正業)을 가진 아버지에게 절망이 아니라 희망을 갖게 하는 선택이었다. 내수든 외수든 간에 수요는 많고, 재능만 있으면 왕후(王侯)와 대등하게 사귀는 것도 꿈만은 아니다. 경제도 재능 여하에 달려 있다. 예술은 훌륭한 '성장산업'이었던 것이다.

마키아벨리가 만일 그 방면의 재능이 있었더라면, 의심할 것도 없이 집에서 불과 몇 분 거리에 얼마든지 골라잡을 수 있게 널려 있는 공방에 들어갔을 것이다. 그러니 사람의 눈을 끌 만한 두드러진 재능이 그 방면에서는 없었다고 추측하는 수밖에 없다.

그래서 보통의 중등교육을 받은 것인데, 아버지의 『비망록』에는 그 이상의 학력이 기록되어 있지 않다.

『비망록』의 기술은 1487년까지 계속된다. 아버지 베르나르도는 1500년까지 살았는데, 그때까지의 13년 동안은 노령으로 인해 쓰기를 그만두었거나 아니면 쓴 것이 분실되었는지 기록이 없다. 기록의 마지막 해에 마키아벨리는 열여덟 살이 되어 있었다. 고등교육기관에 보낼 생각이 있었다면, 아직도 진지하게 고려할 수 있는 나이다. 그런데 마키아벨리 자신도 대학에서의 면학 경험을 연상시킬 만한 기록을 전혀 남기지 않았다.

피렌체에서 아펜니노 산맥만 넘으면 되는 거리에 있는 볼로냐에 세계에서 가장 풍부하고도 오랜 전통을 가진 대학이 있었다. 법학부가 유명한 대학이었다. 창립 연대는 이 볼로냐 대학이 앞서지만, 교육 내용의 참신함에서는 볼로냐를 능가하는 명성을 자랑한 파도바 대학도 있었다. 베네치아공화국이 자국의 최고학부로서 내용의 충실화에 힘을 기울였기 때문이다. 여기는 의학부가 유명하다. 이 두 유명 대학은 타국에서 온 유학생의 질과 양을 자랑할 정도였으니, 자국 청년에게만 문호를 열어놓은 것이 아니었다. 중세의 대학은 현대의 그것보다 월등하게 교수와 학생이 모두 '자유화'되어 있었던 것이다.

피렌체에서 가까운 대학을 택하고 싶으면 피사 대학이 있었다.

이 대학도 오래된 것이지만, 일류 대학의 반열에 드는 것은 1472년부터다. 마키아벨리가 세 살 때였다. 메디치 가의 로렌초가 장차 피사까지 지배하기 위한 은밀한 장기 정책으로, 피렌체에 최고 학부를 두는 대신 피사 대학의 내용을 충실하게 하는 데 주력했기 때문인데, 마키아벨리가 만일 대학 진학에 뜻이 있었다면 주말에 집에 돌아올 수 있는 거리에서 실현할 수 있었을 것이다.

그것이 실현되지 않은 것은 마키아벨리의 아버지가 아들을 진학시킬 경제적 여유가 없었기 때문일까?

확실히 그 당시는 대학 진학에 돈이 많이 들었다. 피사 대학을 예로 들면, 메디치 가의 후원 덕에 교수들도 일류가 모여 있었고, 학생들도 두뇌보다 가문 쪽으로 일류가 많았다. 메디치 가의 자제는 말할 것도 없고, 체사레 보르자도 졸업은 하지 않았으나 한때 이 대학에 다닌 적이 있다.

그러나 가난하게 태어났더라도 진심으로 학문이 하고 싶은 젊은 이는, 하다못해 성직계에 들어가서라도 대학에 진학할 길은 얼마든지 있었다. 이 시대에 성직에 몸을 담는 사람들이 불편했던 점은 평생 정식 결혼을 할 수 없다는 것 한 가지뿐이었다. 게다가 성직의 세계는 예술의 세계와 마찬가지로 실력의 세계였다. 교황의 지위에 도달하는 데 태생은 전혀 관계가 없었다. 추기경 같은 고위 성직자가 되는 데는 가문이 좋으면 매우 유리한 경우가 많았지만, 그 추기경 속에서 유력한 지위를 차지하는 것은 어디까지나 실력이었다. 종교심이 많고 적고가 성직 선택과 거의 무관했던 시대에는, 성직은 돈을 들이지 않고 학문에 대한 욕구를 충족시킬 수 있고 또 출세와 이어질 수도 있는 꽤나 유쾌한 직업이었다. 르네상스 정신에 민감한 피렌체인 베르나르도 마키아벨리라도 선택에 숙고하고 고민하고 할 필요도 없었을 것이다. 그런데 이 길을 택하지 않은 것이다.

그렇다면 마키아벨리 자신이 대학 진학을 바라지 않았을까 하는 의문이 생긴다. 하기야 당시의 가장은 권위와 권한이 대단히 강해서 젊은 자식은 아버지의 희망을 따르는 것이 보통이었다.

이것도 제쳐놓아야 한다면, 남는 추측은 하나밖에 없다. 청년 마키아벨리가 오늘날과는 달리 겨우 한줌의 엘리트가 다니는 당시의 대학에 보낼 만큼 수재가 아니었던 것이 아닌가 하는 것이다. 적어도 기성의 수재 테두리에 들어가는 타입의 재능 소유자는 아니었던 것이 아닐까?

어쨌거나 마키아벨리는 '대학 출신'이 아니다. 그래서 비즈니스나 예술 분야로 나아간다면 아무런 문제도 없었지만, 법률고문의 간판을 내걸 수는 없었다. 또 관료라도 되는 날이면, 당시에도 무시 못할 핸디캡이 따랐다. 그 당시 지식인의 상표와도 같은 느낌을 준 그리스어도 그는 읽을 줄 몰랐던 것이 아닌가 하는 것이 정설이다. 후년이 되어서도, 친구이기도 한 역사가 바르키한테서,

"어느 쪽이냐 하면, 학문이 별로 없는 사나이"

라는 평을 들었다.

마키아벨리보다 열일곱 살 위였던 레오나르도 다 빈치는 마키아벨리가 청년이었을 때 아직 피렌체에 살고 있었는데, 이런 말을 손수 써서 남겼다.

"나는 학문이 없는 인간이다."

어릴 때 공방에 들어가 중학교도 나오지 못한 무학력이 창피해서 쓴 글이 아니다. 글 뒤에서는 맥박치는 자신감이 솟아오른다.

마키아벨리는 불편하게도 공무원이 된다. 피렌체공화국에서는

공직자가 될 사람은 어느 조합의 회원이어야 하므로, 그도 조합의 일원이 되었다. '대학 출신'이라면 변호사·공증인 조합에 들어갈 수 있었겠으나, 그는 포도주 양조업자 및 선술집 경영자의 조합에 들어갔다. 따라서 20세기의 오늘날 포도주를 팔고 있는 세리스트리 백작도 조상의 전통을 더럽히고 있는 것은 아닌 셈이다.

학교란 반드시 교사가 학생을 가르치는 형태의 것만은 아니다. 특히 눈을 뜨고 태어난 사나이라면, 학교는 도처에 존재한다. 스물아홉에 출발하기 전의 마키아벨리는 그때까지 무엇을 보았을까? 무엇을 배웠을까?

2 메디치 가의 로렌초

20년.

두 사람이 태어난 해가 20년의 차이가 있더라도 별로 영향이 없는 시대가 있다. 반대로 결정적인 차이가 되어 나타나는 시대도 있다. 마키아벨리는 1469년에 태어났다. 그 20년 전인 1449년에는 '위대한', '훌륭한', 또는 '화려한'이라는 뜻의 '일 마니피코'라는 경칭으로 불리게 되는 메디치 가의 로렌초가 태어나 있었다.

만일 마키아벨리가 로렌초 데 메디치와 같은 해에 태어나 같은 해에 죽었다면, 『군주론』은 씌어지지 않았을지도 모른다. 그러나 마키아벨리는 로렌초 일 마니피코보다 20년 늦게 태어난다. 그리고 로렌초는 마흔세 살에 죽지만, 그 20년 후 마흔세 살이 된 해에 같은 피렌체인인 마키아벨리는 『군주론』을 생각하고 있었다.

로렌초 데 메디치도 눈을 뜨고 태어난 사나이 중 하나다. 그러나 마키아벨리의 말을 빌리면, 그는 '최대의 행복 속에서 죽을 수' 있었던 사람이다.

도시국가인 피렌체공화국의 독립과 자유를 지키는 것이 같은 문명권으로서의 이탈리아의 독립과 자유를 지키는 일에 이어지고,

또 그것에 전념하기만 하면 피렌체의 독립과 자유를 지키는 일이
되어 돌아온다는 확신을 가질 수 있었던 시대에 산 것이 로렌초 데
메디치이다. 반대로 20년 늦게 태어난 탓으로 마키아벨리는, 도시
국가인 피렌체공화국의 독립과 자유를 지키는 것이 같은 문명권으
로서의 이탈리아의 독립과 자유를 지키는 일로 이어지지 않고, 또
그것에 전념하면 할수록 피렌체의 독립과 자유를 지키는 것이 되
어 돌아오지 않는 시대에 사는 수밖에 없었다.

15세기의 피렌체를 그리려면 메디치 집안을 그리지 않고는 펜을
앞으로 옮기지 못한다. 베네치아공화국은 한 개인 한 가족의 역량
으로 국가의 진로가 좌우될 수 없는 체제를 완성하지만, 꽃의 도시
피렌체는 정반대였다. 마키아벨리도 베네치아와 피렌체를 비교하
여 성격이 전혀 다른 두 인간과 같다고 쓰고 있다.

1520년에 마키아벨리는 메디치 가 출신 추기경으로서 그후 곧
교황이 되는 클레멘스 7세의 부탁으로 『피렌체사』를 쓰게 되는데,
그 서문에서 이렇게 말하고 있다. 처음에는 피렌체에 코시모 데 메
디치의 친정이 확립되는 1434년부터 쓰기 시작할 참이었으나, 생
각하는 동안에 피렌체인의 기질을 똑똑히 밝히려면 아무래도 그
훨씬 전부터 기술을 시작할 필요가 있지 않을까 하는 느낌이 들었
다며, 멀리 로마 제정 시대까지 거슬러 올라가서 쓰기 시작한 이유
를 밝히고 있다.

그러나 '피렌체인의 기질'이 가장 극단적으로 발로되는 것은 13
세기에서 14세기, 그리고 15세기에 걸친 200년이며, 그 시대는 마
키아벨리가 쓰거나 누가 쓰거나 간단한 결론이라면 일치한다. 한

마디로 끊임없는 내분의 역사였다는 것이다.

현장 증인이기도 했던 단테는, 당시의 피렌체를 아픔을 견디지 못해 침상에서 전전반측하는 병자에 비유했다. 이 시대의 피렌체 공화국의 정체 변천은 일람표라도 만들지 않고는 아찔할 지경이다. 그때마다 나오는 추방자의 수도 대단했다. 단테는 그 자신이 추방당했고, 페트라르카는 아버지가 추방되어 망명지에서 태어났다. 레온 바티스타 알베르티(인문주의자·건축가·예술이론가— 옮긴이)도 추방지 태생, 코시모 데 메디치도 추방 경험 있음, 모두 이런 식이어서 피렌체의 구가로서 추방자가 나오지 않은 집안은 전무하다는 편이 옳을 것이다. 다른 나라 같으면 둘로 분열되고 말 것이 피렌체에서는 같은 기간에 둘로는 모자라 넷으로 분열된다.

그런데 내분은 공동체에 반드시 마이너스로만 작용하지는 않는다. 약육강식의 논리가 건전하게만 발휘된다면 인재의 선발과 육성에 도움이 된다. 또 그 공동체 안에 내분을 견디어낼 만한 활력이 충만해 있는 시대라면 상관이 없다. 피렌체의 도시 인구는 알려진 연도에만도 다음과 같이 변했다.

1280년 80,000

1300년 105,000

1338년 90,000

1340년 75,000

1348년 페스트 대유행

1382년 59,747

그후 다시 증가하여 7만 정도가 되었으나, 1552년 다시 그 이하로 떨어졌다.

13세기에서 14세기 전반의 피렌체에는 15세기의 약 1.5배 되는 인구가 비비대기치며 살고 있었다.

유력자들이 앞을 다투어 세우는 탑이 병립하고, 그 사이를 서민 계급의 건물이 무질서하게 들어차는 당시의 피렌체는 아름다운 도시라고는 도저히 할 수 없는 곳이었을 것이다. 그런데 이 도시에 있는 은행가의 융자가 없으면 영국이나 프랑스의 왕도 전쟁 한 번 치를 수 없었다. 그리고 13세기 말에서 15세기 전반에 걸쳐 피렌체는, 처음에는 처녀처럼 나중에는 달아나는 토끼의 기세로 건설 붐의 시대를 맞이하여 15세기 후반에는 꽃의 도시라는 이름에 걸맞은 아름다운 도시로 변모를 거듭하게 된다.

그러나 15세기 전반의 피렌체는, 100년 전에 비해 인구가 절반으로 줄었다는 이유뿐 아니라 이탈리아의 정세 변화로 내분이 허용되지 않는 시대에 와 있었다. 30개 가까이나 있었던 소국은 밀라노공국, 베네치아공화국, 로마교황청, 나폴리왕국, 그리고 피렌체공화국, 이 다섯 나라 가운데 어느 하나에 흡수되거나 흡수되지 않더라도 실질적으로 그 지배 아래 들어가 이탈리아는 5대국 병립 시대를 맞이하게 된다. 피렌체도 다른 나라와 어깨를 나란히 하여 나아가려면 강력한 통치 능력을 가진 정체를 확립할 필요가 시급했다.

베네치아공화국은 100년 전에 이미 개인의 역량에 좌우되지 않는 체제를 만들어냈는데, 같은 100년을 내분으로 허비한 피렌체는 효율적인 통치를 중시하려면 결국 개인의 역량에 의지하는 체제를 선택하는 수밖에 없었다. 그러나 이 실질적인 군주제로의 이행은 피렌체가 나아가는 방식이 이탈리아의 대세와 합치되는 것이어서 오히려 베네치아가 예외가 되었다.

피렌체는 참으로 이 시대에 적합한 인물들을 얻었다.

마키아벨리는 메디치 가의 사나이들을 매우 간결하고 명쾌하게 더욱이 적절하게 평하고 있다.

조반니의 양질 · 선량
코시모의 현명
피에로의 인간성
로렌초의 위대 · 화려와 신중 · 냉정

13세기 전반에는 금융업자조합의 단순한 회원에 지나지 않았던 메디치 가도, 1360년에 태어나 1429년에 죽은 조반니의 대에 이르자 교황청의 재정에 참여하곤 하여 일가의 경제력이 급속히 상승한다. 아마도 당시에는 이탈리아에서 제일가는 은행가였을 것이다. 피렌체 시에서의 정치 활동에 관해서는 한 번을 제외하고는 분명치 않다. 추방된 경력이 없는 것으로 보아, 두드러진 활약은 없었던 모양이다. 인노첸티 병원과 산 로렌초 성당은 그의 기부로 세워졌다. 예술에도 관심이 있었다.

아버지가 죽을 때 마흔이었던 아들 코시모는, 아버지로부터 막대한 재산과 좋은 평판과 아름다운 것에 대한 사랑을 물려받는다. 이 모든 것을 전 이탈리아뿐 아니라 유럽의 규모로 확대시킨 것이 그였다.

그러나 시대의 요구였던지 아니면 코시모 자신의 실책 때문이었던지, 그는 아버지가 죽은 지 4년 후에 추방을 경험한다. 루카와의 전쟁에 관해서 알비치 가의 리날도와 대립한 것이 발단이었다. 결국 이 권력 투쟁은 코시모의 체포로 이어진다. 선고된 형은 사형이었다. 그러나 체포한 쪽은 그를 즉각 사형에 처하기보다 감옥에 가두어놓고 메디치 가가 완전히 와해되는 쪽을 택한다. 메디치 가가 누리고 있던 시민의 인기를 생각하여 신중히 처리할 생각이었는지도 모른다. 적의 이 신중함이 결국 코시모를 살리게 된다.

피렌체의 유력자 가운데 몇 사람이 먼저 구조를 청한다. 베네치아공화국과 페라라 공(公)도 감형을 추진한다. 코시모 자신도 재력을 이용하여 피렌체 안팎에서 '사전 공작'을 잊지 않았다. 결과는 우선 만족할 만한 것이었다. 앞으로 10년 동안 메디치 가의 남자들을 공직에서 추방하고, 코시모도 그동안 파도바로 추방한다는 결정이 내려졌다.

코시모 데 메디치의 추방 생활은, 남의 빵은 짜다고 한탄한 단테의 그것과는 역시 달랐다. 처음에는 베네치아 영토인 파도바에 있었으나, 곧 베네치아로 간 코시모는 베네치아 정부로부터 마치 국빈과 같은 대우를 받는다. 각지에 지점을 둔 메디치 은행의 총수이고 보니 자금도 부족하지 않았고, 오히려 베네치아에 전쟁 비용을 마련해주기도 했으며, 좋아하는 건축가 미켈로초를 거느리고 다니는 추방 생활이었다. 미켈로초에게는 산 조르조 도서관을 세우게 했다. 피렌체의 정세를 밖에서 조종하는 것도 잊지 않았다. 결과는 불과 1년의 추방 생활을 경험했을 뿐, 피렌체 정부의 간청으로 귀국하게 된다. 반대로 리날도 델리 알비치는, 영구 추방의 형을 받고 국외로 떠난다. 코시모가 마흔다섯 살이 되던 해였다.

코시모의 본격적인 '친정'이 시작된 것은 이해 1434년부터다. 또 이해로 피렌체공화국의 유력자 추방으로 물든 내분의 시대가 끝난다.

1434년부터 죽는 해인 1464년까지의 30년 동안 코시모는 문자 그대로의 현명함으로 피렌체를 통치한다. 그는 피렌체인을 잘 이해했다.

피렌체인은 스스로에게 상처를 입힐지도 모를 만큼 강력한 비판 정신의 소유자라는 것. 그러기에 많은 재능에서 다른 나라 사람들을 압도하면서도 단결과 협조의 정신이 모자란다는 것. 공화국을 자칭하면서 피렌체는 1378년 촘피의 난 이후의 4년을 제외하면 실질적으로는 언제나 과두 정체였는데도, 시민은 자기들이 참여할 수 있는 민주 정체를 빛나는 정체로 믿고 있다는 것. 진실로 뿌리를 내린 민주 정체는 빛나는 것이 결코 아니며, 이것은 경험한 사람밖에는 알지 못한다. 그런 이유도 있고 하여 피렌체인은 자유라는 말을 무척 좋아했다. 전쟁을 위한 위원회를 전쟁과 자유를 위한 위원회라고 이름지을 정도였다. 그러면서도 자유를 지키려면 참으로 현명하고 견실한 노력이 필요하다는 것을 이해하고 실행하기를 좋아하지 않았던 것이다.

이런 기질을 가진 국민을 상대하는 데는 과두 정체가 적합하지 않다고 코시모는 판단했던 모양이다. 과두 정치가 교묘히 운용되고 있는 베네치아공화국을 아는 그였으므로, 피렌체에는 이것이 적합하지 않다고 생각한 것이 분명하다. 그가 시작한 것은 참주 정체였다. 실질적으로는 군주 정체지만, 피렌체 같은 나라에서는 군주는 뒤에 숨어 있는 편이 낫다. 공화 정체를 유지하면서 통치해 나간다. 코시모의 현명함은 여기에 있었다. 그것은 참으로 주도면밀하게 발휘되었다.

피렌체공화국의 최고위는 직역하면 '정의의 기수(旗手)'가 되는, 말하자면 1년 임기의 대통령이다. 이것을 코시모는 세 번밖에 지내지 않았다. 1434년, 1438년, 1445년이다. 같은 기간에 '대통령'이 된 피렌체의 다른 유력자의 횟수보다 많지 않다. 루카 피티도 세 번 되었고, 다른 세 사람은 다섯 번이나 되었다. 내정(內政)은 모두 이런 식으로 진행되었다.

외정(外政)에서는, 코시모가 거의 군주처럼 행동했다. 베네치아를 제외하고 밀라노나 나폴리나 교황청이나, 그리고 프랑스나 독일의 신성로마제국이나 모두 군주 정체였으므로 주의할 필요도 없었던 모양이다. 다른 나라도 분명히 코시모를 교섭 상대로 삼았다.

코시모의 외정면에서의 공적은, 이탈리아의 여러 나라 사이에 세력균형정책을 확립한 일일 것이다. 이것은 1453년에 일어난 콘스탄티노플 함락으로 시작되는 터키의 공세 앞에 이탈리아 각국이 단결할 필요를 느낀 것이 단서가 되었다. 그 결과 이탈리아는 평화도 누릴 수 있게 되었다. 코시모는 경제적인 능력도 뛰어나서 메디치 은행은 서유럽 유수의 재벌이 되었다.

그러나 코시모 데 메디치가 후세에까지 이름을 남길 수 있었던 것은 그가 육성한 학문·예술 때문일 것이다. 이 사나이만큼 무엇이나 모으게 하고 무엇이나 만들게 한 패트런도 없다. 그는 이렇게 말하고 있다.

"나는 이 도시의 기분을 잘 안다. 우리들 메디치가 쫓겨날 때까지 50년도 걸리지 않을 것이다. 그러나 '물건'은 남는다."

남긴 것은 건조물이나 회화·조각이나 고사본 같은 물건뿐이 아니다. 아카데미아 플라토니카(플라톤 아카데미)라고 부르는 고전 연구의 중심을 피렌체에 창립한 것도 그이다. 비잔틴제국의 명운도 이제 다된 줄 안 그리스인 학자들이 피렌체의 메디치에 의지하면 환영해주리라는 생각으로 잇따라 콘스탄티노플을 떠났다. 베네치아와 피렌체는 그들의 기대를 어기지 않았다. 그 중에서도 피렌체가 더 화려했으며, 고전 연구의 메카라는 인상이 짙었다. 출판계가 주도권을 쥐고 있던 베네치아와는 달리, 피렌체는 심포지엄 활동에 중점이 두어져 있었기 때문이다. 메디치의 별장이 회의장이었다. 참가자는 학식이 높은 사람들의 이야기를 들을 수 있었을 뿐 아니라, 코시모가 제공하는 호화로운 식사도 만끽할 수 있었고, 특히 재능이 풍부한 사람은 의식주까지 보장받아 연구에 전념할 수 있었다. 참된 뜻의 심포지엄이 이 시기의 피렌체에 존재했던 것이다. 코시모 자신이 두드러지게 거론할 만큼 학문이 있는 인물이 아니었기 때문에 오히려 학문·예술의 이상적인 이해자가 될 수 있었는지도 모른다. 우선 스페셜리스트가 아니면 이야기가 되지 않는 학자나 예술가는 학문·예술의 육성자로서는 의외로 도움이 되지 않는 법이다.

1464년에 코시모 데 메디치는 죽는다. 한 시민으로서 살아 남기를 택한 그는 죽을 때도 한 시민으로서 죽었다. 장례도 유언에 따라 간소하게 치러졌다. 그러나 피렌체 시민은 그 직후, '조국의 아버지'라는 존칭을 그에게 바치기로 결의한다.

뒤를 이은 것은 장남 피에로다. 그가 메디치 가의 가장을 물려받았을 뿐 아니라 피렌체공화국의 가장을 상속한 것은 참주 정체를 취하는 이상 당연한 결과였다.

'조국의 아버지'와 '위대한 로렌초' 사이에 낀 피에로는 통칭 '통풍앓이'로 호칭되는데, 너무 가엾은 평가다. 확실히 마흔여섯에 뒤를 이은 후 5년 동안 태반을 병상에서 보내야만 했지만, 물려받은 것을 손상하지 않고 아들 로렌초에게 인계한 것만으로도 좀 더 평가되어 마땅하다. 마키아벨리로부터 인간성이 풍부하다는 평을 들은 그는 코시모라는 무거운 돌이 없어지자 또다시 유력 가계에 의한 과두 정체의 부활을 획책하는 사람들을 피 한 방울 흘리지 않고 눌렀다. 로렌초가 피에 젖은 출발을 하지 않아도 되었던 것은 오로지 피에로의 공적이었다.

대외관계에서도, 코시모 개인의 역량으로 유지되어온 피렌체공화국에 대한 평가를 이 '통풍앓이'는 메디치 가의 것으로 옮겨놓는 데 성공한다. 코시모의 죽음에 의한 피렌체의 노선 변경을 두려워한 타국들도 교묘히 제시된 보장을 보고 마음을 놓았을 것이다. 국제관계의 안정은 다시 국내관계의 안정이 되어 돌아왔다. 유력자들이 메디치 타도의 이유를 찾을 수 없게 된 것이다.

5년이라는 단기간은 결함을 드러내지 않는 데 도움이 되었다고 말하고 싶을지도 모른다. 그러나 물려받은 것을 2년이 채 안되어 파괴해버리는 또 한 사람의 메디치가 나중에 나오는 것을 생각하면, 피에로는 자기에게 주어진 임무를 충분히 완수했다고 할 수 있다. 피도 흘리지 않고 라이벌을 물리치는 데 성공한 이 2대는, 마키아벨리에게서 평가받은 "인간성이 풍부한" 면을 예술 진흥의 면에서도 발휘했다.

조각가 도나텔로는 코시모가 진심으로 사랑한 예술가였다. 당시에 도나텔로는 이미 어깨를 겨룰 자가 없을 만큼 명성을 누리고 있었지만, 코시모는 그가 생활의 걱정 없이 창작에 전념할 수 있도록 유언에 피렌체 교외의 카파졸로라는 곳에 풍족한 수입이 보장되는 농원을 그에게 준다는 항목을 삽입해놓았다. 아버지의 유언을 모든 면에서 충실히 집행한 피에로는 이것도 물론 실행한다. 도나텔로는 이제 몰이해하는 인간들과 실랑이를 벌이지 않아도 되고, 가난 속에서 죽을 것을 두려워하지 않아도 되게 되었다면서 몹시 좋아하며 농원을 받았다. 정식으로 증여 계약서도 작성되었다.

그런데 1년도 되기 전에 도나텔로는 피에로를 찾아와 농원을 돌려주고 싶다고 말했다. 왜냐고 묻는 피에로에게 예술가는 대답했다.

"사흘이 멀다 하고 바람이 불어서 계사 지붕이 날아가질 않나, 세금을 내기 위해 가축을 처리해야 하질 않나, 또 폭풍우라도 닥치면 포도밭이 엉망이 되지나 않았을까, 과수원은 어떻게 되었을까 하고 얼마나 걱정이 되는지, 편안한 마음으로 창작을 하기는커녕 마음을 졸여서 견딜 수가 없습니다. 이럴 바에야 차라리 가난 속에서 죽는 편이 낫겠습니다."

피에로는 크게 웃으면서 돌려주러 온 농원을 받았다. 그러고는 메디치 은행에 개설시킨 도나텔로 명의의 계좌에 그 농원에서 나는 수익과 맞먹거나 혹은 더 많은 액수를 주마다 계산하여 불입해주도록 지시했다. 도나텔로가 이번에야말로 진심으로 만족해한 것은 두말할 것도 없다.

예술이나 학문의 '조성'(助成)은 이래야 한다고 생각한다. 메디치 가는 역시 르네상스 문명의 보호·육성에 힘을 기울였다는 말을 들을 자격이 충분하지 않을까.

피에로는 인상만 좋은 사람이 아니었다. 그 일면은 아들이나 딸의 결혼을 생각할 때 잘 거론된다.

30년 간 피렌체의 참주였던 코시모는 후사인 피에로의 아내를 피렌체의 유력 가계의 하나인 토르나보니 가에서 골랐다. 코시모 자신의 아내도 피렌체 출신이다. 메디치보다 훨씬 오래된 가문으로, 200년 전에는 그들이 융자해주지 않는 한 프랑스 왕도 영국 왕도 전쟁 한 번 마음대로 치를 수 없었던 시대의 대은행가인 바르디가 핏줄의 여성이다. 말하자면 피렌체 명문 가계의 전통을 충실히 지켜 그들 사이에서 통혼을 한 것이다.

피에로는 이것을 깼다. 장녀는 피렌체의 명문 파치 가에 출가시켰으나, 장남인 로렌초의 아내는 국외에서 골랐다. 로마의 대귀족 오르시니 가의 딸 클라리체인데, 메디치와 같은 도시인이 아니다. 로마 북쪽 일대에 널려 있는 영지에 기반을 둔 봉건 영주였다. 영주를 봉하는 역할을 하는 교황은 1대에 그치므로 그 밑에 있는 영주가 더 강력하다. 오르시니와 로마 남쪽 일대의 영주인 콜론나는 거의 언제나 싸우고 있어서 그들을 억제하는 것이 역대 교황의 골칫거리였다. 당연히 이 두 집안의 교황청에 대한 영향력은 셌다. 피에로는 이 영향력과 오르시니의 군사력이 인척 관계를 맺는 이점으로 여겨졌는지도 모른다. 오르시니 일족은 콜론나와 마찬가지로 용병제도의 전성시대인 당시의 이탈리아에서 우수한 용병대장을 많이 배출한 것으로도 알려져 있었다.

혼담은 1468년 로마에서 성립되고, 결혼식은 이듬해에 피렌체에서 거행되었다. 신랑은 스무 살, 신부는 네 살 아래였다. 피에로는 이 일을 성사시키고 마음이 풀렸던지 그해 말에 세상을 뜬다.

스무 살의 로렌초 이외에 네 살 어린 남동생 줄리아노가 뒤에 남았다.

마키아벨리는 이해에 태어난다. 로렌초가 아버지 대신 주역으로 등장한 그해에 태어난 것이다.

나는 로렌초 데 메디치에 관한 동시대인의 기록에서 후세의 학자가 쓴 연구서에 이르기까지 다 훑어보았지만, 『피렌체사』의 마지막 장에 실린 마키아벨리의 평만큼 간결하고 적절한, 그러면서도 아름다운 묘사를 발견하지 못했다. 그것은 제4장에서 소개하기로 하지만, 진실에 육박하는 것은 실(實)의 세계에 사는 학자보다 허(虛)의 세계에 사는 문인이 더 잘 할는지도 모른다.

"그는 운명으로부터, 그리고 신으로부터 최대한의 사랑을 받은 사람이다."

하고 마키아벨리는 쓰고 있다. 실로 로렌초 데 메디치만큼 일생이 행운으로 채색된 인물도 드물다. 무엇보다도 물려받은 것부터가 다른 사람과 달랐다.

첫째, 증조부, 조부, 부친 3대에 걸쳐서 구축되고 증강된 메디치 집안의 강대한 경제력.

둘째, 조부와 부친 2대에 걸쳐서 구축되고 증강된 메디치에 대한 피렌체 시민의 좋은 감정.

셋째, 조부와 부친 2대에 걸쳐서 구축되고 증강된 메디치에 대한 다른 나라 지도자들의 경의에 입각한 신뢰감.

넷째, 조부와 부친의, 특히 조부 코시모의 주도면밀한 배려로 받게 된 당시 최고의 교육. 조부가 주최한 심포지엄에 나오는 학자와 지식인을 동원하기만 하면 되었으니, 간단하고 자연스러운 교육과 교양의 환경이었다. 그래서 이 '비대학 출신'은 완벽하게 그리스어를 해독할 수 있었다. 그런데 로렌초 자신도 자식들을 위해서 같은 배려를 했으나 별로 이렇다 할 효과를 얻지 못했으니, 이것은 교육이란 받는 쪽의 소질을 바꿀 힘은 없고 소질을 신장시킬 뿐이라는 증거인지도 모른다.

다섯째 행운은, 어릴 때부터 완벽한 제왕 교육을 받았다는 것이다. 조부도 부친도 공식적으로는 한 시민으로서 살고 한 시민으로서 죽었지만, 대외관계에서는 메디치의 명성과 경제력으로 국빈이라도 내방할 때면 언제나 표면에 나오게 마련이었다. 다른 나라의 왕후들이 피렌체를 방문하여 유숙하는 곳은 언제나 메디치 저택이었고, 그들을 주빈으로 하는 연회도 메디치 궁에서 열리는 것이 보통이었다. 베네치아공화국에서는 이와 같이 한 시민이 돌출되는 사태를 사전에 막기 위해 국빈급 손님을 맞이하는 연회는 원수 관저에서 개최하고, 숙소도 유력자들의 저택을 차례로 할당하는 방식을 고수했으나, 베네치아는 과두 정체였다. 같은 공화국을 칭하더라도 피렌체는 참주 정체였으니, 손님의 의도를 생각해서라도 결국은 메디치 가에 집중되고 마는 것이었다.

이 때문에 로렌초는 어릴 때부터 지체 높은 사람들과의 교류에 익숙해졌다. 밀라노 공작의 후계자가 내방했을 때는 나이 열 살에 피렌체 밖에까지 나가서 맞이하는 임무도 맡았다. 조부를 승계한 아버지가 병상에 누워 있는 일이 많았으므로, 아버지의 대리로 로마 교황을 방문한 적도 있었다. 아버지를 대신하여 피렌체공화국의 국회인 100인 위원회에도 자주 출석하는 기회를 가졌다. 자기의 병을 잘 안 아버지 피에로는, 이와 같이 하여 제한 연령에 이르지 않은 소년 로렌초가 피렌체 안팎의 공식 석상에 얼굴을 내미는 부자연스러움을 부자연스럽지 않게 하는 방향으로 유도한 것으로 짐작된다. 피렌체인 가운데는 민주 정체를 최상으로 믿는 사람이 많아서 조금이라도 군주 정체의 냄새가 나는 날이면 당장 거부 반응을 일으켰기 때문이다.

그렇다고 로렌초의 청춘이 딱딱한 책임감만으로 채색된 것은 아니다. 시골 별장에서 같은 나이 또래의 친구들과 네 살 아래인 동생 줄리아노를 상대로 '아무 거리낌없이' 제멋대로 뛰어노는 로렌초를, 가정교사는 사랑과 걱정이 미묘하게 뒤섞인 글로 어머니 루크레치아에게 보고하곤 했다.

만일 이 로렌초에게 신이 약간 짓궂은 짓을 한 것이 있다면, 그가 추남이었다는 것이리라. 조부를 닮아 피부가 검은 것은 그래도 좋았다. 큰 키에 굳건한 체격도 나쁘지 않았다. 그러나 심하게 모난 턱은 사람의 눈을 끌지 않을 수 없었고, 검고 큰 눈은 생기에 차 있어도 상당한 근시였으며, 그 밑에서 지나치게 존재를 주장하는 코는 외가인 토르나보니 집안의 특징을 충실히 이어받아 축 처졌을 뿐 아니라 짜부라져 있었다. 게다가 쉰 목소리였다. 그렇기는 하나, 질 낮은 엽차도 갓 달인 것은 맛이 좋다는 속담은 남자에게도 적용될 수 있는 것이어서, 20대의 젊은 나이라 그리 절망적으로 불리할 것도 없었다.

하기야 갓 달인 맛의 시기가 지나더라도, 로렌초는 원래 발랄하고 즐겁고 명랑한 기질인데다가 교양과 위트와 유머에 넘쳤으며, 정신은 균형이 잡히고 호화로운 분위기가 언제나 그의 주위에 떠돌았다. 게다가 으뜸가는 재력과 권력. 만나는 사람마다 순식간에 매료시켜버리는, 언제나 양지 바른 길만 걸어온 사람 특유의 무리 없는 자신감. 이것이 매력이 아니라면 오히려 우습다. 실제로 여자들에게는 대단히 인기가 있었던 모양이다. 마키아벨리도 "여자 방면에서도 보통이 아니었으며……"라고 쓰고 있다. 추남이기는 해도 존재 전체로 보아 끌리지 않을 수 없는 추남이었던 것이다.

아내로 맞이한 오르시니의 공주도 아들 셋 딸 셋의 자식을 낳아 일단 제 임무를 다하기는 했지만, 그녀가 쓴 오류투성이의 유치한 내용의 편지를 읽어보면 로렌초의 사랑을 한 몸에 받기에는 좀, 하는 생각이 들기도 한다. 반대로 로렌초의 어머니 루크레치아 토르나보니는, 스무 살에 '가장'이 되어야 했던 로렌초의 의논 상대가 되어줄 수 있을 만큼 교양과 판단력을 가진 여성이었다.

로렌초 데 메디치의 최대의 행운은 뭐니뭐니 해도 스무 살의 젊은 나이에 독립할 수 있었다는 데 있다. 신은 늦게 무대에 등장한 코시모에게는 그 역량을 충분히 발휘시키기 위해 일흔다섯의 장수를 주었지만, 로렌초에게는 죽을 때까지 행운 속에서 살게 하려면 젊은 출발을 베풀어주는 수밖에 없다고 생각했는지도 모른다.

아버지가 죽은 지 이틀 후, 아직도 상중인 메디치 가를 예방한 피렌체의 유력자들은 스무 살의 로렌초에게 아버지 피에로가 한 것처럼 일해달라고 부탁한다. 로렌초는 응낙한다. 응낙한 이유를 그 자신이 다음과 같이 쓰고 있다.

로렌초 데 메디치

"피렌체에서는, 국가 없이 개인이 살기는 어렵다고 생각했기 때문이다."

마키아벨리는 이 에피소드가 있기 7개월 전에 태어났다. 로렌초가 결혼하기 한 달 전이다. 갓 태어난 아기는 물론 볼 수도 이해할 수도 없다. 그러나 메디치 가의 로렌초의 결혼식은 꽃의 도시 피렌체에 핀 큰 수레의 꽃이었다. 마키아벨리는 부모에게서, 특히 이러한 일은 여자들의 꿈과 상상력을 자극하는 법이라 어머니나 아주머니들한테서 이 결혼식에 관한 이야기를 수없이 들었을 것이다.

타국의 공주가 시집오는 것만도 피렌체에서는 큰 사건이다. 더욱이 공주를 맞이하는 품이 자못 당시의 메디치 집안다웠다.

축제는 신랑의 독신 생활을 마지막으로 장식하는 뜻에서 마상 창시합으로 시작되는 것이 보통이다. 1469년 2월 피렌체의 산타 크로체 성당 앞 광장은 성당 건물 정면만 남겨놓고 삼면에 가설된 좌석을 사람들이 빽빽히 메웠다. 이 시합장에 제복을 입은 나팔수와 고수들의 선도로, 진주를 아로새긴 흰 비단 망토를 걸친 로렌초가 백마를 타고 피렌체 명문가의 자제로 구성된 12명의 기사들을 거느리고 입장한다. 입장하면 곧 망토를 바꾼다. 이번에는 하늘색 비로드 천에 금으로 피렌체의 문장을 수놓은 것이다. 머리에는 흰 깃장식을 단 투구를 썼다.

로렌초의 말 두 마리는 나폴리 왕과 페라라 공이 이 날을 위해 선사한 아라비아의 준마다. 갑옷도 밀라노 공의 선물이다. 군기(軍旗)는 수업중인 레오나르도 다 빈치도 거들었을 것이 분명한 베로키오 공방의 작품으로, 흙먼지에 노출시키기가 아까운 예술품이다.

시합은 한 번 낙마했으나 즉각 전선에 복귀한 로렌초의 승리로 끝났다. 심판원들도 조금은 너그러운 평점을 매겼을 것이다. 당시 피렌체의 사교계에서 스타의 명성이 높았던, 그리고 로렌초와 약간의 소문도 나 있던 도나티 가의 루크레치아가 꽃으로 엮은 화관을 승리자에게 씌워주었다. 며칠 후 로렌초는 이 날의 일을 이렇게 쓰고 있다.

"산타 크로체 광장에서 마상 창시합을 했다. 매우 사치스럽고 화려한 것이었다. 1만 피오리노쯤 들었다. 시합은 용맹과감하게 시종했다고는 할 수 없으나, 아무튼 나는 최고의 영예에 빛났다."

그 녁 달 후, 결혼 축제가 사흘에 걸쳐 온 피렌체를 들끓게 했다. 닫은 창문 안쪽에서 치러지는 잔치가 아니다. 메디치 저택은 문이

활짝 개방되고 길바닥에까지 식탁이 차려졌다. 네 군데로 나누어진 조리장에서 150마리의 송아지, 2천 마리의 닭이 요리되어 나왔다. 마신 포도주의 양, 과실의 쟁반수, 과자의 종류가 헤아릴 수 없었다. 사흘에 걸쳐 다섯 번의 대연회가 베풀어졌다. 노상에서는 춤판이 벌어졌다. 누구나 어울려서 음식을 먹을 수 있었고 춤을 출 수 있었다. 물론 연장자로 지체가 높은 사람들과 그 부인들은 서민들과 섞이지 않도록 배려되었으나, 젊은 사람들은 아무 구별도 없었다. 메디치가 그렇게 바란 것이다. 이 사흘을 경계로 로렌초의 독신 생활은 끝났다. 그리고 그 6개월 후에 아버지를 잃었다.

스무 살에 대임을 맡게 된 로렌초 데 메디치가 책임을 강하게 느끼고 생활 방식을 바꾸었느냐 하면 전혀 그렇지 않다. 만일 그랬다면 로렌초답지 않다. 그는 상반된 면을 갖고 있으면서도 그것을 무리없이 조화시켜 어느 면에나 적극적으로 발휘하면서 살아가는 유형의 사나이였다.

꽃의 도시 피렌체는 이 꽃을 피우기에 능한 인물을 얻어 완전히 개화한다. 로렌초 자신은 동생 줄리아노가 성인이 됨에 따라 주역의 자리를 그에게 양보해 나갔지만, 연출은 자기 손에서 놓지 않았다.

이 젊은이의 야망은 명확했다. 피렌체를 완전히 메디치의 지배 아래 두는 것이었다. 다만 군주 정체가 아니라 참주 정체를 지키면서 말이다. 그는 피렌체인이 아름다움과 화려함을 좋아하는 것을 알고 있었다. 그것을 그들이 기대한 것보다 훨씬 멋진 형태로 그들에게 주었다. 이것이 최대의 효과를 가져온 것은 로렌초 자신이 같은 것을 좋아했기 때문이다. 피렌체인은 로렌초 속에 자기들과 동질의 피가 흐르는 것을 느끼고, 그것을 최고의 감각과 최대한의 화려함으로 제공해주는 로렌초를 자랑으로 생각하고 사랑했던 것이다.

피렌체는 빛났다. 로렌초를 가짐으로써 일찍이 없었던 빛을 발하고 있었다.

베로키오 공방, 폴라이우올로 공방 등은 외국에까지 알려지게 되었고, 필리포 리피, 보티첼리, 기를란다요는 건필을 휘둘렀다. 열다섯 살에 『일리아스』를 번역한 안젤로 폴리치아노가 빈곤에 시달리고 있다는 말을 듣고는 자기 집에 데려다가 연구를 계속시켰고, 볼로냐, 파도바 두 유명 대학에 대항하여 피사 대학에 유능한 교수를 끌어 모았다. 스물세 살의 이 비대학 출신은 아예 자기 손으로 대학을 만들어버린 것이다.

로렌초는 학예 진흥이 종국적으로 실리를 가져온다는 것을 알고 있었다. 그러나 흥미로운 점은 그것이 그의 계산된 술책이 아니었다는 것이다. 자기 마음이 바라는 대로 충실하게 행동하면, 그것이 자기 자신뿐 아니라 나라의 이익이 되어 돌아오는 판이니 행운의 사나이라 아니할 수 없다.

스물두 살이 되던 해, 새로 교황이 된 식스투스 4세의 즉위식에 피렌체공화국의 공식 사절단의 일원으로서 로마에 갔을 때 일이다. 할아버지만큼이나 나이 차가 있는 도나토 아차이올리가 수석인 사절단에서 젊은 로렌초는 말석을 더럽히는 수밖에 없다. 그는 당대의 대지식인으로서, 만능의 천재로서는 레오나르도의 선구자라 일컬어진 레온 바티스타 알베르티에게 같이 가달라고 부탁했다.

그는 공식 행사의 틈만 나면 알베르티의 설명을 들으면서 로마의 유적을 돌아보았다. 로마에 와 있던 사람들은 그것을 보고, 역시 메디치는 다르구나 하고 찬탄한다. 그러면서도 그와 같은 나날 중에 그때는 아직 장사를 잊지 않고 있었던지, 메디치 은행의 교황청 재정 담당, 다시 말해 교황청의 재무부와 같은 업무를 담당하는 권리를 갱신하는 성과도 거두었다.

피렌체공화국은 평화를 만끽하고 있었다. 직접 전쟁에 직면한 적이 한 번은 있었으나, 우선 1478년까지는 안온한 나날이 이어졌다. 그 싸움은 피렌체 영내의 볼테라 시가 반기를 드는 통에 단호한 강경 노선을 주장한 로렌초가 거의 혼자의 결의로 시작한 것인데, 전쟁을 하고 있다는 실감을 피렌체인이 채 느끼기도 전에 진압에 성공하여 로레초 개인의 주가만 오르고 끝났다. 마키아벨리도 아홉 살 때까지는 평온하고 화려한 피렌체에서 그런 것이 당연하다는 기분으로 살고 있었던 것이 아닐까. 여섯 살 때 거행된, 메디치 가의 줄리아노가 스타로 시종한 마상 창시합을 아버지라도 따라가서 구경하지 않았을까. 회장이 집에서 10분도 채 걸리지 않는 거리였으니 말이다.

이해의 마상 창시합은 시로 읊어지고 그림으로 그려질 만큼 화려하고 아름다운 것이었다. 형 때와는 달리 용맹과감하게 싸운 참가자들 중에서도 로렌초의 동생은 무술이 빼어났으며, 그의 우승은 공정한 결과였던 것 같다. 꽃으로 엮은 관을 승자의 머리에 씌워주는 여신도, 로렌초 때에서 6년이나 지났으니 다른 사람이었다. 그해에는 섬세한 아름다움으로 소문이 난 시모네타 베스푸치가 맡았다.

줄리아노 데 메디치

그 자리에서 벌어진 아름다움과 젊음의 향연은 폴리치아노가 시로 노래하고, 보티첼리의 유명한 그림 「프리마베라」(봄)로 결정(結晶)된다. 우아하고 무술에도 뛰어난 스물두 살의 메디치 집안 둘째 도령은, 그 둘째 도령다운 성격으로 해서도 피렌체 시민의 인기가 높았다.

또 형보다는 미남이었다. 로렌초, 줄리아노 형제를 피렌체인들은 자기들의 왕자로 간주하고 있었던 것 같다. 로렌초가 즐거움을 추구하기 위해 만들어진 청년 그룹 '브론코네'(그루터기)의 리더라면, 줄리아노는 같은 목적이지만 '디아만테'(다이아몬드)라는 이름의 다른 그룹을 주재했다.

나이 차이가 별로 없는 형제는 흔히 의가 좋지 않은 법인데, 두 사람은 달랐다. 로렌초는 어떤 경우에나 네 살 어린 동생을 곁에서 떼어놓지 않았다. 정치의 자리에서나 쾌락의 자리에서나. 피렌체 사람들은 두 사람이 100인 위원회에 동석하는 것을 보았는가 하면, 다음날이 축제일일 때는 류트를 옆에 끼고 서민들이 추는 춤의 소용돌이 속에 보일락말락 휘말려 돌아가는 두 형제를 발견하곤 했다. 다만 줄리아노는 형과는 달리 학자나 예술가에 둘러싸여 시간을 보내기를 그리 좋아하지 않은 것 같지만, 이것도 둘째 아들다워서 괜찮았다. 줄리아노도 형과는 조금 뜻이 다르지만, 양에 있어서는 형에 못지않게 피렌체 사람들의 사랑을 받았다. 혹시 메디치 타도를 꾀하는 자가 있었다면, 로렌초 한 사람을 없애서는 목적을 이룰 수 없겠다고 아마 당연히 생각했을 것이다.

그런데 화려한 두루마리 그림 같은 이 마상 창시합에서 3년이 지난 뒤, 실제로 반메디치 음모가 발발한다. 로렌초가 처음으로 직면하고, 피렌체가 오랜만에 대항하지 않으면 안되게 된 이 위기는, 당시 아홉 살의 어린 소년인 마키아벨리에게도 무언가를 보지 않을 수 없게 만들었을 것이다. 바로 눈과 코 앞에서 전개된 사건이었기 때문이다.

소년 때의 체험이 반드시 훗날까지 영향을 미치는 것은 아니다. 그러나 개중에는 성숙한 뒤에까지 계속 사고의 힌트를 주는 원천이 되는 것도 있다. 파치 가의 음모는 마키아벨리에게 그런 종류의 경험이었을 것이 분명하다.

한두 사람의 지도자를 없애봐야 나라의 방침에 변화가 일어날 수 없는 체제를 가진 나라라면, 음모가 일어날 수 없으니 문제가 되지 않는다. 그런 예가 베네치아이다. 군주 정체건 참주 정체건, 개인에게 권력이 집중되어 있는 나라는 음모를 미리 방지하는 것이 중요한 문제가 된다. 후년의 마키아벨리는 저작 속에서 음모에 관해 끈질기도록 열심히 냉정하게 분석하기를 그치지 않았다. 그리고 그 테마에 이를 때마다 반드시 파치 사건을 언급했다.

마키아벨리는 정치사상가인 동시에 역사가이다. 역사가에게 음모는 언제나 흥미를 끌지 않을 수 없는 대상이다. 인간의 별별 양상이 다 드러나서만이 아니다. 우연이나 운 같은 것이 일의 성패와 얼마나 깊은 관계가 있는지 통감하게 되어 숙연해지지 않을 수 없기 때문이다. 파치 가의 음모는 마키아벨리가 부모에게서 전해들은 것이 아니라, 처음으로 직접 목격했다고 할 수 있는 최초의 사건이 되었다.

3 파치 가의 음모

역사상 '파치 가의 음모'로 유명한 이 사건은 피렌체 사람들이 젊은 줄리아노 데 메디치의 마상 창시합 때의 씩씩한 모습에 황홀해한 해보다 훨씬 전에 뿌리가 내려지기 시작한 일이었다.

피렌체의 유력한 가문의 하나인 파치 가와 교황 식스투스 4세가 결탁하여 꾸민 이 음모에 관해 역사가들은 여러 방향에서 원인을 구하려고 한다.

하나, 파치 가의 일원이 주장한 유산 상속권을 로렌초 데 메디치가 특별법을 만들어서 기각해버렸기 때문이다.

하나, 피렌체공화국에 사실상 군주로서 군림하는 메디치의 전제에 파치가 반발했기 때문이다.

하나, 메디치가 오랫동안 차지해온 교황청의 재무 담당권을 파치가 가로챘기 때문이다.

하나, 반메디치파로 알려진 프란체스코 살비아티를 교황 식스투스 4세가 하필이면 피렌체공화국이 병합을 노리는 피사의 대주교에 임명했기 때문이다.

하나, 동생 줄리아노를 추기경에 임명해달라는 로렌초의 부탁을 교황이 들어주지 않았기 때문이다.

이것들은 모두 진실이었을 것이다. 그러나 처음에는 순조롭게 진행되던 교황과 로렌초의 관계가 차츰 험악해져서 마침내 정면으로 충돌하게 된 원인은, 이탈리아 통치에 대한 양자의 견해가 완전히 다른 데 있었다.

로렌초의 생각은 이랬다.

군사 대국이 아닌 피렌체공화국의 독립과 자유를 지키려면, 먼저 이탈리아 반도의 독립과 자유가 지켜져야 한다. 그리고 이 또한 군사 대국이 아닌 이탈리아의 독립과 자유를 지키려면, 이탈리아 내의 여러 나라가 서로 싸우지 말아야 한다. 문제는 이탈리아 내 각국의 분쟁의 원인을 제거하는 것이다.

스무 살에 일국의 지도자가 된 로렌초 데 메디치는 취임 초부터 그의 독특한 정치 감각에 입각한 생각을 가지고 있었다.

전쟁은 무슨 원인으로 일어나는가? 대국끼리 직접적인 원인으로 정면 충돌하는 경우도 물론 있다. 그러나 대국간의 전쟁, 이를테면 이탈리아의 독립과 자유를 위협할 구실을 타국에 줄 우려가 있는 전쟁은, 대국간의 경계에 있는 소국에 지배권을 확대하려다가 일어나는 경우가 전자의 경우보다 훨씬 많은 것이 현실이다. 15세기 후반의 이탈리아에서는 밀라노공국, 베네치아공화국, 피렌체공화국, 교황청 국가, 나폴리왕국 등이 열강이라는 이름을 붙여도 무방한 이른바 대국이었다. 이들 나라가 국경 바로 밖에 있는 소국에 세력을 뻗치고 싶어도 그러기 어려운 상태를 만들어내면 된다.

로렌초의 생각으로는 소국들의 건전한 존속이야말로 대국간의 평화를 유지하는 데 불가결한 요인이었다. 대국으로서는 위태위태한 상태에 있는 소국만큼 군침이 당기는 대상도 없기 때문이다.

로렌초 데 메디치의 '소국보호대책'은, 비록 소국의 국민일지라도 자유와 독립을 누릴 권리를 갖는다는 이데올로기에서 나온 것은 아니었다. 대국간의 평화가 흔들리는 것을 미리 막는 대책으로서, 대국에 미끼를 주지 않기 위해서 고안한 정책이었다. 역시 '세력균형정책'이라는 이름으로 부르는, 조부 코시모가 생각하고 실행한 정책과 이 점이 달랐다. 코시모는 밀라노가 강해지기 시작하면 그것과 대항하는 베네치아에 붙고, 베네치아가 너무 강대해지면 이번에는 밀라노와 동맹을 맺고 베네치아를 견제하는 정책을 취했으나, 손자 로렌초는 약간 달랐다. 피렌체를 짊어진 이 20대 젊은이는 싸움의 근본 요인을 제거해야 한다고 생각한 것이다.

그러나 그것은 어디까지나 현상 유지를 위한 정책이었다. 로렌초는 생을 타고난 순간부터 모든 것을 가지고 있었다. 그런 그에게서 안 가진 자의 혁명성을 기대할 수는 없었다. 그의 본질에 부자연스러운 것을 요구할 수는 없는 일이었다. 로렌초 데 메디치는 자기에게 자연스러운 그 정책을, 시를 쓰거나 축제의 연출에 열중하는 것과 같은 열성으로 진행시키고 있었다. 소국이 필요로 할 때마다 재정 원조가 메디치 은행에서 은밀히 제공되었다.

반대로 교황 식스투스는 안 가진 자 쪽에서 태어났다. 게다가 좋든 나쁘든 초국가적 성격을 갖지 않을 수 없는 교황청의 주인이다. 가톨릭의 총본산인 교황청이 소재하는 이탈리아와 이해가 상반될 때는 서슴지 않고 이탈리아를 버린 예를 힘들이지 않고 들 수 있다. 식스투스 4세 자신은 기질이 강한 인물이었다. 교황청 국가를 강대하게 만드는 것이야말로 자기의 사명이라고 믿었다. 지상에서 신의 대리인인 교황은 속계의 모든 군주 위에 군림하는 것이라고 그는 확신하고 있었다.

또 빈곤 속에서 입신한 사람이라, 시급히 수입을 보장해주어야 하는 친족이 그에게는 많았다. 그 가운데 몇몇은 추기경을 시켜주 었지만, 그밖의 사람들은 땅이라도 마련해주어야 했다. 식스투스 4 세로서는 교황청 국가의 강대화와 육친에 대한 사랑이 참으로 자 연스럽게 결부되어 있었다. 그런데 막상 그것을 현실로 옮기려 할 때마다 로렌초의 그림자가 앞을 가로막는 것을 깨닫게 되는 것이 었다.

움브리아 지방의 소국 치타 디 카스텔로를 공격해보았더니, 영 주 비텔리 일족이 다부지게 저항하여 결국 목적을 이루지 못했다. 비텔리가 다부지게 저항할 수 있었던 것은 로렌초의 원조를 받고 있었기 때문이다.

로마냐 지방의 소국 파엔차도 마찬가지였다. 이 경우는 군사력 에 의한 획득을 단념한 식스투스가 파엔차의 영주 만프레디가 빚 이 많다는 것을 알고, 그것을 갚지 않으면 통치 자격이 없는 것으 로 보고 영지를 몰수하는 수밖에 없다고 통고했다. 파엔차도 치타 디 카스텔로와 마찬가지로 형식상 교황청의 영토였다. 영주는 교 황의 위탁을 받아 통치하는 형식이었다.

그런데 빚을 갚을 수 있으리라고는 아무도 생각하지 않은 만프 레디가 반제 기간으로 정해진 40일 안에 3만 스쿠도나 되는 막대 한 빚을 깨끗이 갚아버린 것이다. 로렌초가 빌려주었기 때문이다.

교황의 의도는 여기서도 좌절될 수밖에 없었다.

격노한 교황과 밀라노 공의 서출 딸 카테리나 스포르차와 결혼하여 파엔차의 영유를 노리고 있던 그의 조카 지롤라모 리아리오, 그리고 원래부터 반메디치 감정을 처리하지 못해 안달이던 파치가 손을 잡은 것은 지극히 자연스러운 추세였는지도 모른다. 파치가 중에서는 당주인 자코모의 조카로 메디치의 전횡에 견딜 수 없다며 피렌체를 떠나 로마에서 살고 있던 프란체스코가 대표격이된다.

마키아벨리는 이 프란체스코 파치를, 글을 쓰는 사람이면 선망의 느낌 없이 읽지 못할 명문으로 다음과 같이 평하고 있다.

"프란체스코는 파치 집안의 남자들 가운데서 가장 감수성이 강한 성격의 소유자요 혈기왕성한 사나이였다. 그것 때문에 일족의 다른 남자들에게 없는 것을 가질 수 있었고, 동시에 가진 것을 잃었다."

당주인 자코모 파치는 신중한 사나이로 알려져 있었다. 로렌초의 식탁에 초대되는 단골 손님의 한 사람이기도 했다. 그러나 로마에서는 식스투스 4세, 지롤라모 리아리오, 프란체스코 파치 사이에 차츰 음모가 무르익어가고 있었다. 무술의 명수도 빠뜨릴 수 없다 하여 교황청에 고용된 용병대장 몬테세코도 가담했다. 피사의 대주교 살비아티도 은밀한 의논의 자리에서 빠질 수 없는 얼굴이되었다.

암살은 참으로 주도하게 꾸며졌다.

로렌초와 줄리아노, 메디치의 이 두 형제를 같은 때 같은 곳에서 죽인다. 그러기 위해서는 첫째, 두 사람이 동시에 참석하는 기회가 암살 실행에 편리한 상태로 마련되어야 한다. 우연을 기다리는 것이 아니라, 두 사람 다 참석하지 않을 수 없는 기회를 계획적으로 만들어낼 필요가 있었다.

미끼는 라파엘로 리아리오 추기경으로 정해졌다. 교황의 종손뻘인 이 열일곱 살의 추기경은 피사 대학에 다니고 있었다. 부활절 전야의 휴가를 이용하여 피사에서 가까운 피렌체를 방문하는 것은 극히 자연스러운 일이다. 이 방문에 가톨릭교회에서는 추기경의 하위에 있는, 그의 체류지 피사의 대주교가 동행하는 것도 당연한 관습이다. 또 두 고위 성직자의 이 여행에 교황청 용병대장 몬테세코와 그 부하 병사들이 경호를 위해 수행하는 것도 하등 이상할 것이 없다. 추기경의 여행쯤 되면, 50명 정도의 무장병을 거느릴 수 있는 시대였다. 그리고 프란체스코 파치는 백부 자코모에게 로마에 있는 파치 은행의 업무 보고를 한다는 구실로 오랜만에 피렌체로 돌아간다. 이리하여 살비아티 대주교, 용병대장 몬테세코, 프란체스코 파치 세 사람의 피렌체 입국이 새삼 사람들의 이목을 끌 위험도 없이 실현되었다.

리아리오 추기경이 피렌체에서 묵을 곳은 파치의 저택이다. 이것도 교황청의 재무를 혼자 맡게 되어 교황과 가까워진 파치 가가 자기들의 본거지인 피렌체를 방문하는 교황의 친척을 손님으로 맞이하는 것이니 이상할 것이 조금도 없다. 그리고 현재의 상황으로는 교황과 메디치의 사이가 양호하다고는 할 수 없지만, 현직 교황의 친척이니 메디치로서도 초대 한 번 하지 않을 수 없다. 초대하지 않는 것이 오히려 이상해 화제가 될 터였다. 또 이런 경우의 초대는 수행원 전원에다가 그들을 손님으로 맞이한 파치 집안 사람들까지 부르는 것이 통례이다. 또 초대하는 쪽은 주빈이 리아리오 추기경인 이상, 로렌초와 줄리아노 두 사람이 함께 마중 나가는 것이 예의였다.

그 자리에서 암살을 결행하기로 정해졌다. 여기까지 결정하고 음모자들은 피렌체로 향했다.

모든 것이 그들의 예상대로 진행되었다. 로렌초는 메디치의 별장 하나에 추기경 일행을 초대했다. 그런데 칼 한 번 뽑아보지도 못하고 일이 끝나버렸다. 줄리아노가 나타나지 않은 것이다.

로렌초는 건강이 좋지 않다면서 동생의 결례를 사과했다. 암살자들은 형제를 함께 죽이지 않으면 목적을 이룰 수 없다고 믿고 있었기 때문에 결행을 연기하는 수밖에 없었다. 그런데 칼도 뽑아보지도 못하고 통상의 점심식사 손님을 가장하는 수밖에 없었던 암살자들의 귀에 젊은이답게 순진한 리아리오 추기경의 목소리가 들려왔다. 젊은이는 연장인 로렌초에게, 부활절에는 피렌체 제1의 대성당인 산타 마리아 델 피오레의 미사에 참석하고 싶다고 말하고 있었다. 로렌초가 "그럼 제가 모시고 가겠습니다" 하고 대답하는 소리도 들렸다.

리아리오 추기경이 과연 음모를 알고 있었느냐 하는 것은 역사가들의 의론이 집중하는 대목이다. 그러나 그 젊은 나이에, 그리고 사건 후의 거동을 보아도 모르고 있지 않았느냐 하는 것이 지배적이다. 어쨌거나 암살 결행의 때와 장소는 정해졌다. 부활절 당일의 미사 자리다. 더욱이 피렌체의 본당에서 치러지는 미사였다. 이번에는 줄리아노도 틀림없이 나온다고 암살자들은 확신했다.

순서도 정해졌다. 암살자들은 세 그룹으로 나누어진다. 제1 그룹은 성당 안에서 미사가 시작되는 것을 신호로 두 사람을 죽인다. 그러기 위해 이 그룹은 두 패로 갈라져서 한 패는 로렌초를, 한 패는 줄리아노를 맡는다. 줄리아노의 살해는 프란체스코 파치와, 같은 피렌체인으로 이러쿵저러쿵 말이 많은 반디니 두 사람이 맡기로 한다. 그런데 처음부터 로렌초를 살해하기로 되어 있던 용병대장 몬테세코가 성당 안에서 사람을 죽이기는 싫다며 꽁무니를 빼기 시작했다. 하는 수 없이 대주교 살비아티 밑에 있는 수사 두 사람이 대신하기로 했다.

제2 그룹은 살비아티가 지휘하며, 미사의 시작을 알리는 종소리를 신호로 피렌체의 정청 팔라초 베키오를 점거한다. 이와 때를 같이하여 자코모 파치가 인솔하는 제3 그룹이 정청 앞의 시뇨리아 광장에 나아가, 시민들에게 메디치의 붕괴를 알리고 새 정권의 수립을 호소한다. 성당 안에서의 살인을 거절한 몬테세코는 결행 후 시내를 장악하는 임무를 맡는다.

1478년의 부활절은 4월 26일이었다.

그날, 오후 3시에 집행되는 미사에 참석할 사람들이 피렌체 시내에 있는 많은 성당의 문을 들어서기 시작한다. 특히 산타 마리아 델 피오레 대성당은 추기경이 임석한다는 소식을 들은 신자들이 미사가 시작되기 훨씬 전부터 광대한 내부를 가득 메우고 있었다. 피렌체의 유력한 집안 사람들의 얼굴도 많이 보인다. 리아리오 추기경이 도착했다. 성당 앞에서 맞이한 로렌초의 안내로 정면 제단 앞에 마련된 특별석에 앉는다. 로렌초는 친구들에 둘러싸여 제단

오른쪽, 미사에 필요한 물품을 넣어두는 성구실로 통하는 근처에 앉는다. 암살자들도 저마다 정해진 위치에 자리를 잡는다.

그런데 또 줄리아노가 보이지 않는 것이다. 제단을 향해서 왼쪽에 마련된 여느 때의 그의 자리가 곧 미사가 시작되려 하고 있는데도 아직 공석으로 남아 있지 않은가. 프란체스코 파치는 더 이상 연기할 수 없다고 생각했다. 자기가 직접 메디치 궁으로 달려가서 줄리아노를 데려오기로 했다.

줄리아노의 놀이동무이기도 했던 파치는 이 메디치의 작은 도령이 흔히 몸치장을 시작하는 것도 늦고 따라서 끝나는 것도 더디다는 것을 알고 있었다. 성당에서 메디치 저택까지는 달리면 2분도 걸리지 않는 거리였다.

아니나다를까 줄리아노는 아직 집에 있었으며, 한창 치장을 하는 중이었다. 프란체스코는 옆방에서 초조하게 기다리며 빨리 하라고 재촉한다. 간신히 준비를 마치고 나온 줄리아노를 어깨를 껴안다시피 하여 성당으로 안내한다. 어깨를 껴안으면서 손으로 줄리아노의 몸을 슬쩍 더듬어, 속에 갑옷 같은 보호복을 입지 않았는지 살피는 것도 잊지 않았다.

지각한 줄리아노가 자리에 앉는 것과 거의 동시였다. 반디니의 칼이 먼저 그를 쳤다. 이어 프란체스코 파치가 쓰러진 줄리아노를 칼로 찔렀다. 메디치의 둘째 아들은 무슨 일이 일어났는지도 모른 채 숨이 끊어졌다.

로렌초를 맡은 쪽은 그렇게 잘 되지 않았다. 암살을 담당한 두 수사가, 미사 개시와 동시에 한다는 예정이 깨진 뒤에 행동하는 바람에 당초의 집중력이 흐트러진 것이다. 칼끝이 로렌초의 목을 스쳤을 뿐이다. 그 이상은 비무장이 예의로 되어 있는 미사 자리라, 망토로 칼을 막는 로렌초의 친구들에게 가로막혀 로렌초와 그들이 성구실로 달아나는 것을 허용해버렸다. 다만 로렌초의 옆자리에 있던 친구 한 사람이 살해되고 말았다.

넓은 성당 안은 순식간에 사람들의 비명과 고함 소리로 가득 찼다. 앞을 다투어 피신하는 사람들이 입구로 쇄도한다. 제단 가까이에서는 칼을 휘두르는 암살자들과 그것을 망토로 막으면서 틈을 보아 덮치려는 사나이들의 소용돌이가 여기저기서 생겼다가는 흩어지곤 했다. 그때마다 움직이지 않는 시체가 바닥에 남았다. 정면 자리에 망연히 서서 움직이지 못하던 리아리오 추기경은 곧 누군가의 손에 의해 성당 뒤쪽에 나 있는 문 밖으로 끌려 나갔다.

성구실 안도 문을 닫기는 했으나 안심할 수는 없었다. 문짝에는 청동으로 안을 대놓아 부숴질 염려는 없었으나, 로렌초에게 상처를 입힌 칼끝에 혹시 독이라도 묻어 있지 않았을까 싶어 친구들은 두려웠다. 한 사람이 그의 상처에 입을 대고 피를 빨아 뱉는 동작을 되풀이했다.

밖이 조용해진 것을 깨달은 사람들이 이윽고 성구실의 문을 열었을 때, 로렌초는 처음으로 그때까지 마음에 걸렸던 동생의 행방을 찾았다. 사람도 없는 성당의 차가운 돌바닥에 스물다섯의 육체가 누워 있었다. 친구들은 눈물도 흘리지 못하는 얼굴로 동생을 멍하니 내려다보고 있는 로렌초를 재촉하여, 줄리아노의 시신을 어깨에 메고 한 덩어리가 되어 메디치 궁으로 달렸다. 메디치 저택에서는 어머니 루크레치아의 절망적인 외마디 소리가 형제를 맞이했다.

정청을 점거하기로 한 살비아티 대주교 쪽도 일이 잘 되지 않았다. 고위 성직자라는 지위를 앞세워 예고도 없이 들이닥친 대주교를 맞이한 것은 대통령 체사레 페트루치였다. 페트루치는 연전의 프라토의 난에서도 호담함을 보인 사람으로, 몸집도 크고 위압적이어서 대주교의 권위가 효과를 나타내기에는 가장 나쁜 상대였다. 페트루치는 그때 아직 아무것도 모르고 있었는데도, 대주교의 태도에서 즉각 사태가 무언가 심상치 않다는 것을 눈치챘다. 암살자 쪽으로 봐서 더욱더 나빴던 것은, 기술적인 것을 취미로 삼는 페트루치가 집무실 문의 자물쇠를 모조리 자기가 고안한 것으로 바꾸어놓은 것이었다. 이 자물쇠는 문이 자동으로 잠기고, 잠긴 문은 특수 열쇠가 아니면 안에서나 밖에서나 열 수 없었다. 정신적으로나 육체적으로나 꿈쩍도 않는 상대를 다루다 못한 대주교가 무장한 부하들을 불러들이려고 했을 때, 그는 자신과 무장병들이 각기 다른 방에 갇혀버린 것을 깨달았다.

자코모 파치가 이끄는 제3 그룹의 성과도 엉망이었다.

"포폴로, 리베르타!"(민중, 자유!)

하고 외치면서 선동에 안간힘을 쓰지만, 그 포폴로가 도무지 선동에 호응해 오지 않는 것이다. 뿐만 아니라 성당에서의 참사가 알려지고, 페트루치가 치게 한 정청의 종루에서 울려퍼진 경종으로 변란을 안 사람들이 속속 광장에 몰려들었으며, 이들 속에서 "배신자!"라는 소리밖에 들리지 않게 되고 급기야 돌이 날아오기 시작했다. 위험을 느낀 음모자들은 선동은 고사하고 허둥지둥 도망치는 수밖에 없었다.

달아날 수 있는 자는 모두 줄행랑을 쳤다. 몬테세코도 시내 장악은커녕 제일 먼저 달아났다. 정청 안에 갇힌 자들은 일부는 체포되고 일부는 저항하다가 죽었다.

성당 안에서의 칼싸움으로 상처를 입은 프란체스코 파치는 피를 흘리면서 파치 궁에 돌아가 피투성이 옷을 벗어 던지기가 무섭게 침대에 나가떨어졌다. 상처가 의외로 깊어 더 이상 움직일 수 없었다. 거기에 포폴로들이 들이닥쳤다. 옷을 입을 겨를도 없이 끌려나간 그는 곧장 정청으로 끌려갔다.

그러나 프란체스코의 태도는 붙잡힌 다른 사람들과는 달랐다. 살려달라고 애걸도 하지 않았고, 울부짖지도 않았으며, 잘못했다는 기미를 추호도 보이지 않는 당당한 태도를 유지하다가, 자기에게 욕설을 퍼붓고 돌을 던지는 사람들을 차가운 눈으로 바라보면서 광장을 향한 정청 창문에 목이 매달렸다. 역시 창문에 매달리게 된 살비아티 대주교는 시인 폴리치아노의 증언에 의하면, 이런 사태의 발단이 된 프란체스코를 저주해대더니 매달리는 순간 옆에 있는 그의 발을 꽉 물었다고 한다.

격앙된 민중은 이제 정식 재판 따위를 들을 귀를 갖지 않고 있었다. 성직자라고 해서 용서하지 않았다. 목을 매다는 데 정청 창문이 모자라자 가까운 경찰청사의 창문이 동원되었다. 이 두 건물의 창문에 매달린 형사체를 레오나르도 다 빈치가 스케치했다.

환성을 지르고 욕설을 퍼붓고 돌을 던지고 침을 내뱉는 군중들. 그 속에서 조용히 연필을 움직이고 있는 스물여섯 살의 레오나르도. 아홉 살 난 마키아벨리는 돌을 던진 민중의 한 사람이었을까? 아니면, 깜박이는 것도 잊고 둥그렇게 뜬 눈으로 이 지옥의 그림을 응시하고 있었을까?

레오나르도가 스케치한 형사체

메디치 궁 앞의 넓은 길은 몰려드는 사람들로 넘쳤다. 사람들은,
"팔레, 팔레!"(공, 공)

하고 일제히 합창했다. 메디치 가의 문장이 환약을 떠올리게 하는
여섯 개의 공으로 되어 있어서, '팔레'는 곧 메디치를 의미했다.

메디치 궁의 창가에 로렌초가 모습을 나타냈다. 목에 두른 붕대가
어둠살이 끼기 시작한 어스름 속에 허옇게 드러났다. 얼굴에는 핏기
가 없었다. 입가에 웃음도 떠오르지 않는다. 환성을 지르는 민중 앞
에 그저 묵묵히 서 있을 뿐이었다. 그래도 사람들은 만족했다. 덕분
에 거의 15분마다 로렌초는 창가에 불려 나갔다. 그러나 집 안은 마
치 살아 있는 아들에게 하듯 쉬지 않고 줄리아노의 볼을 쓰다듬는

어머니 루크레치아의, 이제는 눈물도 마른 비탄이 휘덮고 있었다.

사흘 동안, 피렌체는 광기가 휘몰아쳤다. 교수형에 처해진 자들은 한참 동안 효시되었다가 끌어내려져서 목이 잘렸으며, 자른 머리를 창끝에 꽂아 앞세운 군중이 거리를 누볐다. "배신자에게는 죽음을"이라는 고함 소리가 석조 건물이 늘어선 거리에 메아리쳤다. 형사체도 거리를 질질 끌려다닌 끝에 갈기갈기 찢겨져서 아르노 강에 던져졌다. 매장은 한 사람도 허락되지 않았다.

로렌초의 살해를 맡았던 두 수사는 수도원에 숨어 있다가 발각되어 미친 듯이 날뛰는 군중에게 그 자리에서 살해되었다. 사람들의 분노는 처절해서, 경찰이 들어가 막지 않았으면 다른 수사들까지 숨겨준 죄로 린치를 당할 뻔했다.

파치 일문은 당주인 자코모를 비롯하여 부녀자를 제외한 전원이 체포되었으며, 거의 모두가 사형에 처해졌다. 로렌초의 누나와 결혼한 굴리엘모 파치는 거의 혐의가 없었던 것으로 알려졌지만, 그런 그도 추방을 면치는 못해 처자와 다시 만나는 데 6년을 기다려야 했다. 파치 가를 표시하는 것은 모든 장소에서 제거되었다. 꽃의 성모 마리아 대성당과 정청을 잇는 선상의 중간쯤에 있던 장려한 파치 궁도 초석까지 완전히 파괴되었다.

용병대장 몬테세코도 도망에 성공하지 못했다. 붙잡힌 그와 자코모 파치의 고백으로, 이 음모 뒤에 교황 식스투스가 있었다는 것이 세밀한 실증과 더불어 처음으로 밝혀졌다. 현세적인 경향이 강하기는 해도, 근원적인 뜻에서의 신앙은 계속 간직하고 있던 피렌체인은 소스라치게 놀랐다. 지상에서의 신의 대리인쯤 되는 사람이 뒤에서 살인을 조종하고 있었다니!

4월 30일, 줄리아노의 장례식이 치러졌다. 노여움과 슬픔을 가슴에 안은 많은 피렌체인이 참가했다.

줄리아노가 죽기 며칠 전, 그의 애인이 아이를 낳았다. 로렌초는 자세히 알아보지도 않고 그 아이를 인정하여 메디치 가족의 일원으로서 기르기로 했다. 이 아이가 후일 교황 클레멘스 7세가 된다.

암살자 가운데 용케 달아나는 데 성공한 자가 하나 있었다. 줄리아노에게 제일 먼저 칼을 휘두른 반디니로, 터키의 수도 콘스탄티노플에 도망가 있었다. 그러나 전부터 로렌초에게 호감을 가지고 있던 술탄 무하마드 2세는 반디니를 잡아 피렌체로 송환했다. 기다리고 있는 것은 물론 사형이었다.

음모가 실패한 것을 안 로마 교황은 타고난 거센 기질을 노골적으로 드러내며 오히려 강경책으로 나왔다. 피렌체공화국에 다음과 같이 요구한 것이다.

1. 살비아티 대주교를 비롯한 많은 성직자를 죽인 것은 교황청에 대한 내정 간섭이다. 성직자의 처벌은 교황의 권한이며, 한 나라의 정부가 관여할 문제가 아니다.

2. 로렌초 데 메디치는 마땅히 추방되어야 한다.

3. 리아리오 추기경을 무사히 로마로 돌려보내야 한다.

이것을 들이대어놓고, 교황 식스투스는 로마 주재 피렌체 대사를 체포했다. 그러나 하루가 가기 전에 그를 석방하지 않을 수 없었다. 로마 주재 각국 대사의 항의를 무시할 수 없었기 때문이다. 그렇다면 하고 이번에는 로마에 있는 피렌체 상인들을 잡아들였다. 피렌체는 동포를 석방시키기 위해 리아리오 추기경을 이용하기로 했다. 젊은 추기경은 사건 직후부터 안전한 장소에 숨어 있었는데, 공범으로 단정할 수 없는 면이 너무 많았다. 로렌초는 그를 민중의 노기가 미치지 않는 곳에 숨겨놓았다. 얼마 후 리아리오 추기경은 한밤중에 피렌체의 성문을 빠져나가 피렌체 군대의 호위를 받으며 로마로 돌아갔다. 카스텔 산탄젤로 요새에 갇혀 있던 400명의 피렌체 상인들도 이것으로 자유를 되찾았다.

교황은 그러나 단념하지 않고 계속 강경책으로 나왔다. 사건이 일어난 지 한 달쯤 지난 6월 1일, 교황은 교서를 발표하여 로렌초의 파문을 전 그리스도교 세계에 고시했다. 그리고 로렌초를 추방하지 않으면, 피렌체공화국 전체에 성무금지 처분을 내리겠다고 통고했다. 성무금지 처분이란, 태어나는 아이는 세례를 받을 수 없고, 결혼도 할 수 없으며, 죽어가는 사람도 마지막 구원을 받지 못하는 처벌이다. 이 처분을 받은 지역에서는 미사와 혼례와 그밖의 모든 것에서 종교상의 효력이 상실되고, 가톨릭교도로서 인정을 받지 못하기 때문에 죽으면 지옥행을 면치 못하는 것으로 되어 있었다. 신앙심이 깊은 그리스도교도들에게는 파문 다음가는 무서움을 의미했다.

그러나 이 협박도 효과가 없었다. 로렌초가 추방되었다는 소식은 아무리 기다려도 들어오지 않았다. 화가 난 교황은 6월 20일 정말로 온 피렌체에 성무금지 처분을 내렸다. 그래도 피렌체인은 동요하지 않았다. 마침내 교황은 암살로 실현하지 못한 것을 전쟁으로 획득하는 수밖에 없다고 결심한다.

로렌초는 사건의 전모가 밝혀진 단계에서, 각국의 군주와 정부 앞으로 사건의 경위와 결과를 설명하는 편지를 보냈다. 물론 이미 각국 대사와 정보관을 통해서 보고는 들어가 있었지만, 말하자면 당사자의 공식 견해 같은 것이었다. 서술은 정확하고 객관적이었으나, 그 어느 대목에도 음모의 중심인물 세 사람 가운데 교황 식스투스와 교황의 조카 지롤라모 리아리오에 대한 언급은 없었다. 그러면서도 각국의 정치 당사자라면 금방 알아차릴 수 있도록 교묘하게 해설되어 있었다.

로렌초가 기대한 대로 각국이 반응해왔다. 메디치의 두 형제를 동정해서가 아니었다. 그 시점에서는 잇따라 강경책을 내놓는 교황보다 로렌초가 지금까지 해온 방식이 각국에 더 편리하다고 판단했기 때문이다.

먼저 베네치아공화국이, 이어 밀라노공국, 페라라공국, 만토바후국(侯國), 그리고 프랑스 왕 루이 11세까지 줄리아노의 죽음을 애도하고, 로렌초의 생존을 기뻐하며 피렌체공화국과의 종래의 동맹관계를 재확인하는 편지를 보내왔다. 이것은 각국이 다 교황이 아니라 로렌초 편에 선다는 공식 선언을 한 거나 같았다.

다만 한 나라만이 태도를 명확히 하지 않았다. 나폴리왕국이었다. 피렌체에 대해 공공연히 전쟁을 일으킬 결심을 한 교황이, 자기에게는 강력한 군사력이 없어서 나폴리 왕 페란테를 끌어들이려 했기 때문이다. 동조하는 조건은 정복 후의 피렌체는 지롤라모 리아리오가 다스리지만, 나폴리 왕의 봉토로 삼는다는 것이었다.

전쟁은 그해 여름 교황·나폴리 연합군이 피렌체공화국 영토를 침공함으로써 시작되었다. 이를 맞은 피렌체는 이 또한 군사력의 약체로 알려져 있었다. 고용한 용병군에 베네치아와 밀라노에서 파견된 병사들을 뭉쳐서 페라라 공이 지휘하는, 일관된 전략 같은 것은 꿈에도 바랄 수 없는 군대였다. 그러나 적도 교황군 총사령관 우르비노 공과 나폴리군을 지휘하는 칼라브리아 공의 의견이 맞지 않아 병력을 제대로 구사하지 못하는 점에서는 별반 다를 것이 없었다.

이해에 피렌체인이 보인 일치단결된 모습은 그들의 기질을 감안하면 경탄할 만한 것이었다.

교황은 로렌초만이 적이지 피렌체인에게는 아무런 원한도 없다고 몇 번이나 언명했다. 그러나 그들은 로렌초를 버리지 않았다. 성무금지를 당해도 동요하지 않았다. 전비의 부담도, 통상의 중단에 의한 경제 상태의 악화도 그들은 견디어냈다. 적어도 그해 겨울을 맞이하여 싸움이 사실상 휴전 상태에 들어갈 때까지는 버티어냈다.

그러나 해가 바뀌어 1479년 봄에 재개된 싸움의 양상은 피렌체에 분명히 불리하게 전개되기 시작했다. 로렌초가 전선을 돌아다니며 전비의 효과적인 운영에 애를 썼으나 허사였다. 피렌체 시가에서 10킬로미터 거리인 마키아벨리의 산장 근처에까지 나폴리 병사의 그림자가 나타나기 시작했다. 피렌체와 동맹을 맹세한 각국의 태도도 매우 우유부단해졌다.

설상가상으로 그해 여름 피렌체에는 페스트까지 번진다. 통상 중단에 의한 경제 악화도 시내 상점이 한산해진 모습으로 알 수 있을 만큼 두드러졌다. 그리하여 그해 가을 피렌체공화국 정부는 칼라브리아 공이 불쑥 제시한 3개월 휴전안에 기다렸다는 듯이 매달리고 만다.

로렌초는 이 3개월에 도박을 할 결심을 한다. 민심은 피폐해 있었다. 그들에게 이 이상의 지지를 바라는 것은 비현실적이었다.

도박의 상대로 교황 대신 나폴리 왕을 골랐다. 그 교활한 인간이 교황 식스투스의 약속을 진심으로 믿고 있다고는 생각되지 않았다. 믿지 않는다면 싸움을 계속할 이유가 박약해진다. 로렌초는 이 점을 노렸다. 그리고 이 도박과도 같은 교섭에 사절만 보내지 않고 그 자신도 직접 나서기로 했다.

나폴리 왕 페란테가 매우 잔인한 사나이라는 것은 다 아는 사실이었다. 죽인 사람을 미라로 만들어 그 앞에서 예사로 식사를 하는 따위의 에피소드는 얼마든지 있었고, 그를 의지하여 나폴리에 찾아간 고명한 용병대장 피치노를 죽인 사건은 아직도 사람들의 뇌리에 생생했다. 품안에 뛰어들기에는 가장 적당하지 않은 인간이라 할 수 있었다.

'사전 공작'은 어느 정도 해놓은 모양이었다. 나폴리 왕의 누이를 아내로 맞이한 페라라 공을 통해서, 그리고 밀라노 공에게도 어떤 교량 역할을 부탁해놓은 듯했다. 그러나 본줄기는 나폴리에 오랫동안 살고 있는 피렌체의 은행가 필리포 스트로치를 움직여서 공작시켰다. 이 인물은 나중에 귀국하여 피티와 메디치 두 궁전과 어깨를 나란히 하는 르네상스 건축의 걸작 스트로치 궁을 세우게 된다.

그러나 사전 공작에 너무 시간을 소비할 수는 없었다. 휴전 기간은 하루도 허송되어서는 안되었다. 서른 살의 로렌초는 나폴리 왕이 은밀히 전해온, "찾아오면 만나겠다"는 말만 듣고 출발한다. 1479년도 12월로 접어들고 있었다.

몇몇 친구들에게만 사정을 밝히고 피렌체를 떠난 로렌초는, 12월 7일 피렌체에서 50킬로미터쯤 떨어진 산 미니아토에서 피렌체 정부 앞으로 편지를 썼다. 그것을 전하게 한 뒤 다시 아르노 강을 따라 서쪽으로 향하여 리보르노 항에서 대기하고 있던 나폴리의 갤리선에 올랐다. 교황이 적이고 보니, 피렌체에서 나폴리로 가려면 해로를 택하는 수밖에 없었다. 로렌초를 태운 배가 티레니아 해를 남하하기 시작한 것과 같은 시각에, 피렌체의 정청 팔라초 베키오에서는 집합한 정부 관계자들 앞에서 로렌초의 편지가 낭독되고 있었다.

편지는 먼저, 알리지도 않고 모험으로밖에 보이지 않는 행동을 취한 실례를 사과하고, 자기를 나폴리 왕의 손에 맡기로 한 이유를 설명하기 시작한다.

나는 내가 취한 행동이 피렌체에 평화를 회복시키기 위한 오직 하나밖에 남지 않은 수단이라고 믿고 있습니다. 만일 나폴리 왕이 우리 피렌체의 자유에 무관심하지 않다면, 되도록 빨리 본인으로 하여금 그것을 깨닫게 해주어야 합니다. 그리고 이 목적이 많은 사람들의 손실이 아니라 한 개인의 손실로 실현된다면 할 말은 아무것도 없습니다. 그 개인이 내가 되는 것은 다음 두 가지 이유로 당연하다고 생각하고, 그것을 할 수 있는 데에 나는 만족하고 있습니다.

첫째, 나야말로 적으로부터 비난이 집중된 당사자라는 것입니다. 그래서 오히려 적의 한 사람인 나폴리 왕의 진의를 표면화하는 역할에 적합하다 하겠습니다. 왜냐하면 적이 내 개인의 손실만을 요구한다면, 내가 직접 나타남으로써 일이 즉각 해결될 것이기 때문입니다.

둘째는, 나만큼 이 나라에서 높은 명예와 따뜻한 호의를 누린 사람이 없는 이상, 나라를 위해 힘을 다할 의무가 다른 사람 이상으로 있다는 것입니다.

이 두 가지 이유를 가슴에 안고 나는 떠납니다. 신도 아우와 나의 피로 시작된 이 싸움이, 나의 손으로 끝이 나기를 바라실지도 모릅니다. 어쨌거나 나는 다만 생 아니면 죽음을 바랄 뿐입니다. 그리고 내 개인에게 행이 되든 불행이 되든, 그것이 나의 조국에는 언제나 행운이 되기를 나는 빌고 있습니다.

정부 위원들은 모두 숙연히 듣고 있었다고 한다. 개중에는 눈물을 흘리는 사람도 있었다는 얘기다. 그러나 해로를 가는 로렌초의 심경을 짐작할 수 있는 사료는 아무것도 남아 있지 않다. 시 한 편도 읊지 않았다. 역시 여느 사람과 마찬가지로 무서웠는지도 모른다. 다만 로렌초라는 사나이는 자기가 운이 좋다는 것을 알고 있었다. 또 어차피 주사위는 던져졌다면서 나폴리에 도착할 때까지 배 위에 큰 대자로 누워 일광욕을 즐기는 배짱의 사나이기도 했다.

그러나 후일 마키아벨리로부터 화려하고 신중하고 냉정하다는 찬사를 듣는 로렌초 일 마니피코이다. 그 의도하는 바는 의외로 견실한 바탕 위에 서 있었는지도 모른다.

프랑스 왕 루이 11세가 교황청·나폴리 왕국 연합군을 격퇴하는 데 프랑스의 원군을 보내줄까 하고 제의해 온 데 대해서 로렌초는 이렇게 대답하고 있다.

"나는 아직 전 이탈리아의 위험에 내 이익을 우선할 수는 없습니다. 신의 뜻으로, 프랑스의 왕들이 그 힘을 이 나라에서 시험하겠다는 생각은 하지 않게 되기를 빕니다. 그와 같은 사태에 이르렀다가는 그야말로 이탈리아는 끝장이 나기 때문입니다."

나폴리 왕이 영유하는 남이탈리아에 대한 역대 프랑스 왕의 야심은 유럽에서 모르는 사람이 없는 사실이었다. 이보다 반세기나 전의 에피소드지만, 페란테의 아버지 알폰소가 나폴리 왕이었을 때 알폰소가 밀라노 공 필리포 마리아 비스콘티의 포로가 된 적이 있었다. 그때 알폰소는 비스콘티를 협박 겸 설득했다.

"프랑스의 앙주 가가 내 대신 나폴리를 지배하게 되면, 프랑스인의 이탈리아 지배는 '이튿날 아침'의 사실이 될 것이오."

비스콘티는 몸값 한푼 받지 않고 알폰소를 석방했을 뿐 아니라 그와 동맹까지 맺었다.

15세기의 이탈리아는 지배자들 사이에 이치가 통하는 시대였다. 로렌초는 이 점에 도박을 했는지도 모른다.

아무튼 이 얼마나 화려한 드라마를 로렌초는 연출했던가! 더욱이 주연까지 자기가 맡아가면서.

로렌초를 태운 갤리선이 나폴리에 접근하고 있었으나 입항하려면 아직도 며칠이 더 걸려야 할 무렵, 이미 온 이탈리아는 이 대담한 모험을 알고 있었다. 로마 교황 식스투스는 부랴부랴 로렌초가 나폴리에 도착하는 대로 즉각 투옥하라는 권고 서한을 나폴리 왕에게 보낸다. 베네치아공화국 첩보기관인 10인 위원회는, 나폴리에 잠입시켜놓은 첩자에게 나폴리에 도착하는 로렌초의 동정을 낱낱이 보고하라는 지령을 내린다. 밀라노 공의 궁정에서는, 로렌초가 파멸할 것이냐 아니면 승리할 것이냐를 놓고 내기들을 한다. 그러나 이 내기는 분명하게 어느 쪽에 걸 용기 있는 자가 없어 결국 성립되지 않았다는 뒷얘기다. 프랑스 왕 루이 11세도 이 드라마의 경과를 주목하는 사람 가운데 하나였다.

관중으로부터 이토록 주목을 받고 연기하는 것이니 유쾌하지 않을 수 없다. 적어도 피렌체 안에서 축제를 연출하는 것보다 쾌감은 더 컸을 것이 분명하다. 피렌체 정부에 보낸 조금은 너무 잘 된 그 편지의 사연도, 그로서는 자기 의지의 자연스러운 발로였을 것이다. 유쾌해하는 것 또한 로렌초의 일면이다. 그러기에 성공하는지도 모른다. 실제로 나폴리 항구에 들어간 로렌초를 기다리고 있었던 것은 겨울이라고는 여겨지지 않을 만큼 관능적인 남유럽의 기후뿐이 아니었다.

4 꽃의 도시 피렌체

존 르 카레의 스파이 소설 『땜장이, 재봉사, 군인, 스파이』를 읽다가, 한 대목에서 시선이 멎었다. 스마일리와 짐의 대화였다고 생각되는데, 한 사람이 이런 말을 한다.

"예술가라는 것은 기본적으로 상반되는 두 성향을 가지면서도 여전히 기능을 발휘할 수 있는 인간이다."

나머지 한 사람이, 누가 한 말이야? 하고 묻자 먼저 사람이, 스콧 피츠제럴드의 소설에 나온 거야 하고 대답하는 장면이다. 집에 있는 이탈리아어 번역본의 책장을 넘겨봐도 어디였는지 잘 모를 정도로 이런 유의 소설은 선걸음에 읽어버리는 나이지만, 이 구절만은 머리에 남아 있다. 그리고 로렌초 데 메디치를 쓰는 동안 머리에 떠오른 것도 이 한마디였다.

1479년 12월도 다 저물어갈 무렵, 로렌초를 태운 갤리선이 나폴리에 입항했다. 겨울철의 시원하게 갠 푸른 하늘과 따뜻한 기온은 긴장된 가슴을 절로 풀리게 해주는 법이지만, 서른 살의 그도 과연 그랬을까? 그러나 적어도 아득히 오른쪽에 엷은 연기를 뿜고 있는 베수비오 화산을 바라보면서 항구로 들어간 로렌초는 부두에서 자기를 기다리고 서 있는 사람이 누구인지 안 순간, 이 '모험'이 좋은 전조로 시작되고 있다는 것을 확신했을 것이다. 부두에서 다가오는 배를 기다리고 있는 것은 엄한 얼굴의 무장병이나 관리 무리가 아니었다. 오랜만의 재회에 얼굴 가득히 반가운 웃음을 띤 나폴리 왕의 둘째 아들 페데리코였다.

아직은 나이가 어린 이 왕자는 로렌초와는 구면이다. 게다가 연상인 로렌초에게 동경과도 같은 존경심마저 품고 있었다. 또 장남인 알폰소는 조야하기만한 무장이지만, 둘째 아들은 로렌초를 동경할 정도였으니 학문과 예술에 관심이 깊은 세련된 취미의 소유자였다. 나폴리 왕 페란테는 이 왕자에게 나폴리에 체재하는 로렌초의 접대를 명했던 것이다. 그밖에도 나폴리 궁정에는 로렌초와 구면이고 취향도 같은 몇몇의 고관이 있었다.

그러나 노회한 페란테는 로렌초에게 간단히 만족을 주지는 않았다. 아니 어쩌면 왕 자신도 방황하고 있었는지 모른다. 로렌초를 살리느냐 죽이느냐를 결정하지 못하고 있었는지도 모른다. 왕과 로렌초의 회담 내용은 알려지지 않았지만, 두 사람말고는 마음대로 상상하는 수밖에 없는 채로 첫 한 달이 지나간다. 그리고 다음 한 달도 지나갔다. 그렇다고 로렌초는 왕과의 회담 결과에만 초조해하며 시간을 보낸 것은 아니다. 피렌체 근교에 있는 두 별장을 잡혀서 마련한 막대한 돈으로 민의대책도 잊지 않았다.

갤리선의 노를 젓는 100명의 노예를 사서 자유의 몸으로 만들어주기도 하고, 가난한 처녀들에게 지참금을 대어주기도 했다. 병원에 기부하는 것도 잊지 않았고, 축제 때는 많은 양의 포도주도 기증했다. 관대한 군주라는 인상을 심어주기 위한 방책이었지만, 선물에 묻혀서 좋아하는 것은 여자들만이 아니었기 때문이다.

게다가 더 바랄 수 없는 협력자도 있었다. 나폴리 왕의 장남 알폰소와 결혼한 밀라노 공의 백모 이폴리타였다. 로렌초보다 몇 살 위인 이 부인은, 교양의 높이에서 당대 일류의 교양인인 로렌초의 상대를 훌륭히 해낼 수 있는 여성이었다. 나폴리 만을 내려다보는 그녀의 별장이 주역 로렌초의 살롱으로 급변했다. 나폴리의 궁정인으로서 이곳에 초대된다는 것은 크나큰 명예였다.

그러나 왕과의 교섭은 좀처럼 결론이 나지 않았다. 로렌초를 사냥과 만찬에 초대하면서도 왕은 마지막 한마디를 하지 않는 것이었다. 나폴리에 체재한 지 석 달이 다 되어가자, 로렌초도 사람들 앞에서는 유연한 태도를 보였지만 혼자 있을 때는 침울한 표정을 감추지 못했던 것 같다. 그러나 예술가는 의외로 참을성이 강한 법이다. 자기가 의도한 일을 실현시키기 위해서는 보통 사람이 상상도 못할 인내력을 발휘한다. 그렇다고 그저 팔짱을 끼고 기다리고만 있는 것은 아니다. 기다리면서도 무엇이 적을 망설이게 하는가를 규명하여, 그것을 발견하기가 무섭게 승부를 내는 것이다. 이치가 통하는 상대인 왕 페란테가 주저한 것은, 교황 식스투스와의 동맹을 깨되, 나폴리측이 원하여 파기한 형식이 되어서는 앞으로 나폴리왕국과 교황청과의 관계에 문제가 남는다는 점이었다.

로렌초는 제안을 했다. 로렌초는 이제 더 기다릴 수 없다고 공언하고 나폴리 항을 떠난다. 그의 배가 가에타 앞바다에 이를 무렵, 왕의 사자가 탄 배가 따라붙는다. 그리고 로렌초에게 다시 나폴리로 돌아가서 회담을 재개해주기 바란다는 왕의 뜻을 전한다. 로렌초는 그러나 결실 없는 교섭을 이 이상 계속한다는 것은, 비록 휴전중이라고는 하나 목하 적군의 압박을 받고 있는 조국 피렌체를 생각하면 허용될 일이 아니라며 거절한다. 그리고 실은 천천히 움직여 배의 북상을 지속시킨다. 그동안에 일단 나폴리로 돌아가 재차 왕의 지시를 받은 사자는, 이번에는 쾌속선을 몰고 뒤쫓아와서 로렌초가 막 리보르노 항에 올라서는 시각에 맞추어 그를 따라붙어, 나폴리군이 피렌체 전선에서 이탈한다는 왕의 결심을 전한다.

대충 이와 같은 것을 로렌초는 왕에게 제안했을 것으로 짐작된다. 짐작된다고 쓰는 것은 이를 실증할 사료가 없기 때문이다. 그러나 사실(史實)은 완전히 이와 같이 진행된 것이었다. 나의 이 추리의 기초가 된 것은, 로렌초가 갈 때와 올 때에 소요한 항해일수의 설명할 수 없는 차이였다.

요컨대 로렌초는 나폴리 왕의 체면을 세워준 것이다. 상대편의 체면을 세워주면서 자기의 실익을 챙기는 것은 외교의 기본이기도 하다.

로렌초가 리보르노 항에 돌아온 것은 1480년 3월 13일이었다. 피렌체에 도착한 것은 이틀 뒤인 15일이다.

피렌체 시민들은 로렌초를 마치 개선장군처럼 맞이했다. 고대 로마의 장군처럼 쌍두의 말이 끄는 전차를 몰고 돌아오는 개선은 아니지만, 그보다 나았으면 나았지 조금도 못할 것이 없는, 시민들의 목말을 타고 돌아온 귀환이었다. 환호를 지르며 로렌초의 주위에 몰려드는 시민들 때문에 친구들조차 좀처럼 그에게 접근하지 못했다.

마키아벨리도 나중에 쓰지만 피렌체 사람들은, 자기 한 몸을 희생하면서까지 국가와 국민을 위해 평화를 쟁취하려고 애쓴 이상적인 지도자를 로렌초에게서 발견했다. 로렌초는 승리한 것이다.

그러나 예상치 않은 불상사가 일어났다. 나폴리 왕 페란테의 장남으로서 칼라브리아 공으로 통칭되는 알폰소가 자기 휘하의 피렌체 공략 나폴리군을 부왕의 명령에도 불구하고 피렌체 근교에서 철수시키지 않은 것이다. 왕에게는 철수한다고 전하고, 실제로는 토스카나의 들판에 그대로 남아 있었다. 피렌체공화국 영내 깊숙이 들어온 기정 사실을 간단히 포기하고 싶지 않았던 모양이다. 로렌초는 다시 심각한 얼굴이 되지 않을 수 없었다.

그러나 로렌초는 어디까지나 운이 좋은 사나이였다. 마침 그때, 마키아벨리의 펜을 빌리면, 하늘까지 로렌초 편을 드는 듯한 사건이 발발한 것이다.

그해 1480년 7월, 7천 병력을 실은 터키 함대가 처음으로 남이탈리아에 접근했다. 1453년의 콘스탄티노플 함락 이래 마치 가는 곳에 적이 없는 양상으로 세력 확장에 매진해온 술탄 무하마드 2세는 비잔틴제국을 멸망시킨 것이 자기인 이상, 비잔틴제국의 옛 영토에 대한 주권도 자기에게 있다는 구실로 400년을 거슬러 올라가면 확실히 비잔틴제국령이었던 남이탈리아의 공략을 결의한 것이다.

터키군은 장화를 닮은 이탈리아 반도의 발꿈치에 해당하는 오트란토 근교의 해안에 상륙한다. 8월 11일 항구 도시 오트란토는 주민 2만 2천의 절반이 살해되고 함락된다. 죽지 않은 자는 노예로 팔려 갔다.

이것은 남이탈리아를 영유하는 나폴리왕국으로서는 지극히 중대한 사건이었다. 그때까지 이 핑계 저 핑계로 피렌체 근교에 눌러 앉아 있던 칼라브리아 공도 이제 그럴 경황이 아니었다. 8월 말 나폴리군 전군을 이끌고 오트란토를 탈환하기 위해 부랴부랴 남하해 갔다. 터키군은 연내에는 오트란토를 전선 기지로 만드는 데 보내고, 해가 바뀌면 대군을 이끌고 도착할 술탄을 기다려 이윽고 이탈리아 정복에 나설 예정이라는 소문이 나돌았다. 이 절호의 기회를 놓칠 로렌초가 아니다. 나폴리군이 철수한 뒤의 피렌체공화국 영토에 용병대를 보내어 수복했다.

터키군의 내습으로 정신이 바짝 든 것은 나폴리왕국만이 아니었다. 로마 교황 식스투스 4세도 이제 피렌체 공략 운운하고 있을 때가 아니었다. 술탄 무하마드 2세가 머지않아 로마의 산 피에트로 광장의 분수에서 터키의 군마가 목을 축이게 될 것이라고 했다는 말을 전해듣고, 교황은 잠을 이루지 못하게 되었다. 로렌초는 이 호기도 놓치지 않았다. 즉각 교황청 국가와 피렌체공화국의 강화를 교황에게 신청한 것이다.

이때도 로렌초는 상대편의 '체면 세워주기'를 잊지 않았다. 이교도 터키의 침공에 즈음하여 그리스도교 국가들은 단결하여 이를 물리치지 않으면 안되며, 그 주창자는 로마 교황 이외에 있을 수 없다는 대의명분을 내세운 것이다. 이렇게 되면 교황도 응할 수 있다.

그해 12월 3일, 피렌체공화국의 지도적 위치에 있는 사람들로 구성된 대표단이 로마에 도착했다. 로렌초는 끼지 않았다. 교황은 산 피에트로 대성당에서 그들을 영접한다. 대표단 사람들은 교황 앞에 무릎을 꿇고, 외형적이나마 피렌체공화국이 교황에게 한 무례한 행위를 사죄했다. 교황은 아직도 노여움을 감추지 못하고 있었으나, 그래도 무릎을 꿇는 대표단 한 사람 한 사람의 어깨를 고해장(告解杖)으로 가볍게 두드려, 공식으로 피렌체공화국에 대한 성무금지 처분을 풀고 축복을 내렸다. 로렌초 개인에 대한 파문이 풀린 것은 아니었으나, 로렌초나 피렌체 시민이나 그런 것은 나중에 처리하면 된다고 생각했다. 대표단은 이 화해의 대가로서 대(對)터키 전쟁용으로 무장 갤리선 15척을 제공하겠다고 약속했다. 그리고 피렌체로 돌아와 로렌초에게 모든 것이 계획대로 되었다고 보고했다.

그러나 만일 무하마드 2세가 결의한 대로 터키군의 이탈리아 침공이 실현되었더라면, 로렌초나 피렌체공화국이 나폴리 왕 및 교황과의 문제가 해결되었다고 기뻐할 겨를도 없이 어처구니없는 중대한 위기에 직면하지 않을 수 없었을 것이다. 그러나 '하늘까지 로렌초 편을 드는 듯한' 사태가 벌어진 것은, 아직 쉰 살도 채되지 않은 무하마드 2세가 이듬해인 1481년 5월 3일 급사했기 때문이다.

이 정보를 유럽에서 가장 빨리 입수한 것은 역시 베네치아였으며, 베네치아 정부는 5월 말에 벌써 로마 주재 대사를 통해 교황에게 알렸다. 이와 때를 같이하여 남이탈리아에서 버티고 있던 터키군도 썰물처럼 철수해 갔다. 사정을 모르는 이탈리아 국민들은 이교도가 싸움에 지지도 않았는데 왜 갑자기 떠나갔는지 궁금해했다. 나폴리 왕은 물론 안도의 숨을 내쉬었겠지만, 로마 교황도 그제야 겨우 마음놓고 잠을 잘 수 있게 되었다. 덕을 본 것은 로렌초였다. 15척의 무장 갤리선을 제공하는 의무는 흐지부지되었다.

6월 초, 교황 식스투스 4세는 온 그리스도교도들에게 '그리스도의 원수'의 죽음을 축하하여 3일 간 성당에서 감사의 기도를 드리라고 지시했다. 성당이라는 성당의 종은 온종일 축하의 종소리를 울려대고, 성당마다 감사의 기도를 드리는 사람들로 메워졌다.

피렌체에서도 마찬가지였다. 아니, 피렌체에서는 다른 어느 곳보다도 명랑하게 감사를 드렸다고 해야 하는지도 모른다. 성당 앞 광장에서는 미사를 마치고 나온 사람들이 자연발생적으로 춤의 소용돌이를 만들기까지 했다.

피렌체인은 나폴리 왕에게 밀고 들어가 직접 담판을 벌인 로렌초의 성공이 로렌초 개인의 역량에 의한 것임을 알고 있었다. 또 터키군의 침공과 이어서 일어난 술탄의 죽음은, 로렌초의 역량에 의한 것이 아니라 그의 행운의 덕이 컸다는 것도 알고 있었다. 그렇다고 로렌초 데 메디치의 공적을 깎을 생각을 하는 사람은 아무도 없었다. 로렌초에 대한 시민의 평가는, 이때 '그리스도의 원수'의 죽음으로 완벽한 것이 되었다.

인간이란 불운한 사람을 동정하고 계속 행운을 누리는 사람을 좋아하는 법이다.

그것은 반드시 '어차피 기댈 바에야 큰 나무에 기대라'는 따위의 안이한 기분에서가 아니다. 개개인이 '신께서 내려주시는 온갖 시련'과 싸우는 나날을 보내는 그들로서는, 그렇게 하지 않고 지내는 듯이 보이는 '신께서 사랑하시는 사람'을 보면 구원을 받는 느낌이 들기 때문이다.

나폴레옹은 같은 재능을 가진 장군이 두 사람 있으면 운이 좋은 쪽을 발탁했다지만, 사람이 무언가를 하려고 할 때 아무리 뛰어나도 역량만으로는 충분치 않고 운이라는 것이 크게 작용한다는 것을 이해하고 있는 사람은 소수에 지나지 않는다. 그러나 다수도 인간 심리의 극히 자연스러운 발로로 해서 운이 좋은 사람을 좋아하는 경향을 역시 가지고 있다. 로렌초는 이상적인 지도자로서 그들의 가슴 속에 확고히 자리를 잡은 것이었다.

로렌초 데 메디치는 조부 코시모가 평생을 고수한 일개 시민으로서의 삶을 답습하지는 않았다.

아니 답습할 필요도 없었다. 그는 어김없는 군주가 된 것이다. 공화 정체를 지속하더라도 이 사람 이상으로 시민의 지지를 누릴 수 있는 라이벌은 이제 존재하지 않았다. 로렌초가 참으로 그답게 그것을 누린 것은 일신의 안전에 절대적인 자신이 있는 듯한 행동 방식에도 나타나 있다. 추종하는 학자나 예술가를 거느리고 피렌체 거리의 선술집을 이곳저곳 찾아다니며 마시는 이 메디치 가의 당주는 호위병을 거느리고 다니는 것을 끝내 거절했다.

그러나 피렌체내기의 심한 변덕에는 미리 손을 써둘 필요가 있다는 것을 조부와 마찬가지로 로렌초도 깨닫고 있었던 모양이다. 베네치아의 원로원과 비슷하다고 할 수 있는 '70인 위원회'를 설립하여, 정부의 관직을 이 위원회 위원이나 이 위원회가 선출하는 자에게 맡겼다. 70인 위원회 같은 기구의 임기는 보통 1년인데, 피렌체에서는 이례적으로 5년으로 했다. 게다가 대부분의 위원들은 로렌초가 뒤에서 움직일 수 있는 인물들이었다. 반드시 메디치를 좋아했다고는 할 수 없는 한 동시대인은 이렇게 쓰고 있다.

"확실히 그는 전제 군주였다. 그러나 쾌적한 전제 군주였다."

대외관계에서도 로렌초는 없어서는 안될 리더가 되어 있었다. 교황 식스투스와 충돌하는 원인이 된 로렌초 나름의 세력균형정책을, 베네치아공화국과 나폴리왕국, 그리고 그 무렵에는 밀라노공국까지도 현시점에서 바랄 수 있는 최상의 정책으로 인정하고 있었다.

이탈리아는 평화가 필요했다. 이탈리아 안에서 서로 싸움으로써 국내 통일을 이룩해가고 있던 프랑스, 에스파냐 등 타국에 침략의 구실을 주어서는 안되었다. 로렌초가 죽을 때까지의 10년 동안에 국지전 같은 분쟁이 세 번쯤 일어났으나, 로렌초의 중개로 수습되었다.

이탈리아 안의 열강 중에서 유일하게 로렌초의 정책에 찬동하지 않은 것이 교황청이다. 그러나 로렌초를 계속 적대시해온 교황 식스투스 4세도 1484년에는 죽었다.

뒤를 이어 교황에 즉위한 사람은 인노켄티우스 8세다. 로렌초는 이 교황을 자기 편으로 삼음으로써 피렌체와 로마의 관계를 개선하려고 했다. 자기 딸 가운데 막달레나를 새 교황의 아들 프란체스케토 치보와 결혼시킨 것이다.

아무리 행운의 출발을 한 자라도 재능도 없고 야심도 없는 사람이 있다. 또 재능은 없는데 야심만 있는 사람도 있다. 마지막으로 재능도 있고 야심도 있는 인물이 있다.

역대 교황의 조카와 아들을 예로 들면, 식스투스 4세의 조카 지롤라모 리아리오는 이 분류의 두번째에 속한다. 나중에 마키아벨리와 밀접한 관계를 갖게 되는 알렉산데르 6세의 아들 체사레 보르자는 세번째에 해당할 것이다. 프란체스케토 치보는 첫번째에 들어갈 사나이다. 장인 로렌초는 세력 균형에 의한 평화 유지를 큰 목적으로 삼는 이상, 사위에게 영지를 주는 것쯤이야 문제도 되지 않았다. 로렌초에게 다행이었던 것은 교황 인노켄티우스 8세가 이런 종류의 야심에는 무관한 인물이었다는 것이다. 프란체스케토 치보는 장인이 마련해준 피렌체 시내의 아름다운 궁전에서 평온한 나날을 보낸 뒤 침상에서 죽을 수 있었다.

아울러 파치 가 음모의 주모자의 한 사람이었던 지롤라모 리아리오는 로렌초의 은밀한 선동으로 일어난 부하들의 반란으로 1488년에 암살된다. 후원자인 교황 식스투스가 죽기를 기다려서 이루어진 로렌초의 복수는 10년이 지난 후에야 마침내 완성된 것이다(이 사건에 관해서는 『르네상스의 여인들』 제3부, 카테리나 스포르차의 대목에 상세히 적어놓았다. 15년 전의 나는 아직도 로렌초의 대외정책을 깊게 이해하지는 못하고 쓰고 있다).

국내외에서 그의 뜻대로 일이 진행되는 것처럼 보인 로렌초에게도 약점이 없었던 것은 아니었다. 메디치 재벌의 경제 상태와 그 자신의 건강 상태가 악화하고 있었던 것이다.

메디치 가의 경제력 쇠퇴는, 그때까지 경제 대국이었던 이탈리아의 경제가 큰 전환점에 이른 시기와 때를 같이했기 때문이라고 말해봐야 변호가 되지 않는다. 로렌초의 경영 능력이 결여된 것은 시정 장사꾼의 눈도 속이지 못할 정도였다. 그러나 로렌초는 과연 그 방면의 능력이 완전히 결여되어 있었을까? 다른 많은 일에 관심이 돌아가는 바람에, 사재의 운용에 관심을 돌릴 수 없게 된 결과라고 말한다면 지나친 변호일까?

조기에 밑천을 건질 것을 중시하지 않는다면 로렌초는 투자의 명수였다. 막대한 돈을 효과적으로 사용하는 것은 하나의 훌륭한 재능이다. 그러나 그것도 재원이 있는 한은 남에게 폐를 끼치지 않고 해나갈 수 있지만, 로렌초는 재원이 바닥나도 종전의 방법을 바꾸지 않았다. 친족의 재산에 손을 대는 동안은 그래도 좋았으나, 이윽고 피렌체공화국의 공금에도 손을 대기 시작했다. 덕분에 로렌초가 죽은 뒤 메디치 가는 7,500피오리노에 이르는 채무를 지게 된다. 메디치 은행이 파산한 것은 로렌초가 죽고 2년이 지난 1494년이었다.

로렌초가 살아 있는 동안은 그가 말년에 보인 그 칠칠치 못함을 피렌체 시민은 소리 높여 비난하지 않았다. 그가 그동안 나라를 위해 얼마나 많은 사재를 털었는지 알고 있었기 때문이다.

그 소비는 모두 피렌체의 '이미지 업'이라는 형태로 돌아왔다. 피렌체는 조금이라도 지적 관심을 가진 유럽인이라면 다른 어느 곳보다도 동경하는 도시가 되어 있었던 것이다.

절대액의 부족은 아무래도 학문·예술 '조성'의 손발을 묶게 마련이다. 로렌초 자신이 발주한 예술품은 조부 코시모의 그것에 비하면 놀랍도록 적다. 그의 시대에 만들어진 예술 작품을 보아도, 유명한 「프리마베라」를 비롯하여 작품의 대부분은 다른 피렌체인이 주문한 것들이다. 건축물은 거의가 조부 코시모 시대에 세워진 것이고, 미켈란젤로를 젊을 때부터 자기 집에 데려다가 성장을 도와준 것은 로렌초였지만, 레오나르도 다 빈치는 소개장을 써서 밀라노 공에게 보냈다.

이 천재를 피렌체에 묶어두어 일을 시키려고 애쓴 흔적이 없다. 피렌체 출신의 예술가들은 로마를 비롯한 다른 나라에서 활발히 일하게 되었던 것이다.

그렇다고 이것이 로렌초 시대의 피렌체가 학문·예술을 이해하는 마음을 잃었다는 말은 되지 않는다. 문명과 문화의 '수출'은 당시 베네치아에서도 매우 중시되고 있었다. 피렌체가 문명과 문화의 중심이라는 평판 때문에 정치·군사적으로도 얼마나 큰 덕을 보았던가. 티치아노나 벨리니가 초상화를 그림으로써 베네치아가 터키나 에스파냐 등 대국과의 관계를 유지하는 데 얼마나 큰 도움이 되었던가.

얼핏 쇠퇴로 보이는 이 현상을 후세의 미술사가들은 피렌체를 피렌체답게 만든 것은 코시모 데 메디치지 로렌초가 아니라는 근거로 삼고 싶어한다. 외양적인 것을 말한다면 확실히 그럴 것이다. 그러나 아무리 타국에서 훌륭한 일을 하게 되었더라도 자란 것은 피렌체다. 로렌초가 사재를 털어서 마련한, 그리고 누구나 마음대로 드나들 수 있었던 고대 조각을 모은 로렌초 소유의 정원이라든가, 고대 서적과 문서를 일반에게 공개한 도서관이 그들을 키운 것이다. 그 자신의 주머니에서 돈이 나간 것은 아니나, 다른 유력한 가족들로 하여금 작품을 주문하도록 권유한 것도 로렌초였다. 누가 의견을 물을 때마다 이런 것은 어떤지 하고 조언을 해주었다. 로렌초가 권력자여서가 아니라, 사람들을 설득시키는 감각을 가지고 있었기 때문이다.

15세기 말에도 피렌체에는 창작 의욕을 자극하고 그 실현을 도울 분위기가 완전히 존재했다. 그 중심이 로렌초 데 메디치였던 것이다. 만일 로렌초에게 책망할 점이 있다면, 그 자신이 '예술가'였다는 것일 게다. 예술가는 자신의 개성이랄까 취향이 너무 뚜렷해서 예술의 이상적인 패트런이 되기는 힘든 법이다.

그러나 이 '예술가'는 시작(詩作)에서는 '이른바'가 붙는 예술가가 아니었다. 특히 산문에서는 19세기의 미문조(美文調)가 오히려 무색해질 정도의 명수였다. 이탈리아 문학사를 논할 때, 로렌초 데 메디치를 빼놓을 수는 없지 않을까? 오늘날 그 전집이 간행되어 있는데, 시문·산문·평론을 합쳐서 세 권이나 된다. 또 로렌초의 문체는 운문·산문을 막론하고 평이, 명쾌하며, 필자의 두뇌의 명석함이 뚜렷하게 나타나 있는 것이 특색이다.

현대 이탈리아에는, 이탈리아 고문의 현대어역은 존재하지 않는다. 그래서 나도 누구한테서, 500년 전의 옛 사료를 읽으려면 매우 힘이 드시겠어요 하고 감탄하는 소리를 들을 때마다 자못 착잡한 기분이 된다. 힘이 드는 것은 중세풍으로 변형된 라틴어나 현대 이탈리아어와는 상당히 다른 베네치아 사투리의 경우이며, 피렌체에 관한 한 힘이 든다는 소리를 했다가는 이탈리아 초등학교 아동들이 웃는다.

현대 이탈리아의 표준어는 피렌체와 시에나를 중심으로 하는 토스카나의, 말하자면 사투리가 주체가 되어 이루어져 있다. 그런데 이 토스카나 사투리야말로 단테와 보카치오와 로렌초와 마키아벨리의 덕으로 그 시대에 이미 완성되었으며, 그것이 지금까지 승계되어 내려온 데 지나지 않는 것이다.

물론 구투의 표현이 상당히 많다. 그러나 그것도 '주'를 달면 해결되는 정도의 것이다. 다시 말해 흔히 떠올리는 그런 고문이 아니다.

그러기에 700년 전 옛날에 씌어진 단테의 『신곡』도 현대어로 옮길 필요가 없는 것이다.

「지옥편」의 첫머리 부분은 초등학교 4학년이 되면 암기해야 한다. 로렌초 데 메디치의 저 유명한 시는 초등학교 5학년이면 암기한다.

이 시는 그 당시에도 애송되었고, 피렌체의 한 영화관에는 스크린 위의 벽면에 새겨져 있었다. 물론 원문 그대로다. 초등학교 5학년에 다니는(1985년 현재) 내 아들에게 물어보았더니, 『신곡』은 재미있지만 로렌초의 시는 재미없다고 했다. 『신곡』은 일종의 공상과학 소설이라고 못할 것도 없으니, 『E · T』나 『스타 워즈』와 같은 기분으로 즐겼는지도 모른다.

로렌초의 시는 재미없다는 것이 오히려 당연하다. 이 시를 열 살 먹은 어린애가 이해한대서야 말이 안된다. 이 시가 만들어질 무렵 스무 살 전후였던 마키아벨리조차 뜻은 알아도 가슴에 와 닿지는 않았을 것임에 틀림없다. 이 시는 죽음을 바라보기 시작한 사람이라야 비로소 만들 수 있는 작품이기 때문이다. 말년의 로렌초는 메디치 가의 남자들을 깡그리 휩쓴 통풍에 시달리고 있었다.

「바쿠스의 노래」라는 제목의 이 시는, 사육제를 위해서 씌어진 노래이다. 8절까지 이어지지만, 가장 유명한 제1절, 500년 후의 영화관에 새겨지기까지 한 제1절만 소개하기로 한다.

Quantè bella giovinezza,

콴테　벨라　조비네차

che sia fugge tuttavia,

케 시아 푸제　투타비아

Chi vuol essere lieto, sia:

키　볼 에세레　리에토 시아

di doman non cè certezza

디 도만　논 체　체르테차

굳이 번역하면 다음과 같다.

청춘은 이 얼마나 아름다운 것인가,
그러나 순식간에 사라져버린다.
즐기고 싶은 자는 지금 당장 시작하라,
확실한 내일은 없는 것이니.

정말 내가 봐도 서툰 번역이다. 같은 시라도 스토리가 풍부한
『신곡』이라면 원문의 리듬을 살리면서 옮길 수도 있다. 마키아벨
리의 문장 같은 것은 훨씬 간단하게 된다. 로렌초의 시는 서정시라
더욱 애를 먹게 되는 것이다. 그래서 두 손 드는 김에 전부터 상상
한 것을 피력하고 싶어졌다.

이 추리의 근거는, 로렌초의 이 노래가 피렌체뿐 아니라 베네치
아에서도 크게 유행했고, 베네치아에서는 특히 훨씬 후대에 와서
도 사육제 기간에 없어서는 안될 노래가 되었다는 사실이다. 그것

을 우에다 빈(上田敏)인지 누군지 베네치아를 여행한 일본 문인이 듣고 돌아와서 이야기한 것이 요시이 이사무(吉井勇)에게 힌트를 준 모양이다.「곤돌라의 노래」라는 제목이 붙은 것도 베네치아를 거쳐서 왔기 때문이 아닐까……

> 인생은 짧은 것, 사랑을 하라, 처녀여
> 붉은 입술이 바래기 전에
> 뜨거운 피가 식기 전에
> 내일의 세월은 없는 것을.

대의는 같다. 로렌초도 이 번역시가 있다는 것을 알면 감탄할 것이다. 하기야 인간은 정황이 같아지면 비슷한 것을 생각하게 마련이므로, 어쩌면 이것은 요시이 이사무의 완전한 창작인지도 모른다. 다이쇼(大正) 시대에 유행했다는 이 노래를 내가 처음 안 것은 구로사와 아키라(黑澤明) 감독의 영화「생」을 보았을 때였다.

8절까지 있는 로렌초의 시는 제2절의 끝 두 줄을 나머지 7절에서도 마지막에 후렴으로 반복하게 되어 있다. 이런 구조 때문에 유연한 발라드조로 부르거나, 장난기 어린 기분으로 경쾌하게 부르거나 다 가능하지 않았나 싶다.

마지막 1, 2년은 지병인 통풍으로 고생했으며, 편지를 쓰는 것조차 고통스러워할 정도였던 로렌초 데 메디치는 1492년에 죽는다. 마흔셋이 막 된 때였다.

마키아벨리는 그해에 스물셋이 되었다. 이 나이라면 그 28년 후에 썼다고 하더라도, '현장 증인'의 증언이라고 생각해도 무방할 것이다.

마키아벨리는 『피렌체사』에서 로렌초 데 메디치를 다음과 같이 결론지었다. 좀 길어지지만 그 대목을 전부 소개하고 싶다.

피렌체인은 로렌초 데 메디치가 죽는 1492년까지는 최대의 행복 속에서 보냈다. 왜냐하면 로렌초는 그 자신의 사려와 권위로 이탈리아 안에서의 전쟁을 싹이 자라기 전에 따버리는 데 성공했기 때문이다.

그의 온 관심은 자신과 나라를 위대하게 만드는 데 모아졌다. 장남 피에로는 로마의 호족 오르시니 가의 알폰시나에게 장가보냈고, 둘째 아들 조반니는 추기경의 지위를 얻을 수 있도록 힘을 썼다.

조반니가 추기경에 승격한 것은 열네 살이 채 되기 전이었으니, 이례적인 성공이었다고 해야 할 것이다. 이 성공은 후일의 영예로 통하는 길을 열게 된다(조반니는 1513년 레오 10세로서 교황에 선출된다). 다만 셋째 아들 줄리아노는 아버지가 타계했을 때 아직 어려서 그 배려된 은혜를 입지 못했다.

딸들은, 첫째는 자코모 살비아티에게 시집가고, 둘째는 프란체스케토 치보에게 출가했으며, 셋째는 피에로 리돌피의 아내가 되었다(살비아티와 리돌피는 모두 피렌체의 명문가다). 넷째는 메디치 집안의 한 사람에게 시집갔으나 젊어서 죽었다.

로렌초의 사적인 면을 말한다면, 사업에서는 매우 불운했다고 할 수 있다. 원인은 그가 실무를 맡긴 각지의 지점장들이 칠칠치 못했기 때문이다. 지점장들은 사인(私人)으로서보다 공인처럼 행동했다. 그 바람에 유럽 각지에 투자된 메디치 가의 막대한 동산 가운데 많은 것을 잃었다…….

그는 피렌체를 더 아름답고 더 근사한 도시로 만드는 데 관심을 기울였다. 또 시내에는 집을 짓지 않은 빈터가 많았는데, 그런 곳은 새 도로와 건물로 메우게 했다. 그것으로 피렌체는 참으로 아름답고 참으로 근사한 도시로 변모했다.

피렌체공화국 사람들이 평화롭게 지낼 수 있도록 적의 침략에 대한 대책을 강구하는 것도 잊지 않았다. 볼로냐와의 국경은 아펜니노 산맥에 피렌졸라 요새를 축조하여 수비를 공고히 했고, 시에나와의 국경은 포조 임페리알레를 재건하여 방위의 요충으로 삼았으며, 제노바에 대해서는 피에트라산타와 사르차나 두 마을을 사들여서 국경 수비를 증강했다.

우호국가에 대해서는 경제 원조를 통한 관계 유지에 힘썼다. 페루자의 참주 바리오니, 치타 디 카스텔로의 비텔리, 특히 파엔차의 만프레디스는 특별히 고려하여 대했다. 그 결과 이들 소국들은 피렌체공화국을 지키는 견고한 '성채'가 되었다.

이와 같이 하여 피렌체에 평화를 가져오는 데 성공한 로렌초는 피렌체를 축제의 도시로 만드는 데도 열을 쏟았다. 마상 창시합이 자주 열리게 되고, 연극도 현대물에서 고대의 개선극에 이르기까지 일년 내내 어딘가에서 무언가가 상연되었다. 피렌체의 거리는 모든 의미에서 풍요해지고, 상하층 계급도 조화 속에서 다투지 않고 살게 되었다.

로렌초는 또 그것이 어떤 표현 형식을 갖거나, 훌륭하고 근사

15세기 말의 피렌체

한 것이라면 더없이 사랑하는 사나이였다.

문학가들도 아낌없이 지원했다. 안젤로 폴리치아노, 크리스토포로 란디노, 그리스인 데메트리오스 등은 그것을 실증하고 있다. 특히 피코 델라 미란돌라는 특기할 만하다. 이 신과도 닮은 재능의 소유자는 유럽 각 도시를 잘 알고 있었지만, 그것들을 버리고 로렌초의 위대함에 매료되어 피렌체에 옮겨와 살았던 것이다.

건축에서나 음악에서나 시에서나, 로렌초는 놀랄 만큼 즐길 줄 아는 사나이였다. 그의 시문 가운데 많은 것은 단지 지어지고만 것이 아니었다. 그는 스스로 논평까지 했다.

그리고 피렌체의 젊은이들이 더 높은 학문에 접할 수 있도록 피사에 대학을 재건하여 이탈리아에서 바랄 수 있는 최고의 학자들을 초빙했다. 또 피렌체인의 종교심을 이끌어줄 수 있는 설교사로서 아고스티노파의 마리아노 다 기나차노를 초빙했으며, 그를 주체로 하는 수도원도 세웠다(이것은 설교사로서 인기를 얻기 시작한 도미니쿠스파의 사보나롤라에게 대항시키기 위한 방책이기도 했던 것 같다).

로렌초만큼 행운과 신의 사랑을 받은 사람은 없을 것이다. 그가 한 모든 일은 행복한 결과로 끝나고, 그의 적은 모두 불행한 종말을 고했다. 파치뿐 아니라 그밖의 적들도 예외가 아니었다.

신중함과 행운으로 채색된 그의 이런 삶의 방식은, 그가 등장한 당초부터 이탈리아뿐 아니라 먼 곳의 사람들까지도 감탄과 존경을 느끼지 않을 수 없게 만들었다는 것은 잘 알려진 사실이다. 헝가리 왕은 무슨 일이 있을 때마다 번번이 그런 감정을 나타냈고, 터키의 술탄 무하마드 2세는 파치의 난의 희생자 줄리아노를 죽인 반디니가 터키의 수도로 도망쳐 오자, 요청도 받지 않았는데 붙잡아서 피렌체에 송환했다. 이탈리아 안에서도 로렌초의 냉정함과 신중함이 일을 해결할 때마다 그의 명성을 올려놓았다. 어려운 문제를 현명하게 재빨리, 그리고 대담하게 해결했기 때문이다.

그렇다고 그에게 그 역량에 오점을 찍는 부덕(不德)이 없었던 것은 아니다. 여자 방면에서는 평생을 통해서 열심이었고, 남자에 대해서도 장난을 치고 놀리고 하기를 좋아했다. 또 그의 어린애 같은 변덕은 그런 처지에 있는 사람에게 걸맞은 행위로는 여겨지지 않았다. 흔히 아이들과 뒤섞여서 놀고 있는 광경이 남의 눈에 띄곤 했다.

쾌락적이고 사교적인 면과 엄하고 사색적인 면, 이 둘을 다 가진 사나이였다. 그의 속에는 서로 전혀 다른 두 인간이 살고 있는 것처럼 느껴졌다. 로렌초의 경우 그것은 서로 결합할 수 없는 것이 결합해 있다는 느낌을 주었다.

마지막 몇 해는 병에 시달렸다. 위가 안 좋았던 것이다. 그 때문에 1492년 4월 8일에 죽었다. 마흔세 살이었다.

그의 죽음만큼 피렌체뿐 아니라 온 이탈리아에서 비탄으로 받아들여진 것도 없을 것이다. 그의 죽음이 그후 일어날 큰 불행들의 시작이 되리라는 것을 암시라도 하듯 하늘도 몇 가지 분명한 전조를 보였다. 산타 마리아 델 피오레 성당의 그 높은 둥근 지붕 위에 서 있던 첨탑이 벼락을 맞고 떨어진 것이다. 이것을 보고 놀라 두려워하지 않은 사람이 없었다.

로렌초의 죽음으로 피렌체에서는 모든 사람이, 이탈리아에서는 모든 군주가 비탄에 잠겼다. 이들이 비탄에 잠길 만한 이유가 있었다. 그것은 로렌초가 죽은 뒤 곧 나타난다.

이탈리아는 유일한 조언자를 잃은 것이다. 남은 사람들 가운데는 이제 밀라노 공의 섭정 루도비코 스포르차의 야심을 억제할 사람이 없었다. 스포르차는 로렌초가 죽고 얼마 안되어 그 사악한 씨를 뿌리기 시작한다. 그 씨에서 살아난 불은 이제 누구도 끌 사람이 없는 채로 번져서 이탈리아를 파멸시키는 근원이 되는 것이다.

로렌초 데 메디치가 '일 마니피코' 곧 위대한 사람이라 일컬어진 참된 이유를 마키아벨리는 단순한 역사가 따위는 발치에도 미치지 못할 아름다움으로 그리고 있다. 정말이지 그렇게 씌어진다면, 로렌초보다 나은 이상적인 군주는 발견하기 어렵겠구나 하는 생각이 들 정도다. 더욱이 마키아벨리는 이것을 쓰기 7년 전에『군주론』을 쓴 사람이다.『군주론』속에서 이런 로렌초에게 많은 지면이 할애되었더라도 당연하다고 생각하는 것이 마땅하지 않겠는가? 그런데 그렇지가 않은 것이다.

『군주론』에서 로렌초에 대해 언급한 대목은 한 군데도 없다.『군주론』은 군주 정체를 논한 것이니, 아무리 사실상의 군주였다 하더라도 공화 정체를 취한 피렌체의 '군주'는 논할 대상이 될 수 없다고 할는지도 모른다. 그렇다면『정략론』은 어떤가?『정략론』은 공화 정체를 논한 것이다. 그러니까『정략론』에서라면 로렌초의 활약 장면이『피렌체사』에서 그렇게도 칭찬되고 있는 이상, 많아도 하등 이상할 것이 없다는 생각이 든다. 그런데 이것도 아닌 것이다.

『정략론』에서 로렌초가 등장하는 것은 다섯 군데뿐이다. 그것도,

첫번째는, 로렌초가 죽은 직후 성당의 첨탑이 벼락을 맞아 떨어졌다는 것.

두번째는, 파치 가의 음모를 기술한 대목.

세번째는, 이 또한 파치 가의 음모.

네번째도, 파치 가에 관한 대목이고,

마지막의 다섯번째에서야 비로소 공화국의 지도자다운 로렌초가 등장한다.

로렌초 데 메디치도 이런 생각에 공감하여, 다음과 같이 말하고 있다. "군주가 하는 대로 민중도 행동한다. 사람들의 눈은 언

제나 군주 그 사람에게 집중되기 때문이다."

이것이 전부다.『피렌체사』에서 그토록 찬사를 들은 로렌초가, 군주 정체건 공화 정체건 지도자론이기도 한『군주론』과『정략론』에서 왜 이렇게도 푸대접을 받아야 했는가?

왜『군주론』의 모델이 로렌초 데 메디치여서는 안되었던가?

로렌초의 말년에 있었던 약간의 공금 횡령에 마키아벨리가 그렇게 신경을 곤두세웠다고는 생각되지 않는다. 마키아벨리는 군주에게 도덕성을 요구하지는 않았다. 도덕적이게 거동하는 것이 민중 조작에 효과가 있다면, 그런 체나 하라고 말하고 있을 뿐이다. 또 로렌초의 혜택받은 환경과 출발을 감안하여 그후의 업적을 할인해서 평가해야 한다고 말하는 정치학자나 역사가의 편견으로부터도 마키아벨리는 자유였다. 다른 사람보다 더 혜택받은 환경이라는 것은 그 사람이 가진 행운의 하나라고 생각했다. 행운을 타고났으면서도 역량이 없어 그 행운도 활용하지 못한 사람을 너무나 많이 알고 있었기 때문일 것이다.

이것으로 보더라도 로렌초가『군주론』의 모델이어서는 안될 이유는 전혀 없다고 여겨진다. 그런데 모델이 되지 않았다. 모델이 되지 않았을 뿐 아니라, 그 책 속에 수십 명이나 등장하는 인물들 속에도 끼지 못했던 것이다.

『군주론』의 모델은 체사레 보르자였다. 로렌초에 비하면 비교도 되지 않을 만큼 교양도 낮고, 더욱이 자기의 야망을 실현하는 일밖에 생각하지 않은, 그러나 역량과 행운을 타고 난 체사레 보르자였던 것이다. 왜 그랬을까?

여기에 『군주론』이, 마키아벨리 사상의 에센스인 『군주론』이 씌어진 이유를 푸는 열쇠가 숨어 있는 것이다. 그것만 알면 마키아벨리를 아는 거나 다름이 없다.

같은 피렌체인으로서 본다면, 미소 없이는 생각할 수 없을 만큼 로렌초와 마키아벨리는 닮았던 것 같다.

한 나라의 지도자에 대한 논평이므로 모르는 바도 아니지만, 마키아벨리가 로렌초의 '부덕'으로서 기술하고 있는 대목 같은 것은 어쩌면 그리도 뻔뻔스럽게 쓸 수 있느냐고 묻고 싶어지기까지 한다.

밤낮 여자에 반한 것은 마키아벨리 자신이다. 남자끼리 어울리면 장난치고 놀리고 하는 데 그치지 않고, 흔히 초등학생쯤에게는 도저히 읽힐 수 없는 것을 이야기하고 쓰고 한 것도 마키아벨리다. 마구 떠들고 놀기를 좋아하는 데 이르러서는 이튿날 창피해서 친구를 볼 면목도 없지 않았겠나 하고, 남의 일이지만 생각하고 만다. 마키아벨리도 쾌락적인 동시에 사색적이었다. 한 인간 속에 상반되는 두 인간이 살고 있었다는 것은 마키아벨리 역시 마찬가지였던 것이다.

필경은 두 사람 다 순 피렌체내기였다. 기본적으로 상반되는 두 성향을 갖고 있으면서도, 여전히 기능을 발휘할 수 있는 예술가였던 것이다. 피렌체가 르네상스의 발상지가 된 것은 우연이 아니다. 피렌체인 특유의 이 광휘는 같은 문명권에 속하면서도 베네치아인에게는 없는 것이었다.

마키아벨리는 비록 『군주론』의 모델은 삼지 않았지만, 로렌초 데 메디치라는 사나이와 공감하는 바가 많지 않았을까? 그리고 로렌초가 만든 그 노래를, 마키아벨리도 같은 나이에 이른 무렵부터는 진심으로 공감을 느끼며 부르지 않았을까?

인생은 짧은 것, 사랑을 하라, 처녀여
붉은 입술이 바래기 전에
뜨거운 피가 식기 전에
내일의 세월은 없는 것을.

5 수도사 사보나롤라

이야기는 28년이나 전으로 뛰지만, 마키아벨리가 『피렌체사』를 쓰게 된 것은 피렌체 정부의 청탁을 받았기 때문이다. 공식적으로 계약서까지 작성했다. 정부가 그에게 의뢰하도록 유도한 것은 줄리오 데 메디치 추기경이었다. 1520년의 일이다.

줄리오는 파치의 음모에서 살해된 줄리아노의 서자다. 죽을 때 줄리아노는 독신이었으나, 그에게 갓 태어난 사내아이가 있다는 것을 안 형 로렌초가 아기를 데려다가 메디치 가의 일원으로 길렀다. 그러므로 혈연으로 보나 자란 환경으로 보나 줄리오는 완전히 메디치 집안 사람이다. 더욱이 1520년 당시의 로마 교황은 줄리오와는 사촌간인 로렌초의 둘째 아들 조반니였다.

말하자면 마키아벨리에게 피렌체의 역사를 써주기 바란 것은 조반니, 즉 교황 레오 10세와 추기경 줄리오라는, 당시의 메디치 가에서 가장 중요한 두 사람이었던 셈이다. 게다가 당시의 피렌체는 한 번 쫓겨난 메디치 가가 복귀하여 공식적으로 군주국은 아니지만 정치의 주권을 줄리오 추기경이 쥐고 있었다. 이 메디치 가가 바란 것이 메디치를 다루지 않고는 쓸 수 없는 피렌체 역사였던 것이다. 더욱이 1520년 당시의 마키아벨리는 메디치의 인정을 받음으로써 관직에 복귀하려는 희망을 버리지 못하고 있었다.

그토록 '악' 조건이 갖추어져 있었다면, 아주 평범하게 생각하더라도 마키아벨리는 객관적인 기술이 어려운 처지에 있지 않았을까 하고 생각하게 된다. 실제로 그가 메디치 가에 대해서 좋게 쓴 것은 그 때문이었다고 보는 역사연구자도 적지 않다.

그러나 그것은 글 쓰는 사람의 심리를 모르는 자가 하는 말이다. 글 쓰는 작업이 어떤 기개에 지탱되어 이루어지는지 모르는 자가 하는 말이다.

하물며 그 시대에는 책을 인쇄하여 널리 독자를 획득할 수도 없었다. 필사본을 구하여 돌려가며 읽던 시대였다. 마키아벨리가 생전에 자기 작품의 인쇄본을 볼 수 있었던 것은 하나뿐이다. 생전에 이미 평이 좋았던 『군주론』조차 인쇄본으로 나온 것은 그가 죽은 지 5년이 지나서였다. 독자의 수가 한정되어 있었다는 말이다. 한정된 독자라면, 당연한 일이지만 상당히 사정에 밝은 사람들이라는 얘기가 된다. 그런 사람들의 웃음거리가 될지도 모르는 것을, 글깨나 쓰는 사람치고 누가 마음대로 쓸 수 있었겠는가.

그렇기는 해도 메디치 가와 같은 강력한 후원자를 적으로 돌린다는 것은 당시의 마키아벨리로서는 문자 그대로 바보 같은 짓이었을 것이다. 웃음거리도 되지 않고 바보짓도 하지 않으려면, 약간의 궁리가 필요하다. 마키아벨리의 '궁리'는 자기에게 주어진 『피렌체사』를 로렌초 일 마니피코의 죽음으로 끝내는 것이었다.

로렌초의 죽음은 1492년이다. 마키아벨리가 『피렌체사』를 쓰는 것은 1520년이다. 이 28년 간의 첫 5년은, 마키아벨리가 아직도 공직에 앉지는 않았지만 스물세 살부터의 5년 간이다. 눈을 뜨고 태어난 사나이가 무언가를 보지 않았을 턱이 없다. 또 거기서 이어지는 15년 간은, 그가 피렌체공화국 대통령의 오른팔로서 최고의 정보를 접하고 있던 시기다. 이 사람만큼 쓰기에 적합한 인물도 없었다. 그런데 로렌초의 죽음으로 펜을 놓아버린 것이다. 궁리한 것이 아니고 무엇이겠는가.

로렌초가 죽은 뒤에도 계속 쓰게 된다면 메디치 가를 비판하지 않을 수 없기 때문이다. 교황 레오 10세야 유쾌해하겠지만, 로렌초 사후의 메디치 가 사람들은 좋게만 쓰면 웃을 것이다. 피렌체인의 피 외에 다른 피가 섞인 결과가 아닐까 하는 생각까지 하게 된다. 그렇다고 솔직하게 써버리면 메디치 가가 기분 나빠할 것은 뻔하다.

정말로 웃음거리도 되지 않고 바보짓도 하지 않기 위한 궁리를 하려면, 양쪽을 만족시키는 무언가가 있어야 한다. 마키아벨리가 『피렌체사』를 로렌초의 죽음으로 끝내며 내세운 대의명분은, 그해 이후로 피렌체는 이제 이탈리아의 정세에 대한 주도권을 잃었다는 사실이었다. 빛나는 피렌체는 로렌초와 더불어 사라졌다는 것이다.

아버지가 죽은 해에 피에로 데 메디치는 스물한 살이었다. 동생 조반니는 추기경이 되어 있었으나 아직도 열여섯 살. 셋째 줄리아노는 열네 살이었다. 하기야 아버지 로렌초도 대임을 맡게 된 것이 스무 살이 되던 해였다. 그리고 피에로도 일 마니피코라 존칭된 아버지의 유산을 모두 물려받았다는 점에서 행운이 아니었던 것은 아니다. 필경 역량이 모자랐던 것이다. '불운한 자'라는 그의 별명은 좀 너무 잘 봐주었다는 느낌마저 든다.

그러나 피에로가 참된 뜻으로 불운한 자였던 것은, 로렌초 시대의 피렌체공화국이라는, 로렌초 개인의 압도적인 개성에 의해서만 기능 발휘가 가능했던 체제를 승계했다는 사실일 것이다. 그런데 피에로는 그런 아버지도 하지 않은 짓을 하기 시작한다.

메디치 궁이 정청이 되었다. 나이가 젊어서 공화국 정부의 요직에 앉을 수 없었던 그는, 자기가 정무를 볼 수 있는 자리에 아예 정청을 옮겨버린 것이다. 피렌체의 메디치파 유력자들까지 의심쩍은 눈으로 그를 바라보게 되었다. 불쾌감을 감추지 못한 유지들 가운데는 로렌초의 누나와 결혼한 피에로의 고모부 베르나르도 루첼라이가 있었다. 로렌초의 사촌 파올로 안토니오 소데리니도 있었다. 젊은 피에로는 발바닥에 불이 붙은 기분이었는지도 모른다. 피에로 같은 사나이의 경우, 불안은 즉각 동요로 이어진다. 동요한 메디치 가의 젊은 당주는 실수에 실수를 거듭하는 결과를 빚는다.

1492년 4월 8일, 로렌초 데 메디치 사망.

같은 해 7월 25일, 로렌초와 가장 좋은 관계에 있던 교황 인노켄티우스 8세 사망.

8월 11일, 보르자 가 출신의 새 교황 알렉산데르 6세 즉위.

이 시기에 이탈리아 5열강의 하나인 밀라노공국에는, 얼굴이 검어서 일 모로(무어인)라는 별명이 붙은 루도비코 스포르차가 있었다. 선대의 공작 갈레아초의 동생이다. 1476년에 갈레아초가 암살되었을 때, 후계자 잔 갈레아초는 아홉 살의 어린 소년이었으므로, 그때부터 밀라노공국을 통치해온 것이 섭정인 일 모로였다. 그는 보통 이상의 실력자였다는 데에 역사가의 의견이 일치하고 있다. 피렌체를 떠난 레오나르도 다 빈치의 패트런이었다는 것으로도 유명하다. 그는 섭정의 지위가 마음에 차지 않아 정식으로 밀라노공국의 주인이 될 야심을 품고 있었다. 로렌초의 죽음은 그의 눈에 절호의 기회로 비쳤을 것이다. 1492년이면, 병약하다는 이유로 그때까지 국정에 관여시키지 않은 공작 잔 갈레아초도 스물세 살이 되어 있었다. 일 모로는 마흔하나였다.

그러나 그가 정통 공작을 배제하고 그 자리를 차지한다는 것은 쉬이 성공하기 어려운 음모였다. 젊은 공작의 아내는 나폴리 왕 페란테의 딸이므로, 우선 나폴리왕국이 용서치 않는다. 로렌초도 살아 있었다면, 이탈리아 내의 세력 균형이 깨져서 외국 세력이 침입할 구실을 준다고 하여 한사코 저지했을 것이다. 그 로렌초는 이제 없다. 일 모로를 가로막는 장애는 이제 나폴리 왕밖에 없었다.

한편 프랑스의 왕위에는 1483년부터 샤를 8세가 앉아 있었다. 13세에 즉위했으니, 1492년 당시에는 겨우 스물두 살에 지나지 않았다. 육체적으로는 장애자에 가까웠다. 그러나 국내 통일을 완성했고, 군사력에서는 최강의 프랑스 왕이다. 이 왕은 십자군 운동의 열렬한 신봉자였다. 또 앙주 가까지 거슬러 올라간다면, 나폴리 왕위는 자기 것이라고 믿고 있었다.

마지막으로 추기경 줄리아노 델라 로베레가 있다. 교황 식스투스 4세의 조카 가운데 한 사람인데, 백부 덕으로 추기경이 되기는 했으나 보통 재능의 소유자가 아니다. 나중에 율리우스 2세로서 교황이 된다. 그러나 1492년 당시는, 보르자와 교황 선출의 치열한 싸움을 벌인 끝에 고배를 마신 직후였다. 새 교황 알렉산데르 6

세를 쫓아내는 일밖에 머리에 없었다.

해가 바뀐 1493년, 일 모로는 벌써 노골적으로 움직이기 시작한다. 독일의 신성로마제국 황제 막시밀리안에게 질녀인 공작의 누이 비안카를 40만 두카토라는 전대미문의 지참금을 얹어서 출가시켰다. 황후가 죽고 홀아비였던 황제는 호주머니만 두둑해진다면 무슨 짓이고 하는 것으로 유명했다.

이탈리아 최강의 나라인 베네치아공화국과는 밀라노 · 베네치아 동맹을 더 공고히 함으로써 접근했다. 이렇게 독일 황제의 남하 저지와, 베네치아와의 국경선 안전을 확보한 것이다. 동지중해 해역에서 터키 앞에 수세로 있어야 했던 당시의 베네치아로서도, 이탈리아 국경이 보장된다는 것은 무시할 수 없는 수확이었다.

일 모로는 피렌체에 대한 대책도 잊지 않았다. 피에로 데 메디치에게, 밀라노와 나폴리가 대립하게 되면 밀라노 쪽에 붙어달라고 요청하는 사절을 보냈다. 피에로는 태도를 정하지 못했다.

새 교황을 맞이한 지 얼마 안되는 로마 교황청에 대한 대책은, 자기의 야심을 실현하는 찬동자이기도 한 동생 아스카니오 스포르차 추기경에게 일임했다. 교황 보르자의 선출 때 공을 세운 아스카니오 추기경의 새 교황 알렉산데르 6세에 대한 영향력을 믿었기 때문이다.

1493년은 일 모로의 이러한 공세와 이에 필사적으로 대응하는 나폴리 왕 페란테의 움직임이 물 밑에서 요동하는 가운데 지나갔으나, 해가 바뀌어 1494년에 접어들자 정세가 급전했다. 1월 25일, 나폴리 왕 페란테가 죽었다. 프랑스 왕 샤를 8세가 즉각 나폴리 왕위의 계승권을 주장하고 나섰다.

그러나 4월 18일 교황 알렉산데르 6세는 샤를의 주장을 물리치고, 새 나폴리 왕으로 전왕의 적자 알폰소를 승인했다.

교황의 이 결정은 프랑스 왕 샤를을 격분시키는 것만으로 끝나지 않았다. 왕의 분노는 즉각 프랑스파 추기경들의 불만이 되어 돌아왔다. 프랑스파 추기경의 수령격은 줄리아노 델라 로베레였다. 새 나폴리 왕이 정해진 6일 후, 로베레 추기경은 로마를 탈출하여 프랑스 왕에게로 달아났다.

1494년 8월, 프랑스 왕 샤를은 9만 병력을 거느리고 그르노블을 떠나 알프스를 넘는다. 동시에 이탈리아 각국에 사절을 보내어, 프랑스군이 영내를 통과하는 자유와 필요한 물자의 제공을 요구한다.

9월, 프랑스군이 토리노를 통과하여 아스티에 입성하고, 일 모로 부부가 마중을 나간다. 샤를 8세를 줄리아노 델라 로베레가 동행한다.

10월, 밀라노공국 제2의 도시 파비아에 입성한다. 6일 후, 밀라노 공작·잔 갈레아초 스포르차가 죽고, 그 8일 후에는 일 모로가 정식으로 밀라노 공작에 취임한다.

여기서부터는, 피렌체 정세를 현장에서 목격한 증인의 증언을 주축으로 그려보고자 한다. 루카 란두치의 『일지』를 인용할 참인데, 그는 피렌체 시내에서 향신료 상점을 경영한 상인으로, 당시 50대 중반의 나이였다. 시정 사람들의 관점을 보여주는 데는 가장 적합한 인물로 여겨진다. 다만 교양인이 아닌 단순한 상인이라 그의 글에는 아무래도 한계가 있다. 그래서 『일지』를 그냥 옮겨서는 이해할 수 없는 대목은 내가 가필하는 수밖에 없었다.

"1494년 10월 26일, 피에로 데 메디치는 유력자들과 의논도 없이 피렌체를 떠났다. 피사를 향해 남하중인 프랑스 왕을 만나기 위해서다. 왕을 만난 피에로는 피렌체 영내에 피해를 주지 말아달라고 부탁하고, 그 대신 피렌체는 왕의 군대에 항복하겠다는 것과 그 증거로 영내 두 도시의 시문(市門) 열쇠와 20만 피오리노의 금화를 제공하겠다고 제의했다. 왕은 물론 동의했으나, 피렌체 사람들이 인정하지 않았다. 그렇게 굴욕적인 대응을 할 필요는 없다는 것이었다. 피에로는 철없는 젊은이의 행동을 했다는 비난을 받았다."

"10월 29일, 피렌체 영내의 한 도시가 프랑스군에 공략된 뒤 철저하게 약탈당했다."

11월 1일, 피렌체 시내에서는 공포에 떠는 군중 앞에서 사보나롤라가 설교했다.

"이것이야말로 신께서 내리시는 칼이다. 내 예언은 적중했다. 회초리가 내리쳐진다. 신께서 몸소 저 군대를 인솔하고 계신다. 이것이야말로 신이 내리시는 노여움의 시련이다!

오, 피렌체여, 로마여, 이탈리아여, 노래와 춤으로 지새던 때는 지났다. 이제 눈물의 강이 흐른다. 동포여, 회개하라. 주께 가까이 가자! 주여, 저희들의 죄로 말미암아, 저희들을 사랑하시기 때문에 돌아가신 분이시여. 용서하소서, 당신의 어린 양이 되고자 애쓰는 이 피렌체의 백성을 용서하소서!"

"11월 4일, 정청으로부터 시민에게 지령이 내렸다. 프랑스군이 숙박집을 얻으러 갈테니, 집 안을 보여주라는 것이었다. 집 안에 있는 것을 들어내지 말고, 그대로의 상태로 보여주라고 했다. 이에 시민들이 몹시 불만스러워했으며, 프랑스군을 필요 이상으로 무서워한다고 모두들 말했다."

"11월 5일, 프랑스 왕의 신하들이 피렌체에 찾아와 시내의 집을 돌아보면서, 마음에 드는 집을 골라 문에 흰 분필로 표시를 하고 다녔다. 숙박용으로 정해진 집은 수백 채로는 모자라 수천 채에 달했다. 프랑스인은 좋다고 생각되는 집 앞에 서서, 문 열어라 하고 소리칠 뿐이었다. 피렌체인이 할 수 있는 일은 부녀자들을 시골로 보내거나 표시를 하지 않은 집에 맡기는 것뿐이었다."

"11월 6일, 5명의 유력자로 구성된 교섭단이 피사에 있는 프랑스 왕을 찾아갔다. 단장은 수도사 사보나롤라였다. 같은 날, 프랑스군 선발대가 피렌체에 들어와 숙소로 정해진 집으로 분산했다."

"그날 야반이 지나서, 정청 종루의 종이 울렸다는 소문이 바람처럼 시내에 퍼져 시민들이 정청 앞 광장에 몰려나갔다. 그러나 그것은 오보였다."

"11월 8일, 프랑스 왕을 찾아갔던 피에로 데 메디치가 돌아왔다. 피에로는 메디치 궁에 들어가자 곧 많은 과자와 포도주를 시민들에게 나누어주었다. 프랑스 왕과 유리한 조건으로 강화를 맺을 수 있게 된 것을 축하하기 위해서라고 했다."

"11월 9일, 일요일, 만종 시간에 무장한 시민들이 정청 앞 광장에 모여들기 시작했다. 시민 집회를 열자는 소리가 일기 시작했다. 거기에 사보나롤라파로 이름난 프란체스코 바롤리가 말을 타고 나타나, '포폴로, 리베르타'(민중, 자유) 하고 외쳤다. 광장에 모인 사람들이 즉각 복창했다.

그동안에도 광장은 모여드는 사람들로 가득 찼으며, 이구동성으로 '포폴로, 리베르타'를 외쳐댔다.

피에로 데 메디치는 말을 달려 '팔레'(메디치파라는 뜻)를 외치며 광장으로 향했다. 그를 따르는 시민은 별로 많지 않았다. 광장은 무장한 시민으로 가득 차 있었으므로, 피에로는 생각을 바꾸었다. 그러는 동안에 정청에서 지령이 내려왔다. 그 가운데는 피에로 데 메디치에게 가담하는 자는 교수형에 처한다는 조목도 들어 있었다.

피에로는 동생 줄리아노가 열어놓게 한 성문으로 시내를 빠져나갔다. 성문 밖에는 외척인 오르시니 가의 무장병들이 기다리고 있었다. 가엾은 추기경은 형 피에로, 동생 줄리아노와 함께 떠나지 못하고 혼자 메디치 궁에 남았다. 나는 이 젊은 추기경 조반니가 창가에 꿇어앉아 두 손을 모으고 기도하는 모습을 내 눈으로 보았다. 내 가슴 속은 측은한 생각으로 메워졌다. 설령 무슨 사정이 있더라도 저 젊은이는 좋은 사람이겠구나 하는 생각이 들었다. 그도 곧 메디치 집안의 직계 사람들이 하나도 남지 않게 된 피렌체를 떠나갔다. 들으니 수도사로 변장하여 탈출했다는 것이었다.

피렌체의 거리는 다음날에도 '포폴로, 리베르타'의 함성이 울려 퍼지고, 공화국 정부는 피에로 데 메디치를 죽이는 자에게는 2천 피오리노, 동생인 추기경을 죽이는 자는 1천 피오리노의 상금을 주겠다고 발표했다.

정말 이날과 그 다음날은 극심한 혼란이 피렌체를 휩쓸었다."

메디치는 추방되었다. 로렌초 일 마니피코가 죽은 지 불과 2년

반 후에 일어난 일이다. 그리하여 일찍이 로렌초에게 지배되었던 피렌체공화국은, 누구나 왜?라는 질문을 하지 않을 수 없을 만큼 모든 면에서 로렌초와는 다른 수도사 사보나롤라의 지배를 받게 된 것이다.

메디치 가가 추방된 같은 11월 9일, 피사에 입성한 프랑스 왕 샤를 8세에게 피렌체공화국의 특사 자격으로 접견이 허락된 사보나롤라는 말했다.

"그리스도인의 왕이시여, 당신은 신 스스로의 손으로 만들어졌소. 내가 몇 번이나 예언한 것처럼 신은 이탈리아의 죄악을 벌주시기 위해 당신을 보내신 것이오. 땅에 떨어진 교회를 개혁하시기 위해 신께서 당신을 보내신 것이오.

그러나, 왕이시여, 만일 당신이 정의의 사람도 아니고 자비의 사람도 아니라면, 그리고 또 만일 당신이 피렌체의 도시를, 그곳의 여자를, 그곳의 시민을, 그곳의 자유를 존중하지 않는다면, 신은 당신 대신 다른 사람을 택하시게 될 것이고, 당신을 무서운 회초리로 멸망시키시게 될 것이오. 이것을 나는 신의 계시를 받은 자로서 당신께 고하는 바이오."

11월 17일, 프랑스 왕은 사보나롤라를 선두로 하는 피렌체 시민의 환호 속에 피렌체에 입성했다.

그리고 22일, 피렌체에서 전 그리스도교도에 대한 선언을 발표했다.

1. 그리스도인의 왕인 나는, 나폴리 정복 후 그곳을 거점으로 하여 이교도를 괴멸하기 위한 십자군 원정을 수행할 것을 서약한다.

2. 교회 개혁을 위해 신께서 파견하신 자로서 나는, 교황으로서

실격자인 현 교황 알렉산데르 6세를 퇴위시키고, 새 교황 선출을 위한 공의회 개최를 나의 의무로 삼는다.

10일 남짓한 주둔 기간 중, 피렌체는 다른 도시에 비해 프랑스군의 횡포로 말미암은 피해가 없었으며, 이는 모두 사보나롤라의 덕이라 하여 그에 대한 피렌체 시민의 신뢰가 점점 더 높아졌다.

사보나롤라의 덕은 그뿐만이 아니었다. 피렌체는 먼저 피에로 데 메디치가 멋대로 프랑스에 헌상한 두 도시를 되찾았다. 20만 피오리노를 제공하기로 한 것도, 12만 피오리노의 일시금과 해마다 1만 2천 피오리노의 연공을 지불하는 것으로 바꾸었다. 앞으로 프랑스 왕이 피렌체공화국을 지켜주겠다는 것에 대한 '계약금'이었다. 무엇이 득이 되었는지는 모르지만, 프랑스 왕의 보호를 보장받았다는 것은 로렌초 일 마니피코와 더불어 자신감을 잃은 피렌체인 태반에게는 사보나롤라가 추천한 매우 얻기 어려운 수확으로 여겨졌을 것이다. 피렌체는 페라라 출신의 이 불을 뿜듯이 설교하는 수도사의 영향 아래 들어갔다.

샤를 8세는 피렌체에 머무르는 동안, 이제는 주인이 없는 메디치 궁을 숙사로 썼다. 11월 28일, 프랑스 왕은 전군을 이끌고 피렌체를 떠나 남으로 향했다. 사보나롤라는 출발 직전의 왕을 만나 신이 왕에게 부여한 사명을 수행하라고 거듭 설교했다.

프랑스군의 그후의 행동을 소상하게 쓰는 것은 이 책의 본줄기에서 벗어나는 일이다. 상세한 것을 알고 싶은 독자는 『체사레 보르자 혹은 우아한 냉혹』의 제1부 '주홍색 법의'의 제4~5장을 훑어봐 주기를 부탁한다. 그리고 여기서는 간단히 경과를 쫓는 데만 그치고 이야기를 피렌체에 집중하기로 한다.

해가 바뀌어 1495년 2월, 나폴리왕국은 프랑스군 앞에 성문을 열었다. 샤를 8세는 앙주 가 대대의 주장인 나폴리왕국 탈환에 성공한 셈이다. 그러나 그후 한 달이 지난 3월, 교황이 제창한 반프랑스 대동맹이 결성된다. 너무나 간단히 이루어진 프랑스 왕의 나폴리 정복에 좋은 기분으로 있을 수만도 없는 독일의 신성로마제국 황제 막시밀리안과 에스파냐 왕 페르난도, 베네치아공화국, 그리고 프랑스군의 이탈리아 침공에 불을 붙인 밀라노 공작 일모로까지 가담한 동맹이다. 가담하지 않은 것은 피렌체공화국뿐이었다.

남국의 나날을 만끽하고 있던 샤를은 이제 그러고 있을 때가 아니었다. 5월에 허둥지둥 나폴리를 떠난다. 마르세유까지 해로를 택하려고 했으나, 배를 제공하기로 되어 있던 제노바의 대답이 시원치 않았다. 온 길을 되돌아가는 육로를 취하는 수밖에 없었다. 로마에서 교황 보르자를 만나 결판을 내려고 했으나, 교황은 숨어버리고 잡히지 않았다. 하는 수 없이 샤를은 북상을 계속한다.

피렌체에도 들르지 않을 참이었다. 피렌체 근처의 소도시 포지본시까지 왔을 때 사보나롤라에게 붙들려 다시금 신의 사명 운운하는 설교를 들었으나, 고립감에 사로잡힌 샤를은 이제 그런 말에 귀를 기울일 여유가 없었다. 그리하여 신속한 행군으로 북상한 프랑스군은 막 북이탈리아에 들어섰을 때 이탈리아군을 주축으로 하는 동맹군과 맞부딪치고 말았다. 싸움에 이기고 있던 동맹군의 군기가 문란해지는 바람에 프랑스군은 대패를 면할 수는 있었으나, 정세를 뒤바꿀 정도는 아니었다. 뒤에서 버틸 오를레앙 공을 남겨놓고, 샤를은 정신없이 알프스를 넘었다.

이탈리아로서는 1년에 걸친 폭풍이었다. 덕을 본 것은 일 모로 뿐이었다. 다만 싸우는 방식이 변했다는 것, 말하자면 시대가 바뀌었다는 것을 이탈리아의 소수 사람들이 깨닫게 된 효과는 있었다. 훗날 역사가 구이차르디니는 이 1494년을 비참한 시대의 첫해라고 쓰고 있다. 압도적인 군사력은, '질'로 승부를 가리는 데 익숙해진, 그리고 그때까지 몇백 년 동안 이 방법의 우위를 과시해온 이탈리아의 도시국가들을 '양'의 무서움에 눈뜨게 만들었다. 그러나 눈을 뜨고 볼 수 있었던 사람은 이 시대에도 소수파였다.

프랑스군이 피렌체를 뒤로하고 남하하기 시작한 지 불과 4일 후인 1494년 12월 2일, 정청 앞 시뇨리아 광장에서 시민 집회가 열렸다. 피렌체는 메디치 추방 후 정체 개혁에 착수했다. 간신히 프랑스군의 모습이 보이지 않게 된 피렌체에서는, 포폴로(민중)와 리베르타(자유) 이외에 데모크라티아라는 말이 표어의 하나가 되어 있었다. 사보나롤라의 지도 아래 민주 정체 확립에 착수한 것이다. 사보나롤라의 '지도'는 교회의 설교단에 한정되지 않았다. 정청의 대회의실에서나 정청 앞 광장에서나 검은 수도복은 열변을 토했다.

그렇다면, 피렌체인이 생각한 '데모크라티아'란 대체 무엇이었던가?

먼저, 로렌초 일 마니피코가 피렌체를 지배하는 기초가 된 '70인 위원회'가 폐지되었다. 그리고 활발한, 다시 말해 각 계급, 각 파별로 의론이 들끓은 끝에, 사보나롤라의 지도 아래 우선 베네치아를 본뜬 정체를 만든다는 데에 의견이 모아졌다. 그런데 베네치아공화국 국회는, 자세한 것은 『바다의 도시 이야기』의 제5장 '정치의 기술'을 읽어주시랄 수밖에 없지만, 민주 정체에 입각한 기관이 아니다. 베네치아공화국은 귀족 정체라고도 부르는 과두 정체의 나라이다. 그래서 베네치아를 참고로 하더라도, 어디까지나 피렌체의 국정에 맞는 정체로 한다는 데에 각 계급, 각 파별의 타협이 이루어진 것이다.

이탈리아어에서는 '마조레'나 '그란데'나 크다는 뜻은 같지만, 베네치아의 '국회'는 '마조르 콘실리오'라고 부르는 데 비해, 피렌체공화국의 그것은 '콘실리오 그란데'로 명명되었다. 그러나 실제는 베네치아의 그것과 비슷하며, 종소리를 신호로 전 시민이 정청 앞 광장에 모이는 시민 집회와는 다르다.

국회의 의석을 얻는 데는 피렌체에서도 자격이 필요했다.

그 자격이란, 전에 3대 위원회의 위원에 임명된 적이 있는 피렌체 시민이나, 조상의 누군가가 위원의 경력이 있는 가계에 속하는 자, 그것도 스물아홉 살 이상의 남자라야 한다는 것이었다. 그러나 이 분류에 들어가지 않는 자나 젊은 사람에 대한 배려로, 해마다 스물넷에서 스물아홉 살까지의 남자 24명의 참가가 인정되었다. 이런 식으로 하면, 당시의 피렌체 시내 주민 약 7만 명 가운데 3,200명이 국회에 자리를 차지할 수 있게 된 셈이었다. '데모크라티아'로서는 대단히 온당한 것이었다.

주민 모두에게 정치 참여의 권리가 있다고 보는 민주주의는 당시로서 생각할 수도 없는 사상이기는 했다. 정치에 참여할 자격이 있는 것이 '시민'의 정의인 시대였다. 이런 의미의 시민에는 상인과 장인은 포함되지만, 여자는 물론 한 가정의 기둥이라도 남에게 고용된 자, 말하자면 노동자는 포함되지 않았다. 이 비시민도 광장에서 개최되는 시민 집회의 외야석 정도는 차지할 수 있었다. 외야석이 추세를 결정하는 경우도 적지 않았던 것은 사실이다. 다만 그런 식으로는 데마고그에 의한 영향에서 완전히 벗어날 수 없다는 결함을 피하기 어렵다. 베네치아에서는 일찌감치 이런 종류의 국회는 폐지되고 없었다.

그러나 아무리 3천 명이나 되더라도, 이런 국회에서 의안을 다 토의한다면 통치 효력부터가 비현실적이 된다. 그래서 이것도 베네치아의 원로원을 모방하여 '80인 위원회'라는 것을 새로 만들었다. 로렌초 시대의 '70인 위원회'에서 열 사람이 불어난 것이 특색이라면 특색이다. 하는 일의 내용은 베네치아의 원로원과 같다. 이것은 곧 국정의 기본적인 사항은 거의가 이 위원회에서 결정된다는 말이 된다. 그 결정을 국회에서 승인하고, 시민 집회가 지지하는 것이다. 이것이 1494년에 생긴 피렌체의 '민주 정체'였다.

그런데 피렌치인은 베네치아의 정체는 참고했지만, 베네치아인의 정신은 참고로 하지 않았던 것이다.

베네치아공화국의 정체가 고안된 것은 200년 전인 13세기 말이었다. 이것이 실행에 옮겨진 당초에는 베네치아에서도 역시 산고는 있었으며, 1천 년 베네치아 역사에서 두 번밖에 일어나지 않은 반정부 음모가 둘 다 이 시기에 집중되어 있다. 이것들을 극복한 시기부터 베네치아는, 피렌체나 제노바가 이상적인 정체를 모색하고 있는 동안 그들의 독자적 정체의 보강밖에 생각하지 않았다. 베네치아공화국의 국정을 담당하는 소수파는 귀족이라 불렸는데, 그들의 특권은 오로지 국정을 담당하는 권리에 한정되었고, 그에 부수되는 의무는 싸움터에서 제일선에 서는 것이었다.

　베네치아 정부가 통치의 기본 방침으로 삼은 법의 평등한 시행과 이익의 공정한 분배에서는 귀족이라 하여 예외가 인정되지는 않았다. 또 하나의 기본 방침인 패자 부활전에는 귀족도 당당하게 참가할 권리가 있었다. 공동체에 대한 인식이 피렌체와 베네치아에서는 완전히 달랐다고 하지 않을 수 없다. 피렌체의 국정 담당자들에게는 베네치아의 동료들이 갖고 있던 이같은 인식이 완전히 결여되어 있었다. 200년을 성공해왔다고 해서 참고해봐야 결국 흉내에 지나지 않았던 것이다.

　베네치아와 피렌체는 또 하나 근본적으로 다른 경향이 있었다. 베네치아에서는 건국 이래 정교분리가 확립되어 있었는 데 반해, 15세기 말의 피렌체는 사보나롤라의 지도를 허용해버린 것이다.

　이 도미니쿠스파 설교사는 로렌초 데 메디치가 죽은 후에 등장한 것이 아니다. 로렌초가 죽기 2년 전부터 피렌체에서 설교를 되풀이하고 있었다. 더욱이 언론 탄합 따위는 생각하지도 않은 로렌초였으므로, 사보나롤라는 누구의 눈치를 볼 것도 없이 로렌초로 대표되는 피렌체인의 현세적 경향을 쉴 새 없이 비난해댔다. 그러나 로렌초가 살아 있는 동안 피렌체인은 동요하지 않았다. 그럴싸하다고 공감하는 사람은 있었으나, 정치적 결정까지 좌우되지는 않았던 것이다.

　피렌체인은 자신감을 잃었는지도 모른다. 로렌초 일 마니피코라는 지주가 떠받들어주었기에 가질 수 있었던 자신감을 잃은 것이다. 개인으로 구현되는 지주 따위는 존재하지 않는다며 200년을 지내온 베네치아인이었다면, 로렌초가 죽은 뒤 피렌체인이 직면한 위기에도 얼마든지 대처할 자신이 있었겠지만, 코시모건 로렌초건 지주가 있어야 하고 없으면 내분 상태밖에 모르는 피렌체인으로서는 새 지주를 구하는 수밖에 없었을 것이다. 메디치의 자손은 그들을 실망시키는 구실밖에 하지 못했다. 이런 피렌체인이, 현재의 위기는 너희들이 과거에 지은 죄가 낳은 것이다, 회개하여 신께 가까이 가자는 사보나롤라의 설교에 굴복해버린 것이다.

피렌체인에게는 또 지칠 줄 모르는 이상 추구의 성향이 있었다. 이것이 예술면에서 발휘되었기에 르네상스를 낳게 되었지만, 정치에서는 지칠 줄 모르는 모색으로 이어지기 쉽다. 사보나롤라가 주장하는, 예수를 왕으로 받드는 새로운 정체, 요컨대 정치와 종교가 보기 좋게 조화를 이루어 운영되는 정체의 창조에 그들의 이상주의가 불붙었던 듯하다. 사보나롤라는 피렌체인을 "신의 백성이여" 하고 부르고, 피렌체를 "신의 도시"라고 이름지었다. 그리스도를 왕으로 받드는 나라에서는 시민들은 평등하므로 참주라도 군주는 허용되지 않으며, 영혼의 평화를 얻은 자는 싸움을 거부하므로 평화가 유지된다고 했다.

사보나롤라의 이 가르침은 원래 신앙심이 깊은 피렌체의 중하층 시민의 마음을 움직이는 데만 그치지 않았다. 피코 델라 미란돌라, 마르실리오 피치노, 안젤로 폴리치아노 등 철학자와 문인들, 보티첼리와 젊은 미켈란젤로 같은 예술가들, 프란체스코 바를리, 자코모 살비아티, 피에로 구이차르디니 등으로 대표되는 피렌체의 유력자들. 사보나롤라의 심취자는 지식 계급에도 많았다. 특히 로렌초의 생전에 그를 둘러싸고 있던 학자와 예술가는 거의 한 사람의 예외도 없이 영혼을 갈아넣었다. 지주에 기대는 정도가 강했기에 더욱 지주의 부재를 느끼는 정도도 강했는지 모른다.

대외관계에서도 피렌체는 위기에 빠져 있었다. 사보나롤라의 지도로 선택한 친프랑스 노선은, 프랑스 왕 샤를이 알프스 서쪽으로 달아난 후 피렌체를 고립 상태에 빠뜨렸다. 반프랑스 동맹에 유일하게 가담하지 않은 피렌체와 동맹 가맹국인 로마, 베네치아, 밀라노, 독일, 에스파냐 등과의 관계가 긴장된 것은 당연하다. 주위를 적에게 둘러싸인 피렌체에 피사도 반기를 들고 독립했다.

경제 상태도 위기에 처한 것은 마찬가지였다. 금융업과 제조업을 바탕으로 한 피렌체 경제는, 그때까지 그들이 지배하고 있던 유럽의 북쪽 나라들이 같은 분야에 진출해 오면 그전과 같은 이익을 바랄 수 없게 된다. 여기서도 경제 재편성에 착수한 베네치아와는 달리, 아무 대책도 강구하지 않은 피렌체는 결정적으로 수세에 서는 수밖에 없었다. 1494년의 메디치 은행의 파산은 피렌체 상인들이 북유럽 여러 나라에서 누려온 헤게모니의 종말을 의미했다.

모든 것이 잘 안 돌아가게 된 피렌체에서 사보나롤라의 날카로운 목소리만 울려퍼지고 있었다.

이 시기의 피렌체인의 심리 상태에 관해서, 앞에 나온 루카 란두치가 쓴 『일지』의 이야기를 들어보기로 하자. 나는 『신의 대리인』의 제2부 '알렉산데르 6세와 사보나롤라'에서 이 시기를 묘사했는데, 거기서는 두 가지 사고방식의 대립에 초점을 모았다. 여기서는 피렌체의 묘사가 주목적이므로, 『신의 대리인』에서는 네 가지 사료의 하나에 지나지 않은 란두치의 『일지』만 다루기로 한다.

"1495년 9월 1일, 산타 마리아 델 피오레 대성당에서 사보나롤라의 설교를 듣는다. 여느 때와 마찬가지로 1만 5천은 넘지 않을까 싶은 청중이 모였으며, 성당 안은 열기로 후끈했다. 그가 설교단에 올라서자 사람들은 열기도 잊고 진지하게 귀를 기울였다. 그는 말했다. 바다에 면하지 않은 피렌체공화국에 바다로의 출구인 피사의 필요성은 얼마나 큰 것인가. 그런데 그 피사에는 동맹군의 군대, 그것도 피렌체와는 원수간인 베네치아군이 주둔하고 있다. 피사를 피렌체에 주겠다고 약속한 것은 프랑스 왕밖에 더 있었는가? 그 때문에도 피렌체는 친프랑스주의를 관철해야 한다.

지금은 설령 이탈리아 안에서 고립되어 있다 하더라도, 프랑스 왕은 그 사업을 완수하기 위해 반드시 이탈리아에 돌아올 것이므로 결과는 피렌체에 이익을 가져다주게 된다. 이렇게 말하고 그는 이어, 공화국 국회는 무슨 일이 있어도 지켜야 한다, 이것이야말로 압제자 메디치를 추방하고, 인민 정부를 수립한 민중의 승리이자 자랑이다 하고 설교를 마쳤다.

정말 지당한 말이다. 우리들 피렌체인은 자유민인 것이다. 프랑스 왕이 다시 군대를 거느리고 돌아온다는 소문이 자자하게 퍼진다. 피렌체인은 신이 이 깨끗한 생활의 예언자를 보내주신 데 대해 감사해야 한다."

이듬해 1496년.

"2월 7일, 오늘 두건을 쓴 소년들이 떼를 지어 거리를 누비고 다니면서, 조금이라도 사치품을 몸에 지닌 사람들한테서 그것을 몰수하는 사건이 벌어졌다. 저것은 수도사의 소년들이다 하고 놀란 어른들은 소곤거렸다. 개중에는 소년들이 다가가자 달아나는 사람도 있었으나, 그래도 사람들은 타락한 습관을 추방하려는 '사보나롤라의 소년들'의 행동을 찬양했다. 노인들 얘기로, 이런 일은 이 도시에서는 처음이라고 한다. 나는 고마운 시대에 사는 행운을 누리고 있는 셈이다."

이듬해 1497년.

"2월 7일, 사육제 마지막 날인 오늘, 피렌체는 참으로 거룩한 하루를 보낼 수 있었다. 아침에는 남자나 여자나 어린애들까지도 사보나롤라가 주재하는 미사에 참석했으며, 집에 돌아가서는 그의 가르침에 따라 검소한 식사를 했다. 오후에는 모두가 거리를 누비고 다니는 대행렬에 참가했다.

대부분의 사람들이 흰옷에 붉은 십자가를 들었다.

행렬이 시뇨리아 광장에 이르렀을 때, 그곳에는 커다란 피라미드 형으로 만들어진 사치품의 산이 쌓여 있었다. 높이는 30브라차 (약 18미터)쯤 될까, 둘레는 120브라차(약 72미터)는 됨직했다. 산은 일곱 단으로 층이 지어져서, 사육제에 쓴 색색의 사치품으로 가득했다. 사육제용 가면이나 가장용품뿐 아니라 가발과 상투, 빗과 트럼프, 이교적인 그림, 조각, 책도 있었다. 이들 사치품의 산 자락에는 장작이 수북이 쌓여 있었다. 사보나롤라가 평소에 설교한 '허영의 소각'이 집행될 판이었다. 소문으로는 어느 베네치아 인이 이것을 깡그리 4만 두카토에 사겠다고 제의했으나, 그야말로 타락의 견본이라 하여 쫓겨났다고 한다.

광장은 사람들로 메워졌다. 소년들이 로지아 데이 란치 안에 늘어서서 찬송가를 부르기 시작한다.

그때 누군가가 신호를 한 모양이었다. 피라미드의 네 모퉁이에 불이 붙었다. 불은 순식간에 피라미드 전체를 휘덮는다. 정부의 악대가 주악을 시작했다. 정청 첨탑의 종이 울리기 시작하고, 그것을 신호로 온 시내의 성당 종이 울어댔다. 군중은 환호를 지르고, 신에 대한 감사의 기도를 시작했다. 기도와 찬송가와 종소리가 뒤섞여 꿇어앉은 사람들의 머리 위를 흘러갔다.

이거야말로 신의 나라다. 불타는 피라미드 옆에 서서 기도를 드리고 있는 사보나롤라의 성스럽기까지 한 모습을 사람들은 무릎 꿇고 우러러보고 있었다."

"5월 8일, 오늘 산토 스피리토 성당에서, 반사보나롤라파의 설교가 있다고 하여 가보았다. 그런데 놀랍게도 설교를 들으러 온 사람이 의외로 많다. 5천 명은 되지 않을까? 그것도 거의가 다 남자들이고, 젊은 사람들이 많다. 그런데 대체 이 사람들은 그동안 어디에 숨어 있었을까? 사보나롤라가 늘 지적했듯이, 적은 많고 피렌체의 개혁은 아직 완성되지 않았다는 말은 사실이었던 것이다. 산토 스피리토의 설교 수도사의 말을 들으면, 사보나롤라는 미치광이이며 우리는 그 미치광이에게 속고 있다는 것이었다."

이듬해 1498년.

"3월 27일, 오늘 산타 크로체 성당에서 설교한 수도사 프란체스코가 사보나롤라에게 '불의 심판'을 받자고 도전했다 한다. 그에 의하면, 사보나롤라는 평소에 자기의 말이 옳고 자기가 참된 예언자라는 것을 주께서 기적으로 보여주실 것이라며, 주여, 만일 제가 옳지 않다고 생각하시거든 지금 당장 벼락으로 저를 태워 죽이소서 하고 말해왔는데, 그렇다면 당장 증명해 보이라고 대든 것이다.

수도사 프란체스코의 도전은, 자기와 사보나롤라가 차례로 훨훨 타는 불 속을 걸어서 지나간다, 만일 사보나롤라가 화상을 입지 않으면 그때는 그를 진정한 예언자로 인정하고 따르겠다는 것이었다."

"3월 28일, 사보나롤라의 수제자로 자타가 인정하는 수도사 도메니코가 어제의 도전에 자기가 응하겠다고 발표했다."

"3월 30일, '불의 심판'을 받을 양쪽 대표가 정해졌다. 프란체스코파에서는 수도사 론디넬리, 도미니쿠스파에서는 수도사 도메니코가 지명되었다."

"4월 3일, 피아뇨니(사보나롤라파)들이 정청으로 몰려가 빨리 '불의 심판'을 실시하라고 재촉했다. 남자와 여자는 물론 소년들까지 가세한 이들로 해서 시뇨리아 광장은 터질 듯했다."

"4월 7일, 시내는 아침부터 흥분의 소용돌이에 휩싸였다. 피아뇨니들은 눈 앞에 둔 승리가 빨리 보고 싶어 성화였다. 아라비아티(반사보나롤라파)들은 오늘에야말로 사보나롤라의 파멸을 볼 수 있다면서 또한 흥분해 있었다. 사람들은 '불의 심판'이 잘 보이는 자리를 차지하려고 일찌감치 시뇨리아 광장으로 몰려갔다.

광장에는 이미 '불의 심판'을 위한 무대가 마련되어 있었다. 무대는 정청 앞에서 비스듬히 기운 방향, 즉 광장 중앙으로 돌출된 꼴로 되어 있었다. 벽돌을 쌓아올린 토대는 높이가 2.5브라차(약 1.5미터)쯤 되었으며, 그 위에 높이 4브라차(약 2.4미터), 길이 50브라차(약 30미터), 폭이 10브라차(약 6미터)쯤 되는 통로가 장작더미로 만들어져 있었다. 장작더미 사이에는 여기저기 화약이 끼워져 있고, 골고루 기름이 뿌려졌다.

예정 시간인 정오가 가까워졌다. 광장은 입추의 여지도 없을 만큼 사람들로 가득 차 있다. 광장 주위의 집집마다 창문에 사람들이 포도송이처럼 매달려 있었다. 무장 군인들이 무대와 군중 사이에 늘어서서 경비를 하고 있었다. 오늘의 주역인 도미니쿠스파와 프란체스코파의 수도사들이 양파의 지도자들인 사보나롤라와 프란체스코를 앞세우고 광장 안으로 들어와 저마다 제자리에 가서 앉았다. 이제 모든 준비는 끝났다. 이른 아침부터 광장에 몰려와 기다리고 있던 군중은 숨을 죽이고 이제나저제나 장작더미에 불이 붙여지기를 기다렸다.

그런데 도무지 시작이 되지 않는 것이다. 프란체스코파를 대표하여 불 속에 들어가게 되어 있는 수도사 론디넬리가, 십자가의 그리스도상을 들고 불 속에 들어갈 눈치인 수도사 도메니코를 보고 강력히 항의하기 시작했다. 그의 주장인즉, 가톨릭 교리에 의해 성체(聖體)는 사적인 시련에 사용할 수 없게 되어 있으며, 그리스도상은 신자의 숭배의 대상이므로 그것을 개인의 시련에 사용하는 것은 신을 모독하는 행위라는 것이었다.

이것은 당연한 이치이므로 도미니쿠스파는 순종할 줄 알았으나 완강히 거부했다. 그리스도상 없이는 '불의 심판'을 행할 수 없다는 것이었다. 양쪽 대표들이 정청 안으로 들어가서 정부의 중개로 협의를 시작했다. 그러나 좀처럼 나오지 않는다. 겨우 나왔는가 싶더니, 한쪽은 사보나롤라에게로, 한쪽은 프란체스코에게로 가서 무언가 지시를 받는 듯했으며, 그것이 끝나자 다시 정청 안으로 들어가버렸다. 이것이 몇 번이나 되풀이되었다.

기다리다 지친 군중 속에서 비난의 소리가 일기 시작했다. 그들은 아침부터 아무것도 먹지 않았는데다가, 약속 시간에서 세 시간이 지나도록 기다리고 서 있는 것이다. 불온한 공기가 흐르기 시작했다. 그러나 경비병들의 재빠른 조치로 동요한 군중은 다시 제자리에 돌아가서 기다렸다. 수도사들이 정청 안에 들어갔다 나왔다 하는 상황이 그치지 않는다. 그러다가 오후 다섯 시 가까이나 되었을까. 그때까지 두툼하게 구름이 끼어 있던 하늘에서 별안간 빗방울이 뚝뚝 떨어지기 시작하더니 순식간에 장대비로 변했다. 이때 지붕을 덮은 로지아 안에서 도미니쿠스파 몇 사람이 벌떡 일어나, '기적이다! 기적이다! 신이 불의 심판을 원하지 않는다는 증거다!' 하고 소리쳤다.

우리는 화가 났다. 몇 시간이나 기다린 끝에 소나기마저 맞고 흠뻑 젖어버렸으니, 화가 나는 것도 당연하다. 군중 속에서 노성이 터지기 시작했다. 그들의 비난은 도미니쿠스파를 겨냥한 것이었다. '저놈들은 처음부터 할 생각이 없었던 거다!' '왜 사보나롤라 본인이 하지 않나? 자기가 그리스도상 없이 불 속에 들어갔더라면 이런 일은 일어나지 않았을 게 아닌가.' '왜 그렇게 그리스도상을 고집하나? 할 생각이 없어서겠지!'

이제 아라비아티와 피아뇨니의 구별도 없었다. 아니, 사보나롤라에 대한 분노는 오히려 피아뇨니들이 더 격렬했다. 군중은 소란해졌다.

당장 폭발할 것 같은 광장의 공기를 정부 사람들이 깨달은 듯, 한 사람이 밖으로 나와 정부의 결정을 전했다. '불의 심판'을 중지한다는 것이었다. 아연해진 군중은 아랑곳없이 먼저 프란체스코파 수도사들이 퇴장하기 시작했다. 동시에 도미니쿠스파 수도사들도 찬송가를 합창하며 산 마르코 성당에 부속된 그들의 수도원으로 향했다. 노기에 이성을 잃은 군중이 이 행렬을 향해 몰려가기 시작했다. 분노의 고함 소리가 수도사들에 둘러싸여 행렬의 중간쯤에 걸어가고 있는 사보나롤라를 향해 빗발처럼 쏟아졌다. 달려드는 군중으로부터 그를 지키기 위해 광장의 경비병들이 거의 다 동원되었다. 그 덕분에 그는 무사히 수도원으로 돌아갈 수 있었다.

군중의 노여움은 가라앉지 않았다. 이구동성으로 '우리는 속았다! 저놈의 가짜 예언자한테 속았다!' 하고, 바로 몇 시간 전까지만 해도 사보나롤라에게 완전히 심취해 있던 피아뇨니들이 소리쳤다. 아라비아티들도 '거봐라, 그놈은 처음부터 사기꾼이었던 거야!' 하고 그들 못지않게 화를 내고 있었다. 예언자 사보나롤라에 대한 존경심은 이렇게 해서 사라졌다."

수도사 사보나롤라의 파멸은 급격히 이루어졌다. 그 다음날 사보나롤라는 제자 두 사람과 함께 체포되었다. 군중은 연일 시뇨리아 광장에 몰려나와 그들에 대한 재판을 요구했다. 5월도 후반에 들어서자 이윽고 공개 재판이 열렸다. 루카 란두치도 방청했다.

"5월 20일, 정청 안에서의 재판이 공개되었다. 일요일인데도 사람들은 미사에 나가는 대신 재판을 구경하러 갔다. 끌려나온 것은 사보나롤라뿐이었다. 로마 교황으로부터 재판을 위임받아 온 주교 로몰리노가 사보나롤라의 두 손을 묶으라고 명령했다. 그리고 그를 매달아 올리기 전에 물었다.

'그대가 고백한 것, 다시 말해 그대는 사람들에게 듣지도 않은 신의 말씀을 들었다고 말했고, 자신을 신이 파견하신 예언자라고 떠벌렸는데, 그것은 모두 거짓말이었다는 어제의 고백을 이 자리

에서 다시 인정하겠는가?'

사보나롤라는, 인정하지 않는다, 나는 예언자다 하고 대답했다. 주교가 눈짓을 했다. 다음 순간 사보나롤라는 높다랗게 매달려 올라갔다. 방청석에 있는 우리들 머리 위에 신음하듯 사보나롤라의 목소리가 내려왔다.

'인정합니다, 저는 죄인입니다. 신의 목소리는 듣지 못했습니다.' 이날의 공개 재판은 이것으로 끝났다."

"5월 22일, 사보나롤라와 제자 두 사람에게 사형 선고가 내려졌다. 세 사람 다 성직자이기 때문에 가톨릭교회의 법에 의한 재판이었다. 죄명은 이단의 죄, 분파 활동을 한 죄, 성스러운 로마교회에 대한 반역죄였다. 처형은 먼저 교수형에 처한 다음 화형을 집행하기로 결정되었다. 시간은 다음날 23일 아침. 즉각 시뇨리아 광장에 교수대가 세워지기 시작했다."

"5월 23일, 교황 특사와 정부 고관들이 정청의 벽을 따라 마련된 계단식 좌석에 나란히 앉았다. 광장의 군중은 '불의 심판'의 날보다 더 많았다. 모두 입을 꾹 다물고 말이 없었다. 정청 안에서 세 수도사가 끌려나왔다. 판결문이 낭독되었다. 세 사람은 검은 수도복이 벗겨지고, 흰옷 차림이 되었다.

맨발에 손은 뒤로 묶여 있었다. 흰 천으로 눈이 가려졌다.

먼저 수도사 실베스트로가 급조된 나무 복도 위로 끌려 갔다. 그 끝에 통나무를 세우고 건너지른 횡목에 걸친 밧줄이 소리 없이 내려와 그의 목에 감겼다. 그대로 밧줄은 그의 몸뚱이와 함께 끌려 올라갔다. 실베스트로의 입에서 '주여' 하고 부르는 힘없는 외침이 몇 번이나 들렸다. 밧줄이 단단히 죄어지지 않은 것이다. 그러

사보나롤라의 처형 장면

나 그것도 그쳤다. 두번째는 수도사 도메니코의 차례다.

그 역시 '주여' 하고 좀 큰 소리로 외치면서 매달렸다.

마지막으로 중앙에서 사보나롤라가 매달릴 차례였다. 그를 믿는 사람들에게는 이것이 마지막 기회였다. 무언가 한 말씀 있을 것에 틀림없다, 우리에게 무언가 한 말씀 남겨줄 것이다, 기적을 보여주지는 못하더라도 신의 영광을 찬양하는 말이라든가, 올바르고 착한 생활을 하기 위해 용기를 가지라든가, 교회는 개혁될 것이라든가, 불신자는 멸망할 것이라든가, 우리들에게는 무슨 말이라도 좋았다. 그런데, 그는 아무 말도 하지 않았다. 사보나롤라는 나직히 무언가를 중얼거리면서 매달렸다. 그것이 많은 사람들을 실망시켰고, 그들의 마음에서 그에 대한 신앙을 지웠다.

교수대 밑에 쌓아놓은 장작더미에 불이 붙었다. 장작에는 화약이 묻어 있고 기름이 뿌려져 있어서 불기운이 셌다. 순식간에 불길은 높다란 통나무를 기어올라가 죽은 수도사를 핥기 시작했다. 사지가 아래로 흘러내렸다. 남은 몸뚱이마저 떨어뜨리려고 군중이 돌을 던졌다. 떨어진 몸뚱이도 철저히 태워졌다.

손수레가 끌려나왔다. 거기에 뼛조각과 재가 실렸다. 한줌의 재도 남지 않았다. 수레는 무장병들에 둘러싸여 폰테 베키오로 향했다. 그리고 그 다리 위에서 아르노 강에 던져졌다. 신자들의 손에 아무것도 남아 있지 않게 하기 위해서였다."

이날로부터 닷새가 지난 5월 28일, 스물아홉 살의 마키아벨리가 피렌체공화국의 관료 생활을 시작한다.

사보나롤라에 심취해 있던 상인 란두치에 비해, 20대의 마키아벨리는 이 수도사의 영광에서 파멸에 이르는 4년 간을 시종 냉정하게 지켜보고 있었던 것 같다.

이 시기에 마키아벨리가 쓴 편지 한 통이 남아 있다. 1498년 3월 9일자로 되어 있으니까, '불의 심판'의 한 달 전에 쓴 셈이다. 수신자는 로마 주재 피렌체 대사 리카르도 베키로 되어 있으며, 문면(文面)으로 보아 대사가 마키아벨리에게 사보나롤라에 관한 정보를 요청한 데 답하여 쓴 것으로 짐작된다. 연장이고 더욱이 고위직에 있는 사람에게 보내는 보고서라, 젊은 마키아벨리는 사사로운 판단을 극도로 억제하고 객관적인 정황을 알리는 데 철저를 기하고 있다. 그래도 그의 견해가 살짝 고개를 내민 대목이 있다. 사보나롤라의 설교는 "냉정한 사고에 익숙하지 못한 사람들에게 효과적인, 과장된 협박으로 시작된다"고 한 대목이다. 또 보고를 쓴 태도 자체에서도 냉정함을 느끼지 않을 수 없다. 후년에 마키아벨리는 『군주론』에서 다시 사보나롤라에 대해 언급한다. 민중의 지지를 얻는 것은 그리 어렵지 않으나, 한 번 얻은 지지를 계속 지탱하기는 어렵다고 한 부분에서다. 물론 사보나롤라는 실패한 예로서 거론되고 있다.

여기까지가 눈을 뜨고 태어난 사나이가 '일'을 시작하기 전에 보고 체험한 사건들이다. 그러나 그가 한 관료로서 직접 국정에 관여하게 된 피렌체는 이미 로렌초 일 마니피코의 피렌체가 아니었다. 좋건 싫건 강력한 지도력을 갖춘 지도자를, 갖고 싶어도 갖지 못하게 된 피렌체였다.

그러나 스물아홉 살은 아직 젊다. 게다가 마키아벨리로서는 자기가 희망하여 얻은 직장이다. 사보나롤라를 태운 불길 자국이 아직도 꺼멓게 남아 있는 광장의 돌바닥도 그의 가벼운 걸음걸이를 멈추게 하지는 못했을 것이다. 직장은 피렌체공화국의 정청 팔라초 베키오. 계절은 봄. 5월의 피렌체는 '피렌체의 5월'이라 하여 각별한 아름다움으로 유명하다. 피렌체공화국의 봄은 이미 사라졌지만, 마키아벨리의 '봄'은 이제 막 시작되고 있었다.

제2부

마키아벨리는 무엇을 하였는가

6 비직업관료의 첫 등청의 날

1498

1498년 6월 19일, 피렌체공화국의 정청 팔라초 베키오에서는 공화국의 국회라고 해도 되는 회의가 열리고 있었다. 500명을 수용할 수 있다는 뜻으로 '500인 회의장'이라 부르는 커다란 홀은, 사보나롤라의 국정 개혁으로 단숨에 늘어난 국회의 의원들을 수용하기 위해 1495년에 증축되어 얼마 지나지 않았다. 내부 장식도 아직 다 갖추어지지 않았다. 이날 여기서 토의, 결정될 의제 가운데는 공화국 제2서기국의 서기관을 선정하는 일이 들어 있었다.

5월 28일에 정부가 작성한 후보자 명단은, 6월 15일 공화국의 원로원격인 '80인 위원회'에서 통과되었으며, 이것이 이날 국회 전체 회의에 회부되어 표결을 기다리고 있었다. 후보자는 4명이었다.

변론술 교수 프란체스코 가티
변호사 프란체스코 디 바로네
공증인 안드레아 디 로몰로
변호사 베르나르도 마키아벨리의 아들, 무직 니콜로 마키아벨리

보통 500~600명은 출석하는 국회 의원은, 기록에는 남아 있지 않지만 각 후보자 추천인의 연설을 들은 다음 투표에 들어간다. 찬성표는 흰 강낭콩, 반대는 검은 강낭콩을 준비된 상자에 넣는 방법을 쓴다. 이날 다른 사람보다 많은 흰 강낭콩을 얻어 선출된 것이 니콜로 마키아벨리였다.

일개 사무관료에 지나지 않는데, 국회의 표결을 거쳐야 한다니 좀 호들갑이 심하다고 생각할는지도 모른다. 그러나, '일개'라고 말해버릴 수 없는 점이 있다. 그런 오해의 근원은, 마키아벨리의 취직처인 피렌체공화국의 '칸첼레리아'(Cancelleria)를 서기국이라고 번역한 데 있는 것 같다.

피렌체공화국은, 사법은 정치범이 아닌 한 팔라초 베키오에서 1, 2분 거리에 있는, 지금은 국립미술관이 된 팔라초 디 포데스타, 곧 경찰청에서 다루고, 입법은 팔라초 베키오 안에 있는 '80인 위원회'와 '국회'가 담당하고, 행정은 대통령을 수반으로 하는 내각이 다스리는 체제로 되어 있었다. 마키아벨리가 취직한 칸첼레리아는 내각 아래서 갖가지 실무를 보는 기관이다. 영어로 하면 Chancellery가 된다. 이런 실정에 가까운 역어를 고른다면, '사무국'이 더 적당하지 않을까 하는 생각이 든다. 그러면 막 정해진 마키아벨리의 관직명은 피렌체공화국 제2사무국 국장이 되는 셈이다.

그런데 누구나 알고 있듯이 마키아벨리가 역사상 이름을 남기게 된 것은 피렌체의 관료로서가 아니라, 『군주론』을 비롯한 저서를 남긴 정치사상가로서이다. 그 자신이 즐겨 서명하고 후세도 받아들인 마키아벨리의 직함은 '피렌체 서기관'(세그레타리오 피오렌티노)이다. 이것을 살리려면 아무래도 피렌체공화국 제2서기국(Chancellery)의 서기관(Chancellor)으로 하는 수밖에 없다. 그러니까 앞으로 서기관이라는 말을 볼 때마다 우리가 생각하는 서기와는 전혀 다른 개념으로 상상해주십사고 부탁하는 도리밖에 없다.

최신 정보에 접하고, 국가가 직면한 현실에 누구보다도 먼저 접촉하게 되는 이런 처지에 앉을 사람을 선정하는 일은, 국회에서 해야 한다는 것이 당시 피렌체인의 생각이었던 것이다.

이와 같이 관직으로서 고위는 아니지만 실제의 업무로서는 매우 중요한 지위에, 어떻게 세 사람의 '대학 출신자'를 제치고 네 사람의 후보자 중 최연소자이기도 한 '비대학 출신자'가 선정되었는가 하는 점은 마키아벨리 연구자들도 수수께끼로 여겨온 일이다.

마키아벨리는 고등교육을 받지 않았다. 그래서 다른 세 사람이 조합으로서는 가장 권위 있는 변호사, 공증인, 판사 등의 조합에 속해 있는 데 반해, 그가 속한 조합은 포도주 양조업자 및 선술집 경영자조합이었다. 이것은 피렌체에서 공직에 앉으려면, 어느 조합이나 가입해야 하는 의무가 있기 때문이다. 그래서 나머지 세 사람은 씨(氏)나 '나리'를 의미하는 경칭인 메세레 또는 세르를 붙여서 부르지만, 마키아벨리는 "세르 베르나르도 마키아벨리의 아들 니콜로"가 공식 호칭이다.

하기야 비대학 출신인 점에서도 같고, 공증인 아버지를 가진 점에서도 비슷한 레오나르도도, 명성을 해외에까지 떨친 쉰 살 때조차 공문서에는 여전히 '세르 피에로 다 빈치의 아들 레오나르도'였다.

게다가 스물아홉 살 때의 마키아벨리는 무직이었을 뿐 아니라 저작도 아직 없었다. 그러므로 국제관계론을 화려하게 전개한 논단의 샛별이 사람들의 주목을 받아 등용된 것도 아니다. 이렇게 되면 누구나, 그럼 어떻게? 하고 생각하지 않을 수 없다.

다만 마키아벨리는 그 3개월 전에 로마 주재 피렌체 대사 베키의 요청으로 사보나롤라의 설교와 피렌체 시민의 반응을 분석한 편지를 보냈다. 교황청과의 교섭을 맡은 로마 주재 대사에는 상당한 거물을 파견하는 것이 통례였으므로, 그 상당한 거물이 스물아홉 살의 무직자에게 그같은 것을 요청했다는 사실은, 마키아벨리의 지성과 판단력이 이미 어느 정도 인정되고 있었다고 생각할 수 있지 않을까? 서기관 선출 이전에 이미 젊은 마키아벨리의 재능은 아는 사람은 아는 정도가 되어 있었는지도 모른다는 말이다.

또 마키아벨리가 4명의 후보자 중 한 사람으로 선정된 것은 사보나롤라가 처형된 지 5일 뒤이고, 국회에서 채용이 확정된 것은 처형된 지 30일 뒤이다. 로렌초 일 마니피코가 죽은 뒤 적당한 지도자를 잃은 피렌체인이 프랑스 왕 샤를의 군대에 교란되고, 사보나롤라의 영광과 멸망에 휘저어진 6년 간의 혼미를 경험한 뒤였다. 혼미는 공화국 상층부에서도 마찬가지였을 것이다. 한 동시대인이 쓴,

"재능 있는 젊은이들에게 기대하고 싶다."

는 이 한 줄의 말에도 나타나 있는 분위기는 '500인 회의장' 을 메운 사람들에게도 공통적이었는지도 모른다. 더욱이 종교와 정치의 일치를 끝내 주장한 사보나롤라가 실각한 직후였다. 로마 주재 대사에게 보낸 편지에서도 볼 수 있듯이, 그런 사보나롤라와 확연히

선을 긋고 있던 마키아벨리가 흰 강낭콩을 다른 세 사람보다 많이 획득하는 분위기는 충분했다고도 생각할 수 있다. 그리고 네 사람 가운데서 제일 어리기는 했으나, 스물아홉이라는 나이는 공직에 앉기에 너무 젊은 연령은 아니었다. 당시는 피렌체에서나 베네치아에서나 서른 전후가 아니면 요직에 앉을 수 없는 구조로 되어 있었다.

집과 근무처가 가깝다는 것은 누구에게나 편리한 환경임에는 틀림없다. 구이차르디니 가(街)에 있는 마키아벨리의 집에서 근무처인 정청까지는 아르노 강에 걸린 폰테 베키오 다리를 건너더라도 불과 4, 5분이면 갈 수 있는 거리다. 젊은 사람이 달리면 3분도 걸리지 않을 것이다. 날마다 출근하는 것이니 지름길을 택했을 법도 하고, 마키아벨리의 성격으로 미루어 시무 전에 도착하여 책상 위를 정리하고 기다리는 광경은 상상할 수 없다. 게다가 일출과 더불어 일하기 시작하여 일몰과 함께 일을 마치는 것이 보통이었던 당시로서는 정청도 시무 시각이 상당히 빨랐다. 잠자리에서 튀어 일어나 아침도 먹는 둥 마는 둥 뛰쳐나가는 매일 아침이 아니었을까. 젊은데다가 여윈 편이라 달음박질이 그리 힘드는 일이 아니었더라도 말이다. 지각은 한 번 할 때마다 이름이 기록되고, 그것이 거듭되면 급료에서 벌금이 공제되었다.

앞에서 말한 것처럼 당시의 폰테 베키오 다리 위에는 푸줏간이 즐비하게 늘어서 있었다. 남유럽에서는 생선과 육류를 다루는 장사가 오후에는 쉬는 날이 많으므로, 그만큼 아침 일찍 상점 문을 연다. 관료 1년생이라도 관복은 등청 첫날부터 입고 있었을 테니, 복사뼈까지 뒤덮는 붉은색과 검은색의 그 헐렁한 옷으로, 고기 덩

팔라초 베키오

어리를 가득 실은 손수레가 오가는 사이를 더럽히지 않고 빠져나가려면 상당한 재주가 필요했을 것이다. 그것도 달음박질로 빠져나가는 것이니 여간 어렵지 않았을 것이다.

폰테 베키오를 건넌 후에는, 정청까지 은행과 큰 상점이 늘어선 폴 산 마리아 거리나 아르노 강변로는 출근길에 이용하지 않았을 것이다. 정청까지 삼각형의 두 변을 이용하는 꼴이 되기 때문이다. 그보다는 삼각형의 나머지 한 변, 말하자면 다리에서 정청까지의 골목길을 달려간 것이 틀림없다. 여기저기 꺾이는 지점은 있어도 그 편이 훨씬 가깝기 때문이다. 생활의 검소함과 이 정도의 거리로 보아 말을 타고 통근했다고는 생각되지 않는다. 말을 타고 정청에 오는 사람은 정청 앞에서 내려 그 벽면에 적당한 거리를 두고 한 줄로 나란히 달아놓은 쇠고리에 고삐를 매게 되어 있었다. 팔라초 베키오뿐 아니라 다른 건물에도 지금도 이 쇠고리의 줄이 남아 있는 곳이 많지만, 쇠고리가 가지런히 붙어 있는 곳이 당시 주차장이기도 했다.

지금 정청을 이웃하여 남쪽 일대를 크게 차지하고 있는 우피치 미술관 건물은 당시에는 아직 없었다.

따라서 그 회랑에 늘어선 피렌체 출신 천재들의 석상을 물론 마키아벨리는 보지 못했다. 후일 레오나르도와 단테 등과 함께 나란히 서게 되는, 심각한 표정을 지은 자기의 조상(彫像)을 생전의 마키아벨리가 보았더라면 어떤 감상을 토로했을까? 늘 저렇게 심각한 표정만 짓고 있지는 않았는데, 하고 한마디쯤은 했을지 모른다.

팔라초 베키오는 폰테 베키오와 마찬가지로 지금은 고유명사가 되어 있지만, 14세기에 세워진 이 정청은 광장에 면한 정면에서 바라보는 한, 건설 당초부터 마키아벨리의 시대를 거쳐 오늘날에 이르기까지 별로 변모한 것이 없다. 성채 건축의 기본에 따라 1층은 높고 창문은 작으며, 최상부에 늘어선 톱니 모양의 흉간(胸間) 성벽도 700년 전과 변함이 없고, 높은 탑에 장치된 큰 시계도 700년 동안 움직여오고 있다. 마키아벨리의 시대에는 누구나 시계를 갖는다는 것은 바랄 수 없는 일이었으므로, 큰 시계가 아침의 시무, 점심 시간, 오후의 시무, 그리고 종무 시각을 알릴 때마다 탑 위의 종도 울리는 구조로 되어 있었다.

정청 앞의 시뇨리아 광장은 대체로 오늘날과 같은 넓이였을 것이다. 그러나 포장은 돌이 아니라 붉은 벽돌을 쓰는 시대였다. 정청을 마주보고 왼쪽에 서 있는 기마상은 피렌체공화국 붕괴 후의 토스카나대공국 초대 대공 코시모 데 메디치의 상이므로, 공화국이 건재한 당시에는 없던 것이다. 정청에 근접하여 물을 뿜어올리는 바다의 신 넵투누스(넵튠)와 요정들의 군상도 마키아벨리 시대에는 아직 없었다. 정청의 정면 입구를 장식하는 미켈란젤로가 만든 다비드의 거상은 1504년에 완성되었으니, 등청 초에는 못 보았지만 그후로는 날마다 싫어도 눈에 들어오는 존재였을 것이다. 이것 외에는 도나텔로가 만든 유딧과 홀로페르네스 상을 제외하고, 오늘날 로지아라고 부르는 지붕을 덮은 집회소 안에 놓여 있는 많은 상도 마키아벨리의 시대에는 없었다. 로지아는 비가 와도 시민의 모임에 지장이 없게 한다는 당초의 목적을 당시에는 아직 간직하고 있었다. 피렌체가 도시국가의 중심이었던 시대가 지나고, 군주국가 토스카나대공국의 수도로 변하는 16세기 중엽 이후에는 로지아와 광장이 시민의 모임 자리에서 군주의 권세를 나타내는 전람회 자리로 바뀐다.

그러나 마키아벨리의 시대에는 정청의 주인이 아직은 공화국 대통령이었다. 그래서 정청 입구 바로 옆에는 정청을 지키기라도 하듯 붉은 붓꽃을 그린 방패에 앞발을 걸친 사자 석상이 서 있었다. 야생의 붉은 붓꽃은 도시국가 피렌체의 문장이었다. 이 사자는 자리는 조금 옮겨졌지만, 지금도 정청 앞에 서 있다.

팔라초 베키오를 정면이 아니라 옆에서 바라보면 불균형스럽게 증축된 것을 누구나 알 수 있는데, 이 2분의 1에 이르는 증축 부분도 대공국 시대 이후의 산물이다. 오늘날에는 피렌체 시의 시청사이므로 팔라초 베키오를 찾는 사람은 관광객만이 아니다. 안에 호적과가 있어서 피렌체 시민은 무언가 증명서가 필요할 때마다 이곳을 찾는다. 시장 집무실과 응접실 외에는 대공국 시대의 증설 부분이 시청사로 쓰이고 있기 때문에, 공화국 시대의 건물이 관광객에게 개방되어 있는 셈이다. 불과 반세기의 차이에 지나지 않지만, 두 시대의 미적 창조력의 차이를 눈 앞에 보는 느낌이다. 물론 호적과는 대공국 시대의 건물 안에 있다.

비직업관료의 첫 등청은 정면 출입구로 하지는 않았을 것이다. 이곳은 외국 손님의 방문을 비롯한 공식 행사 때라든가, 직업관료의 첫 등청 때에만 열리기 때문이다. 대통령 취임 때는 물론이지만, 마키아벨리의 상사인 제1서기국 국장도, 그리고 직업관료로서 출발한 구이차르디니도 첫 등청은 정면 출입구로 했을 것임에 틀림없다. 후일 마키아벨리의 친구가 되는 역사가 구이차르디니는 피렌체, 페라라, 파도바 등 각 대학에서 법률을 공부한 뒤 관료가 되었는데, 그의 직업관료로서의 첫 출발은 단숨에 에스파냐 대사였다. 나이도 마키아벨리의 첫 등청보다 1년이 빠른 스물여덟 살 때였다.

대학도 나오지 않은 마키아벨리의 첫 등청은 팔라초 베키오의 서쪽에 입을 벌린 정면 출입구로부터가 아니라면, 북쪽과 남쪽에 하나씩 열려 있던 옆면 출입구로 했을 것이다. 남쪽으로 열린 출입구는 지금은 우피치 미술관을 마주보고 있지만, 마키아벨리의 집 방향으로 보아 매일 아침 출근 때는 아마도 이 출입구를 이용했을 것이 분명하다. 정청 북면에는 오늘날 두 개의 출입구가 있는데, 정면에 가까운 쪽은 1380년에 폐쇄되었다가 다시 뚫린 것이 1910년이므로 마키아벨리의 시대에는 아직 사용되지 않았다. 그보다 동쪽에 있는 출입구가 그 당시 정면 출입구를 제외하고 광장으로 나갈 수 있는 유일한 통용문이었다. 근무가 끝나도 곧장 집으로 직행하는 성질이 아니었을 것으로 짐작되는 마키아벨리라, 집과는 반대쪽에 있는 북쪽 통용문으로 해서 동료들과 어울려 선술집으로 직행하는 저녁이 많았을지도 모른다.

평소에는 닫혀 있는 정면 출입구는, 한 걸음 안으로 들어서면 조그만 중정을 둘러친 회랑에 부딪친다. 지금은 이 중정 한가운데에 분수가 있고, 베로키오가 만든 돌고래를 안은 귀여운 천사의 작은 상이 놓여 있는데, 이것도 16세기 중엽 대공 코시모가 카레지에 있는 메디치 가의 별장에서 옮겨놓은 것이며, 마키아벨리의 시대에는 도나텔로가 만든 다비드의 청동상이 서 있었다. 이 다비드도 피렌체 시내 메디치 궁의 중정을 장식하고 있던 것을 1494년 메디치 가의 실각을 기화로 몰수하여 정청으로 옮긴 것이다. 현재는 국립미술관에 있다. 아울러 어디에나 분수를 만드는 취미는 16세기 바로크가 즐긴 경향의 하나다.

팔라초 베키오는 그만한 높이에 중2층을 포함해도 4층밖에 없다. 층마다의 높이가 이제 현대 건축에서는 사용되지 않을 만큼 높기 때문이다.

이탈리아에서는 입구를 들어서면 바로 이어지는 넓은 층을 1층이라고 하지 않고 지표층이라 부르지만, 팔라초 베키오에서도 이 층은 중정이 딸린 회랑인가 하면, 말이나 무기를 넣는 넓은 토방이곤 한다. 일부는 세무와 그밖의 일반 사무를 보는 관청으로 사용되고 있었다. 그러므로 정청에서 방으로 치는 것은, 말하자면 2층에서 시작된다. 팔라초 베키오의 '1층'은 공화국 국회가 열리는 '500인 회의장'과, 80인 위원회가 열리는 '200인 회의장'이 차지하고, 그밖의 방은 임기 중에는 정청 안에 거주할 의무가 있는 대통령의 사실로 사용되었다. 중2층이라지만 완전히 거주가 가능한 높이와 넓이를 가진 다음 층을 사이에 끼고 1층은 2층으로 이어진다. 이들 층 가운데 1층에서 500인 회의장이 차지하는 공간은 2층이 아니었다. 500인 회의장의 천장이 매우 높아 중2층을 통과하여 2층까지 뚫고 올라가 있었기 때문이다. 그 때문에 2층에서 500인 회의장을 까마득히 내려다볼 수 있었다.

500인 회의장이 차지한 공간 이외의 2층에는, 대통령 집무실, 접견실, 각 위원회실, 서기국 등이 집중해 있었다. 요컨대 1층이 피렌체공화국의 얼굴이라면, 이 2층이야말로 그 두뇌이자 심장이었던 것이다. 이 층의 북쪽에 벽 가득히 아름다운 푸른색 바탕에 금빛 백합을 아로새긴 '백합의 방'이라는 홀이 있다. 조각과 벽화로 아름답게 장식되어 있다. 마키아벨리의 시대에도 지금과 다름없이 아름다웠으며, 이 홀에 이어지는 북향의 방이 서기국의 방이었다.

북향이라고는 하지만 시뇨리아 광장을 향해 큰 창문이 셋이나 열려 있었고, 지금 남아 있는 것보다 넓이도 컸으므로 쾌적함은 그리 나쁘지 않았을 것이다. 창문으로는 광장을 오가는 사람들을 바라볼 수 있었을 뿐 아니라, 멀리 정면으로는 브루넬레스키가 만든 산타 마리아 델 피오레 대성당의 둥근 지붕이 벽돌색 바탕에 하얀 능선도 아름답게 턱 버티고 앉아 있는 모습이 눈에 들어왔다.

여기가 마키아벨리의 집무실이었다. 지금은 관광 안내서 등에 '안티카 칸첼레리아'(옛 서기국)라는 설명이 실려 있는 방인데, 마키아벨리의 화상 한 점과 그의 목제 흉상이 조명 아래 놓여 있다. 화상 쪽은 어딘지 겸연쩍은 듯한 표정을 지었고, 목상(木像)의 마키아벨리는 맥없이 초라한 표정으로 여권용 사진 같은 얼굴을 하고 있다. 빛나는 피렌체공화국 시대의 상징이었던 대통령의 집무실도 보존되어 있지 않은데, 일개 비직업관료가 쓰던 지난날의 사무실이 남아 있다는 것은 그후 500년 동안 줄곧 물의를 일으켜온 마키아벨리의 문명(文名) 때문일 것이다.

그의 집과는 한 이웃이라고 해도 될 만큼 가까운 구역에 살고 있어, 그래서 이곳에 오는 4, 5분의 거리도 같은 나는, 자주 이 방에 올라와 만연히 시간을 보내곤 하는데, 여기서 화상과 목상의 그를 바라보고 있노라면 언제나 웃음이 나와서 애를 먹는다. 내가 픽 하고 웃으면, 눈 앞의 마키아벨리도 웃음을 터뜨릴 것만 같은 기분이 된다. 이렇게 모셔져 있는 것이 왠지 그에게는 어울리지 않고, 어울리지 않는 것을 누구보다도 그 자신이 잘 알고 있는 것 같은 생각이 들기 때문이다. 무엇보다도 이 사나이는 종일 책상에 앉아 사무를 보는 성격이 아니고, 또 그런 것이 허용되지 않는 성질의 일을 하는 관료였다.

스물아홉 살의 마키아벨리가 일하게 된 피렌체공화국의 서기국은 다음과 같이 구성되어 있었다.

제1서기국
　서기관 : 마르첼로 비르질리오
　보좌 : 비아조 보나콜시
　국원 : 안토니오 델라 발레, 루카 피치노, 옥타비아노 다 리파
제2서기국

서기관 : 니콜로 마키아벨리

제1보좌 : 안드레아 디 로몰로(마키아벨리와 서기관을 다툰
3인 가운데 한 사람)

제2보좌 : 줄리아노 델라 발레

국원 : 아고스티노 베스푸치, 바르톨로메오 루피니,
니콜로 바롤리

서기국에는 이밖에 훈령과 정보 등의 운반요원으로 전령과 심부름꾼에 해당하는 사람들이 있었다.

'서기국'은 이렇게 제1서기국과 제2서기국으로 나뉘어 있었는데, 마키아벨리가 근무하기 시작한 당시에는 이 분할이 형식적인 것이었으며 실제는 뒤범벅이 되어 있었다고 생각하는 편이 실정에 가깝다. 그래도 양분된 당시에는 제1서기국은 외교를, 제2서기국은 내정과 군사를 담당하는 것으로 역할 분담은 되어 있었다. 그러나 관청 일의 분담이 명확히 되지 않는 것은 언제나 어디서나 변함이 없다. '평화와 자유의 10인 위원회'라는 긴 이름의 위원회가 생겨서(앞으로는 10인 위원회로 약칭하기로 한다) 군사를 담당하게 되어, 제2서기국의 담당은 내정에 한정된 듯하지만 실제로는 그렇게 되지 않았다. 뒤범벅 상태가 계속된 것이다.

제1서기국과 제2서기국의 병립이 형식상으로나마 계속된 것은 아주 단순히 대외적인 전술이었다고 보는 수밖에 없다. 왜냐하면 다른 나라에 사절로 파견하는 경우, 서기국 서기관 보좌라기보다 제2서기국 서기관이라는 편이 듣기에도 좋지 않은가. 실제로 이런 종류의 출장 횟수는 제1서기국 서기관보다 제2서기국 서기관이 압

도적으로 많았다. 실정이 이렇기도 해서, 제2서기국 서기관은 제1서기국 서기관의 하위에 속한다는 위계와 대우도 병립 상태 아래서 그대로 유지되었다.

서기관의 장이라고 해도 되는 제1서기국 서기관 마르첼로 비르질리오는 나이로 치면 마키아벨리보다 다섯 살이 많을 뿐이다. 그러나 법률학과 논리학의 교수이고 물론 '대학 출신'이며, 로렌초 일 마니피코에게 발굴되어 대성한 문학자 폴리치아노의 수제자이기도 해서 피렌체의 지식층에서는 손꼽히는 인물이었다. 마키아벨리보다 반년 먼저 이 지위에 선정되어 있었으며, 재임중에도 대학의 강의는 중단하지 않았다. 그리스어와 라틴어에 능하고, 즉흥 연설을 잘하기로 이름이 나 있었으며, 라틴어로 쓴 저서도 많았다. 15세기 말의 피렌체에서는 그야말로 전통적인 범주에 속하는 지식인이었다.

피렌체공화국 서기국의 최고 책임자는 15세기 초두의 코르초 살타티를 시작으로 레오나르도 아레티노, 바르톨로메오 스칼라와 같은 피렌체 최고의 지식인이 차지하는 것이 관례였다. 이 점에서도 마르첼로 비르질리오의 선출은 전통을 충실히 답습한 것이 된다. 공화국 정청 사무국의 장은 대통령과는 또 다른 의미에서 공화국의 '얼굴'이어야 한다는 것이 당시 피렌체인의 생각이었다. 더욱이 1502년까지 대통령의 임기는 1년이고, 대통령을 보좌하는 프리오리(행정부 고관)들의 임기는 불과 두 달이었으므로, 선출되면 보통 죽을 때까지 그 자리에 있을 수 있는 서기국의 장은 훌륭히 '얼굴'로 존속할 수 있는 이유가 있었던 것이다. 살타티는 30년 간 그 직에 있었고, 비르질리오의 선임자인 바르톨로메오 스칼라는

32년 간 서기관장으로 있었다. 물론 전원이 학사님들이다.

마키아벨리의 상사인 제1서기국장 비르질리오는 두뇌도 이같은 서기관장의 전통에 충실한 사나이였지만, 육체적으로도 '얼굴' 이 될 자격이 충분했다. 후리후리한 키에 당당한 체구, 행동거지는 위엄에 차고, 얼굴 생김새도 훌륭했으며, 굵은 목소리가 낭랑하여 공식 행사에는 안성맞춤인 인물이었다. 자기의 생각이나 감상을 솔직하게 털어놓기보다 무슨 일에서나 해설을 하려고 하는 경향이 강했는데, 이것은 자기 눈으로 보고 자기 머리로 생각하는 것을 중시하는 사람들로부터는 조만간 외면당할 위험성이 있다. 하지만 무슨 일에서나 얼핏 명쾌하게 해설되기를 좋아하는 사람이 더 많게 마련이므로, 비르질리오의 지위는 바로 안전 그 자체였다.

한편 지위로는 그의 첫째 부하인 마키아벨리는 정신적으로나 육체적으로나 이 상사와는 정반대의 사나이였다. 중키에 여윈데다가 머리도 작고, 얼굴 생김새부터가 빈상이었다. 검은 머리털은 기름기가 많아서인지 언제나 머리에 착 달라붙었고, 역시 검은 두 눈은 싱싱하게 빛났지만 진득하지 못한 거동은 공치사로도 위엄이 있다고는 할 수 없었다. 좌담에서는 언제나 스타지만, 많은 사람들 앞에서의 연설은 서툴렀다. 얇은 입술 끝은 늘 곡선으로 다물어져 있어서 무엇을 즐기고 있는 듯이 보이기도 하고 냉소하고 있는 것처럼도 보였다. 관복을 입었을 때는 알 수 없었지만 몸에 털이 많았다.

일에 대처하는 방법도 제1서기국 서기관과 제2서기국 서기관은 대조적이었다. 비르질리오는 지식인이자 대학 교수이기도 한 쪽을 더 중시했기 때문인지, 서기국의 장 쪽의 일은 적극적으로 찾아서

하는 편이 아니었다. 그렇다고 자기의 할 일을 게을리한 것은 아니었다. 사무 부문의 '얼굴'이라는 역할은 충분히 다 하고 있었다.

그 점에서 마키아벨리는 전혀 달랐다. 일의 분담이 명확하지 않은 점을 기화로, 주어진 일은 준 쪽의 기대 이상으로 했고, 또 자기가 일을 찾아서 하는 타입이었다. 이것이 15년 후에 일어나는 메디치 가 복귀와 더불어 실각하는 마키아벨리와는 달리, 그보다 직위가 위인 비르질리오가 자리를 지속할 수 있었던 이유의 하나로 여겨진다. 실제로 얼마 안 가서 '서기국'의 중심은 싱싱한 감각의 마키아벨리가 차지하게 되고 서기관장은 뜬 존재가 되어버리는데, 이것이야말로 이 지식인 직업관료가 연명에 성공한 원인이었을 것이다. 지금부터 마키아벨리의 15년에 이르는 관료 생활을 그리게 되는데, 직속 상관인 비르질리오에 대해 언급하는 기회가 적은 것은 정말 놀라울 정도다. 설령 마키아벨리가 이 상사 이외에 여기저기에 상사를 가졌기 때문이라고 하더라도 그렇다.

지금 남아 있는 마르첼로 비르질리오의 훌륭한 문면으로 된 편지를 읽어보아도, 이 지식인 엘리트 관료는 부하인 마키아벨리를 결국은 이해할 수 없었던 것이 아닌가 하는 생각을 하게 된다. 이해할 두뇌가 없어서가 아니라, 마키아벨리를 평생 끌어당기고 놓아주지 않았던 일에 관해서 비르질리오는 단지 관심을 가질 수 없었는지도 모른다. 그렇다고 자기와 일하는 방식이 다른 이 부하를 결코 방해하지는 않았다. 어느 의미에서 그는 마키아벨리의 이상적인 상사가 아니었나 하는 생각마저 든다.

서기국의 다른 국원들 사이에는 제2서기국 서기관인 마키아벨리건 보좌관이건, 또는 단순한 국원이건 상관없이 계급에 의한 교제의 차이는 전혀 없었다. 문자 그대로 직장 동료들이었다.

그들은 서로 타국에 파견된 동료들에게는 모국의 공기를 알려 주는 정보원(情報源)이었고, 타국에 나가 있는 사람도 서기국의 어느 개인 앞으로 보낸 편지라도 공식 보고서에는 쓸 수 없는 세속적인 정보를 잊지 않고 써보냈다. 출장지에서 보내온 마키아벨리의 편지를 읽어보고 모두들 언제나 감탄하곤 했고, 또 여느 때처럼 웃었다는 편지를 읽으면 미소를 띠지 않을 수 없다. 종무 시간이 되었는데도 끝내지 못한 일이 있을 때는 한 동료의 집에 들고 가서 함께 처리했다. 이미 결혼하여 정착된 생활을 하고 있던 보나콜시의 집이 많이 이용되었던 모양이며, 이것이 서기국에서는 '얼굴'인 비르질리오를 제외한 나머지 전원을 감싼 분위기였다.

나는 친구 보나콜시 이하 서기국 전원의 이름을 열거했지만, 그들은 마키아벨리의 직장 동료였다는 것으로 역사에 이름이 남은 사람들이다. 그런데 이들이야말로 마키아벨리의 최초의 '독자'였다. 청중 없이 예술가는 자라지 못한다.

이 스물아홉 살의 '피렌체 서기관'은 이른바 '욕심꾸러기 할망구처럼 무엇이나 다 끌어안고 일을 불리는 바람에 꼼짝달싹도 못하게 되는 식'의 관료들과 닮은 데가 없지도 않았는지 모른다. 그렇게 해서 꼼짝달싹 못하게 되기까지는 이르지 않은 듯하지만, 욕심꾸러기 할망구처럼 무엇이나 다 끌어안고 일을 불리는 점에서는 많이 닮았다는 생각이 든다.

제2서기국 서기관에 임명되고 한 달도 되지 않은 7월 14일, 마키아벨리는 이 직책 이외에 '10인 위원회'의 비서관에 임명된다.

그리고 같은 무렵에 이번에는 두 사람으로 되어 있는 대통령 비서관의 하나에 임명된다. 둘 다 대통령이 임명하는 것이므로 국회의 표결은 필요없다. '10인 위원회' 비서관의 임기는 1년이지만, 유임이 계속되어 결국 그는 관료 생활 15년 내내 하게 된다. 대통령 비서관은 그 4년 후에 종신 대통령제가 실시되었으므로, 대통령 소데리니가 바꾸겠다고 말하지 않는 한 임기는 없는 거나 같았다. 소데리니는 바꾼다는 말을 하지 않았다.

이것은 관료 초년생인 마키아벨리를 피렌체공화국의 중추에 끌어넣은 것을 의미했다. 이것은 자기가 원해서 끌어안은 일이 아니라고 할는지도 모른다. 확실히 '일'은 저편에서 내려왔다. 마키아벨리보다 직위는 약간 낮아도 동료임에는 틀림없는 보나콜시도 맡게 된 일은 같았다. 그도 '10인 위원회'의 비서관을 지냈고, 대통령 비서관도 잠시지만 역시 지냈다. 그러나 두 사람의 일의 양은 해가 거듭될수록 격차가 났다. 마키아벨리의 일솜씨가 인정을 받은 결과였을 것이다.

그러나 일에 정신을 쏟으니까 인정도 받게 되고, 인정을 받으니까 더욱 정신을 쏟게 되는 이치이며, 맡겨지는 일이 자꾸 불어간 것은 당연했다.

일에 정열이 솟는다는 것은 좋은 일이지만, 그렇게 정신을 쏟고 한 일로 마키아벨리는 대체 급료를 얼마나 받았을까?

마키아벨리가 공직에 앉은 1498년에 피렌체공화국 정청 근무자의 급여 체계가 개정된 것으로 되어 있는데, 그것을 보면 우리가 아는 사람들의 급료가 다음과 같다.

제1서기국 서기관, 마르첼로 비르질리오, 연봉 330피오리노

제2서기국 서기관, 니콜로 마키아벨리, 연봉 192피오리노

제1서기국 서기관 보좌, 비아조 보나콜시, 연봉 72피오리노

제1서기국 국원, 안토니오 델라 발레, 연봉 80피오리노

제2서기국 서기관 보좌, 안드레아 디 로몰로, 연봉 60피오리노

제2서기국 국원, 아고스티노 베스푸치, 연봉 96피오리노

다만 이 숫자는 '스젤로'로 통칭된 피오리노 소금화(小金貨)에 의한 것이며, 타국과의 환시세에서 사용된 대금화로 환산하면 마키아벨리의 연소득은 128피오리노가 된다. 연소득으로서는 많은 편이 아니지만 적지도 않다. 인기 없는 변호사였던 아버지보다는 많다. 사람에 따라 연봉 액수가 관직의 상하와 반드시 비례하지 않았는데, 그 이유는 끝내 알 수 없었다. 그러나 공화국 사무국의 '얼굴'인 제1서기국 서기관과 그렇지 않은 제2서기국 서기관의 지위의 차는 급료의 액수차에도 나타나 있었던 것 같다.

1498년에 개정된 급여 체계에 의하면, 제2서기국 서기관의 연봉은 200피오리노(소금화)이고, 대통령 비서관의 연봉은 192피오리노로 되어 있다. 마키아벨리는 둘 다 겸하고 있었는데도 합계 392피오리노는 고사하고 192라는 적은 쪽만 받고 있었던 셈이다. '일'이 불어나도 급료가 많아지지 않는 것은 500년 전의 피렌체에서도 마찬가지였던 모양이지만, 그래도 200이 아니고 192를 받은 것은 어찌 된 까닭일까? 이런 것은 원고료와 같아서 한 번 정하면 좀처럼 올려주지 않는 법이니, 취임 때 좀더 힘을 썼더라면 좋았을 걸 하고 충고라도 하고 싶은 기분이지만, 그로서는 고대하던 일을

할 수 있게 된 이상 급료의 액수 따위는 아무래도 좋다는 생각이었는지도 모른다. 덕분에 이 연봉액은 인플레이션이 없는 시대라고는 하나 15년 동안 변하지 않았다.

금전 문제에 이야기가 미친 김에, 관리의 급료는 이것으로 대강 짐작이 간다 치고 예술가들은 대체 얼마나 받았을까 하는 호기심이 인다. 아울러 말하면, 관리의 급료는 베네치아공화국의 동료들도 거의 비슷했다. 예술가에게 지불된 액수는 비교를 하기 위한 것이므로, 개인이 의뢰한 경우는 다르다. 피렌체공화국이 공적으로 의뢰한 경우에 한하기로 한다.

마키아벨리 재임중에 피렌체공화국 정부는 레오나르도 다 빈치와 미켈란젤로에게 작품 제작을 의뢰했다. 레오나르도가 부탁받은 것은 '500인 회의장'의 한쪽 벽에 앙기아리 전투에 관한 벽화를 그리는 일이었다. 미켈란젤로도 반대쪽 벽에 전투화를 그려달라는 부탁을 받았는데, 여기서는 그 이듬해에 그가 만든 다비드의 거상을 예로 들기로 한다. 같은 벽화 제작으로 비교하고 싶지만, 미켈란젤로에게 지불된 액수가 명확하지 않아 하는 수 없이 대리석상 제작의 경우를 들었다.

비교는 모두 피오리노 소금화로 하기로 한다.

레오나르도—제작 기간 중 월급으로 22.5피오리노. 다만 밑그림 제작에 사용되는 종이와 아틀리에 비용 등 경비는 모두 공화국 정부 부담.

미켈란젤로—계약서에 정해진 기간 중 월급으로 9피오리노. 다만 완성했을 때 400피오리노를 추가 지불.

마키아벨리—월급으로 치면 16피오리노. 출장 때의 제 경비는 공화국 정부 부담.

레오나르도는 결국 미완으로 포기해버렸으니 완성 때 받는 돈은 없었고, 미켈란젤로의 경우는 2년 반 만에 완성했으니까 월급으로 치면 22피오리노쯤 된다. 기세가 등등한 때이기는 했으나, 이 스물 아홉 살의 신진 예술가는 신진 관료보다 많이 벌고 있었던 셈이다.

여기서 말해두지만, 이 급료 비교는 하나의 '장난'에 지나지 않는다. 엄정한 비교가 가능한 사료가 없는 한 장난에 그칠 수밖에 없다. 게다가 예술가의 일은 시간으로 잴 수 없는 것이다.

예술가도 관료보다는 벌이가 나았는지 모르지만, 레오나르도나 미켈란젤로와 같이 당시에 이미 그 명성이 견줄 자 없다는 소리를 들은 사람들의 액수가 이 정도다. 2류, 3류의 예술가는 그 돈으로 어떻게 살 수 있었을까 싶을 정도의 돈밖에 받지 못했다. 결국 비실업(非實業)으로는 재산을 모을 수 없는 것이 보통이었던 성싶다. 실업으로 재산을 이룬 메디치 가는 한 번의 마상 창시합에 1만 피오리노를 소비할 수도 있었으니 말이다.

그러나저러나, 중류 정도의 급료밖에 받지 못한 마키아벨리가 어떻게 그토록 일에 정열을 쏟아부을 수 있었을까? 아무리 인정을 받아봐야 그 지위 이상의 승진은 절대로 불가능한 조건 아래서 말이다.

그것은 역시 그가 욕심꾸러기 할망구처럼 뭐든지 끌어안아버리고, 한 번 끌어안은 것은 놓으려 하지 않았기 때문이 아니었나 싶다. 서기국과 대통령 비서관과 '10인 위원회'의 일을 명확히 가릴 수는 없었을 것이다. 그러나 서기국에서는 알 수 없는 최고 기밀도 대통령 비서관은 알 수 있었을 것이다. 또 당장은 최고 기밀이 아니더라도 언제 그것으로 변할지 모를 정보도 방위를 담당하는 '10인 위원회'에 있으면 거의 매일 접할 수 있다.

그렇다고 늘 중요한 사항만 만지고 있었던 것은 아니다. '10인 위원회'의 비서관으로서 위원회 명의로 해외 대사들에게 보내는 훈령을 쓴 같은 펜으로, 이번에는 벽화 제작을 중도에 그만두고 밀라노로 가버린 레오나르도에게 귀국하여 완성하든지 아니면 그때까지 받은 급료를 반환하라는 따위의 멋없는 편지도 써야 했다. 대사를 파견해야 할 정도는 아니지만 중요성에서는 그에 못지않은 교섭을 위해 서기관은 단출하게 수시로 해외 나들이를 해야 한다.

말하자면 정치, 경제, 군사, 외교에 관한 모든 것이 마키아벨리에게 들어와 마키아벨리에게서 나가는 거나 같았다. 그가 갖고 있지 않은 것은 국가를 대표할 관직과 정책 결정의 권리뿐이었다. 대사로서 출발한 구이차르디니는 주재국인 에스파냐에서 정보가 적은 것을 한탄하는 편지를 보내왔는데, 그 점에서는 비직업관료 서기관인 마키아벨리가 단연 복받은 자리에 있었던 셈이다.

니콜로 마키아벨리가 평생을 통해 가졌던 관심은 그 자신의 말을 빌리면 '국정(國政)의 기술'이었다. 그런 그에게는 피렌체공화국 서기국 서기관의 직책만큼 재미있는 처지도 없지 않았을 것이다. 그런 종류의 호기심을 자극하는 것은 최신 정보에 접하는 것 이상 없기 때문이다. 뿐만 아니라 대사는 아니더라도 대사의 부관으로서 각국 지도자들과 직접 만나고 이야기하고 할 기회는 많았다.

정책 결정권은 없지만 정책을 입안할 때, 채용되고 않고를 떠나서 자기가 받아 분석, 종합한 정보에 입각하여 의견을 말할 수도 있었다. 더욱이 서기국 동료들은 그의 생각에 싱싱한 반응을 보여주는 유쾌한 인간들이었다. 스물아홉 살의 마키아벨리는 좋아서 의기양양한 기분으로 관료 생활을 시작한 것이 아닐까? 그의 입버릇이었다는 "에코 미!"라도 외치면서.

'Ecco mi!' 라는 이탈리아말을 이런 경우 어떻게 옮겨야 적합할지 여러 가지로 생각해보니, 그의 성격과 그 무렵의 상태를 바탕으로 그의 버릇이었던 해학 기미의 어조로 표현하려면 다음과 같이 번역하는 수밖에 없을 것 같다.

"마키아벨리, 납신다!"

7 이탈리아의 여걸

1498~1499

우연이기는 하지만 마키아벨리의 서기관 취임과 때를 맞춘 느낌이 있는 정세의 변화는 마키아벨리 개인으로서는 다행이었다고 할 수 없지도 않으나, 피렌체공화국으로서는 불행이었다는 한마디 말 외에 더 이상 할 말이 없다고 해도 과언이 아니다. 피렌체는 로렌초 일 마니피코가 죽은 뒤부터 사보나롤라의 대혁명에 들떠서 보낸 6년 간에 진 빚을 이 시기에 다 갚아야 하는 궁지에 몰렸기 때문이다.

피렌체는 고립되어 있었다. 사보나롤라의 지도로 프랑스 왕 샤를에게 너무 접근한 결과였다. 나폴리왕국이나 로마 교황청 또는 베네치아공화국이 피렌체의 동향을 의구심 없이는 볼 수 없게 되어 있었다. 사보나롤라는 이제 존재하지 않는다고 말해서 없어질 성질의 것이 아니었다. 프랑스 왕과의 관계도 기묘한 채로 계속되고 있었으며, 피렌체는 그것을 어느 쪽인가로 명확하게 만들 힘을 이미 잃고 있었다. 이탈리아 내에서의 고립이 프랑스 왕과의 사이를 명확하게 정리하는 것을 망설이게 만들었고, 망설이기 때문에 고립 상태의 개선이 뜻대로 되지 않는 악순환에 빠져 있었기 때문이다.

이런 현상은 피렌체가 당시 무엇보다도 먼저 해결해야만 했던 피사 문제에 집약되어 있었다.

피렌체는 바다로의 출구로 피사가 필요했다. 특히 피렌체의 경제인이 서유럽 경제계에서 헤게모니를 상실한 15세기 후반부터, 피렌체는 자국 경제의 돌파구를 동지중해역에서 구하려 했기 때문에 바다로 나가는 출구의 필요도는 점점 더 커질 뿐이었다. 피사에 대해서도 로렌초 일 마니피코의 시대까지는 교묘한 회유가 90년 가까이 성공했었다. 그러던 것이 1494년 프랑스 왕 샤를의 이탈리아 침공으로 피렌체가 우왕좌왕하고 있는 틈에 피사인은 독립을 회복해버렸던 것이다.

피사를 다시 영유하는 것, 이것이 15세기 말 피렌체가 안고 있었던 가장 큰 과제였다. 이 문제는 1509년 해결될 때까지 15년 동안 피렌체인의 골머리를 썩였다. 지금도 피렌체에는 이런 속담이 남아 있다.

"피사인이 문간에 와서 서는 것보다, 차라리 사신(死神)이 찾아와주는 편이 더 반갑다."

양자택일을 해야 하는 경우에 흔히 쓰는 격언인데, 이 말을 들을 때마다 나는 고소를 금치 못한다. 피사인의 생각은 어떨까? 피사에는 아마도 주어를 바꾼 속담이 있을 것임에 틀림없다.

피사 문제가 골치 아픈 데는 대별하여 두 가지 이유가 있었다.

첫째, 피사는 지난날의 융성을 떠올리게 하는 것으로 화려한 성당과 사탑밖에 남아 있는 것이 없지만, 불과 200년 전인 13세기만해도 지중해에서 종횡으로 활약한 4대 해양 도시국가의 하나였다는 것이다. 지난날 선진국이었던 현재의 후진국만큼 다스리기 어려운 것도 없다. 실제로 피사인의 독립에 대한 집념은 본무대에 서본 적이 없는 소국의 국민은 상상도 못할 만큼 강했다.

당찬 저항과 역시 한때의 통상국가다운 교묘한 대국 조작에 피렌체는 애를 먹는다.

둘째 이유는, 로렌초 일 마니피코가 내다본 바로 그것이었다. 말하자면, 소국 문제는 대국의 이해와 얽히기 쉽다는 현실이다. 더욱이 피사 영유에 성공한 로렌초의 시대와는 국제관계의 주역들이 일변해 있었다.

군사력에서는 아직 문제가 되지 않더라도 무시할 수 없는 영향력을 가진 로마 교황청의 주인 자리는 보르자 집안 출신의 알렉산데르 6세가 차지하고 있었다. 1492년에 즉위한 이래 샤를 8세의 군사력과 사보나롤라의 언론이 연합함으로써 야기된 위기를 교묘히 극복한 알렉산데르 6세는, 샤를을 대상으로 한 신성동맹의 제창과 성공으로 그 지위가 더욱 확고해져 있었다. 그리고 이때는 그 확고해진 처지를 아들 체사레 보르자의 야망을 실현시켜주는 데 전폭적으로 활용하기 시작한 시기에 해당한다.

그에게 있어 피렌체가 바라는 피사 영유는 피렌체를 보다 강하게 만들어줘봐야 자기에게는 아무런 이득도 없는 이상, 냉담하게 대해도 하등 지장이 없는 문제일 뿐이었다. 더욱이 피렌체는 최종적으로 사보나롤라를 매장하기는 했으나, 그때까지의 6년 동안 알렉산데르의 인내력을 거듭거듭 시험한 나라이다. 듣기 좋은 빈말을 아끼지 않는 교황이지만, 그런 피렌체에 좋은 감정을 가질 턱이 없었다. 신성동맹에도 가담하지 않은 피렌체는 이 문제에 관한 한 교황 보르자의 호의적인 관심조차 기대할 수 없었다.

나폴리왕국은 이제 완전히 적이었다. 아무리 사보나롤라의 선동을 받은 결과라고는 하나, 나폴리 정복을 목적으로 이탈리아에 침입한 프랑스군을 크게 환영한 피렌체를 나폴리의 아라곤 왕가는 용서할 수 없었던 것이다.

베네치아공화국도 적인 점에서는 마찬가지였다. 당시의 베네치아는 펠로폰네소스 반도 남단의 베네치아 기지를 에워싸고 터키와 전쟁 상태에 들어가 있었으며, 경제적으로도 내가 장난삼아 '후추 쇼크'라고 이름지은 대항해 시대의 도래에 대처하지 않을 수 없는 처지였다. 동지중해역에서 독점한 후추 무역을 주축으로 융성을 자랑한 베네치아 경제도 큰 전환기에 서 있었다. 그런 판에 피렌체 경제가 피사를 바다의 출구로 삼아 잠입해 온다면 어떻게 되겠는가? 누가 생각해도 이를 막으려 할 것임에 틀림없다. 실제로 베네치아는 피사에 경제 원조와 군사 원조를 제공했다. 이것이 물질면에서 피사인의 저항심을 떠받쳐준 것이다.

프랑스군 침입의 당사자이자 피렌체와 보조를 맞출 수 있을 것처럼 보였던 밀라노공국도 이미 그것을 기대할 수 있는 상태가 아니었다. 1498년 4월에 죽은 샤를 8세의 뒤를 이어 프랑스 왕위에 오른 루이 12세는 샤를이 주장한 프랑스 왕, 예루살렘 왕, 나폴리 왕에다가 다시 밀라노공국의 주권까지 주장하기 시작했기 때문이다. 100년쯤 전에 오를레앙 공에게 출가한 비스콘티 공 집안의 딸 발렌티나의 혈통인 자기 쪽이, 발렌티나의 동생으로 밀라노 공이었던 필리포 비스콘티의 외동딸과 결혼하여 현재 밀라노공국의 주인이 되어 있는 공작 스포르차보다 밀라노 공작으로서 더 정통이라는 루이 12세의 주장은 억지도 유분수라고 보통 사람들은 생각하겠지만, 한 나라의 왕은 보통 사람이 아니라는 말인지, 주권에 대한 주장이라는 것이 알고 보면 대개가 이런 정도에 바탕을 두고 있다. 그러나 현 밀라노 공 일 모로에게 있어서의 위기는 이런 생떼 같은 억지를 쓰는 상대가 대군을 움직일 수 있는 중앙집권국가 프랑스의 왕이라는 것이었다. 이런 밀라노 공이 피렌체의 피사 재영유 문제 따위에 귀를 기울일 생각이 없는 것은 무리가 아니었다.

그렇다면 피렌체공화국이 이탈리아에서의 고립을 감수하고서라도 우호를 간직하려 한 프랑스의 왕은 대체 피사 문제를 어떻게 보고 있었을까?

이미 설명한 것처럼 즉위 직후부터 루이 12세는 밀라노공국을 영유하겠다는 의도를 밝혔다. 그러나 즉위하자마자 그가 해결해야 하는 문제는, 왕비와 이혼하고 선왕 샤를의 미망인으로 광대한 영토라는 지참금을 두둑하게 가진 안 드 브르타뉴와 결혼하는 일이었다. 그러려면 첫번째 결혼은 무효라는 로마 교황의 한마디가 있어야 한다. 그러잖으면 이혼이 무효가 되기 때문이다. 교황 알렉산데르 6세가 이런 일을 싼값에 해줄 턱이 없다. 실제로 상당한 '값'을 받고 허가해주게 되는데, 이 두 사람에게 피사 문제 따위는 상당하다고 할 만한 값조차 되지 않았다. 프랑스 왕으로서는 피렌체가 피사를 영유하든 영유하지 않든 간에 분명히 말해 대수로운 일이 아니었다. 그 대수롭지 않은 일을 가지고 교황을 불쾌하게 만들 것임에 틀림없는 우행을 감히 누가 범하려 하겠는가.

또 밀라노 정복을 노리는 프랑스 왕에게는, 밀라노 영토와 국경을 접한 이탈리아 제1의 강국 베네치아를 자기 편으로 만들어두는 것이 유리할 것은 정한 이치였다. 그리고 베네치아는 피렌체가 피사를 손에 넣는 것을 바라지 않았다.

사보나롤라 실각 후의 피렌체공화국은 이런 상황을 모르고 있었던가? 아니, 충분히 알고 있었다. 알고 있으면서도 피사 문제에 관해서는 특히 프랑스 왕에게 희망을 걸고 단념하지 않았다. 단념할 수 없었다고 해야 옳을지도 모른다.

이것이 마키아벨리의 취직처인 피렌체공화국 정청이 이 서기관 취임 당시에 직면하고 있던 정세이다. 마키아벨리는 정황 변화에 즈음하여 전혀 주도권을 갖지 않은 나라의 관료로서 출발한 셈이다. 그래서 외정(外政)과 군사가 주된 일이 되기 시작한 관료 초년생 마키아벨리의 첫 '출장'은 피사 문제에 관한 것이었다.

취임 후 채 1년이 되지도 않았고, 또 첫 출장지가 장래의 경력에 영향을 가져올 우려도 없는 비직업관료라, 마키아벨리에게 과해진 최초의 대외 절충은 어느 용병대장에게 정부의 의향을 전하는 간단한 일이었다. 피렌체의 영내라서 사절 파견에 따라다니게 마련인 신임장조차 갖고 있지 않았다. 마키아벨리에게 주어진 임무는 폰테데라에 본진을 둔 자코모 다피아노를 찾아가서, 이 용병대장이 요구하는 용병료 인상을 피렌체공화국이 수락한다는 뜻을 전하는 것뿐이었다.

폰테데라는 피렌체 시에서 아르노 강을 따라 70킬로미터쯤 서쪽으로 간 곳에 있다. 피렌체 시를 둘러친 시 성벽의 11개 시문 가운데 아르노 강에 가까운 산 프레디아노 문을 나가서, 피사 방향으로 아르노 강물을 따라 나가면 된다. 1박 2일의 출장이면 남아도는 거리이다. 물론 말을 타고 갔을 것이다. 그리고 단독 여행이 틀림없다. 웬만한 교섭 같으면 피렌체에 급히 보고서를 전하는 외교 파발꾼 같은 사람을 데리고 가는 것이 보통이지만, 이 임무는 돌아가서 자기가 보고하면 되므로 혼자서도 충분하다. 그러나 긴장은 되었을 것이다. 용병대장이라는, 온갖 폐해를 가져다주지만 현재의 피렌체로서는 없어서는 안될 인종의 한 사람을 처음으로 상대하는 기회였기 때문이다.

자코모 다피아노는 티레니아 해에 면한 소국 피옴비노의 영주이다. 소국의 영주가 현금벌이와 자국의 안전 보장을 위해 대국의 용병대장 노릇을 하는 것은 당시의 이탈리아에서는 흔히 있는 일이었다. 다피아노도 피사 공략을 위해 조직된 피렌체군에 참가할 용병대장의 한 사람이었다.

피렌체군 자체가 용병대의 집단 살림 같은 단체이므로, 용병이라고는 하지만 보충병의 뜻은 전혀 없는 본대의 일부였다. 그러기에 용병료 인상도 당당하게 할 수 있었던 것이다.

14, 15세기의 이탈리아를 특징짓는 것 가운데 하나인 용병제도는, 간단히 말하면 대장의 실력에 상응하는 병력 및 그에 필요한 무기를 지휘하는 용병대장과 고용주인 나라가 고용 계약을 맺음으로써 성립된다. 계약 기간은 보통 1년이고, 2년째는 문제가 없으면 자동으로 갱신된다. 이 제도의 수요가 끊이지 않은 이유는 중세의 이탈리아는 도시를 기반으로 성립된 국가가 지배적이었고, 그런 종류의 국가가 경제적으로도 번영했기 때문일 것이다. 도시국가니까 도시가 나라의 중심을 차지한다. 도시 주민이 상업

과 공업에 종사하는 사람이 많은 것은 당연하다. 그들이 시민의 주류를 이루는 것이다. 부르주아라는 프랑스어로 알려져 있는 시민 계급은, 이탈리아어로는 보르게제라고 한다. 게르만어에 어원을 둔 말 같은데, '시 성벽에 둘러싸인 도시 안에 사는 사람'이라는 뜻이다.

당시의 전쟁은 기후 관계로 봄에서 가을에 걸쳐 치러지는 것이 보통이었는데, 일하기에 가장 좋은 그런 계절에 '시민'을 싸움터에 내몰 수는 없다. 그렇다면 전쟁 따위는 안하면 좋으련만, 20세기의 오늘날에 이르기까지 비합리적이라는 이유로 전쟁의 회피에 성공한 예는 없다. 그래서 일하기에 가장 좋은 계절에 일하기에 가장 좋은 나이의 사나이들을 싸움터에 내몰아 경제의 피폐를 초래하느니, 그들은 일에 전념하게 하고 그 일에서 얻는 이익의 일부를 징수하여, 그것으로 고용한 전쟁 전문가들에게 싸움을 맡기기로 한 것이다. 이 제도가 보급되는 바람에 이탈리아의 전쟁은 용병끼리 벌이는 싸움이 되었다. 해군은 자국 사람들로 채운 베네치아공화국조차도 육군은 이탈리아에서 지배적이었던 이 제도를 받아들였던 것이다.

수요가 늘면 공급도 는다. 이탈리아의 여러 나라들은 일하기에 가장 좋은 계절에 일하기에 가장 좋은 나이의 사나이들을 충분히 활약시켰기 때문인지 매우 풍족해졌으므로, 독일이나 영국에서 이탈리아에 벌이를 하러 오는 전쟁 전문가가 적지 않았다. 이들 용병 대장들에게는 부하 병사들이 하나의 훌륭한 장비다. 장비니까 되도록 손상이 없기를 바라는 것은 당연하다. 그 결과 화려한 전투를 전개하고도, 사망자는 말에서 떨어져 죽은 사람 하나뿐이라는 유쾌한 전쟁이 되어버렸다. 부르크하르트가 "예술 작품으로서의 전쟁"이라고 명명한 바로 그것이다.

이 예술적이라는 전쟁을 오랜 세월 당사자들 모두가 좋아했다. 시민들은 일에 전념할 수 있었고, 국가는 하지 않을 수 없는 전쟁을 어쨌거나 했다는 모양새를 갖출 수 있었다. 시민에 낄 수 없는 농민이나 그밖의 서민들도 서로 짜고 하는 전쟁이라 병사들이 온건해서 유럽의 다른 나라에서는 흔히 볼 수 있었던 패자가 당하는 약탈로 위협받을 걱정은 없었다. 소국의 영주나 주인을 갖지 않은 낭인들도 전쟁 청부업을 하면 먹고 살 수 있었다. 게다가 밀라노 공작 스포르차처럼 운과 재능에 따라서는 대국의 주인이 되는 길도 열려 있었던 것이다. 유명하다고는 해도 일개 용병대장에 지나지 않은 몸으로 밀라노 공작이 된 프란체스코 스포르차는 용병대장들 중에서는 제일 출세한 인물이었다.

엉터리에 무책임한 제도이기는 하나 인간 세계의 기미를 찌른 이 유쾌한 제도가 큰 타격을 입지 않을 수 없었던 것은 1494년에 있었던 프랑스 왕 샤를 8세의 이탈리아 침공에서였다. 도시국가가 병렬하는 이탈리아와는 달리 중앙집권화가 진척되어 있기는 해도 당시의 프랑스는 이탈리아인의 눈에는 후진국이었다. 경제적으로도 이탈리아가 더 풍요했다.

당시의 이탈리아인이 얕잡아보고 있던 프랑스인이지만, 그들 나름으로 전쟁은 진지하게 치러야 한다고 생각하는 점에서 전통이 있었다. 그 프랑스인에게 진지하게 침공을 당했으니, 이탈리아인은 심각한 타격을 입지 않을 수 없었다. 샤를 8세의 군대는 비예술적이라는 소리를 듣거나 말거나 철저하게 약탈하고 폭행했다. 5, 6

년도 지나지 않아 마키아벨리는 반용병제도론자가 되지만, 그것은 샤를 군대의 내습으로 일어난 이 변화와 무관하지 않다. 그러나 200년을 잘 운용해온 제도를 일변시킨다는 것은 언제나 누구에게나 어려운 법이다. 이 같은 사정 아래에서 프랑스군 침공으로부터 4년이 지난 1498년 마키아벨리는 용병대장에게 파견된 것이다.

그때의 보고서는 남아 있지 않다. 돌아와서 구두로 했기 때문인지도 모른다. 다만 후년에 마키아벨리는 자코모 다피아노에 대해 이렇게 촌평하고 있다.

"의논은 잘하고, 결론에서는 오므라들고, 실행은 최악이다."

용병제도의 최대 결점은 계약 관계이기 때문에 "무사에게 일구이언은 없다"는 말이 통용되기 어려운 세계라는 것이었다. 특히 피사 전쟁 당시의 피렌체공화국처럼 약점이 잡히면 그야말로 최악이었다. 마키아벨리의 첫 몇 해는 당시의 피렌체가 놓여 있던 처지를 반영하여, 이 "의논은 잘하고, 결론은 오므라들고, 실행은 최악이다"가 태반을 차지하는 용병대장들과의 교섭에 소비된다. 두번째 출장도 용병 계약에 관한 것이었다. 그런데 이번에는 교섭의 상대가 여자였다. 더욱이 정부의 결정을 전하는 것이 일의 전부였던 전번과는 달리, 이번에는 직접 교섭을 하는 임무를 맡았으니 서른 살의 마키아벨리로서는 사실상 최초의 대외 협상이 되는 셈이었다.

목적을 위해서는 수단을 가리지 않는다는, 듣기에도 무시무시한 정치철학을 확립하여 20세기의 오늘날에 이르도록 선남선녀들의 빈축을 사고 있는 마키아벨리가, 비록 풋내기 때이기는 하나 여자를 교섭 상대로 가졌다는 이 한 가지는 마키아벨리 연구자들까지도 몹시 자극한 사건이었다. 15년의 관료 생활 동안에 그가 쓴 방대한 보고서를 다 훑어보지는 않는 학자들도 이때의 보고서는 눈을 왕방울같이 뜨고 읽는 모양으로, 역시 당했구나, 아니 그리 당한 것은 아니다 운운하는 연구 논문을 읽을 때마다 여자인 나는 우스워서 못 견딘다. 그러나 쪼글쪼글한 할머니가 상대였다면 이렇게도 분분하게 의론에 열을 올리지는 않았겠지 하고 생각하면서, 여자는 여자라도 카테리나 스포르차였기 때문이야 하고 혼자 이해하기로 했다.

마키아벨리가 그녀를 만난 당시 그녀는 서른여섯 살이었으나 그야말로 만발한 꽃의 아름다움으로 빛나고 있었다. 얼굴이 미인일 뿐 아니라 몸도 나긋나긋한 것이 균형을 잃지 않고 있었다. 열이 넘는 아이를 낳은 여자치고는 놀라운 매력의 소유자였다. 앞서의 밀라노 공 스포르차의 서출이지만, 그녀는 아주 젊어서 교황 식스투스 4세의 조카 지롤라모 리아리오와 결혼했다. 파치 음모 사건 주모자의 한 사람이다. 그 때문에 로렌초 일 마니피코의 집요한 추적을 받아 끝내 암살되지만, 사랑하지도 않으며 조포하기만한 남편의 죽음은 젊은 미망인에게 상처를 입힌 것 같지는 않다. 입은 상처가 있다면, 그 암살이 가신들의 짓이었고, 그 때문에 소국이긴 하지만 포를리와 이몰라의 영주 자리가 위험해진 일이다. 그때 반란측 가신들은 그녀의 아이들을 인질로 잡는다. 아이를 인질로 잡으면 백작 부인을 마음대로 할 수 있다고 생각한 것이다.

보통 여자 같으면 여기서 무릎을 꿇게 마련이지만, 카테리나는 굽히지 않았다. 성채 안으로 달아나서 나오지 않고 있다가, 반란자들이 아이들을 죽이겠다고 협박하자 그녀는 성벽 위에 올라서서 느닷없이 스커트를 확 걷어붙이고 소리쳤다. 온 이탈리아의 연대기 작가들이 펜을 아끼지 않는 에피소드다.

"이 숙맥 같은 놈들아, 아이는 앞으로도 이것으로 얼마든지 낳을 수 있다는 걸 모르느냐!"

카테리나 스포르차, 스물다섯 살 때의 사건이다. 이런 대담한 행위를 한 뒤 가신들의 반란을 진압하는 데 성공한 포를리 백작 부인은 그후 두 번 자기가 좋아하는 남자와 결혼하여 두 번 다 미망인이 되었고, "이탈리아의 프리마 돈나", "이탈리아의 여걸"로 찬양받는 당대에 가장 유명한 여성이 되었다.

이 대담하고 아름다운 백작 부인은 여자 혼자의 손으로 나라를 지키고 있었으니 필사적인 인상을 풍길 만도 하건만, 여유마저 느끼게 하니 재미있다. 그녀는 마키아벨리와 만난 지 얼마 되지 않은 같은 해에 체사레 보르자의 군대로부터 공격을 받게 되는데, 한창 농성전을 벌이고 있는 중에도 적진에 이런 말을 적은 석탄(石彈)을 쏘아보내기를 잊지 않았다.

"대포를 좀 유연하게 쏘면 어때요? 당신들의 불알이 터지지 않도록."

이런 식이었으니 위선적인 품위 따위는 문제로 삼지 않은 당시의 사나이들 사이에 인기가 대단했다. 프랑스의 한 유명한 무장은 기사도 정신 그 자체의 순애를 그녀에게 바쳤고, 유명인이 아니더라도 팬이 많았다. 마키아벨리의 동료인 보나콜시도 그 팬의 한 사람인 듯, 공용으로 포를리에 체재중인 마키아벨리에게 정보를 알려주면서 이런 말을 덧붙인 편지를 썼다.

카테리나 스포르차

"백작 부인의 초상화를 구해서 귀국할 때 갖다 주게. 비싸도 상관없네. 접지 말고 둘둘 말아서 갖고 오면 좋겠네."

이런 형편이었으니, 승리한 체사레 보르자가 패자인 카테리나를 자기 숙사로 데리고 가서 그날 밤과 다음날 온종일 단둘이 들어박혀 있었다는 사실에 팬들은 몹시 분개했다. 승리를 기회로 그녀를 강간했다는 것이었다. 당시 체사레는 스물네 살이었다. 머지않아 이탈리아를 휘젓게 되는 교황의 이 미남 아들도 이때가 첫 출진이었다. 『르네상스의 여인들』에서 카테리나 스포르차를 다루었을 때 벌써 나는 보통 의미로서의 강간설에 가담할 수 없었지만, 그후 이 생각은 점점 더 굳어지고 있다. 아무래도 좋은 일이기는 하나, 카테리나 스포르차가 남자를 고를 때는 젊고 아름다운 남자를 선택하는 것이 보통이었다.

이것이 마키아벨리의 교섭 상대가 되는 포를리의 백작 부인 카테리나 스포르차이다. 갓 서른을 넘긴 독신인 신참 서기관이 "이탈리아의 여걸"을 상대로 하는 바람에, 외교상의 일인데도 당했다, 아니, 그리 당하지 않았다 하는 논의가 분분해진 모양이다. 아무튼, 신임장을 한 손에 든 마키아벨리는 여름날 산길을 따라 북쪽으로 향했다. 이번에는 협상이 임무이므로 보고서를 전할 파발꾼을 데리고 갔다.

포를리 시는 피렌체의 북쪽에 가로놓인 아펜니노 산맥을 넘어 바로 거기에 있다. 이 부근은 로마냐의 평야 지방으로, 아드리아 해에 면한 리미니에서 출발하여 볼로냐를 거쳐 파비아까지 고대 로마 시대의 아이밀리아 가도가 달리고 있다. 리미니에서 북서쪽에 있는 볼로냐까지 거의 직선으로 체세나, 포를리, 파엔차, 이몰라 등의 도시가 이어지는데, 모두 고대 로마 시대에 가도를 따라 생겨난 도시들이다. 고대 로마 시대에는 로마와 속주의 경계선이었던 이 로마냐 지방은, 마키아벨리의 시대에는 명목상은 교황청 영토지만 실질적으로는 소군주의 난립이 특색을 이룬 지방이었다. 카테리나 스포르차도 그 가운데 한 사람에 지나지 않는다.

이들 소국은 피렌체에게는 강국 베네치아공화국과의 국경에 위치하는 것만으로도 중요한 나라들이었다. 세력균형정책의 추진자였던 로렌초 일 마니피코가 생전에 파엔차의 영주 만프레디에게 원조를 아끼지 않은 것은 잘 알려진 일이다. 이들 소국이 건재하면 할수록 피렌체를 위한 '요새'의 걱정을 그만큼 덜 수 있기 때문이다. 마키아벨리에게 과해진 진짜 임무 또한 이 점에 있었다. 그리고 이번 출장도 간접적이기는 하나 피사 문제와 무관하지 않았다.

피렌체 시에서 포를리까지는 북동으로 150킬로미터 남짓한 거리이다. 다만 여름이기는 해도 아펜니노 산맥을 넘는 판이라, 아르노 강 하류를 향해 단숨에 말을 달리면 갈 수 있었던 지난번과는 달랐다. 7월 13일에 출발한 마키아벨리는 7월 16일 포를리에 도착한다. 도중에 카스트로카로 마을에 들러 무기와 탄약의 재고량을 조사하여 보고서를 피렌체에 보낸 뒤였다.

정부가 발행한 신임장을 가진 사절이라면, 웬만큼 급한 볼일이 아닌 이상 목적지에 도착하면 우선 숙사를 정하고, 여행으로 더러워진 몸을 씻은 다음 관복으로 갈아입은 후에 정청이든 궁전이든 찾아가서 회견을 청하는 절차를 밟는 것이 보통이다. 대사급 사절이라면 회견 신청은 부사가 하게 마련이지만, 마키아벨리는 부사 없는 사절이라 숙사의 선정에서 시작하여 모든 것을 자기가 하지 않으면 안되었다. 그래도 오전 중에 도착하자 곧 백작 부인의 거성으로 가서 즉각 회견해달라고 요청한 모양이다. 왜냐하면 카테리나 스포르차로부터 지금은 처리해야 할 일이 있으니 오후에 만나자는 대답을 듣고 있었기 때문이다.

마키아벨리에게 주어진 임무는 보통 부사급 사람을 정사로 파견하는 정도의 것이라 별로 중요한 것은 아니었다. 카테리나 스포르차가 첫남편과의 사이에서 얻은 장남과 피렌체공화국이 맺은 용병 계약을 갱신하는 일이었다.

옥타비아노 리아리오는 몸소 갑옷을 입고 군을 지휘하는 어머니를 닮지 않아 무장으로서는 별로 볼 것이 없는 젊은이였다. 1년 전 피렌체는 백작 부인의 희망에 따라 이 젊은이와 용병 계약을 맺는다. 피사전에 참가할 용병대장의 한 사람으로서였는데, 옥타비아노는 실제로 참전하지는 않았다. 그런데도 계약을 맺은 것은 포를리와 이몰라를 영유하는 백작 부인과 우호관계를 유지하기 위해서였다. 용병 계약은 흔히 군사적인 목적보다 정치적인 목적으로 체결되는 경우가 많다.

포를리의 이 젊은이의 용병료는 1년에 1만 5천 피오리노였다. 그런데 문제가 없어서 자동적으로 갱신될 즈음에, 백작 부인이 갱신할 뜻이 없다고 통고해 왔다. 그러더니 얼마 안 가서 다시 갱신하고 싶다는 뜻을 전해온 것이다. 그래서 마키아벨리가 파견된 것이다. 그가 받은 훈령은 용병 계약의 연장은 좋으나 용병료는 1만 피오리노로 억제하라는 것이었다.

마키아벨리가 직접 쓴 상세한 보고서를 보면, 오후에 간신히 만나게 된 카테리나 스포르차는 밀라노에서 와 있던 고문을 배석시킨 가운데 피렌체의 서기관을 접견했다. 이것은 그녀가 마키아벨리와 만나기 전에 벌써 피렌체의 사절에 대한 작전을 짜고 있었다는 것을 나타내는 것인데, 피렌체의 사절 쪽은 그럴 여유가 없었던 모양이다. 신임장을 건네주기가 바쁘게 피렌체공화국이 포를리 백작 부인을 얼마나 중요하게 생각하고 있으며, 부인을 만족시키기 위해서는 무슨 일이든 기꺼이 할 용의가 있다는 등의 말을 단숨에 지껄여댄 것 같다. 용병료도 1만 피오리노라면 문제가 없다는 말을 했다고 한다. 나 같으면 이때의 마키아벨리를 도박을 시작하자마자 자기 손의 패짝을 상대편에게 다 보여줘버린 도박사나 다름없다고 단정할 것이다.

한편 카테리나 스포르차는 역시 경험량의 차이를 과시하여 냉정함 바로 그 자체였다. 기를 쓰고 지껄여대는 젊은 서기관의 연설이 끝나자 이렇게 말했다.

"피렌체공화국은 말로는 언제나 나를 만족시켜주지만, 실행할 때가 되면 반대가 되더군요."

이렇게 부드럽게, 그러나 단호하게 반박해놓고 카테리나 스포르차는 즉각 본론에 들어갔다. 우호관계라고는 하지만, 내 나라가 피렌체와 베네치아 사이에서 쿠션 구실을 하고 있지 않느냐는 것이었다. 이것으로 첫 회담은 끝났는데, 그날 밤 부인의 비서관이 마키아벨리의 숙사에 찾아와서 말했다. 밀라노 공도 병력을 보내달라고 백작 부인의 회답을 집요하게 요구하고 있다, 병력은 기병과 석궁병이 각각 50명씩인데, 백작 부인은 이들을 밀라노에 보내느냐 아니면 피렌체를 택하느냐 하는 것을 조만간에 결정해야 할 처지에 있다, 비서관은 마치 친절하게 생각해주는 듯한 어조로 말했다. 카테리나 스포르차가 시킨 것이 분명한데, 신출내기 서기관은 이것도 빼놓지 않고 일일이 정부에 써보냈다. 정말이지 첫 보고서에 이르러서는 서류가 5페이지나 되는 장문이었으며, 이런 것을 8일 간 체재하는 동안 7통이나 보냈으니 연일 쓴 셈이다. 본국에서 보내온 훈령도 많아서 5통이나 되었다.

보기만 하는 것이 아니라 그것을 면밀히 기록한다는 것은 관찰한 것을 면밀히 머릿속에 간직한다는 말이다. 젊은 마키아벨리는 포를리에 8일 간 머물면서, 소국의 운명이 얼마나 취약하고, 탁월한 역량을 가졌더라도 난관을 극복하는 일이 얼마나 어려운가 하는 현상을 이해했을 것이다. 상대가 아름다운 미망인이 아니더라도, 조금은 져주어도 되겠지 하는 생각이 무의식적으로나마 들었는지도 모른다. 보고서에서 그는 자기의 협상 상대가 자존심이 세고 아무 구애도 없이 판단을 내리는 여성이라고 평하고 있다. 그리고 회담이 취소되었을 때도 그것이 부인의 한 살 난 아들이 앓기 때문이라는 부인측의 변명을 곧이들은 듯, 그것을 보고하는 그의 펜에는 일말의 동정마저 엿볼 수 있다. 그 아이가 피렌체 대사로서 포를리에 주재하고 있던 메디치의 분가인 조반니가 백작 부인과 사랑에 빠진 뒤 결혼하여 낳은 아이라는 것도 피렌체인인 마키아벨리로 하여금 좋은 감정을 느끼게 하는 원인이 되었는지도 모른다. 미남으로 이름이 난 조반니 데 메디치는 아들이 첫돌을 맞이하기 전에 죽는다.

이때의 갓난아기가 후일 '검은 깃발의 조반니'라는 별명으로 이름을 날리는 무장으로 자라, 말년의 마키아벨리의 '빛'의 하나가 된다. 그리고 '빛'인 채로 요절하는 이 조반니의 아들이, 피렌체공화국 붕괴 후에 출현하는 토스카나대공국의 초대 대공 코시모가 되는 것이다.

이야기를 제자리로 돌려서, 용병료 1만 피오리노를 고집하지 못하고 1만 2천으로 타협하는 것이 어떻겠느냐고 본국 정부에 상신한 것은 마키아벨리였다. 피렌체 정부는 용병료 협상을 바나나를 투매하는 식으로 생각하는 버릇이 있어서 회답은 오케이였다.

"공연히 토론만 하지 말고 결론을 내리는 편이 서로의 득이 되는 것이 아니겠느냐"는 것이 백작 부인의 생각이었으므로, 카테리나 스포르차와 마키아벨리는 옥타비아노 리아리오의 용병 계약을 무사히 조인할 수 있었다.

그러나 마키아벨리가 일방적으로 당하기만 한 것은 아니다. 카테리나가 주장하기 시작한, 피렌체가 포를리를 동맹국으로 인정하고, 백작 부인의 영토가 침략당하는 경우 그것이 어떤 나라의 침공이건 피렌체는 자동적으로 군대를 보내어 구원한다는 것을 공식 문서로 작성하여 남기는 것만은 마키아벨리도 양보하지 않았다. 본국 정부는 그에게 포를리와의 관계에 관해서는 적당히 받아넘겨 절대로 피렌체의 처지를 명확히 해서는 안된다고 지시해놓았으므로, 그도 이것만은 지켰던 것이다. 하기야 지켰다고는 하나 강요하는 것을 끝까지 버티며 지킨 것이 아니라, '삼십육계를 놓는' 방법에 호소했을 뿐이지만.

7월 25일 아침 일찍이 마키아벨리는 포를리를 뒤로하고 훈령대로 다시 카스트로카로에 들렀다가 피렌체로 돌아왔다. 피렌체 도착은 8월 1일이었다. 보나콜시가 부탁한 카테리나 스포르차의 초상화는 잊지 않고 구해 갔을까, 그것도 접지 않고 두루마리로 해서?

이번뿐 아니라 모두 해서 30회가 넘는 '출장' 중에 마키아벨리가 써보낸 보고서는 책으로 세 권이 넘는데, 이들 공식 보고서뿐 아니라 사적인 편지도 많이 교환하고 있어서 그것들을 읽을 때마다 500년 전의 관료는 글을 열심히 쓸 줄 모르면 해낼 수 없었겠구나 하는 걸 통감하게 된다.

전화도 전보도 하물며 팩시밀리 같은 것은 꿈도 꾸지 못하던 시대라 쓰고 또 쓰는 수밖에 없었던 것인데, 그렇기는 하나 쓰고 또 쓴 그 내용을 보면, 그들이 대외적인 절충과 정보의 관계를 어떻게 생각하고 있었는지 상상할 수 있어서 흥미롭다.

국제관계와는 얼핏 관계가 없는 듯이 보이는 소국에 용병 교섭을 하러 가 있는 마키아벨리에게 대국에 관한 정보가 보내졌다. 베네치아 주재 피렌체 대사 잔바티스타 리돌피가 본국 정부에 보낸 보고서의 사본이 동봉되어 오는가 하면, 로마의 정황, 프랑스 왕의 동향, 포를리와는 숙질간인 데서도 관계가 깊은 밀라노 공에 대한 정보도 빠지지 않았다. 특히 베네치아에 관해서는 터키와의 전쟁 상황이 상세하게 보내졌다. 피렌체에 대한 카테리나 스포르차의 태도가 베네치아와 밀라노의 정세에 좌우되지 않을 수 없었기 때문이다. 베네치아가 터키에 애를 먹으면 먹을수록 이탈리아 내에서의 움직임이 둔해지고, 따라서 당연히 포를리의 쿠션 역할은 저하된다. 또 밀라노공국에 대한 프랑스 왕의 움직임이 활발해질수록 백작 부인은 백부에게 의지할 수 없게 된다. 그래서 협상은 피렌체측에 유리해지는 이치이며, 그런 것을 협상에 임하는 마키아벨리가 잘 알고 회담 자리에 나갈 필요가 있었던 것이다. 이같은 상황 아래서 카테리나 스포르차는 1만 피오리노를 1만 2천으로 인상시키는 데 성공한 것이다. 마키아벨리는 역시 조금은 당한 셈이었다.

그래도 포를리에서 보낸 마키아벨리의 보고서는 피렌체 정청 서기국에서 호평을 받았다. 관찰, 분석, 판단, 예측이 매우 잘 되어 있었기 때문이다. 보고서는 서기국뿐 아니라 대통령과 각료들, 게다가 '10인 위원회'와 '80인 위원회'에서도 읽게 되는 것이라, 마키아벨리의 첫 출장은 성공적이었다고 할 수 있다.

박수로 환영하는 자가 있으면, 그 박수 소리를 기분 좋게 듣지 못하는 자가 있게 마련이다. 서른 살의 마키아벨리는 취임 1년에 직장에서 벌써 마찰을 일으켰으니 기가 차지 않은가. 반마키아벨리의 수령격은 제1서기국 국원인 안토니오 델라 발레였다.

그는 호칭에 세르가 붙은 것을 보면 대학 출신이었는지도 모른다. 세르 안토니오는 마키아벨리가 포를리에서 협상을 벌이고 있을 때, 자기라면 더 대담하게 할 수 있다고 정청 안을 큰소리치고 다닌 모양이다. 그에게 동조하는 자가 전혀 없지는 않았던 것 같다. 이러한 서기국의 공기를 세밀하게 써보낸 보나콜시의 편지를 읽어보면 어느 시대에나 다름이 없구나 하는 생각이 들지만, 이에 대해서 마키아벨리가 어떻게 생각하고 어떻게 대처했는지 당시의 사신(私信)이 남아 있지 않아 알 수가 없다. 다만 그후의 그의 언동으로 미루어 별로 걱정도 하지 않은 것으로 여겨진다. 워낙 마키아벨리의 언동이 주위와 교묘히 조화를 이루며 자기의 지위에 대한 안전을 첫째로 생각하는 인간이라면 절대로 범해서는 안될 '실수'의 연속이었기 때문이다.

마키아벨리보다 14세나 젊어서 이 시기에는 아직도 소년에 지나지 않았으나, 대학 출신임은 말할 것도 없고 나중에 단숨에 에스파냐 대사라는 요직에서 출발하여 관료로서는 최고의 지위에까지 올라가는 역사가 구이차르디니는, 『각서』(覺書)라는 제목의 비공개 저서에서 다음과 같이 쓰고 있다.

피렌체에서 사람들의 호감을 사고 싶은 자는, 야심적이라는 평가만은 절대로 얻지 않도록 조심해야 한다. 또 아무리 작은 일이라도 다른 동료들보다 우수하다든가 두드러지게 눈에 띈다든가 세련되었다든가 하는 생각을 갖게 해서도 안된다. 평등이 무엇보다도 중시되고 질투심으로 가득 찬 이 나라에서는, 다른 사람과 다르기를 바란다든가 일반보다 동떨어져 있다는 생각을 남에게 갖게 하는 것만큼 치명적인 불이익이 없기 때문이다.

이렇게도 분명하게 쓰는 것은 비공개의 경우에만 한한, 이런 직업인 중의 직업인과 마키아벨리는 완전히 반대되는 인간이었던 것 같다.

마키아벨리는 포를리에서 보낸 보고서로 이목을 끌기 조금 전에 피렌체인이 가장 중요시하고 있던 피사 문제에 관해서, '10인 위원회'의 의뢰를 받은 답신 형식이기는 하지만 「피사 문제에 관한 논고」라는 제목의 논문을 썼다. 이 논문의 서술 방법을 보면 여간 대담하고 솔직하지 않다. 처음부터 다음과 같이 시작된다.

"만일 피렌체가 자유이기를 바란다면, 피사의 재영유가 실현되어야 한다."

그렇다고 그를 초강경파라고 속단하지 말아주기 바란다. "자유이기를 바란다면"이라는 한 구절은 당시의 관용구에 지나지 않기 때문이다. 여기에 다음 몇 구절이 이어진다.

"여러분은 이 중요성을 충분이 인식하고 있을 줄 믿으므로, 일일이 이유를 들어 설명할 필요는 없다고 생각한다. 그래서 피사의 재영유라는 종국적 목적을 달성하기 위해서는 어떤 수단이 필요한가 하는 것만 검토하기로 한다. 요컨대 힘에 의하느냐 사랑에 의하느냐 하는 것으로, 군사적 해결과 평화적 해결 양쪽의 가능성을 검토한다는 것이다."

마키아벨리는 이어 피사와 피사를 에워싼 여러 정세에 관해 역사를 거슬러 올라가면서까지 분석하여 군사적 해결과 평화적 해결 중 어느 쪽이 현실적인가를 논하고, 다음과 같이 명쾌한 결론을 내리고 있다.

"이상과 같은 이유로, 피사의 재영유를 목적으로 하는 수단은 군사적 해결밖에 없다고 생각한다."

군사적인 해결밖에 없는 이상, 그것을 어떻게 진행시켜 나갈 것인가를 이어서 논하고 있다. 마키아벨리는 이 경우에도 군대와 대포라는 하드웨어적 논의로 시종하지는 않고 있다. 포위전도 넓은 의미로 고려하여 구체적인 방법을 제시하고 있다. 군사적 해결책이라면 전략·전술의 구체적인 방책이 없어서는 안되는 것이 당연하므로, 여기서 마키아벨리는 공격 지점과 그곳에 배치하는 군대의 규모까지 거점 하나하나를 들어서 논하고 있다. 더욱이 "이에 필요한 경비는 1개월에 1천 명의 병력을 고용하는 데 필요한 비용과 맞먹는다"는 등 경비면의 배려도 잊지 않고 있는데, 이것은 방위 담당인 '10인 위원회' 소속 비서관의 경력이 제 몫을 톡톡히 하고 있다는 느낌이다. 아무튼 그의 본심이 적극적인 전법에 있는 것은 분명했으며, 군대가 피사 시 성벽 밑에 도달하면 부녀자와 노인의 퇴거를 확인한 다음, 과감히 전 병력을 투입할 것을 건의하고 있다.

이 논문은 서류로 4페이지 반밖에 안되는 짧은 것이지만, 마키아벨리의 처녀작이라고 해도 될 것이다. 처녀작에 한 작가의 장래가 모두 내포되어 있다면, 이 「피사 문제에 관한 논고」에서도 마키아벨리의 전 작품을 관통하는 특색을 완벽하게 발견할 수 있다. 마키아벨리 연구에 있어서는 당대의 제1인자로 꼽히는 프레데리크

샤보는 이렇게 평한다.

이 논문으로 이미 우리는 마키아벨리의 독특한 논법에 접할
수 있다. 다시 말해 선택 가능한 수단을 대치하여 그것들이 갖는
정황을 분석하고, 목적 달성에 대한 가능성을 구체적인 사례를
들어 해명한다. 거기서는 중도이폐가 전혀 허용되지 않고 타협
도 존재하지 않는다.

비공개이기는 하나, 이 소논문은 정청 안에서는 잘 알려졌다.
연대기이건 역사 서술이건 혹은 시문이건 저작을 일상 다반사로
다룰 줄 아는 교양인이 태반인 피렌체공화국의 정청에서 말이다.
동시대인이 쓴 같은 종류의 답신과 비교해보아도 현격히 차이가
나는 참신한 문장으로 씌어진 이 논문은, 훌륭하게 '읽히는' 글이
었으니 사람들의 주목을 끌지 않을 수 없었을 것이다. 그러나 감
탄하는 자가 있으면 반발을 느끼는 자도 있게 마련이다. 서기국이
마키아벨리파와 반마키아벨리파로 갈라진 것은 당연하다는 느낌
이 든다.

다만 정책 결정권을 가진 대통령, 각료, 10인 위원회, 80인 위원
회 안에는 반마키아벨리적인 움직임이 없었던 것 같다. 그들 직업
관료들이 보면, 아무리 명석하더라도 마키아벨리는 어차피 비직업
인의 하나에 지나지 않는다. 더욱이 이들 직업인들이야말로 마키
아벨리의 답신을 살리느냐 죽이느냐를 결정할 수 있는 사람들이
다. 그리하여 1499년의 단계에서 마키아벨리의 제안은 절반밖에
살려지지 않았다. 그것은 곧 전부 살려지지 않은 거나 마찬가지라

는 말이다. 그러나 피렌체 정부의 상층부는 명석한 답신을 내놓은 젊은 서기관을 부려먹을 줄은 알았던 모양이다. 포를리에서 돌아온 마키아벨리에게 숨돌릴 새도 없이 피사 문제에 전적으로 종사하라는 지령이 내려진다.

8 서기 1500년의 일벌

1499~1502

포를리에서 돌아온 마키아벨리가 본 피렌체는 전쟁 일색으로 물들어 있었다. 그의 처녀 논문에 계발되었는지 어떤지는 모르지만, 피렌체 정부는 그제서야 겨우 피사 문제의 군사적 해결을 향해 결정적인 첫걸음을 내디뎠던 것이다.

그해 6월, 치타 디 카스텔로의 영주인 용병대장 파올로 비텔리가 제1서기국 서기관 마르첼로 비르질리오의 장중한 라틴어 연설의 축하를 받으면서 피렌체공화국 군 최고사령관에 취임했다. 시민들은 드디어 피사 문제도 해결이 되나보다 하고, 그때까지의 불만도 잊고 주목했다. 군사비 지출이 너무 많은데다가, 많은 출비치고는 결과가 신통치 않은 데 불만인 시민들은 '자유와 평화를 위한 10인 위원회'를 비꼬아서 '징수와 낭비를 위한 10인 위원회'라 부를 정도였으니, 하루빨리 해결되기를 비는 절실한 마음은 정부의 상층부 못지않았다.

이런 상황 아래서 '10인 위원회'의 비서관이기도 한 마키아벨리는 눈코 뜰 새 없이 바빴다. 특히 '낭비를 위한 10인 위원회'에 대한 악평으로 반년마다 치러지는 위원 선거조차 실시할 수 없게 되었으며, 1499년 후반기의 '10인 위원회'는 이름뿐이고 알맹이는 없는 상태였으므로 마키아벨리는 직속 상사도 없는 상태에서 일하지 않으면 안되었다. 지령을 받는 것은 대통령과 각료들뿐이었다. 그러면서 전쟁은 시작되고 있었던 것이다.

8월 6일, 피사 시를 둘러싼 성벽 아래까지 쳐들어간 피렌체군은 포탄을 퍼부어 시 성벽 24미터를 파괴하는 데 성공했다. 8월 10일, 시 성벽을 지키는 성채 하나를 함락시켰다. 피렌체 사람들은 이제 피사 재점령이 다 이루어진 거나 다름없다고 믿었다.

그런데 바로 이때에 이르러 최고사령관 비텔리가 갑자기 자기 직속 부대의 철수를 명령한 것이다. 아무리 직속 병력뿐이라고는 하지만, 최고사령관이 부대의 철수를 명령했으니 다른 용병대장들도 어떻게 움직일 수가 없게 되었다. 특히 시가전은 병력의 손실이 크다. 자기의 '설비'가 손해를 입을 것이 뻔한 싸움에 어느 '자본가'가 자진하여 뛰어들겠는가. 피사 전선은 기묘한 상태로 교착해 버렸으며, 곧 한 병사가 말라리아로 쓰러진 것을 기화로 용병대장들이 부대를 철수시키는 바람에 9월 14일 피렌체군은 완전히 소멸되고 말았다.

피사인들은 그야말로 안도의 숨을 내쉬었겠지만, 피렌체인은 격분했다. 정부는 그 분노가 자기들에게 튀기 전에 서둘러 무슨 대책을 세워야 했다.

9월 29일, 카시나에 본진을 치고 있던 파올로 비텔리가 체포되어 팔라초 베키오로 끌려왔다. 죄목은 베네치아공화국 및 피에로 데 메디치와 은밀히 내통했다는 반란죄였으며, 이유 없는 전선 이탈과 피사 방위에 참가한 적의 한 용병대장을 도망치게 한 죄가 추가되었다. 고문을 당하면서도 비텔리는 첫째 죄목만은 완강히 부인했다고 한다. 용병대장을 놓아준 것은 한 역량 있는 인물을 살려 준 데 지나지 않는다고 주장했다.

정청 앞에 몰려 나온 시민들은 밤이 깊었는데도 떠나지 않고 정의를 요구했다. 시민이 요구하는 정의란 흔히 처형의 동의어일 경우가 많다. 더욱이 되도록 빨리 집행해야 했다. 10월 1일, 파올로 비텔리는 정청 안에서 처형되었다. 그제야 시민들은 묵은 체증이 내린 기분으로 뿔뿔이 발길을 돌렸다.

이 사건의 진상은 아직도 확실치 않다. 역사가 구이차르디니는 비텔리가 무죄라고 쓰고 있다. 역사가 나르디는 유죄를 주장했다. 당시 정보 수집 능력이 가장 컸던 베네치아공화국의 '10인 위원회'는 자기들과의 관계는 언급하지 않고 메디치 가와는 은밀한 관계가 있었던 것 같다고 보고하고 있다. 마키아벨리가 어느 쪽 의견이었는지는 알 수 없다. 이에 대해서 기록해놓은 것이 없기 때문이다.

믿을 만한 마키아벨리 연구자들에 의하면, 이 시기에 내각의 이름으로 나온 지령과 훈령 가운데 상당수는 문체로 보나 어휘 선택으로 보나 마키아벨리가 작성한 것이 틀림없다고 한다. 만일 이 학설이 정확하다면 마키아벨리는 국가의 최고 기밀에 통해 있었다는 말이 된다. 당시는 아직 일개 젊은 시민에 지나지 않았던 구이차르디니나 나르디와는 달리, 그는 정청의 중추에 있으면서 판단에 필요한 정보에 부족을 느끼지 않았던 것이다. 게다가 마키아벨리는 「피사 문제에 관한 논고」라는 대담 솔직한 답신을 쓴 사람이다. 더욱이 그의 대담 솔직함은 글에서나 말에서나 변함이 없었다. 어쩌면 그는 비텔리를 극형에 처해야 한다는 정도의 진언을 했을지도 모를 일이다. 최고사령관이 될 정도의 용병대장이 배신죄로 처형당한 예는 베네치아에서도 있었다. 그 당시 용병대장들의 대세는 이같은 사례로 협박이라도 하지 않는 한 충성을 기대할 수 없는 인종이었던 모양이다.

자국군의 소멸에 직면한 피렌체공화국은 피사 문제를 등한시할 수 없는 처지라 용병대장들을 끌어모음으로써 군의 재편에 착수하는 수밖에 없었는데, 이때도 정부의 상층부가 의지하려고 한 것은 역시 프랑스 왕이었다. 프랑스 왕이 휘하 병력을 좀 나누어주었으면 하고 기대한 것이다. 나누어준다고는 하나 피렌체가 용병으로 고용하는 것이다. 피렌체가 독자적으로 고용해서 모으는 것과, 프랑스 왕이 원조의 형태로 보내주는 것과는 정치적으로 뜻이 매우 달라지기 때문이다.

한편 밀라노 공 일 모로는 5년 전에 자기가 뿌린 씨를 가장 불행한 방법으로 거두어들여야 하는 궁지에 몰려 있었다. 프랑스 왕 루이 12세는 선왕 샤를 8세와는 전혀 달랐다. 앙주 집안의 자손이라며 나폴리왕국의 주권을 주장하는 점에서는 같았으나, 나폴리를 손에 넣은 뒤에 그곳을 발판으로 십자군 원정에 착수할 생각은 추호도 없었다. 비스콘티의 혈맥이라면서 밀라노공국의 주권을 주장하는 것은 다름이 없었다. 요컨대 나폴리왕국과 밀라노공국의 영토가 탐이 난 것뿐이었다. 게다가 일 모로 자신이 프랑스 왕의 이탈리아 침공이라는 선례를 만들어버린 이상, 침공의 제1목표가 밀라노로 바뀌거나 말거나 프랑스 왕으로서는 아무래도 좋은 일이었을 것이다. 행동을 일으키는 것, 그것도 되도록 빨리 일으키면 일으킬수록 루이로서는 유리했다.

일 모로는 방어전을 준비할 시간도 없었다. 프랑스군이 국경에 집결하고 있다는 소식을 듣기가 무섭게 막대한 돈을 가지고 독일로 달아나버렸다. 질녀의 시댁인 독일의 신성로마제국 황제 막시밀리안이 라이벌인 프랑스 왕의 성공을 좌시할 까닭이 없다고 보았기 때문이다. 1499년 9월 11일, 프랑스군은 저항다운 저항도 받지 않고 밀라노에 입성했다.

이렇게 되면 피렌체 같은 나라의 행동은 일관성 따위는 꿈에도 바랄 수 없는 상태가 되고 만다. 피렌체 정부는 즉각 밀라노에 특사를 파견하여 루이 12세의 성공을 축하하는 동시에, 피사 공략을 위한 프랑스 왕의 원조를 요청했다. 피사전에 밀라노 공의 도움을 청한 과거 같은 것은 개의할 수 없었다. 10월 15일 밀라노에서 프랑스 왕 루이 12세와 피렌체공화국 사이에 이 문제에 관한 협정이 조인되었다. 내용은 이랬다.

피렌체는 루이 12세에게, 왕의 나폴리 공략에 필요한 5천 명의 스위스 용병을 고용하는 비용으로서 5만 피오리노를 지불하는 의무를 진다. 피렌체는 또 왕의 나폴리 공략용으로 기병 500명을 피렌체의 비용으로 마련한다. 그뿐 아니라 피렌체는 왕이 계속 밀라노를 점령할 수 있도록 기병 400명과 보병 3천 명의 비용을 피렌체 부담으로 제공한다.

이에 대해서 프랑스 왕은, 첫째, 나폴리 공략에 착수하기 전에 자기 휘하의 병력 가운데 스위스 병사 5천 명을 피렌체가 피사전에 마음대로 쓸 수 있도록 허가한다. 다만 그 고용 비용은 피렌체가 부담한다. 둘째, 프랑스 왕은 샤를 8세 시대에 피렌체가 포기해야 했던 요새 중에서 제노바가 영유에 성공하지 못한 것은 피렌체에 돌려주는 의무를 진다. 셋째, 프랑스 왕은 메디치 가의 피렌체 복귀 음모에 절대로 가담하지 않겠다고 약속한다. 마지막으로, 프랑스왕국에서 피렌체 상인들이 전통적으로 누려온 권리를 재확인하고 그 속행을 약속한다.

이것이 프랑스와 피렌체가 맺은 우호 협정의 내용이었다. 5만 피오리노의 지불도 분할지불이기는 하나 왕의 희망대로 3개월 안에 완료한다는 조치도 취해졌다. 실제로 밀라노에 있는 피렌체인 은행가를 통해서 1499년 중으로 반액에 가까운 돈이 지불된 것 같다. 그런데 프랑스 왕은 잔액도 급히 지불해달라고 요구하기 시작했다. 해가 1500년으로 바뀐 1월에 이르자 그 재촉 문서가 협박장에 가까운 문면이 되었다.

이 시점에서 마키아벨리의 밀라노 파견이 결정된 성싶다. 물론 그에게 주어진 임무는 피렌체의 경제 사정이 악화된 것을 설명하고, 그러나 협약에 정해진 대로는 지불할 수 있다는 해명을 하는 일에 지나지 않았다. 그런데 갑자기 이 출장이 중지되었다.

프랑스 왕이 성화같이 독촉한 데는 그 나름의 까닭이 있었다. 일단 독일로 달아난 일 모로가 밀라노 국경 가까이에 8천 명의 스위스 용병을 집결시키고 있다는 소식이 들어온 것이다. 아니나다를까 그후 한 달도 지나지 않은 2월 5일, 스위스 보병단을 이끈 일 모로가 밀라노 입성에 성공했다는 기별이 피렌체에도 전해졌다. 피렌체 정부는 그때까지 프랑스 왕에 대한 지불을 담당한 은행가 포르티나리를 부랴부랴 일 모로에게 보내어 귀환 성공의 축하를 전하는 사절로 변신시키는 동시에, 마키아벨리에게는 출장 중지를 명령했던 것이다. 덕분에 후세의 우리들은 마키아벨리가 갖고 가게 되어 있던 신임장밖에 볼 수가 없다. 신임장의 날짜와 일 모로가 돌아온 날이 같아서, 이 시기의 정세가 얼마나 급박하게 돌아가고 있었나 하는 것을 웅변으로 입증해준다.

정세 변화의 급박함은 이것으로 그치지 않았다. 귀환에 성공한 지 불과 두 달밖에 되지 않은 4월, 일 모로가 스위스 용병의 배반으로 하루아침에 포로의 신세가 되었다. 일 모로에게 고용된 스위스 용병들이 프랑스 왕에게 고용되어 있던 스위스 용병들과 내통하여 프랑스 왕이 용병료를 더 많이 준다는 것을 알고 일 모로를 버린 것이다. 피렌체는 아마도 이번에는 다시 프랑스 왕의 밀라노 탈환을 축하하는 동시에, 협약으로 정해진 돈을 다시 지불하게 되었을 것이다. 그러나 피렌체로 봐서는 적어도 피사 공략을 재개할 수 있게 된 셈이었다.

밀라노에 가려다가 못 가고 만 마키아벨리가 다음에 파견되는 곳은 프랑스 왕의 군대가 도착하기 시작한 피사 전선이다. 1500년 6월 초였다. 5월 19일에 아버지를 여읜 그였으나, 근무에는 상중도 상관이 없었던 모양이다. 4년 전에는 어머니가 세상을 떠났다.

이 1500년의 피사 전쟁만큼 당시의 피렌체공화국의 무능과 그것으로 야기된 피렌체의 곤란한 처지를 잘 보여주는 것도 없겠다는 생각이 든다.

먼저, 전선으로 향하기 전의 집결지로 정해진 파르마 시에 모인 것은 스위스 보병 4천 명과 가스코뉴 병사 2천 명이었다. 약속은 스위스 병사 5천이었으니까, 이것만으로도 프랑스 왕은 약속을 어긴 것이 된다. 그런데 어긴 것은 이것만이 아니었다. 정렬시켜 세어보니 1,500명이 더 있지 않은가? 그러나 원조를 요청한 것은 피렌체라, 울며 겨자를 먹는 수밖에 없었다. 스위스 병사는 한 사람 앞에 3두카토, 가스코뉴 병사는 2.5두카토를 지불하게 되어 있었는데, 불어난 1,500명도 내버려둘 수는 없었다. 이들에 대한 지불액도 정하지 않으면 안되었다.

그런데 합쳐서 7,500명의 이 프랑스 병력을 피사로 진군시키려 했으나, 도무지 말을 듣지 않았다. 파르마에서 곧장 남하하면 될 것을 멋대로 남동 방향으로 길을 잡아 볼로냐, 미란돌라, 코레조, 카르피 등 피사 전쟁과는 아무 관계도 없는 지역을 지나면서 두 달 가까이를 허비하고 말았다. 이 지역은 그러나 프랑스 왕으로서는 관심이 큰 지방이었으므로, 루이 12세는 피렌체의 비용으로 자기의 힘을 과시한 셈이었다. 더욱이 6월 22일에야 겨우 피사 전선에 도착한 프랑스 왕의 군대는 주변 일대의 약탈부터 시작하여 수습도 할 수 없는 사태가 되었다. 지휘관은 보몽이라는 사나이였는데, 프랑스 왕 휘하의 이 무장은 대체 군을 지휘할 생각이 있는지 없는지도 알 수 없었다. 피사가 강화를 청해 왔기 때문에 망설이지 않을 수 없었는지는 모르지만, 고용주인 피렌체는 오로지 군사적 해결만을 생각하고 있는 터라, 이 용병대장에게 적극 전법을 쓰라고 요구하고 있었다.

피렌체 정부로부터는 감시 임무를 띤 고문 두 사람이 전선에 파견되어 있었는데, 그들의 처지가 얼마나 허약한지 용병대장을 사용하는 통상의 전쟁에 비해서도 너무 심했다.

왜냐하면 프랑스 왕의 '원조'를 절대적으로 믿은 피렌체 정부가 이탈리아인 용병군을 전원 해고해버렸기 때문이다. 두 용병군에 지불할 힘이 없다는 것이 이유였다. 이것은 프랑스 병사들에게 마음대로 해도 좋다는 허가를 해준 결과가 되었다. 피사 주변 일대의 약탈은 그 영유를 획책하고 있던 피렌체에 엄청난 불이익을 가져다주었다. 원래 친피렌체적이었던 루카를 포함한 이 지방 일대에 반피렌체 감정을 싹트게 하는 데 기여했을 뿐이기 때문이다.

마키아벨리는 이 시기에 피렌체 정부 고문인 루카 델리 알비치와 잔바티스타 리돌피의 부관으로서 이 전란의 한가운데에 들어가 있었다. 그러나 알비치와 리돌피 같은 피렌체 굴지의 명문가 출신이 아닌 마키아벨리에게는 이때도 한군데에 머물러 있는 사치가 허용되지 않았다. 전선에 있는가 하면 피렌체에 돌아가서 보고하고, 그것을 기초로 결정한 정부의 훈령을 서기관인 그가 문서로 작성해서는 손수 들고 피사로 달려가는 식의 일과가 거의 날마다 되풀이되었다.

예를 들면 6월 22일 피렌체에서 10인 위원회의 이름으로 고문들에게 전할 훈령을 쓰고, 6월 24일 전선에서 고문 두 사람의 이름으로 10인 위원회에 올릴 보고서를 쓰는 식이다. 1인 2역이라는 형용으로도 부족할 판이다. 더욱이 얼마 안 가서 고문의 한 사람인 리돌피가 병이 나 피렌체로 돌아가는 바람에 더욱 바빠졌다.

태도가 분명치 않은 보몽과 교섭을 하는 것은 이제 알비치와 마키아벨리의 몫이 되었다. 게다가 가스코뉴 병사들은 사사건건 트집을 잡아 포도주가 맛이 없다며 툴툴거리기까지 했다. 그러자 포도주 맛 따위는 알지도 못하는 스위스 병사까지 덩달아 동조하는 판이었으니 그야말로 처치가 곤란했다.

이런 상태 아래서 전투가 잘 진전될 턱이 없었다. 프랑스군은 시 성벽을 파괴해놓고도, 거기서 시내에 쳐들어가는 것은 거절했다. 병력의 대부분이 시 성벽 가까이에 마련된 병영으로 돌아가버렸으며, 개중에는 피렌체 정부 고문 알비치를 납치하여 몸값을 요구하는 무리도 있었다. 폭력으로 끌려가는 알비치를 보고 마키아벨리는 자기도 같이 가겠다고 우긴 모양이다. 알비치는 그에게 남아서 즉시 본국에 보고하라고 명령했다고 한다. 몇 시간 후 알비치는 1,500두카토의 몸값을 주고 풀려났다.

공략군은 시내 돌입 직전까지 가놓고 소멸했다. 먼저 가스코뉴 병사들이 떠나가고, 이어 스위스 병사가 철수한 7월 9일, 1500년도의 피사 전쟁은 또다시 수포로 돌아갔다. 피렌체공화국은 돈을 주고도 단 한 번 마음대로 써먹어보지 못한 용병들이 떠나가는 것을 그저 망연히 지켜보는 수밖에 없었다.

그러나 피렌체 정부는 아무 도움도 되지 않은 이 병사들에게 충분하고도 남을 용병료를 지불했다고 생각하고 스위스 병사들의 귀환 비용을 대주지 않았다. 그 비용을 지불한 것은 프랑스 왕이었다. 막 정복한 밀라노공국의 지속적인 점령에 이들 스위스 병사가 꼭 필요했기 때문이다.

마키아벨리는 후일, 참으로 집요하게 자국 군대를 가져야 한다고 주장한다. 남의 힘으로 일을 성취하겠다는 생각은 버려야 한다고 역설한다. 그가 그런 생각을 굳히게 된 것은 이 피사 전쟁이었던 것으로 보인다. 정말로 체험자를 든다면, 이때의 그만큼 그에 걸맞은 처지에 있었던 인물도 없을 것이다. 마키아벨리의 첫 외국 출장도 이 체험의 연장선상에서 이루어지는 것이다.

1500년의 피사 전쟁 실패는 피렌체공화국이 막대한 전비를 허비하는 것만으로 그치지 않았다. 약점을 드러내어 허수아비 취급을 당한 그 꼬락서니는 다른 나라에 대해 돌이킬 수 없을 만큼 심각한 권위 실추를 가져오고 말았기 때문이다. 그러나 당시의 피렌체는 그것을 근본적으로 개혁하는 데 필요한 시간적 여유도 경제적 여유도, 그리고 정신적 여유조차 갖고 있지 않았다. 우선 무엇으로든 뚫어진 구멍부터 막자, 이것이 16세기 초두의 피렌체공화국에 있다면 유일한 방침이었다.

루이 12세가 스위스 병사 용병료의 잔액을 3만 8천 피오리노나 지불하지 않을 수 없게 된 데 격분하여, 피사 전쟁 실패의 전 책임이 피렌체측에 있다고 공언하고, 피렌체와의 동맹관계 파기를 선언하려 하고 있다는 것을 안 피렌체 정부는 만사를 제쳐놓고 해명사절을 파견하기로 했다. 사절에게 준 신임장의 날짜가 7월 17일로 되어 있으니, 프랑스군이 철수한 날로부터 6일밖에 되지 않았다. 그야말로 '만사를 제쳐놓고'라는 형용 이외에 할 말이 없다. 그리고 누구나가 싫어할 이 임무를 맡게 된 것은 이번에도 마키아벨리였다. 피사 전선에 함께 나가 있었던 알비치는, 한 번은 정사로 물망에 올랐으나 교묘히 빠지는 데 성공했다.

마키아벨리가 임명된 이유는 피사 전선의 실정을 잘 알고 있으므로 왕에 대한 '변명'도 설득력이 있지 않겠느냐는 것이었다. 그러나 그로서는 지위가 너무 낮았다. 그래서 로렌초 일 마니피코 시대에 프랑스 주재 대사를 지낸 일도 있고 피렌체의 명문가 출신이기도 한 프란체스코 델라 카사를 정사로 하는 콤비가 짜여졌다. 일국의 왕과 절충하는 것은 서른한 살의 마키아벨리로서는 처음 겪는 경험이었다. 또 이탈리아 이외의 나라를 관찰하는 최초의 기회이기도 했다.

여기서 지금까지 정사니 부사니 하고 간단히 써온 당시의 외교관 제도를 좀더 분명히 하고 넘어가는 것이 좋을 성싶다. 서기관 시대의 마키아벨리가 맡은 실제의 일을 이해하는 데도 도움이 되지 않을까 하는 생각에서다.

말하는 사람, 교섭하는 사람에서 시작하여 대사라는 뜻의 말이 된 '오라토레'는 처음부터 대사를 의미한 '암바시아토레'보다 오래된 말이라고 생각되는데, 한 나라를 대표하여 다른 나라와 교섭하고 그것을 종료로 이끄는 권한을 가진 자를 가리킨다. 이것을 나는 경우에 따라 대사, 정사, 특사, 사절 등으로 옮기지만, 유럽에서 처음으로 상주대사제도를 채택한 나라는 베네치아공화국이다. 벌써 13세기부터 시작하고 있었다. 베네치아와 어깨를 겨루는 중세·르네상스 시대의 대표적인 도시국가 피렌체도 마키아벨리의 시대에는 이 제도가 완벽하게 운영되고 있었다.

이런 사정도 있고 하여 한 나라를 대표하는 대사는 주재국이 받아들일 만한 인물이어야 한다. 기량이나 역량보다 이 경우는 태생이 우선한다. 베네치아에서는 귀족이 선출되는 것이 상례였으며, 피렌체에서도 명문 출신자가 임명되는 것이 보통이었다. 그렇지 않으면 상대편의 기분을 상하게 하는 경우가 있으므로, 그런 사태에 이른다면 외교적으로 어리석은 짓이기 때문이다.

그렇게 해서 선출된 정사에는 보통 부사격인 사람이 붙는다. 부사가 맡는 역할은 정보를 모으고 관찰하고 분석하는 일이며, 요컨대 정사가 하는 교섭을 보좌하는 것이 임무였다. 부사는 한 나라를 대표하는 것이 아니기 때문에 태생은 문제가 되지 않는다. 베네치아에서도 귀족이 아닌 자가 많았고, 피렌체에서도 명문이라고는 도저히 할 수 없는 마키아벨리 집안 사람도 될 수가 있었다. 그러나 '부'(副)라고 해서 중요하지 않다는 말은 결코 아니다.

첫째, 어떤 이유로 교섭의 자리에 나가지 못하게 되는 정사 대신, 교섭의 최전선에 서야 하는 일이 매우 자주 있었기 때문이다. 다만 그런 경우에도 부사에서 정사로 승격되지 않는 한 교섭 종결의 권한은 주어지지 않는다.

둘째로, 본국 정부에 보내는 보고서는 정부(正副) 두 사람이 서명하지만, 실제로 쓰는 사람은 부사인 경우가 많다. 특히 마키아벨리의 경우는 문장이 좋은 그에게 맡기는 편이 상책이라고 누구나가 생각했던지, 거의 전부 마키아벨리 혼자서 쓰고 있다.

셋째로, 이름은 없어도 실력이 있는 사람을 고르는 것이 부사의 선택 기준이었으므로, 부사라는 처지는 꽤나 복잡하고 묘미 있게 이용되는 일이 많았다.

그 하나는 정식 대사를 파견하면 제3, 제4의 타국에 미치는 영향을 면치 못할 일도, 부사격인 인물을 보내면 면할 수 있는 이점이 있다. 그런 사례는 그 2년 후 체사레 보르자에게 파견되었을 때의 마키아벨리를 들 수 있을 것이다. 임무는 중요하나 파견국의 처지를 다른 나라에 노출시키고 싶지 않을 경우 흔히 부사 한 사람이 파견된다.

넷째는, 경비 절약이다. 한 나라를 대표하는 대사쯤 되면 수행원도 격식대로 갖추어야 하고, 때로는 악사(樂士)까지 필요한가 하면 연회 같은 것도 베풀어야 하지만, 부사는 그런 비용이 들지 않는다. 마키아벨리에 의하면, 외교에 돈 쓰기를 무척 아낀 피렌체공화국이다. 그런 면에서 피렌체는 부사의 활용에 매우 민감했던 것에 틀림없다.

다섯째는, 당연한 일이지만 그리 중요하지 않은 협상일 때는 부사 한 사람만 파견하는 것이 보통이라는 사실이다. 이런 종류의 예로는 카테리나 스포르차에게 파견되었을 때의 마키아벨리 하나로 충분할 것이다. 그러나 여기서도 부사의 역할은 단지 교섭에만 그친 것이 아니라, 그의 관찰과 보고가 본국 정부로서는 가장 믿을 수 있는 정보원이 되었다.

마키아벨리는, '오라토레'가 된 적이 15년 관료 생활 중에 단 한 번도 없다. 출장 때마다 주어진 신임장에 적힌 그의 직위는 언제나 '피렌체 서기관'이었다. 그리고 이 서기관은 언제나 그의 보고서를 공복이라고 의역해도 무방할 'humillimus servitor'로 끝을 맺었다. 이것이 당시의 서식이었던 것은 두말할 것도 없지만, 이 라틴어를 직역하면 '천한 봉사자'가 된다.

일전에 받아본 독자로부터의 편지 가운데, 다른 작품 때와는 달리 『나의 친구 마키아벨리』에서는 "돈에 관한 것을 자주 쓰시네요"라는 대목이 있어서 나도 모르게 쓴웃음을 지었다.

그 까닭은 아마도 내가 처음으로 내 자신의 수입과 비슷한 수입의 인물, 다시 말해 대단히 조촐한 수입밖에 없었던 인물을 쓰고 있기 때문으로 생각된다. 로렌초 일 마니피코처럼, 돈을 물 쓰듯 쓸 수 있었던 행복한 사나이가 쓴 돈의 액수를 나열해봐야 실감이 나지 않는다. 또 베네치아공화국은 외교관을 우대한 나라여서 그 나라 외교관의 보고서에는 마키아벨리처럼 돈이 모자란다는 따위의 차원 낮은 불평을 늘어놓은 것을 발견할 수 없었기 때문이다. 다만 베네치아는 대사거나 부사거나 상대국 사람들과 직무 이외의 관계를 가지면, 다시 말해 뇌물수수 같은 관계를 가지면 즉각 본국에 소환되고, 기다리고 있는 것은 사형이었으니까, 대우는 보장할 테니 추한 짓은 하지 말라는 사고방식이었는지도 모른다.

한편 피렌체공화국은 대우를 보장할 수도 없으나 추한 짓도 하지 말라는 식이었으므로, 부유하게 태어나지 못하고 따라서 주머니 사정이 넉넉하지 못한 마키아벨리 같은 사람으로서는 이런 면에서도 이만저만한 고생이 아니었던 것이다.

하기야 로렌초 일 마니피코나 베네치아 외교관들이 예외였지, 대세는 마키아벨리형이 아니었을까? 이것이 내가 내 자신의 실감은 별도로 치더라도 '차원이 낮은 것'에도 집착하는 대의명분이다.

그런 까닭으로 또 돈 이야기가 되지만, 마키아벨리의 첫 외국 출장이 경비 문제로부터 개시된 것은 상징적이다.

만사를 제쳐놓고 내보낸 사절이었으나, 이 사절의 주된 목적이 프랑스 왕에 대한 '해명'에 있었기 때문에 경비는 별로 들지 않을 것이라고 판단했던지, 아니면 결국은 실패하고 만 피사 전쟁의 막대한 낭비로 제정신이 아니었던지, 피렌체 정부가 사절 두 사람의 경비를 극도로 깎은 것이 문제의 발단이었다. 주석 델라 카사에게

는 일당 8피오리노 소금화, 대금화로 환산하면 5피오리노 정도 된
다. 차석인 마키아벨리는 그 절반인 4피오리노 소금화였다.

마키아벨리가 이에 항의한 것이다. 이런 하찮은 돈으로는 임무
수행이 불가능하다는 것이 이유였다. 하다못해 4피오리노를 더 보
태어 주석의 경비와 같은 액수로 해달라는 것이 그의 주장이었다.
그렇기는 하나 한시바삐 프랑스 왕에게 달려가서 피렌체의 처지를
해명할 필요가 있다는 것은 마키아벨리도 잘 알고 있었다. 그래서
일단 인상 요구만 해놓고 프랑스로 떠났다.

그 무렵 프랑스 왕 루이 12세는 리옹에 있었으므로, 아마도 그들
은 고대 로마 시대부터 있었던 아우렐리아 가도로 북상했을 것이
다. 주석과 차석은 우선 정부로부터 각각 80피오리노씩 지급받았
다. 아마도 이때의 피오리노 금화는 대금화였을 것이다. 차석 마키
아벨리는 그 돈에서 각종 경비를 지불하는 의무까지 지고 있었다.

제2서기국의 장이라고는 하나 서기관에 지나지 않는 마키아벨
리의 대우 개선 요구는 피렌체 정청 안에 적잖은 파문을 일으켰을
것으로 짐작된다. 15일 간 밤낮 없이 토의한 끝에 간신히 마키아벨
리가 요구하는 전액을 인정한다는 결정을 내린 것은 8월 27일이었
다. 마키아벨리가 출발한 지는 40일이 지났고, 리옹에 도착한 날로
치더라도, 다시 말해 사절들이 임무를 수행하기 시작하고도 한 달
이 지난 뒤였다.

성직계에 들어간 동생 토토가 이때의 피렌체 정부의 반응을 자
세히 적어서 형 마키아벨리에게 보낸 편지를 읽으면 웃음이 나오
지만, 처음 정부 안에는 마키아벨리가 서기관 급료를 받고 있으니
까 그것을 합쳐서 적당히 변통해 나가야 한다고 주장하는 사람이

많았던 모양이다. 아울러 말하면, 주석 델라 카사는 상근 공직이 없었으므로 경비밖에 받지 않았다. 그러나 그는 부자였다. 아무튼 그런 상태가 '밤낮을 가리지 않은' 15일 간의 토의 끝에 역전된 것은 대통령 니콜로 자티와 필리포 본델몬티 등이 적극 옹호해준 덕이었다. 경비 인상 요구가 받아들여져서 누구보다도 먼저 안도의 숨을 내쉰 것은 동생 토토였는지도 모른다. 그의 형이 그쪽에서 토의하고 있는 동안에도 이곳에서 돈이 필요하니 급히 한 50두카토 빌려서 보내달라는 등의 편지를 동생에게 보내는 바람에, 그것을 마련하느라 바쁘게 돌아다녀야 한 것은 언제나 그였기 때문이다.

프랑스 땅에서 정부에 보내오는 마키아벨리의 보고서 문면도 이 경비 인상 요구의 성공에 힘이 되었는지도 모른다. 사항에 따라 꽤나 과장된 표현을 쓰는 버릇이 있는 마키아벨리는 프랑스에서 보낸 제2신에서 벌써 경비 부족을 한탄하며, '각료 제위의 판단력과 인간성을 믿으면서' 이 문제의 조기 해결을 앙망하는 바입니다 운운하고 있다. 아무튼 마키아벨리의 경비는 두 배로 늘었다.

그러나 하루에 5두카토라는 돈은 전사자의 유족 연금이 25두카토였던 당시로는 상당한 금액이다. 그런데 어째서 그래도 모자란다고 했을까? 무엇에 쓰고 있었을까?

첫째, 당시의 프랑스 왕이 궁정을 한군데에 정해놓지 않고 있었다는 사정을 들 수 있다. 프랑스 국내의 이곳저곳을 궁정은 부지런히 이동하고 있었던 것이다. 그래서 다른 나라의 상주 대사나 특사들은 이동하는 궁정을 따라다니지 않으면 일을 볼 수 없었다. 한군데에 있는 것과 여기저기 옮겨다니는 것과는 비용에 큰 차이가 나는 것은 당연한 일이다.

또 프랑스 왕의 궁정은 이동이 잦으면서도 상당히 규모가 컸을 것으로 짐작되며, 말 같은 것은 그때마다 상당수가 징발되었을 것이다. 그 바람에 징발을 면한 말의 임대료가 올라 이것이 경비에 타격을 준다고 마키아벨리는 보고서에 쓰고 있다.

셋째는, 한 나라를 대표하는 특사들인 이상, 아무리 궁하더라도 싸구려 합숙 여관 같은 데에 유숙할 수 없다는 사정도 있었다. 마키아벨리는 식사가 딸린 여관이 아니라 자취를 할 수 있는 집에 세 들어 사는 등 제법 대견스러운 모습까지 보고하고 있는데, 셋집이라고는 하지만 어느 정도 격식은 차려야 하고, 자취도 차마 정부 (正副) 특사들이 손수 할 수는 없는 일이다. 그래서 적어도 두 사람의 가정부는 있어야 한다고 마키아벨리는 쓰고 있다.

게다가 특사에 상응하는 복장도 갖추어야 하고, 보고서를 본국에 보내기 위한 파발꾼을 항시 대기시켜야 하는 필요에 이르러서는 한끼를 굶더라도 빼놓을 수 없는 중요성을 갖는다. 피렌체에서 정부의 훈령을 갖고 오는 파발꾼 편에 보고서를 전하는 옹색한 방법을 생각하고 있다가는 외교를 할 수 없기 때문이다.

뿐만 아니라 영수증 같은 것을 기대할 수 없는 출장비도 출장이 길어지면서 무시할 수 없는 액수가 되었다. 이번 출장은 1500년 7월에서 12월까지 5개월에 이르는 장기 출장이 되어버렸다. 영수증을 기대할 수 없는 출장비란 대체 어떤 것인가 하는 것을 마키아벨리 자신이 적어놓았다.

「프랑스 왕 궁정에 외교 교섭을 하러 가는 사람들을 위한 노트」라는 제목의 소논문인데, 거기에 보면 이런 것이 씌어져 있다.

"바깥문 문지기들에게는 1두카토씩.

안쪽문 수위들에게는 2두카토씩.

세번째로 만나는 수위들은 우리의 교섭 상대와 매우 가까운 관계에 있는 자들이라 3두카토씩.

접수를 담당한 시동들에게는 4두카토씩.

나팔수들에게는 아무것도 줄 필요가 없다. 다만 술은 한 잔 받아주는 것이 좋을 것이다.

우편 담당자는, 만일 관계가 장기에 이를 경우에는 무언가 선물을 해두는 것이 득이다.

루앙의 추기경(루이 12세의 재상)댁 수위 두 사람에게도 1두카토씩.

리옹의 경우에 한하지만, 이곳에 오래 살고 있는 나지 댁(피렌체인 상인) 일꾼들에게도 모두 해서 3두카토를 쥐어주는 것을 잊지 말 것.

그 뒤에는, 숙소의 주인과는 처음에 이야기를 분명히 해둘 것과 프랑스인 하인들을 다루는 방법 등 세세한 주의가 이어져서 미소를 짓게 되는데, 환전에 언급한 대목에 이르러서는 마키아벨리급 외교 담당자들이 돈을 쪼개 쓰느라 얼마나 고생했는지 짐작이 가서 우습기는 해도 감탄을 금치 못하게 한다.

볼로냐 이북에서부터 밀라노 영내에서는 밀라노 통화와 베네치아 통화를 사용하는 편이 득이다. 아스티까지는 이 방법이 좋다. 다만 아스티에서 본비지노까지는 사부아 통화를 사용하고,

프랑스왕국 영토 안으로 들어가기 전에 프랑스 통화로 바꾸어두는 것이 좋다. 프랑스인은 이탈리아 통화를 부당하게 낮게 환산해주기 때문이다. 아스티나 적어도 밀라노 영토 안에 있을 때 사부아 통화로 바꾸어두는 것을 잊지 말도록 한다.

이 환전에 관한 이야기는 여담으로 보일는지 모르지만 여담이 아니다. 출발 때 소액밖에 쥐어주지 않는 피렌체 정부는 교섭을 오래 끌거나 경비 부족을 호소하면 밤낮 없이 토의한 끝에 간신히 송금은 해주지만, 그 돈은 모두 피렌체 통화인 피오리노 금화였다. 환전할 때 당하는 불리함은 마키아벨리로서는 통절한 문제였을 것임에 틀림없다.

요컨대 그에게 허용된 정도의 경비로는, 불평을 써보낸 마키아벨리 쪽에 일리가 있었다고 보는 것이 좋을 성싶다. 뇌물이라고까지 할 것은 없더라도, 팁이랄지 그런 것은 역시 빠뜨릴 수 없었던 것이다. 그렇다고 프랑스가 타락했다는 얘기는 아니다. 동시대의 터키를 보면, 정부 요인에서 문지기에 이르기까지 뇌물은 거의 공공연한 관례였다. 터키와 협상할 일이 많았던 베네치아공화국의 외교 사절은 처음부터 뇌물을 경비로 계상하고 있다.

당시의 피렌체공화국이 얼마나 인색했던지, 그 시대의 다른 나라 외교 경비와 비교하면 좀 너무 심하다. 이것도 정치상의 무능이 경제상의 낭비로 이어지는 보기의 하나일 것이다. 피렌체는 이제 고도 성장기에 있지 않았으므로, 한 면에서 낭비하면 어딘가에서 절약하는 수밖에 없었다. 그리고 정치상의 무능은 흔히 절약을 강요하는 부문의 선택을 그르치는 일에 이어진다. 더욱이 절약을 강요당한 마키아벨리의 임무는 정부의 무능이 빚은 결과의 뒤를 닦는 일이었던 것이다.

열흘이 걸린 여행 끝에, 지치기는 했으나 건강하게 리옹에 도착해보니 왕은 이미 떠난 뒤였다. 하는 수 없이 북상중인 왕을 쫓아가 리옹과 파리의 중간쯤에 있는 소도시에서 그를 따라붙은 것은 8월도 7일이나 되어서였다. 먼저 루앙의 추기경이자 재상인 조르주 당부아즈를 만났으며, 그후에 왕과의 회견이 허락되었다. 회담은 이탈리아어를 아는 프랑스인이 적어서 프랑스어와 라틴어로 진행된 것 같다. 당부아즈 추기경은 라틴어를 할 줄 알지만, 왕도 할 줄 알았는지는 확실치 않다.

피렌체 사절은 신임장과 왕에게 보낸 정부의 친서를 건네준 뒤, 자기들이 찾아온 이유는 모두 여기에 적혀 있다고 우선 말문을 연다. 피렌체는 왕에 대한 신뢰를 언제나 지속해왔고, 앞으로도 계속될 것이라는 말도 했다. 이에 대해서 루이 12세는 간단히 피사 전선에서의 상황 같은 것은 새삼 들려줄 필요가 없다, 그것은 이미 지난 일이다, 중요한 것은 쌍방이 잃은 명예와 실익의 회복일 것이라고 대답했다. 그러나 다시 이어진 말은 피사 전쟁 실패의 원인은 모두 피렌체 쪽에 있다는 한마디로 족한 비난이었다. 이제 프랑스와 피렌체의 종래의 관계를 재검토할 필요가 있을 것이라는 협박도 했다.

루이 12세의 진의는 뚜렷했다. 피렌체로 하여금 자기가 스위스 용병에게 지불한 돈을 비롯하여 되도록 많은 돈을 내놓게 하는 것이었다. 피사 공략 따위는 그에게는 그야말로 부차적인 문제에 지나지 않았다. 문제가 여기에 있는 이상, 피렌체 사절의 임무도 이점에 집중되었다. 피사 전쟁의 '해명' 같은 것은 필요없다는 왕에 대해 그의 기분이 되도록 나쁜 방향으로 돌아가지 않게 하는 한편, 돈도 가능한 한 소액으로 해결되도록 하는 수밖에 없었던 것이다.

이 임무를 마키아벨리는 거의 혼자서 떠맡는 궁지에 빠지게 된다. 9월 14일부터 차석인 그 혼자만 사절로 남게 되었다. 노령이기도 했던 델라 카사가 병이 나서 파리에 치료하러 가버렸기 때문이다. 그러나 혼자 남아서 대단히 힘들게는 되었지만, 그것은 또 이제 갓 서른한 살이 된 일개 서기관의 신분으로 프랑스 왕 및 왕의 측근 제1호라는 당부아즈 추기경과 1 대 1로 대결할 수 있는 드문 기회를 얻었다는 얘기도 된다. 게다가 평균해서 한 달에 두 번쯤은 이동하는 왕을 따라 5개월 동안이나 전 프랑스를 돌아다니는 동안에, 젊은 마키아벨리는 프랑스와 프랑스인을 차근히 관찰할 수 있었던 것이다.

협상의 성과는, 피렌체공화국의 경제 사정 악화를 주로 설명한 마키아벨리의 열변 덕이라기보다는 본래부터 피렌체를 철저히 적으로 돌릴 생각이 없었던 왕의 덕이라고 할 수 있었다. 왕의 협박은 협박으로 끝났다. 프랑스와 피렌체의 동맹 협약이 새로 조인되었다. 그러나 마키아벨리는 협상 타결의 권한을 가진 '오라토레'가 아니다. 12월 12일, 피렌체 정부는 마키아벨리에게 귀환을 명령하고, 대신 직업관료인 토싱기가 오라토레 자격으로 프랑스로 떠나갔다.

마키아벨리가 프랑스에서 보낸 수많은 보고서는 피렌체 정청 안에서 매우 좋은 평을 얻었던 모양이다. 그후 프랑스에 관한 일이면 그가 파견되는 수가 많았다. 프랑스에서는 팁을 어떻게 주어야 한다는 그의 지적에 대해서 아무도 이상하게 생각하지 않은 것을 보면, 그를 프랑스통으로 인정하게 된 것이 분명하다.

그 방대한 보고서를 읽으면, 젊은 마키아벨리가 궁정 안팎을 가리지 않고 누구나 접촉하여 토론하고 모든 일을 탐욕스레 관찰한 모습이 선하게 떠오른다. 『정략론』에 쓴 에피소드도 아마 그같이 많은 기회 속에서 태어났을 것이다. 언젠가 당부아즈 추기경이 말했다고 한다.

"이탈리아인은 전쟁을 할 줄 모른단 말이야."

이에 마키아벨리가 거침 없이 반론했다.

"프랑스인은 정치를 할 줄 모릅니다."

왕의 측근이자 재상이고 추기경이기도 한 당부아즈가 어떻게 여기서 무례하다고 그를 쫓아내지 않았을까 하는 생각이 든다. 쫓겨나도 아무 말 못할 마키아벨리의 처지였지만, 추기경의 귀에는 풋내기의 다음과 같은 말이 남아 있었는지도 모른다. 서른한 살의 마키아벨리는 이어서 이렇게 말한 것이다.

"프랑스인이 만일 정치가 무엇인지 알고 있다면, 로마교회를 강대하게 만드는 데 이토록 힘을 빌려줄 턱이 없기 때문입니다."

실로 이와 같은 말이 오가고 있는 동안에 체사레 보르자의 행동은 개시되고 있었다. 교황 알렉산데르 6세의 아들인 그는 프랑스 왕의 후원 아래 이탈리아에 '혁명'을 일으키려 하고 있었던 것이다. 그리고 마키아벨리가 다음에 하는 일은 갓 스물다섯 살이 된 이 문제아 체사레 보르자와 접촉하는 것이었다.

9 체사레 보르자

1502~1503

처음부터 다시 쓰기는 이것이 세번째이다. 써서는 버리고 다시 써서 버리고 하는 이런 것을 고음(苦吟)이라고 하는 것일까. 마키아벨리를 쓰기 시작한 후로 이런 참상은 처음이었다.

어째서일까? 이 장의 테마는 체사레 보르자이다. 그에 관해서는 1970년에 『체사레 보르자 혹은 우아한 냉혹』이라는 제목으로 그의 생애를 쓴 적이 있다. 나로서는 가장 잘 아는 인물인 셈이다. 그거라면 별로 힘들이지 않고 쓸 수 있겠다고 쓰기 전에 확신했었다. 그런데 이 고음이라니, 대체 어찌된 일일까?

버린 원고지로 넘치는 휴지통을 바라보면서 멍하니 앉아 있다가 문득 한 가지 일이 떠올랐다. 언제였던가, 카테리나 스포르차나 혹은 루크레치아 보르자를 한 50매 써달라는 청탁을 받은 적이 있었다. 두 사람 다 내가 이미 『르네상스의 여인들』에서 쓴 여자들이다. 잠시 생각한 뒤에 나는 대답했다.

"이미 150매로 쓴 것을 다시 50매로는 쓸 수 없습니다."

그 대신 내가 아직 써보지 않은 인물이라면 쓸 수 있겠다는 생각에 고대 로마의 황제 클라우디우스의 황비 메살리나를 선택했던 것이다.

바로 이것이다. 부풀리는 것은 가능하지만, 줄이기는 불가능하다. 15년 전에 400자 원고지로 600매나 쓴 것이라, 그 가운데서 마키아벨리에 관한 부분을 빼더라도 400매는 좋이 된다. 400매를 40매로 줄이는 작업은, 다른 사람은 할 수 있을지 모르나 쓴 당사자인 나는 못한다.

요약이라는 수단이 있지 않나 하는 생각도 했다. 그리고 실제로 해보았다. 결과는 참담했다. 마치 그물코 사이로 소중한 것이 술술 빠져나가는 거나 다름없었다.

『체사레 보르자 혹은 우아한 냉혹』은 책으로 300페이지는 된다. 직접 단행본으로 쓴 작품이라 분량에 제한이 있었던 것도 아니다. 짧았지만 내용이 풍부했던 그의 일생을 남김없이 쓰는 데는 그만한 분량이 필요했다. 사람의 일생이나 역사는 저명한 사실만으로 성립되는 것이 아니다. 많은 디테일이 기입될 필요가 있다. 디테일이 떠받들어야 저명한 사실도 살아나는 것이다. 그래서 작자는 디테일에 애정을 쏟는다. 다른 사람은 요약이 가능하다고 말한 것은 다른 사람은 디테일의 중요성은 알아도 애정까지는 품지 않기 때문이다. 애정은 그것을 쓰기로 마음 먹은 작가만이 갖는 법이다. 그리고 그것을 읽겠다고 자기 의지로 선택한 독자만이 갖는 것이다.

이 장에서만 겪은 나의 '고음'에는 또 하나의 원인이 있었다고 생각된다. 그것은 마키아벨리에게 체사레와의 만남은 결정적인 중요성을 갖는 것이었다는 사실이다. 마키아벨리의 생애를 쓰면서 이 대목을 회피할 수는 없는 일이다. 그의 사상 형성에 결정적인

체사레 보르자

영향을 끼친 이 '만남'은 그에 걸맞게 씌어지지 않으면 안된다. 이
것도 내게 스트레스를 준 모양이다. 마치 위에 구멍이 뚫리는 기분
이었다.

　이같은 사정을 솔직히 고백하고 독자 여러분께 고개 숙여 부탁
드리고 싶다. 『체사레 보르자 혹은 우아한 냉혹』을 아직 읽지 않은
분은 읽어주십사고. 그리고 이미 읽은 분은 서가에서 다시 꺼내어
한 번 더 읽어주십사고. 15년 이상이나 전에 쓴 작품이다. 오역을
한 줄 발견하기는 했지만, 그것을 별도로 친다면 체사레에 관해서
는 지금도 그 이상의 것을 쓰지는 못한다.

　그러나 마키아벨리를 쓰고 있는 지금 다시 읽어보니 일종의 아
쉬움을 느끼지 않을 수 없다.

그것은 15년 전에 비해서 내가 더 성숙했기 때문은 아닐 것이다. 거기에 쓴 나의 판단이랄지 생각은 지금도 무엇 하나 바꿀 필요를 느끼지는 않는다. 그것은 다음과 같은 이유 때문일 것으로 생각된다.

말하자면 15년 전에 쓴 체사레는 나에게는 역사상의 한 인물이었다는 것이다. 거기에도 마키아벨리는 등장하는데, 날카로운 통찰력과 객관적인 관점을 가진 믿을 수 있는 현장 증인으로서다. 15년 전 체사레와 같은 연배였던 나의 목적은 오직 하나, 15세기에서 16세기에 걸쳐 찬연하게 연소한 나와 같은 연배의 한 사나이를 그리는 것이었다.

그런데 15년 후에 재회한 느낌의 이 체사레를 역사상의 인물로는 남김없이 썼다고 생각하는 나이지만, 다른 일면은 아직도 남아 있었던 것이다. 이론적 상징으로서의 체사레 보르자이다. 니콜로 마키아벨리에게 체사레 보르자는 대체 어떤 존재였나 하는 문제다. 아마도 서른 전후의 나로서는 역사상의 존재로서의 인물이랄지 국가랄지를 쓰면서도, 이론적 상징으로서도 남김없이 쓸 수 있는 능력과 성숙은 충분하지 않았던 모양이다. 조금은 썼다고 생각하지만, 남김없이 썼다고는 도저히 말할 수가 없는 것이다.

이런 종류의 결함을 보충하기 위해 체사레를 마키아벨리 쪽에서 본다는 것은 좋은 기회가 된다. 만일 이것으로 15년 전에 그린 체사레 상(像)의 아쉬움을 해소할 수 있다면 나도 헛되이 나이를 먹지 않은 셈이 되련만.

마키아벨리는 체사레 보르자를 세 번 만났다. 첫번째는 우르비노에서의 며칠 동안이고, 두번째는 이몰라를 중심으로 석 달이 넘는 장기간이었다. 이때는 밀착 취재라는 형용사를 쓰고 싶을 만큼 바로 가까이에 있었다. 세번째는 체사레가 붕괴의 언덕을 굴러떨어지고 있던 시기, 로마에서의 두 달이다. 세 번 다 1502년에서 1503년 사이의 일이다. 마키아벨리는 이 청년 군주가 무서운 기세로 상승하여 일찍이 유례를 볼 수 없는 빛을 내면서 군림하고, 그러다가 다시 무서운 기세로 하강하는 모습을 하나도 빼놓지 않고 관찰한 셈이다.

발렌티노 공작 체사레 보르자가 마키아벨리의 생각을 일변시킨 것은 아니다. 마키아벨리가 막연하게나마 이미 품고 있던 생각에 뚜렷한 형태를 준 것뿐이다. 다시 말해 마키아벨리의 상상력을 누구보다도 자극한 인물인 것이다. 두 사람이 만났을 때 마키아벨리는 서른셋, 체사레는 스물일곱이었다.

1502년 6월 22일, 마키아벨리는 우르비노 시에 있다는 체사레를 만나기 위해 피렌체를 떠났다.

하기야 정사는 소데리니 주교였으며, 마키아벨리는 여느 때나 다름없이 차석에 지나지 않았다. 뿐만 아니라 프랑스 왕에게 파견되었을 때는 신임장에 이름이라도 병기되어 있었는데, 이번에는 그것조차 없다. 완전히 단순한 수행원이라는 것이 이때의 마키아벨리의 처지였다.

산에 둘러싸인 분지인 피렌체에서 아드리아 해에 가까운, 그것도 산에 둘러싸인 움브리아 지방의 소도시 우르비노에 가려면 산길을 넘어가야 한다. 22일에 피렌체를 떠난 사절 두 사람이 우르비노의 성문 안에 들어선 것은 24일이었다. 꽤나 걸음을 재촉한 것이 이랬다. 당황한 신임장의 문면으로도 짐작할 수 있듯이, 피렌체공화국은 체사레 보르자 앞에서 절박한 상태에 놓여 있었던 것이다.

이미 로마냐 지방의 정복에 성공하여 로마냐공국을 세워놓고 있던 체사레는 자기의 후원자이기도 하고 또 피렌체공화국의 후원자이기도 하다고 공언하고 있는 프랑스 왕 루이 12세가 피렌체 공략을 바라지 않고 있는 현상을 고려하여, 피렌체에 대해서는 우회정책을 쓰기로 했다. 자기를 용병대장으로 고용하라고 통고한 것이다. 용병 계약이 군사적인 것보다 정치적인 이유로 맺어진다는 사정은 앞에서 이미 썼다. 동맹 조약과 같은 의미를 갖고 있었다는 말이다. 체사레의 진의도 거기에 있었다.

1년 전인 1501년 피렌체공화국은 사실은 피옴비노를 공략하기 위해 남하하는 체사레의 군대에 혼자 겁을 먹고——이것은 체사레의 교묘한 행군 작전에 속았기 때문인데——용병 계약을 맺고 말았다. 3년 동안 300명의 병력과 함께 체사레를 용병대장으로서 '고용하는' 대금은 놀랍게도 3만 6천 두카토나 되었다. 더욱이 체사레는 자기 군대를 피렌체 영내에서 철수시키기 전에 첫 지불분인 9천 두카토를 우려내는 데도 성공하고 있다. 그후 피렌체공화국 정부는 시치미를 떼고 있기로 했다. 그러나 체사레는 그것을 말없이 보아 넘길 사나이가 아니었다.

이듬해인 1502년 봄, 먼저 피사의 시민 대표들이 체사레를 찾아가 피사의 영토 전체를 그의 보호 아래 두어달라고 요청했다. 체사레의 물밑 작전이 성공한 것이다. 피사의 재점령이야말로 자국의 사활 문제라고 믿고 있던 피렌체가 절망한 것은 두말할 것도 없지만, 피렌체에 넘겨주지 않기 위해 피사를 후원해온 베네치아공화국 역시 허를 찔린 것은 마찬가지였다. 서유럽 제일의 정보망을 가진 베네치아마저 체사레에게 속아넘어간 것이다.

게다가 곧이어 피렌체의 간담을 서늘하게 하는 사건이 일어났다. 피렌체 영내의 아레초가 피렌체에 반기를 든 것이다. 체사레군의 무장 비텔리에게 성문을 활짝 열어준 것이다. 이로써 피렌체는 아레초 시를 중심으로 하는 발디키아나 일대를 잃게 되었다. 티레니아 해의 소국 피옴비노도 이미 체사레군에 굴복했다. 이제 피렌체공화국은 체사레 세력의 바다 한가운데에 완전히 고립되었다.

체사레는 계약 갱신의 이행을 피렌체에 촉구해놓고, 여느 때처럼 진짜 공략 목표를 측근에게도 알리지 않은 군사 행동을 재개했다.

6월 12일 로마를 출발한 체사레와 그의 군대는 기습을 당하여 주인이 도망치는 수밖에 없었던 우르비노공국의 수도 우르비노에 무혈 입성했다. 우르비노공국령과 국경을 같이하는 소국 산 마리노와 카메리노도 공격을 받기 전에 성문을 연다. 전격적인 체사레의 행동에 실색한 것은 소국만이 아니었다. 강경한 요구를 받은 피렌체도 이제 프랑스 왕에게만 의지하고 있을 수 없다는 생각을 하게 되었다. 서둘러 특사를 파견하기로 했다. 특사는 성직자로서의 높은 지위로 보나, 피렌체 유수의 명문 출신인 것으로 보나 체사레의 기분을 상하게 할 걱정이 없는 소데리니 주교로 점 찍었다. 그 수행자가 마키아벨리이다. 언제나 그렇듯이 정부에 보내는 보고서를 쓰는 것이 임무이므로 회담의 자리에는 그도 동석하게 된다.

6월 24일 밤 늦게 두 피렌체인은 체사레로부터 첫 회담의 통지를 받고, 우르비노 성의 한 방에서 기다리고 있었다. 도망친 구이도발도 공작의 거성이었던 이 아름다운 성을 체사레는 측근들이랑 근위병들과 함께 숙사로 사용하고 있었다. 두 피렌체인은 이런 경우에 요구되는 예복조차 입고 있지 않았다. 막 도착하여 옷을 갈아입을 겨를도 없었던 것이다. 잠시 기다리고 있으니 이윽고 체사레가 모습을 나타냈다. 소데리니 주교가 형식대로 외교 사령을 늘어놓으려 하자 이를 가로막은 체사레의 어조는 처음부터 엄하고 명쾌했다. 그는 조인이 끝난 계약을 도무지 실행에 옮기려 하지 않는 피렌체를 비난하고, 자기는 지금까지 그런 대우를 받아본 적이 없다고 말했다.

"피렌체공화국이 내가 친구이기를 바란다면 모르지만, 그렇지 않다면 이 순간부터 피렌체와 국경을 접하는 내 영토의 안전을 위해 적극적으로 대처하지 않을 수 없으며, 그것으로 일어날 수 있는 사태에 대한 배려도 당연히 감소될 줄 아시오."

피렌체인들도 잠자코 있었던 것은 아니다. 피렌체의 신뢰와 우정을 얻으려면, 아레초를 침략하고 눌러앉아 있는 비텔로초 비텔리를 체사레 공작이 먼저 소환하는 것이 선결 문제라고 말하기는 했다. 그러나 체사레의 태도는 요동도 하지 않았다.

"확실히 비텔로초는 내 부하요. 그러나 나는 아레초에서 일어난 일에는 전혀 관여한 바 없소."

그럴 리가 없었다. 3년 전 피렌체에서 배신죄로 처형된 형 파올로의 복수를 동생 비텔로초가 노리고 있었다는 것은 다 아는 사실이다. 게다가 남의 나라 영토를 침공하는 큰 사건을 체사레의 허가 없이 비텔로초 혼자서 감행할 수는 없는 일이다. 그날 밤 두 시간이나 계속된 회담은 체사레의 태도가 조금도 변하지 않은 채 다음과 같은 그의 말로 끝이 났다.

"나는 폭정을 하기 위해서 태어난 것은 아니오. 폭정자를 때려 눕히기 위해서 태어난 것이오."

이것은 4개월도 지나지 않아 다시 체사레와 접촉한 마키아벨리의 뇌리에 마치 예고라도 하듯이 떠오르는 말이 된다.

두번째 회담에서도 아무런 진전이 없었다. 소데리니 주교는 정부의 지령을 받기 위해 며칠 간의 유예를 청했다. 체사레는 승낙했다. 피렌체로 말을 달리는 역할은 마키아벨리 이외에 맡을 사람이 없었다. 여름 산길을 우르비노에서 피렌체를 향해 말을 달리는 마키아벨리의 가슴 속은 어떤 생각으로 넘치고 있었을까?

처음 만난 교황 알렉산데르 6세의 아들 체사레의 태도는 승전 직후라고는 하나 참으로 고압적이었다.

"당신들의 정부는 싫다. 믿을 수가 없다. 바꿀 필요가 있다" 등등, 프랑스의 왕도 입 밖에 잘 내지 않을 말을 예사로 내뱉었다. 외교적으로 보아도 잘하는 짓이 아니었다.

그러나 마키아벨리는 생각했는지도 모른다, 태도는 고압적이라도 발렌티노 공작의 말은 지당하지 않느냐고. 피렌체 정부의 우유부단함은 평소에 마키아벨리가 이를 가는 일이었다. 또 약게 설치려는 정부의 방식은 결국 불리하게 끝난다고 말한 것도 마키아벨리였다. 윤리 문제가 아니다. 외교적으로 불리하다는 얘기다.

자국의 이익을 추구해야 하는 마키아벨리가 '적'의 주장을 인정해야 하는 처지에 빠진 것은 참으로 짓궂은 일이 아닐 수 없는지도 모른다. 그러나 참된 정치란 무엇인가, 가장 좋은 국가란 무엇인가를 생각할 때, 젊은 관료 마키아벨리로서는 아무리 해도 자기 나라

정부의 행동이 그렇다고 생각되지는 않았는지 모른다. 오히려 그의 조국 피렌체를 궁지에 몰아넣고 있는 이 사나이, 체사레 보르자가 실행하고 있고 또 건설하려 하고 있는 것이야말로 그에 해당하는 것이 아닐까 하고 생각했는지도 모른다.

마키아벨리는 우르비노에서 피렌체 정부에 보낸 보고서에, 그런 생각을 마치 현재 피렌체 정부를 움직이고 있는 상층 계급이 보라는 듯이 이렇게 썼다.

"이 군주는 참으로 훌륭하고 위대한 역량을 가진 인물입니다. 싸울 때는 용맹무쌍하고, 그의 손에 걸리면 아무리 어려운 일이라도 하찮은 문제가 되고 맙니다. 영광과 정복을 위해서는 휴식을 모르고, 고통도 위험도 마다하지 않으며, 사람들이 그가 어떤 곳을 떠난 것을 채 눈치도 채기 전에 그는 벌써 다른 곳에 가 있습니다.

가장 훌륭한 이탈리아인을 신하로 가졌고, 그들의 존경을 받고 있습니다. 더욱이 그가 착실하게 이룩하고 있는 무서운 승리는 완벽할 만큼 행운에 의해 뒷받침되고 있습니다."

소데리니를 뒤에 남겨놓고 정부의 지령을 받기 위해 곧장 피렌체로 말을 달려가는 마키아벨리와 소매를 스치듯이 하며 우르비노의 성문을 들어서는 또 한 사람의 피렌체인이 있었다.

쉰 살이 된 레오나르도 다 빈치였다. 그리고 이로부터 두 달 가까이 지난 8월 18일, 체사레의 영토 안에 있는 지방장관, 성주 대리, 대장에서 병사에 이르기까지 당시 파비아에 체재중인 공작 체사레로부터 포고령 하나가 내려갔다.

"나의 절친한 친구인 건축기술 총감독 레오나르도 다 빈치에게 모든 지역의 자유 통행을 허가하고 호의적인 대응을 해줄 것을 명한다. 내가 우리 공국 내의 모든 성채에 대한 시찰 임무를 부여한 그에게 그 임무를 수행하는 데 필요한 모든 조력이 충분히 주어지지 않으면 안된다. 나아가서 공국 내의 모든 성채, 요새, 시설의 토목공사는 시행 전에 또는 속행중일지라도, 기술자들은 레오나르도 다 빈치 총감독과 협의하여 그의 지시에 따를 것을 명한다. 만일 이 명령에 어긋나는 행동을 하는 자는, 아무리 내가 호의를 가진 자라 할지라도 내가 격노할 것을 각오하여야 한다."

공무원인 마키아벨리가 체사레와 접촉하는 것은 명령이 있었기에 하는 직무였다. 그러나 자유업인 레오나르도 다 빈치는 자신의 의지로 체사레를 찾았다. 그로부터 1년, 레오나르도는 체사레를 위해서 일하게 된다.

그러나 자기 스스로 일을 선택할 수 없는 공무원에게도 운명의 여신이 배려한 것과도 같은 기회가 찾아오는 일이 있기는 있는 모양이다. 우르비노의 성문을 나선 지 석 달이 지난 10월 초. 마키아벨리는 다시 급히 체사레를 찾아가고 있었다. 이번에 가는 곳은 이몰라였다. 체사레가 로마냐공국의 임시 수도로 정한 도시다.

이번에는 마키아벨리 혼자였다. 자못 피렌체 정부다운 배려 끝에 그가 선출된 것이었다.

얼마 전부터 체사레 휘하의 용병대장들이 반기를 들고 있다는 정보가 피렌체 정부의 정보망에 걸려들고 있었다. 베네치아공화국도 알고 있었으나, 양쪽이 다 쓰러지기를 기대하는 베네치아는 중립을 표명했다. 체사레로 봐서는 강력한 베네치아가 반란 쪽에 붙지 않는 것만으로 충분하므로, 중립이 지속되는 쪽으로 외교전을 밀고 나갔다.

베네치아처럼 배려할 필요가 없는 피렌체에 대해서는 이미 조인이 끝난 용병대장 고용 계약의 이행이라는 형태로 동맹 관계 선언을 요구하고 있었다. 중립이 아니라 체사레 편이라는 것을 명확히 하라는 재촉이었다.

그러나 지금 체사레의 처지는 부하들이 반란을 일으키는 바람에 미묘하게 바뀌고 있었다. 또 피렌체에는 무시당하는 것을 용서치 않는 프랑스 왕도 원군을 보내달라는 체사레의 요청에 아직도 응하지 않고 있었다. 이러한 상황 아래서 피렌체 정부는 이제 여느 때의 방법밖에 남아 있지 않다고 판단했다.

발렌티노 공작의 요구를 받아들여 동맹 관계를 명확히 하는 것은 위험하다. 그래서 조약 체결의 권한을 가진 대사급 인물은 보낼 수 없다. 그렇다고 체사레의 요구를 무시하고 아무도 보내지 않는 것도 위험하다. 그에게 중립을 눈치채여서는 안되기 때문이다. 또 이제 태풍의 눈이 된 체사레의 주변 정보는 반드시 입수해야 한다. 그것도 피렌체는 체사레와의 우호관계를 그 어느 때보다도 바라고 있는 것을 그로 하여금 생각하게 하면서 말이다.

사실은 시간을 벌자는 것인데, 시간 벌기가 여간 어려운 것이 아니다. 이것이 비직업관료를 파견하게 된 이유였던 것이다.

공작을 만났을 때 제출하도록 마키아벨리가 들고 간 정부의 서한에는, 현재의 상황 아래서 두 나라의 우호관계를 유지하기 위한 가능성을 검토하기 위해 피렌체 시민으로서 정부의 서기관인 니콜로 마키아벨리를 파견하는 바이니 잘 부탁한다고 씌어져 있었다.

심포지엄에 참석하는 것도 아니고, 이런 신임장 하나로 언제 반란군이 쳐들어올지 모르는 곳에 파견된 마키아벨리도 수고스러운 얘기지만, 하필이면 궁지에 빠진 이런 때에 애매모호한 사절을 맞이하게 된 체사레도 동정할 만하다 할 것이다. 그러나 때가 때인 만큼 우호관계 유지에 관심이 있는 것은 이번에는 체사레 쪽이었다. 그 덕에 우르비노에서의 그 고압적인 태도와는 정반대로, 발렌티노 공작은 피렌체의 일개 관료를 참으로 솔직하게 대해주었던 것이다.

1502년 10월 7일, 체사레의 용병대장들이 반란을 일으켰다고 정식으로 발표되기 하루 전 정부의 명령으로 정신 없이 말을 달려 이몰라에 도착한 마키아벨리는, 너무나 급히 서두르는 바람에 수행원들과 짐을 뒤에 남겨두고 올 정도였다. 오후 6시에 도착한 그는 즉시 로마냐 공작과의 회견을 신청했으며 곧 허가되었다. 마키아벨리는 여장을 한 채로 체사레 앞에 나갔다.

공작 체사레는 마키아벨리가 내민 공화국 정부의 서한을 받아들더니, 그에게 의자를 권하고 읽기 시작했다.

잠시 후 체사레는 마키아벨리에게 무엇 하러 여기에 왔느냐고 물었다. 마키아벨리는 "로마냐 공작에 대한 피렌체공화국 정부의 우호 감정을 표시하러 왔습니다" 하고 대답했다. 체사레는 유쾌한 웃음으로 이에 화답하고는, 자기는 메디치 가의 복귀를 원조한 일도 없고, 자기와 피렌체의 프랑스 왕에 대한 우호관계는 공통되므로, 자기와 피렌체 사이에 우호관계가 성립되는 것은 극히 당연하다, 그렇다고 자기는 공화국에 원조를 구할 생각은 없다, 자기와 피렌체 쌍방을 위해서 유익하다고 생각하기 때문에 서로 협력해 나가자고 권할 뿐이라고 말했다. 이어 그는 반란군은 머지않아 괴멸될 것이라면서 덧붙였다. "무능한 자들의 집합이야!" 이것이 그 날 밤 체사레가 내뱉듯이 한 말이었다.

그후 석 달 이상 계속되는 체사레와의 접촉을 통해서 마키아벨리는 아무리 해도 체사레의 승리를 의심할 만한 충분한 자료를 입수하지 못했다. 마키아벨리가 방문한 날부터 2주일 동안 체사레의 처지는 악화일로에 있었는데도, 체사레는 그에게 끝내 그런 것을 눈치채이지 않았던 것이다. 몇 번째인가 회담 때 체사레는 이런 말을 했다.

"모든 것을 살피면서, 나는 나의 때가 오기를 기다리고 있소."

그 때라는 것이 언제 어떤 형태로 찾아올 것인지를 마키아벨리는 탐지하지 못했던 것이다.

반란자들이 회합한 장소가 그 가운데 한 사람인 오르시니의 소유인 마조네 성이었다고 하여 '마조네의 난'으로 알려진 체사레 휘하 용병대장들의 반란을 간략하게 설명하면 다음과 같다. 먼저 그에 연루된 사람들의 이름을 열거하면,

파올로 오르시니와 그라비나 공작 프란체스코 오르시니 등 오르시니 집안 두 사람—오르시니 가 영토의 영주
비텔로초 비텔리—치타 디 카스텔로의 영주
올리베로토 다 페르모—페르모의 영주
잔파올로 바리오니—페루자의 영주
시에나의 참주 판돌포 페트루치의 대리 안토니오 다 베나프로
볼로냐의 영주 조반니 벤티볼리오의 대리인 아들 에르메스
우르비노공국의 공작 구이도발도의 조카 옥타비아노 프레고소

카메리노의 영주 바라노 가의 잔마리아 다 바라노

성주로서 이 반란의 두뇌적 존재인 잔바티스타 오르시니 추기경.
요컨대 반보르자 전선은 완벽했다. 영주라고 했지만, 교황청 영
토를 교황으로부터 위탁받아 통치하고 있는 데 지나지 않는다. 볼
로냐도 마찬가지다.

그러면 이들이 왜 체사레에게 반기를 들었느냐 하는 점인데, 가
장 중요한 요인은 페루자의 영주 바리오니의 말에 다 담겨 있다고
해도 될 것이다.

"용에게 한 사람씩 차례로 잡아먹히는 것이 싫으면, 다 함께 용
을 죽이는 수밖에 없다."

이들은 모두 단순한 용병대장이 아니었다. 비록 소국이기는 하
나, 또 교황의 위탁을 받은 형식이기는 하나 저마다 한 나라의 주
인들이었다. 그러면서 당시 이탈리아의 관습에 따라 용병대장을
겸하고 있을 뿐이었다. 이들로서는 자기들과 처지가 같은 카메리
노와 우르비노가 체사레의 발 아래 속절없이 무릎을 꿇은 석 달 전
의 사건이 남의 일이 아니었던 것이다. 반란자들의 보조는 갖추어
졌다. 체사레가 이들에 대해 확실한 정보를 입수한 것은 10월 6일
이다. 마키아벨리가 이몰라에 도착하여 체사레와 처음 만난 것은
그 다음날인 7일이었다.

결과부터 말하자면, '마조네의 난'은 발생한 지 3개월이 지난
12월 31일, 체사레의 계략에 넘어가 화해를 위해서 세니갈리아에
모인 반란 주모자들 전원이 살해됨으로써 종말을 고한다. 온 이탈

리아가,

"완전한 기만"

이라고 박수 갈채를 보낸 드라마이다. 체사레가 거의 무력을 사용하지 않고 외교전만으로 쟁취한 승리였다.

마키아벨리는 그동안 줄곧 체사레 곁에 있으면서 그의 모든 '수'를 계속 지켜보았다. 피렌체 정부에 보낸 54통의 『보고서』와, 이 사건이 끝나고 얼마 안 있어서 쓴 『비텔로초 비텔리, 올리베로토 다 페르모, 오르시니 가의 파올로와 그라비나 공 등을 살해한 발렌티노 공작의 방법에 대한 서술』이 마키아벨리라는 현장 증인이 남긴 증언이다.

어느 전기 작가는 이 기간의 체사레와 마키아벨리를 밀실에서 혼자 당구를 치는 자와 곁에서 그것을 관전하는 자에 비유하고 있다. 기막히는 비유이다.

『보고서』는 그동안에 본 한 수 한 수를 충실하게 기록한 관전 기록이고, 『서술』은 게임 종료 후 단숨에 쓴 관전기라고나 할까.

밀실에서 혼자 당구를 치는 체사레라고 한 것은 당구를 한다는, 얼핏 보기에 단순하지만 결코 단순하지 않은 게임이 시종 체사레의 독무대였기 때문이다. 반란자들 가운데 누구 하나 그의 공을 만진 자가 없었다.

또 관전자가 한 사람이라고 한 것은, 당구에 관심도 없고 이해도 못하는 자가 동석했다고 해서 관전자가 될 수는 없다는 뜻이다. 당시 체사레의 주위에는 마키아벨리만큼 이런 일을 좋아하고 이해력을 가진 인물이 없었던 것이다.

원래 이런 경우는 관전 기록을 충실히 좇음으로써 한 수 한 수를 추종 경험해야 치는 사람의 기능의 비법을 충분히 즐길 수 있다. 한 수 한 수를 왜냐고 묻고, 그렇구나 하고 감탄해야 마지막에 "브라보!" 하고 박수 갈채를 할 수도 있는 것이다. 그러나 내가 여기서 그럴 겨를은 없다. 『체사레 보르자 혹은 우아한 냉혹』에서는 대강 그렇게 했고 또 할 이유도 있었으나, 여기서는 관전 기록과 관전기의 소개에 그치는 도리밖에 없다.

다시 당구의 비유로 돌아가지만, 3개월 동안이나 실질적으로 밀실 안에 단 둘이 있은 거나 다름없는 상태였으니, 두 사람 사이에 서로의 처지를 초월한 우정이라도 생기지 않았을까 하고 보통 같으면 생각하게 된다. 발렌티노 공작이라 불리는 일이 많았으나, 정식으로는 발랑스·로마냐·우르비노의 공작으로서 안드리아·베나프로의 군주 및 피옴비노의 영주를 겸하고, 다시 교회군 총사령관이기도 한 체사레 보르자와, 피렌체 정부의 일개 서기관 사이에 서로를 이해할 수 있는 인간들 사이에만 생기는, 서로의 처지를 초월한 참된 우정이 싹트지 않았을까 하고 상상하는 사람이 있다면 그 편이 인간적이기까지 하다. 서머싯 몸의 소설 『예나 지금이나』(*Then and Now*)는 이 시기의 마키아벨리를 그리고 있는데, 후일 마키아벨리가 쓴 핑크 코미디를 모방한 구성은 차치하고라도, 몸이 만든 체사레는 몸이 만든 마키아벨리에게 피렌체 정부의 서기관 따위는 집어치우고 자기 밑에서 이몰라의 장관이라도 하면 어떠냐고 권한다. 마키아벨리는 사절하지만, 스카우트하려고 했을 정도니까 체사레는 그의 능력을 인정한 셈이다. 당시 레오나르도도 체사레 밑에 있었다.

그러나 진실은, 아니 진실에 더 가깝다고 생각되는 정황은 그렇지 않았던 것 같다.

　체사레 보르자와 니콜로 마키아벨리. 그 이상 마키아벨리적인 군주도 없다고 여겨지는 군주와 마키아벨리즘의 창시자. 이 두 사람은 확실이 석 달 동안이나 같이 있었다.

　그러나 처음부터 끝까지 체사레는 마키아벨리에게서 피렌체공화국 정부의 대변인밖에 보지 않았다. 이 대변인이 10년 후에 쓰게 되는『군주론』에서 자기가 불멸의 존재가 될 줄은 알지 못했다. 정치학자이자 역사가인 마키아벨리의 전 작품 속에 직접적으로나 간접적으로나 자기의 그림자가 비치지 않고는 못 견디게 될 줄은 상상조차 하지 못했던 것이다. 그의 마키아벨리에 대한 호칭은 언제나 '서기관'이었다.

　그러나 그를 '공작'이라고 부른 마키아벨리는 그에게서 아무데나 있는 흔한 공작이 아니라 군주를 보았던 것이다. 체사레에게서 군주의 상징을 본 것이었다. 이몰라에 와서 두 주일이 채 안되었을 무렵, 그는 이 군주를 이해하는 데는 현존 군주들과의 접촉만으로는 충분치 않으며, 고대의 위인들을 공부할 필요가 있다고 느꼈던 모양이다. 친구 보나콜시는 10월 21일자 편지에서 마키아벨리에게 이런 사연을 적어 보내고 있다.

　"플루타르코스의『열전』(列傳)을 찾았으나, 피렌체에서는 팔고 있지 않네. 기다려보게. 베네치아의 책방에라도 부탁해야 할 것 같구먼. 그나저나 이런 별난 것을 다 부탁하는 너 같은 사람을, 아마도 골로 가다가 만 인간이라고 하는가 보지."

　마키아벨리는 체사레에게서 자기 꿈의 구상화를 발견했는지도 모른다. 미남인데다가 강철 회초리 같은 육체를 가졌고, 행동거지는 젊은이답지 않게 위엄과 기품에 차 있다. 사랑을 받으면서 두려움을 느끼게 하고, 정복한 영토에는 약탈을 허락하지 않으며, 때를 놓치지 않고 통치책을 실시한다. 모든 면에서 종래의 생각에 구애되지 않았으니, 예를 들면 용병제도를 믿지 않고 국민개병제도의 도입을 실행하고 있다. 그리고 결단력이 뛰어나고, 무장으로서도 빼어나며, 아울러 전략적인 두뇌를 가졌고, 남의 생각 따위는 개의치 않는 귀족주의자.

이렇게 되면, 마키아벨리의 상상력을 자극하지 않는 편이 오히려 우스웠을 것이다.

그러나 3개월 동안 외관상으로는 어디까지나 공작은 공작이고 서기관은 서기관이었다. 체사레는 피렌체 정부의 대변인에게 전할 일이 있을 때에만 마키아벨리를 만났고, 전할 일이 없을 때는 마키아벨리가 아무리 만나고 싶어해도 만나지 않았다. 또 마키아벨리도 자기 나라의 이익을 잊어버리는 일은 없었다. 따라서 두 사람은 이 점에서 서로 속이고 있었던 셈이다. 다만 서로의 속임수가 양성으로 시종한 것은, 역시 두 사람 다 어딘지 마음이 맞는 데가 있었기 때문이었을 것이다. 나이도 가까웠다. 이런 농담도 주고받았다.

한 번은 체사레가 피렌체 서기관에게 말했다.

"당신 상사들은, 결국 나한테 어떤 위치를 줄 생각일까?"

마키아벨리는 유쾌해진 기분으로 대답했다.

"제가 상상하건대 저희 상사들은, 어떤 위치를 드리는 것이 자기들이 아니라 공작님이 아닐까 두려워하고 있는 것 같습니다."

그러면서 당구를 치고 있는 체사레는, 그 공을 왜 반대 방향으로

치느냐고 마키아벨리가 물어봐도 대답해준 적이 없었다. 그 대신 이야기를 하기 시작하면 마치 가슴 속을 다 털어놓기라도 하는 것처럼 한다. 그런데 그걸 또한 곧이들었다가는 큰코 다칠 일이었다. '위대한 시침떼기', 이것이 마키아벨리가 체사레에게 바친 별명이었다.

'위대한 시침떼기'에 속은 것은 마키아벨리만이 아니다. 조직적 정보 수집의 능수인 베네치아도 속았고, 40년 후에 『이탈리아사』를 쓰게 되는 구이차르디니도 예외가 아니었다. 후세의 우리가 속지 않아도 되는 것은 500년이나 세월이 흐르면 묻혀 있던 사료도 발견되게 마련이고, 그것들을 검토할 수 있기 때문일 뿐이다. 소설가 서머싯 몸도 시간의 은혜를 입은 사람의 하나이다.

12월 10일에야 겨우 이몰라에서 엉덩이를 뗀 체사레는 반란자들과의 화해의 자리인 세니갈리아로 향하게 되는데, 도중에 체세나 시에서 두 주일 정도 머문다. 그 체세나에서 그는 그토록 의지하고 있던, 적어도 누구나가 그렇게 생각하고 있던 프랑스 병사들을 보내버린다. 그 이유를 아무도 알지 못했다. 마키아벨리도 체사레의 측근에게 물어보기도 하고, 출발 준비에 바쁜 프랑스 병사들 사이를 뛰어다니면서 알아보지만, 우리 주인은 비밀주의라서요 하고 측근은 대답할 뿐이었고, 프랑스 병사들도 돌아가라는 명령이니까 돌아가는 겁니다 하고 대답할 뿐이었다. 마키아벨리는 이유를 모르지만 사실은 이러이러하다고 정부에 보고하는 수밖에 없었다.

속임수의 두번째는, 12월 26일 아침 체세나 시의 광장에 효수된 레미로 데 로르카의 시체였다.

모두들 깜짝 놀랐다. 데 로르카는 체사레의 심복이라 일컬어지는 세 사람 가운데 하나이다. 로마냐의 장관이기도 했으므로, 체사레의 뜻을 받들어 오랫동안 무법지대였던 로마냐 지방에 법질서를 확립하는 데 공을 세운 인물이다. 그런 그가 두 동강이 나서 효수되어 있었던 것이다.

이에 대해서 베네치아의 정부는 이유를 모르겠다고 쓰고 있다. 마키아벨리도 모르는 쪽이었으며, 이렇게 덧붙이고 있다.

"이 군주(체사레)는 자기 생각에 따라 신하의 등용이나 파멸을 마음대로 할 수 있다는 것을 보여주고 싶었던 것이 아닐까?"

그리고 10년 후에 쓴 『군주론』에서 다음과 같이 해석했다.

"로마냐 지방을 정복했을 때 공작은 이 지방이 국민을 올바로 다스리기보다는 그들의 것을 탈취하고, 국민을 결속으로 인도하기는커녕 분열의 원인을 만드는 그런 무능한 지배자에 의해 통치되어왔다는 것을 알았다. 그래서 이 싸움은 물론 온갖 폭력이 기세를 떨쳤던 것이다. 공작은 이 지방에 평화를 회복하고 군주의 지배력을 높이려면 좋은 정치를 펼 필요가 있다고 생각했다. 그래서 냉혹한 가신 레미로 데 로르카에게 큰 권한을 주어 로마냐에 파견했다. 그는 단기간에 이 지방에 평화를 회복하고 대단한 명성과 더불어 통일을 이룩했다. 공작은 데 로르카 대신 자기가 민중의 미움을 사는 것이 두렵고, 이 이상 그에게 과도한 권한을 맡기는 것은 불리하다고 판단했다. 그래서 영내에 재판소를 설치하고 훌륭한 장관을 임명했다. 또 도시마다 자신들을 위한 변호사를 둘 수 있도록 했다.

게다가 지금까지의 엄격함이 다소나마 민중으로 하여금 증오를 느끼게 하고 있다는 것을 안 공작은 민중의 이 감정들을 씻어주고 민심을 완전히 장악하려고 했다. 지금까지 잔혹할 만큼 엄격했던 것은 자기 탓이 아니라 데 로르카의 가혹한 성격에서 나온 것처럼 보이게 할 필요가 있었다. 공작은 어느 날 아침 체세나의 광장에 두 동강이 난 데 로르카의 시체를 널빤지 한 장과 피투성이 칼 한 자루와 함께 효시했다. 이 처참한 구경거리에 민중은 만족하는 동시에 전율을 느꼈던 것이다."

마키아벨리가 이렇게 해석할 만한 이유도 있었을 것이다. 실제로 로마냐의 민심은 이것을 계기로 체사레에게 결정적으로 기울었으니까.

그러나 이것만이 이유라면 굳이 그때 결행해야 할 것은 없었다. 더구나 결행의 시기로서는 때가 적합하지 않았다. 화해 분위기가 조성되고 있는 시기, 그 직전에 일으키는 피비린내는 불길하다. 화해를 향하는 반란자들의 기분에 찬물을 끼얹을 위험마저 있다.

화해의 모임이라며 세니갈리아에 모이게 하여 일망타진하는 것이 체사레의 계책이었다. 그 승부의 나흘 전에 경계심을 일으킬 짓을 한다는 것은 득책일 수 없는 것이다.

여기에 한 가지 사료가 있다. 우르바노라는 사람이 쓴 것인데, 화해를 타진하러 변장하고 이몰라에 찾아간 파올로 오르시니와 체사레가 처음 만났을 때 한 말이라니까, 10월 25일 전후의 이야기이다. 그때 반란 주모자의 한 사람이기도 한 파올로 오르시니에게 체사레는 조금도 노여움을 보이지 않았으며, 오히려 소군주들이 반란을 일으키게 된 책임을 데 로르카에게 돌리는 오르시니에게 이렇게 말했다고 한다.

"머지않아 나도 그대들도, 그리고 민중도 모두가 만족하는 결과가 될 것이다."

말하자면, 데 로르카는 희생으로 바쳐졌던 것이다. 그리고 얼핏 아무 관련도 없어 보이는 프랑스 병사들의 철수도 반란자들에 대한 화해의 메시지의 하나로서 완벽하게 연결된다.

체사레는 아직도 멀리 떨어진 곳에 있는 반란자들에게 두 가지 메시지를 보낸 것이다. 그것도 기록에 남을 염려가 있는 문서로서가 아니라 무언의 메시지였다.

체사레군의 정예였던 프랑스 부대를 돌려보낸 것은 체사레가 싸울 의사가 없다는 것을 암시하는 메시지였다.

레미로 데 로르카의 처형은 반란의 진짜 책임이 데 로르카에 있는 이상, 반란자들은 용서받는다는 체사레의 의지를 전하는 메시지였다.

그리고 제3의 속임수는, 앞의 이 두 가지와 같은 원격 조정이 아니라 현장에서 연출되었다. 화해 기분에 가득 차서 달려오는 반란자들 한 사람 한 사람과 사뭇 우정의 복귀를 기뻐하는 것처럼 정답게 서로 껴안은 체사레는 몇 분 후 여덟 명의 심복 부하들에게 신호를 보내고 있었다. 반란자들은 그 자리에서 붙잡혀 주모자 전원이 살해되었다.

실로 왼쪽 공을 떨어뜨리기 위해 오른쪽 공부터 치기 시작하는 당구의 명수를 방불케 한다. 처음 녹색 당구대 위에는, 체사레의 공은 수가 적을 뿐 아니라 불리하게 흩어져 있었다. 그것을 하나하나 교묘하게 침으로써, 마침내 적의 공을 모두 맞혀 떨어뜨리고 만 것이다. 반란에 참가한 소군주들의 영토는 지체없이 군대를 진격시킨 체사레에 의해 정복되었다. 당구라면 게임에 지나지 않지만 이것을 정치로 해낸 체사레는 승부가 나는 순간 관전자인 마키아벨리를 돌아보고 말했다.

"나의, 그리고 여러분의 적이기도 한 그들을 멸할 수 있어서 기쁘오."

그리고 말을 이었다.

"이탈리아의 화근을 멸한 것이오."

마키아벨리는 자기 귀를 의심했을 것이다. 지금까지 단테나 페트라르카와 같은 시인 이외에 누가 이탈리아라는 말을 운운했던가. 당시의 이탈리아에는 피렌체인, 베네치아인, 밀라노인, 나폴리인은 있어도 이탈리아인은 없었던 것이다. 체사레는 이 표현을 마키아벨리에게만 쓴 것이 아니다. 각국에 이 사건의 결과를 알린 공문서에서도 그는 말하고 있다.

"이탈리아 전체로 봐서 그야말로 공해라고 해도 될 존재가 멸망한 것은 기쁘기 이를 데 없다."

마키아벨리도 알고 있었다. 체사레가 사리를 추구한 데 지나지 않는다는 것을 그는 알고 있었다. 그러나 사리도 공익과 일치한다면 상관없는 것이다. 그러기에 사사로운 감정을 토로해서는 안될 보고서에서까지 체사레의 이 말을 전한 바로 뒤에 그는 무심코 한 줄,

"저는 감탄하지 않을 수 없었습니다."

라고 썼던 것이다. 이것이 10년 후 『군주론』에서 다음의 문장으로 승화한 것같이 보인다.

"일찍이 한 인물 속에, 신이 마치 이탈리아의 죄를 속죄하라는 명령이라도 내린 것처럼 한 줄기 빛이 비친 적이 있다. 그러나 유감스럽게도 그 인물은 활동의 절정기에 운의 버림을 받고 말았다."

체사레가 운의 버림을 받은 것은 마키아벨리를 감탄시킨 때로부터 불과 8개월 후인 1503년 8월이었다. 로마에서 유행한 말라리아에 먼저 아버지인 교황이 걸리고, 다음날 체사레도 병상에 눕고 만다. 보르자 와해의 시작이다. 그리고 두 달이 지나서 새 교황 선출의 정보를 수집하러 로마에 파견된 마키아벨리는 세번째로 체사레를 만난다. 병은 나아 있었다. 일흔세 살의 교황을 죽인 말라리아도 스물여덟 살의 체사레를 이기지는 못했다. 그러나 이 중병은 체사레의 처지를 일변시켜놓았다. 체사레는 오랜만에 만난 마키아벨리에게 말했다.

"나는 부친이 돌아가실 때 발생할 수 있는 모든 것을 전부터 생각했고, 방책도 발견했고, 그것들을 조금씩 실행에 옮겨왔소. 그러나 부친이 돌아가실 때, 내 자신이 또한 생사의 경계를 넘나들게 될 줄은 생각지도 못했소."

체사레는 그후 믿었던 새 교황 율리우스 2세에게 배신당하여 마치 '위험물 취급 주의'라는 딱지가 붙은 화물처럼 에스파냐에 보내진다. 거기서 탈주하는 데는 성공하지만, 나바라 전투에 참가하여 전사하고 만다. 마키아벨리가 그를 마지막으로 만난 날로부터 3년 반이 지난 1507년 3월 11일이었다. 서른두 살을 맞이하기 반년 전이다. 그 6년 후에 『군주론』이 씌어진다.

체사레 보르자의 급격한 붕괴를 본 후에도, 마키아벨리는 이렇게 생각하는 것을 그만두지 않은 성싶다.

"공작은 죽었다. 그러나 그의 생각과 방법은 그것으로 좋았던 것이다. 공작의 실각은 사람의 힘으로는 도저히 넘을 수 없는 큰 불운 때문이었으니, 그것으로 그의 모든 것을 부정하는 것은 잘못이다.

사람은 죽어도 그 사람이 생각한 것과 그것을 실천으로 옮긴 방법은 남는다."

체사레 보르자는 역사상 인물에서 이론상의 상징이 된 것이다.

여기서는 체사레의 신변을 물들인 스캔들에 관해서는 일절 언급하지 않았다. 마키아벨리라는 사람이 정치와 윤리와 종교를 뚜렷이 구별한 사람이기 때문이다. 사생활이 어떠했거나, 그것으로 그 사람의 정치 능력까지 운운하는 유치함과는 마키아벨리는 평생 무관했다. 덕분에 우리도 그의 글을 마치 당구의 관전 기록처럼 읽을 수 있는 것이다. 그리고 그의 눈을 통해 정치를 볼 때, 쓸데없는 것이 가리지 않는 투명함으로 가장 중요한 것을 식별할 수 있는 것이다.

다만 스캔들에도 효용은 있다. 스캔들의 유무를 문제삼는 것이 아니라 그것이 어떻게 이루어졌는지를 아는 것은 사람을 한 인물로서 볼 때에 매우 좋은 참고가 된다. 아니, 분명히 말해 인물은 '스캔들'에 의해 싱싱하게 되살아나는 것이다. 그러기에 서머싯 몸은 바람을 피우는 일에도 온 힘을 다 집중시킨 마키아벨리를 그렸는지도 모른다.

10 마키아벨리의 아내

1502~1503

악처라고 하면 소크라테스의 예를 들기 때문에 너무나 인상이 강해서인지 사람들은 어쩐지 천재의 아내는 꼭 악처여야 하는 것처럼 생각하는 모양이다. 마누라가 그렇게 못되었으니 일에나 열중하는 수밖에 없었겠지 하고 생각한다면, 범속한 인간은 자기 변호라도 되는 듯한 기분이 들는지도 모른다. 그런 사람들에게는 안되었지만, 마키아벨리의 아내는 양처였다.

현모였다는 말은 아니다. 양처라고 말하고 있을 뿐이다. 그러나 그러기에 오히려 마키아벨리에게는 적합한 배우자였다는 생각이 든다.

500년 전 옛날의 이탈리아에도, 이제 슬슬 결혼하여 살림을 차려야 한다는 통념 같은 것이 있었던 모양이다. 우리의 마키아벨리도 서른두 살에 접어들자 이제 슬슬 장가를 가서 살림을 차려야겠다는 생각을 하게 된 듯하다.

어머니는 5년 전에 여의었다. 아버지도 1년 전에 세상을 떠났다. 두 누나는 시집간 지 오래고, 동생은 성직에 들어가서 집에 없다. 아무리 검소한 중류 가정이라도 가정부 한 사람쯤은 있었겠지만, 그것은 가정이 아니다. 마키아벨리도 고정 수입이 보장된 직업을 가진 지 3년이 되었다. 나이도 서른두 살이다. 결혼해서 나쁠 턱이 없고, 또 무엇보다도 결혼하여 생활을 굳힐 필요가 그에게는 있었다.

연애의 결과라는 힌트는 그의 작품과 사신을 다 읽어봐도 떠오르지 않는다. 적당하다고 해서 누군가가 권한 여자를 적당하다고 그도 생각하고 결혼할 마음을 먹었는지도 모른다. 그래서 마리에타 코르시니와의 결혼은 중매 결혼 같은 것이었을 것으로 짐작된다.

20세기의 오늘날 코르시니라는 성을 들으면, 아, 그 코르시니 공작의 일가구나 하고 외국인이면 대개의 사람들이 알았다는 듯이 고개를 끄덕인다. 확실히 공작 코르시니는 지금도 건재하며, 아르노 강가에 서 있는 근사한 궁전의 주인이기도 하다.

그러나 귀족이 아닌 코르시니도 피렌체에는 많이 살고 있으며, 전화번호부의 한 페이지를 4분의 1쯤은 차지할 정도다. 아울러 마키아벨리라는 성의 가장도 셋이나 있고, 메디치는 29명을 헤아린다. 피렌체 시내의 주민이 이 숫자다. 교외에 산재하는 빌라의 주민은 이 숫자에 들어 있지 않았다.

요컨대 코르시니는 피렌체에서는 흔한 성으로, 이 성을 가진 집이라고 반드시 유수한 명문을 의미하는 것은 아니다. 이 언저리를 서머싯 몸은 오해한 모양이다. 왜냐하면 이런 사정은 500년 전이나 지금이나 다름이 없기 때문이다.

마키아벨리는 이 점에서도 직업관료 중의 직업관료인 구이차르디니와는 달리, 인척 관계를 널리 가짐으로써 생기는 이익에 별로 신경을 쓰지 않은 것 같다. 마리에타 코르시니와의 결혼으로 사회적으로나 경제적으로나 그의 처지에는 아무런 변화도 일어나지 않았기 때문이다.

물론 마키아벨리의 출신과 직장의 지위로 명문의 규수를 아내로 맞이한다는 것은 하나의 꿈이었다. 그러나 사회적인 지위는 낮아도 경제력에서 풍족한 집안은 얼마든지 있다. 마키아벨리가 그런 점을 고려하는 사나이였더라면, 고액의 지참금을 갖고 올 처녀와 결혼할 가능성이 전혀 없었던 것도 아니다. 그런데 그러지 않았다. 일이 재미있어서 일벌처럼 일하고 있는 동안에 보통 같으면 꽤나 신경을 쓸 일도 개의치 않게 되어, 뭐 괜찮겠지 하는 기분으로 결혼해버린 것이 아닌가 하는 생각이 든다. 그래서 결국 마키아벨리는 자기가 받는 급료만으로 가계의 대부분을 요리해야 하는 현상이 앞으로도 계속되는 형태로 결혼하여 살림을 차리고 만 것이다.

마키아벨리가 물질적으로는 검소한 생활 방식이지만 정신적으로는 풍요한 소년 시절을 보냈으리라는 것은 이미 썼다. 또 세상에 나온 후에도 좋은 동료를 만날 수 있었고, 그들의 사랑을 받으며 재미있는 일도 하게 되고, 상사들의 인정을 받는 나날을 보내고 있다는 것은 여기까지 읽어본 독자는 이미 이해하고 있을 줄 안다. 게다가 좋은 아내까지 맞이하게 된 것이 마키아벨리의 사생활이다.

보통 사람의 기준으로 한다면 그는 결코 불행한 사람이 아니었다. 그러기에 말년의 불행이 단순한 불행을 넘어서 비극이 될 수 있었던 것이다.

마키아벨리의 아내는 남자들의 화제에 오를 만큼 미인은 아니었던 모양이다. 또 교양면에서도 남편과 어깨를 나란히 할 만한 지적인 여성도 아니었던 것 같다. 마키아벨리 자신도 이른바 인텔리 여성에게는 흥미를 나타내지 않았다. 여류 명사의 살롱에 드나들며 우쭐대는 타입의 지식인이 아니었다. 여자에 대한 취미는 나쁘지 않았다고 나는 생각한다.

마키아벨리의 아내가 쓴 편지가 한 통 현존한다. 친구들이나 아이들의 편지로 미루어 별로 편지를 쓰지 않는 여자였던 모양이며, 단 한 통 남아 있는 편지는 로마에 출장중인 남편에게 보낸 것이다. 날짜가 24일로 되어 있는 것만큼은 확실한데, 학자들의 의견은 대체로 1503년 11월 24일에 씌어진 것이라는 데에 일치하고 있다. 결혼해서 2년쯤 되었을 때 같다.

친애하는 나의 니콜로,

당신은 저를 바보 같은 여자라고 웃으시지만, 당신이 잘못 아시는 거예요. 저는 당신이 집에 계시는 것만으로 만족하니까요. 그리고 로마에서는 지금 전염병이 대유행이라던데, 생각 좀 해주시면 좋겠어요. 밤이나 낮이나 걱정 때문에 잘 쉬지도 못하는 저를요.

무엇보다도 아들의 탄생이라는 근사한 소식을 전해 드립니다. 그런데 좀더 자주 편지 주실 수는 없어요? 지금까지 세 통밖에 오지 않았어요. 제가 편지를 쓰지 않는 것 때문에 괜히 걱정하진 마세요. 오늘까지 열이 있어서 쓰지 못한 거니까요. 당신한테서 편지가 오지 않아 화가 나서 열이 난 것은 아닙니다.

아기는 아주 건강하답니다. 당신을 많이 닮은 아기예요. 살결

은 눈처럼 희고, 머리는 검은 비로드 같아요. 털이 많은 것도 당
신을 닮았고, 모든 것이 당신을 쏙 뺐어요. 내 눈에는 아주 미남
으로 보인답니다. 어쩐지 태어난 지가 벌써 한 1년은 된 것 같은
느낌이 들어요. 온 집 안에 요란한 소리를 피우고 있지요. 딸애
는 건강이 별로 좋지 않아요.

빨리 돌아오시는 것을 잊지 마세요. 기다리는 것은 그것뿐이
니까요. 신께서 당신을 지켜주시기를.

속옷 한 벌과 셔츠 두 장, 손수건 두 장하고 수건 한 장을 보냅
니다. 제 손으로 만든 거예요.

당신의 마리에타 올림

정말이지, 남편은 건강하고 집에 없는 편이 좋다고 생각하는 여자들과는 너무나 다르다.

이것은 남편을 진실로 사랑하는 아내의 편지다. 사료의 뒷받침이 있거나 말거나, 나도 여자니까 이것만은 단언할 수 있다. 여자에게는 먼저 아들이 제일이다. 아무리 부부 사이의 금실이 좋더라도, 아들이 제일 앞에 오는 데는 변함이 없다. 그 소중하기 짝이 없는 아들이 당신을 쏙 뺐어요와 같은 말은, 남편을 사랑하는 여자가 아니면 절대로 하지 않는다. 그것도 웬만큼 반하지 않았으면 입 밖에 내지 않는 말이다. 마리에타 코르시니는 남편 마키아벨리를 사랑하고 있었던 것이다. 그리고 그녀의 애정은 후일 남편의 처지가 급변했을 때도 지속된 모양이니, 그야말로 행운이라 불러도 될 만한 일이었다.

마키아벨리의 아내에 대해서는 이것말고 남아 있는 사료가 거의 없다. 첫째, 남편인 마키아벨리가 그녀에 대해서 아무것도 기록으로 남기지 않았다. 사료가 없으면 취급하지 않는 경향이 있는 학자들은 마키아벨리의 아내에 대해서는 앞에 적은 편지를 소개하고 끝내버린다. 그의 아내에 대한 마키아벨리의 심정을 상상하고 싶으면, 소설가의 힘을 빌리는 수밖에 없다.

마키아벨리는 이른바 소설가의 상상력을 자극하는 따위의 역사상 인물이 아니었던 모양으로, 그를 다룬 소설은 거의 없다. 내가 아는 한 서머싯 몸의 『예나 지금이나』(*Then and Now*)가 있을 뿐이다.

그것은 꽤 유쾌한 소설이므로, 사실은 나도 그것을 읽어주십시오 하고 끝내버리고 싶지만 그럴 수가 없다. 절판이 된데다가, 출판사에서는 재판을 낼 계획도 아직은 없단다. 또 몸의 작품 중에서는 별로 유명한 것이 아니기 때문에, 원문으로도 간단히 입수할 수 없는 위험도 있다. 그래서 이 소설에서 마리에타와 관계가 있는 부분만이라도 소개하기로 한다.

먼저, 이야기의 줄거리는 대강 이렇다. 1502년 10월부터 3개월 남짓 마키아벨리가 체사레 보르자에게 사절로서 파견된 시기를 무대로 하고 있다. 말하자면 내가 앞장에 쓴 시기와 일치한다. 다만 몸은 이 시기의 마키아벨리를 체사레와의 '만남'으로 자극을 받은 마키아벨리로서뿐만 아니라, 바람기에 열중하는 마키아벨리를 병행시켜 그리고 있다. 더욱이 몸의 작품 구상이 후년에 마키아벨리가 쓴 희극풍으로 되어 있어서, 어느 쪽이냐 하면 읽는 사람에게는 후자의 마키아벨리가 더 강하게 인상에 남을는지도 모른다. 그것은 그렇다 치고라도, 본질적으로 낙천적이었던 마키아벨리가 잘 묘사되어 있다.

문간에는 이미 세 마리의 말이 나와 있었다. 한 마리는 마키아벨리의 전용이고, 나머지 두 마리는 그를 따라가는 두 종자의 것이었다. 피에로는 자기 조랑말의 고삐를 다른 종자에게 맡기고, 숙부의 뒤를 따라 집 안으로 들어갔다. 마키아벨리는 초조하게 그들을 기다리고 있었던지, 좀 쌀쌀하게 인사했다.

"출발하자."

마리에타는 눈물을 글썽거리고 있었다. 그녀는 미인이라고는 할 수 없는 새댁이지만, 마키아벨리가 그녀와 결혼한 것은 미인이고 아니고는 문제가 아니었다. 그가 그해에 결혼한 것은 그렇게 하는 것이 타당했기 때문이다. 마리에타는 상당한 명문 집안 출신이었으며, 마키아벨리 정도의 재산과 지위의 사나이에게는 아까울 정도의 지참금이 딸려 있었다.

"이제 그만 울어."

하고 그는 말했다.

"잠시 집을 비우는데 뭘 그래."

"하지만, 여보, 가시면 안돼요."

울먹이면서 그녀는 비아조를 돌아보고,

"이이는 오랫동안 말을 타고 여행하기에는 무리예요. 건강 상태가 좋지 않은걸요."

"어디가 나쁜 거야, 니콜로?"

하고 비아조가 물었다.

"그놈의 지병이지 뭐. 위가 또 탈이 난 거야. 정말 죽겠어."

그는 마리에타를 끌어안았다.

"그럼, 다녀올게, 마님!"

"자주 편지 주셔야 해요."

"그래, 자주 할게."

그는 미소를 지었다.

그가 씽긋 웃으면 그 얼굴에 늘 들러붙어 있는 냉혹한 표정이 씻은 듯이 사라지고, 그의 내부에 봉합되어 있는 다른 것이 나타났으며, 그것을 보는 사람은 마리에타가 그를 열렬히 사랑하는 까닭을 알 수 있을 것 같았다. 그는 그녀에게 입을 맞추고 볼을 가볍게 두드렸다.

"너무 걱정 말아요, 여보. 비아조가 돌봐줄 테니까."

마키아벨리는 출장지인 이몰라에서 아우렐리아라는 유부녀에게 매료되어버린다. 다음에 드는 것은 친구 비아조 보나콜시의 부탁을 받아 종자로 데리고 간 젊은 피에로와 주고받는 대화이다.

"그런데 말이야, 모나 세라피나는 그 아름다운 아우렐리아가 늙은 남편에게 부실하다는 말을 혹시 지껄이지는 않더냐?"

마키아벨리는 빙그레 웃으면서 물었다.

"아뇨. 그분은 미사에 참석할 때 이외는 좀처럼 외출을 안하고, 미사에 나갈 때도 모친이나 하녀가 같이 안 가면 가지 않는답니다. 모나 세라피나의 말로는, 그분은 아주 신앙심이 깊고, 자기 남편을 속인다는 것은 죽을 죄를 짓는 거나 마찬가지라고 생각하고 있답니다."

마키아벨리는 생각에 잠겼다.

"너 혹시 그 부인과 얘기하는 동안에, 무심코 모나 마리에타가 임신했다는 말을 하진 않았겠지?"

젊은이는 얼굴을 붉혔다.

"상관없지 싶어서 그만."

"상관은 없다. 알아서 안될 일은 아니야."

마키아벨리는 의미심장하게 미소를 지었다. 이 미소의 뜻을 피에로는 알지 못한다. 마키아벨리는 마리에타를 사랑해서 결혼한 것은 아니었다. 그는 그녀를 존중하고 있었다. 또 그녀의 훌륭한 자질을 인정하고, 자기를 헌신적으로 섬겨주는 것을 기쁘게 생각했다. 그녀는 착실한 주부 노릇을 하고 있었다. 그것은 마키아벨리처럼 별로 가산이 없는 사나이에게는 매우 중요한 일이었으며, 실제로 그녀는 한푼도 낭비하지 않았다. 그리고 머지않아 그녀는 아이의 어머니가 될 것이다. 그것도 훌륭한 어머니가. 마리에타는 마키아벨리가 그녀를 관용과 애정으로 존중해야 할 조건을 그야말로 죄다 갖추었다고 해도 된다. 그렇다고 자기가 그녀에게 정절을 지켜야 한다고는 그로서는 도저히 생각할 수 없었다. 아우렐리아의 아름다움은 그로 하여금 숨을 죽이는 기분이 되게 했지만, 그를 감동시킨 것은 그 아름다움만이 아니었던 모양이다. 그는 그와 같이 격하게 더욱이 첫눈에, 당장 자기의 감각을 뒤흔들어놓은 여성을 여지껏 본 적이 없었다. 그는 격렬한 욕망으로 뱃속이 비틀리는 통증을 느낄 지경이었다.

"그 여자를 무슨 수를 쓰더라도 내 것으로 만들어야겠다. 설령 그것으로 목숨을 걸어야 하는 일이 생기더라도."

그는 스스로 이렇게 다짐하는 것이었다.

그는 여자에 대해서 상당히 조예가 깊었으며, 더욱이 욕망을 채울 마음만 먹으면 좀처럼 실수하는 일이 없었다. 그렇다고 자기 모습에 착각을 일으키고 있는 것은 아니었다. 자기보다 잘생긴 남자도 많고, 재력이나 지위로 보아 훨씬 유리한 사나이들이 많다는 것도 잘 알고 있었다. 그는 자기가 여자의 마음을 끌어당기는 힘이 있다는 확신을 가지고 있었던 것이다. 여자를 즐겁게 해줄 수 있었다. 어떻게 하면 좋아하는지 '요령'을 알고 있었다. 어떤 여자거나 자기와 허물 없는 사이로 만들어버리는 수를 터득하고 있었던 것이다. 그러나 무엇보다도 결정적인 수는 여자를 열망하는 것이었다. 여자들은 그가 자기를 열망하는 것을 확실히 의식하고 따라서 자기들도 달아오르는 것이었다.

"여자라는 것은 자기 몸의 모든 신경에 남자의 욕망을 감지하면, 그때는 이제 저항할 수 없게 되는 법이야. 그 여자가 홀딱 반한 다른 남자가 있을 때는 다르지만 말이야."

언젠가 그는 비아조에게 이렇게 말한 적이 있다.

정말 지당한 말씀이다. 홀딱 반한 다른 남자가 있더라도 다르다고 단언할 수 없을 만큼 지당한 말이다.

마키아벨리도 이런 선에서 끝까지 밀고나갔더라면 되었을 것이다. 그런데 『만드라골라』식의 재주를 부리려고 했다. 그리하여 재주꾼이 자기 꾀에 넘어가는 경우를 그도 답습하고 만 것이다. 하기야 핑크 코미디라는 것은 재주꾼이 자기 꾀에 넘어가기 때문에 코미디가 되는 것이기는 하지만.

완벽한 계책이 실패로 돌아간 것은 막 행동을 개시하려는 순간에 체사레 보르자에게서 호출이 왔기 때문이다. 피렌체 정부의 특사로 와 있으니 응하지 않을 수 없다. 그런데 하필이면 그날 따라 체사레와의 회담이 길어지지 않겠는가. 그동안에 완벽한 계책에 따라 움직일 주인공이, 마키아벨리에서 비아조의 부탁으로 데리고 온 풋내기 피에로로 바뀌고 만 것이다. 마키아벨리는 분노를 터뜨리지도 못하고 속으로 이렇게 중얼거리는 수밖에 없었다.

'아우렐리아는 바보다. 보통 여자나 다름없이 약빠른 데가 있기는 하면서도 결국은 바보다. 바보가 아니면, 한창때 남자인 나를, 정부가 중대한 협상을 위임할 정도로 당당한 실무가인 나를 제쳐놓고 얼굴이 반드르한 호남이라고 손을 대지는 않았을 게다. 이런 비교는 지혜 있는 인간이라면 누가 해도 내 점수가 높을 것임에 틀림없다. 어느 누구도 나를 보기 싫다는 사람은 없단 말이다. 아내 마리에타도 내 두발 모양이 아주 마음에 든다고 몇 번이나 말하지 않았나. 마치 검은 비로드 같아요……니 어쩌니 하고 말이다.

마리에타, 아, 고마운 여자다. 믿을 만한 여자가 여기 있더란 말이다. 그렁저렁 반년 가까이나 집을 비워도 결코 한눈을 팔지 않는 여자. 이 여자가 최근 약간 성가셨던 것만은 사실이다. 좀처럼 돌아오지 않을 뿐더러 편지도 없는데다가, 돈도 보내주지 않고 팽개쳐놓고 있다며 비아조를 통해서 몇 번이나 불평을 전해왔다. 하기야 그런 처우를 받으면 여자가 속상해 하는 것도 당연하지만. 집을 나온 지가 그렁저렁 석 달 반이 되었으니, 그 사람 배도 꽤 불룩해졌겠구나. 출산은 언제쯤일까……? 그는 잠시 생각해보았다. 마키아벨리는 아내와 의논하여, 만일 사내아이가 태어나면 지금은 신 곁에 가 있는 아버지의 이름을 따서 베르나르도라 부르기로 해놓고 있었다. 아무튼 그가 오랫동안 집을 비우고 있는 것을 그녀가 툴툴거린다면, 그것은 그녀가 남편을 사랑하고 있다는 증거인 것이다. 가엾은 못난이 같으니!

그래, 아내 곁으로 돌아가는 것도 나쁘진 않아. 아내한테도 좋은 점이야 있지. 이를테면, 생각이 날 때 손만 내밀면 언제라도 가질 수 있고 말이야. 그야 마누라는 아우렐리아와 같은 미인은 아니지만, 그래도 정조가 얼마나 굳다고. 모나 카테리나의 딸하고는 다르지. 아, 참, 마리에타에게 줄 선물을 사둘걸……. 이제야 깨달았지만, 지금까지 한번도 이 생각을 못했구나. 이제는 살 돈도 없어졌잖아.

아우렐리아를 위해서 그렇게 많은 돈을 쓰다니, 어리석은 짓이었어. 목도리에 장갑에 장미기름에, 그리고 금 체인에, 하기야 금은 아니었지. 은을 입힌 것이기는 하지만, 모나 카테리나한테도 체인을 보냈잖아. 그 여자가 다소나마 예의를 아는 인간이라면, 그 선물을 돌려줄 법도 한데. 그러면 마리에타에게 줄 선물도 생기고, 그 사람 무척 좋아할 텐데 말이야. 하지만, 여자가 한번 받은 선물을 돌려준 예가 어디 있기나 했나?'

마키아벨리의 바람기는 이런 결과로 끝난 것이었다. 서머싯 몸에 의하면, 그것은 운명적이라고 할 수 있는 체사레와의 만남의 사이사이에 한 것이었다. 체사레와 자주 장시간 회담했다는 것은 마키아벨리 자신의 말이지만, 평균하여 6일에 한 번 만난 꼴이니까 바람을 피우게도 되었다. 아니, 바람을 피우려고 계략을 짜는 정도의 시간적 여유는 있었을 것도 같다. 이 시기에 쓴 마키아벨리의 사신이 전혀 남아 있지 않으므로, 서머싯 몸이 상상을 마음대로 했을 가능성이 없지도 않다.

그런데 아들 베르나르도가 태어난 것은 그때로부터 1년 뒤이므로, 이 시기에 마리에타가 임신중이었다면 베르나르도 앞에 태어난 듯한 딸인 것도 같은데 이 역시 확실치 않다.

그건 그렇고 노대가인 서머싯 몸은 무척 열심히 공부를 한 모양이다. 그의 작품에서 보면 그는 마키아벨리가 정부에 보낸 보고서와 친구들에게 보낸 사신에 이르기까지 그에 관한 사료를 모조리 훑어보고 있다. 대화 하나를 봐도, 아, 거기서 땄구나, 혹은 그 보고서에서 영감을 얻었구나 하고 알 수 있을 정도이다. 그때 나이가 일흔이 넘었을 텐데, 솔직히 혀를 내두를 지경이다.

그러나 아들의 탄생을 1년 앞당긴 것이라든가, 사실(史實)로서 본다면 오류가 꽤나 많다. 어쩌면 서머싯 몸은 그런 것을 다 알면서도, 이 시기의 앞이거나 뒤이거나 중요하다고 판단되는 사건은 모조리 이 기간에 끼워넣어버렸는지도 모른다. 역사상의 사실을 소설로 꾸미는 작업은 의외로 많은 제약이 따르는 법이다.

그러나 서머싯 몸과 달리 별로 재주도 없는 나는 마키아벨리의 사상에 결정적인 영향을 끼쳤다고, 이것만은 학자도 역사가도 의견이 일치하는 체사레 보르자와의 만남을 내 실력으로 보기 좋게 재단해 보일 생각은 별로 없다. 우직하게 그의 생애를 좇아가는 쪽을 택하겠다.

그래서 앞장에서는 체사레가 어째서 마키아벨리의 이론적 상징이 될 수 있었는가 하는, 말하자면 역사의 '저명한 사실'에 조명을 맞추었으나, 여기서는 '저명하지 않은 사실'을 좇아보고 싶다.

서머싯 몸도 저명한 사실은 어김없이 썼다. 다만 그것에 병렬시킨 저명하지 않은 사실을 마키아벨리의 바람기로 잡고 있다. 우직한 나는 그렇게 하지 않을 뿐이다.

1502년 10월 6일에 피렌체를 떠나 1503년 1월 23일에 돌아왔으니, 마키아벨리가 체사레 보르자에게 파견된 기간은 석 달 반이 넘는다.

그동안 그는 줄곧 체사레의 역량을 관찰할 수 있었다. 음악 용어에 비르투오소라는 것이 있다. 완벽한 기량을 화려하게 전개한 연주자에게 바치는 찬사이다. 그 석 달 반 동안의 체사레는 그야말로 '비르투오소'였다.

이것은 마키아벨리로서는 영향을 받았다는 정도의 표현으로는 모자란다. 지적 쾌감이 따른 경험이었을 것이다. 이 시기에 그가 정부에 써보낸 54통에 달하는 보고서의 문체가 참으로 싱싱하게 살아 있는 것이 그것을 증명한다. 서른세 살의 마키아벨리는 생전 처음으로 피 끓는 체험을 한 것이었다.

그렇다면 그 석 달 반 동안 마키아벨리가 머리는 청명하게 맑고 몸은 피가 끓는 쾌감에 잠겨서 나날을 충족된 기분으로 보냈느냐 하면 절반은 그렇지 않다. 절반이라고 한 것은, 절반은 정신 없이 보낸 것이 확실하기 때문이다. 그러나 나머지 절반은 그렇지 않았다. 나머지 절반은 피렌체에 돌아가고 싶어서 못 견디는 마음으로 보냈던 것이다.

첫째, 마키아벨리는 자기가 지루하게 체사레 곁에 붙어 있어야 할 이유를 발견하지 못한 것을 들 수 있다.

마키아벨리는 대사급 지위가 아니다. 용병 계약에 이름을 빌려주기는 했어도, 동맹 조약을 맺을 권한은 갖고 있지 않다. 그런 자기를 소환하지 않는 것은 피렌체 정부가 체사레와 동맹 관계를 맺을 결심을 하지 못하고 있다는 말이 된다.

그런데 마키아벨리는 이 기회에 관계를 맺어야 한다고 생각하고 있었던 것이다. 그것은 체사레에 대한 개인적인 호감이나 혹은 우르비노에서 소데리니 주교가 그랬듯이 공포에 질려서 내린 판단이 아니다. 어디까지나 논리적인 판단에 의한 것이다.

체사레는 이몰라에 막 도착한 마키아벨리에게 이미 이렇게 말한 적이 있다.

"후원자인 프랑스 왕이 이탈리아에 있다는 것과 교황이 건재하다는 사실은 강력한 화력과도 같아서 이를 끄려면 엄청나게 많은 물이 필요하다."

이렇게 말한 당시의 체사레의 처지는 대단히 좋지 않았다. 피렌체 정부가 앞서의 소데리니 주교와 같은 고위직 인물을 보내지 않고 마키아벨리를 보낸 데에서도 그것은 나타나 있다.

그러나 깊은 통찰력을 가진 마키아벨리는 체사레 휘하의 무장 세 사람이 각지에서 다 반란측에 고배를 마시고 있는데도, 10월 17일에 벌써 체사레가 열흘 전에 한 말이 정확했다는 것을 똑똑히 깨달았던 것이다.

보르자에 반대하여 궐기한 용병대장들의 영토는 공식적으로는 교황청의 것이다. 그것도 근자에 시작된 것이 아니라, 1천 년이나 이어온 사실이다. 체사레에게 반기를 든다는 것은 체사레가 교회군 총사령관이기도 한 이상 로마교회에 반기를 드는 것과 같다. 다시 말해 반란은 교황을 상대로 하는 것이 되는 셈이다.

이런 경우 반란자들이 설령 승리를 거두더라도 실질적으로 무엇을 얻게 되겠는가. 교황을 제거할 수는 없는 일이니, 얻는 것은 그들이 이미 가진 기득권을 다시 인정받는 것밖에 없는 것이다.

그렇다면 무장으로서도 뛰어난 체사레를 쓰러뜨릴 수 있다는 확고한 보장이 없는 이상, 그들은 어차피 체사레와 화해로 돌아서는 수밖에 없는 것이다. 군략가로서의 체사레의 역량은 그 밑에서 일한 그들이 누구보다도 잘 알고 있을 것이다.

이것이 마키아벨리가 도달한 판단이다. 여기에 도달하는 데 열흘도 걸리지 않았다. 그리고 불과 8일 후인 10월 25일, 반란자의 한 사람인 파올로 오르시니가 화해를 타진하기 위해 변장하고 체사레를 찾는다.

마키아벨리는 생각하고 있었다. 내일의 승리자에게 은혜를 입히려면 오늘 하지 않으면 안된다고.

그런데 피렌체 정부는 여느 때나 다름없이 우유부단함을 버리지 못했다. 그 바람에 마키아벨리는 계속 체사레 곁에 눌러 있게 된 것이다. 아울러 말하면 피렌체 정부가 '대사 파견'을 결의한 것은 체사레가 세니갈리아에서 결정적인 승리를 거두고 난 뒤였다. 1503년 1월 20일, 도착한 '대사' 자코모 살비아티와 업무의 인수 인계를 마친 마키아벨리는 그제서야 겨우 피렌체로 떠날 수 있었다.

마키아벨리가 귀국하고 싶어한 제2의 이유인데, 여기서부터는 그야말로 '저명하지 않은 사실'이다. 아내 마리에타가 히스테리를 일으킨 것이다.

10월 18일, 마키아벨리가 출발한 지 12일이 지난 이 날짜로, 그에게서 아내의 뒷바라지를 부탁받은 비아조 보나콜시가 출장지의 마키아벨리에게 이런 편지를 보내왔다.

"모나 마리에타는 시동생을 정청에 보내어 자네가 언제 돌아오느냐고 문의하셨네. 부인 말로는, 자네가 8일쯤 있다가 돌아올 것이라고 말하고 떠났다는 걸세. 그런데 소식이 없다는 거지. 부인은 편지는 쓰고 싶지 않다고 그러시네."

이어서, 직역하면 "그녀는 천 가지 미친 짓을 하고 있다"는 한마디가 따른다. 바꾸어 말하면 히스테리를 일으키고 있다는 것이다. 마리에타의 히스테리에 관한 보고는, 10월 21일자 편지에서도 볼 수 있다. 여전히 "천 가지 미친 짓"이었다.

그런데 23일이 되자 어찌된 일인지 마리에타는 정신을 차린다. 자기가 직접 편지를 쓰지는 않았으나, 몸 성히 잘 있으니 빨리 돌아오라는 전갈을 비아조의 편지편으로 남편에게 보냈다.

그러던 것이 12월 21일자 편지에는 그녀가 또다시 대단히 거칠어져 있었다. 남편의 출타가 두 달 반을 넘었으니 무리도 아니었다.

8일이면 돌아온다고 떠난 것이 3개월 반이나 되었으니, 마리에타도 화가 날 만은 하다. 한 번은 친정에 가 있기까지 했다. 비아조는 그녀를 위로하는 역할도 힘이 들었겠지만, 마키아벨리를 거의 경애하다시피한 그에게 마키아벨리는 출장 때마다 가족의 뒷바라지에서 월급의 청구와 송금에 이르기까지 별별 일을 다 부탁하고 갔다. 그래도 비아조는 때로 툴툴거리기는 했어도 충실하게 그 일들을 봐주었다.

이 시기의 마키아벨리의 사신은 전혀 남아 있지 않다. 동료들의 편지를 보면, 여느 때나 다름없이 그들을 자극하고 기쁘게 만든 편지를 쓴 것이 사실인데 남아 있는 것이 없다. 따라서 아내의 히스테리에 그가 어떻게 반응했는지 알 길이 없다. 아주 무관심하지는 않았을 것이다. 아무튼 결혼해서 2년째인가 그쯤 되던 때였다.

마키아벨리가 피렌체에 돌아가고 싶어한 제3의 이유는, 바로 그 경비의 부족이었다.

출장 초기에는 마키아벨리도 정부에 보낸 보고서에서,

"어떤 나라가 2년이 걸려도 쓰지 못할 돈을 발렌티노 공작은 지난 10여 일 동안에 다 썼습니다."

하고 비꼬는 투로 쓰는 데 그치고 있으나, 출장 기간이 길어짐에 따라 그럴 여유도 없어진 모양이다. 자기 대신 대사를 보내어 동맹 조약을 맺어야 한다는 확신이 강해진 것과 정비례라도 하듯, 먼저 10월 23일에 자기를 소환해달라는 첫 요청을 보낸다. 27일에는 돌아가게 해달라는 두번째 요청이 나갔다.

마키아벨리의 이 요청에, 아직도 체사레와의 동맹 관계에 들어갈 결심이 서지 않은 피렌체 정부는 응할 생각이 없었다. 그들로서는 마키아벨리가 필요없어질 때까지 체사레 곁에 붙어 있어줘야 했던 것이다. 그래서 돌아가게 해달라고 졸라대는 마키아벨리를 위로, 격려하는 작전을 개시한다.

먼저 서기국 동료들이 편지를 보냈다. 당신 보고서는 참으로 훌륭한 내용으로 차 있으며, 당신은 다른 사람으로 대체할 수 없는 인재라는 등의 사연이었다. 그래도 "돌아가게 해달라"는 소리가 그치지 않으므로, 11월 7일에는 서기국 의장 마르첼로 비르질리오까지 나섰다.

"당신만한 판단력을 가진 그 일의 적임자를 달리 발견하기가 어렵다."

사신에 들어 있는 말이다. 그래도 "돌아가게 해달라"가 계속되는 바람에, 이번에는 조금 전에 공화국의 종신 대통령에 선출된 피에로 소데리니까지 사신의 펜을 드는 형편이었다.

다만 대통령이니까 사신이라고는 하나 위로와 격려의 말을 남용하지는 않는다. 11월 28일의 편지는 이렇게 되어 있다.

"나는 그대가 그곳에 있는 것이 필요하니 떠나온다는 생각은 하지 마시오. 소환 때는 그대를 잊지 않을 것을 확언할 테니, 열의를 가지고 임무에 전념하도록 하시오."

그래도 경비 부족을 이유로 소환 요청을 중지하지 않자, 12월 21일 대통령은 다시 편지를 썼다.

"그대가 편지에 쓴 것은 이유가 있다고 생각되므로 송금 절차를 밟았소. 그러니 정보를 탐지하고 보고서를 보내는 임무를 잊지 말도록 하시오."

이때의 송금이 처음은 아니지만, 피렌체 정부는 경비 부족을 정력적으로 호소하지 않으면 잘 보내주지 않은 것은 사실이다. 마키아벨리는 동료와 상사가 달래고 부추기는 바람에 조금은 간이 커졌던지, 만성화된 느낌의 경비 부족을 경감하는 방법으로 비상 수단에 호소하기로 했다. 정부에 보고서를 전하는 파발꾼 비용의 '도착시 지불' 방식을 쓴 것이다. 다만 돈이 왔을 때는 전액 '도착시 지불'은 좀 심하다고 생각했던지 반액을 지불시켰다.

'도착시 지불'은 11월 20일부터 시작되고 있다. 이몰라 체류가 40일이 지났을 때였다. 번번이 그런 것은 아니고, 돈이 있을 때는 비상 수단에 호소하지 않은 모양이다. 그러다가 12월 2일의 보고서부터 다시 도착시 지불이 시작되었다.

"이것을 지참한 자에게 6리라를 지불해주십시오."

그리고 같은 달 6일에는,

"이것을 지참한 자에게 1스쿠도 금화를 지불해주십시오."

14일에는,

"1피오리노 금화를 지불해주셨으면 합니다."

20일에도 마찬가지로 1피오리노 금화의 도착시 지불이다. 경비 부족에 대한 한탄은 그후에도 계속된다.

12월 31일,

"이 지참자에게 제 주머니에서 3두카토 지불했으므로, 정부는 나머지 3두카토를 지불해주시기 바랍니다. 제가 입체한 돈은 비아 조에게 지불해주셨으면……."

1503년 1월 2일,

"제 주머니에서 1두카토 지불했습니다. 그리고 정부는 2두카토 지불할 것이라고 이 자에게 약속했으니 양해해주시기 바랍니다. 제가 입체한 것은 비아조에게 지불해주십시오."

1월 10일,

"지참자에게 10리라를 지불해주시기 바랍니다."

1월 13일,

"세니갈리아 사건 후에 보낸 3회에 걸친 보고서 지참의 파발꾼 에게 제 주머니에서 5두카토 지불합니다. 정부는 비아조에게 지 불해주시기 바랍니다."

1월 21일,

"지참자에게 3리라를 지불하겠다고 약속했으므로 잘 부탁합 니다."

그런데 파발꾼의 비용이 의외로 싸지 않은 데 놀라게 된다. 위험 한 일이기도 해서 그랬겠지만, 중류 가정의 1년 수입이 100두카토

정도였던 시대이다. 아울러 피오리노와 두카토와 스쿠도는 대체로 가치가 비슷했다.

정부에 보내는 보고서와 같은 중요 문서를 보낼 때는 믿을 수 있는 전용 파발꾼을 썼지만, 송금 같은 것은 공용 출장이라도 볼일로 그곳에 가는 개인에게 위탁하는 일이 많았던 것 같다. 마키아벨리 정도의 지위에 있는 자에게 보내는 돈이니 액수도 크지 않았고, 은행 사이의 거래로 끝나는 어음을 쓸 필요도 없었기 때문인지도 모른다.

이 시기에서 4년이 지난 후의 에피소드지만, 1506년 로마에 출장 가 있던 마키아벨리에게 정부가 보내는 경비를 전하는 데 미켈란젤로가 이용되고 있다. 이것도 서머싯 몸은 1502년이라고 했는데, 사실은 1506년의 이야기다. 여느 때처럼 동료 비아조의 편지에 이렇게 씌어져 있다.

"돈은 조각가 미켈란젤로가 갖고 가게 되어 있네."

그런데 5일 후의 편지에는,

"틀림없이 미켈란젤로가 전해줄 줄 알고 있었는데, 그의 심부름 꾼이 와서 돌려주고 갔네. 사정이 있어서 로마에 가지 않고 되돌아왔다고 하네. 그래서 지금 안전한 송금 방법을 생각하고 있는 중일세."

미켈란젤로가 되돌아온 이유는, 서른한 살의 이 기질 강한 예술가가 당시의 교황 율리우스 2세와 작품 제작상의 일로 싸웠기 때문이다.

1502년 가을에서 겨울에 걸쳐 마키아벨리는, 한편에서는 체사

레 보르자가 산뜻하게 펼쳐 보이는 역량에 눈이 둥그레지면서,

"저는 감탄하지 않을 수 없었습니다."

라고 쓸 만한 나날을 보내고 있었다. 그러나 다른 한편에서는 집에 남겨두고 온 아내의 히스테리에 마음이 산란하고, 정부가 보내주는 늘 부족한 경비로 고생하면서 같은 나날을 보내고 있었다. 전자는 '저명하지 않은 사실'이고, 후자는 '저명한 사실'이다.

그러나 역사는 저명한 사실만으로 성립되는 것은 아니다. 저명하지 않은 사실을 빠뜨릴 수는 없다. 왜냐하면 양자는 서로 대립하고 길항하는 관계가 아니라, 극히 자연스럽게 병존하고 융화하는 관계에 있기 때문이다. 그러기에 역사상의 사상(事象)을 쓰려면, 그에 상응하는 분량이 필요한 것이다.

인색한 피렌체 정부지만, 미켈란젤로의 이름이 나온 김에 하는 말은 아니나 약간 옹호를 해줘야겠다.

마키아벨리의 경비를 잘 지불해주지 않은 경제적으로 인색하고 정치적으로는 우유부단밖에 몰랐던 피렌체 정부도 같은 시기에 문화면에서는 참으로 활발했다. 레오나르도 다 빈치와 미켈란젤로라는 피렌체 출신의 위대한 천재를 데리고 있었기 때문이다.

먼저 미켈란젤로가 다비드 상의 제작을 개시했다. 이 거대한 대리석상은 1503년 말에 완성된다. 이듬해인 1504년 초, 이 훌륭한 거상을 어디에 두느냐를 협의하기 위한 위원회가 소집되었다. 이 위원회의 위원들이야말로 르네상스 미술사의 스타들뿐이었다.

안드레아 델라 로비아, 필리피노 리피, 코시모 로셀리, 기를란다요, 폴라이우올로, 보티첼리, 산갈로 가의 줄리아노와 안토니오, 산소비노, 페루지노, 로렌초 디 크레디, 그리고 미켈란젤로와 레오

왼쪽 : 미켈란젤로가 만든 「다비드」
아래 : 레오나르도의 「앙기아리의 싸
　　움」을 루벤스가 모사한 그림

나르도 다 빈치가 그들이다. 한 시대에 한 사람이 나와도 만족스러운 느낌의 천재가 열 사람 이상이나 한자리에 모인 것이다.

레오나르도는 비바람을 맞지 않도록 지붕을 덮은 회랑에 설치하기를 주장한 것 같다. 그러나 스물넷이나 연장인 이 선배에게 대단한 경쟁심을 품고 있던 미켈란젤로는 그래서인지 비바람을 고스란히 맞더라도 광장을 향한 정청 앞에 세우자고 주장했다. 결국 제작자인 미켈란젤로의 의견이 받아들여져서 다비드 상은 정청 앞에 설치하게 되었다. 그러나 지금은 그 자리에 복제품이 서 있고, 진품은 아카데미아 미술관 안에 500년 동안 변함없이 흰색으로 빛나고 있다.

다음에 피렌체 정부가 생각한 것은, 레오나르도와 미켈란젤로 두 사람에게 정청 내의 대회의장 좌우 벽면에 벽화를 그리게 하는 것이었다.

주제는 둘 다 피렌체공화국이 승리를 거둔 전투에 관한 것이었다. 쉰한 살의 레오나르도가 고른 것은 앙기아리의 싸움이다. 스물일곱 살의 미켈란젤로는 카시나의 싸움을 테마로 택한다.

만일 이것들이 완성되었더라면, 르네상스 예술의 최고 걸작의 하나로서 로마의 시스티나 예배당과 더불어 최대의 구경거리가 되었을 것이다. 그러나 참으로 애석하게도, 먼저 레오나르도가 기술상의 문제를 해결하지 못해 붓을 던진다. 이어 미켈란젤로도 어째서인지는 모르지만 손을 들고 만다. 밑그림 단계에서 벌써 대걸작이라는 평을 들은 것이 레오나르도의 벽화이다. 그것을 후세의 우리가 조금이지만 맛볼 수 있는 것은 그 바로 뒤의 시대에 이루어진 몇 개의 모사 덕분이다. 그 중에서도 가장 유명한 것은 플랑드르의 화가 루벤스가 그린 것이다.

한 민족의 역사에서는 경제의 흥륭이 먼저 온다. 이어 정치·외교가 꽃을 피운다. 그리고 마지막을 장식하는 것이 문화이다.

마키아벨리는 문화의 시대에 태어나버린 정치적 인간이었는지도 모른다.

11 나의 생애 최고의 날

1503~1506

체사레 보르자와의 절충을 마치고 귀국한 마키아벨리를 기다리고 있었던 것은, 피렌체공화국에서는 연례 행사 같은 느낌의 정체 개혁이었다.

아니 사실을 말하면, 그것은 마키아벨리가 체사레와의 두번째 절충을 위해서 출발하기 조금 전인 1502년 9월에 이미 정해져 있었던 일이니, '기다리고 있었다'는 말은 정확하지 않다. 그저 11월 1일의 종신 대통령 취임으로 시작된 정체 개혁이지만, 처음 몇 달 동안은 누구나 일이 제대로 손에 안 잡히게 마련이므로, 종신 대통령에 선출된 소델리니의 치정이 본격적으로 시작되는 것은 이듬해인 1503년 봄까지 기다려야 했다. 그때는 마침 알맞게 마키아벨리도 귀임해 있었다.

단테가 『신곡』에서 현기증나게 정체를 바꾸는 조국 피렌체를 아픔을 견디지 못해 침상에서 쉴 새 없이 몸을 뒤척이는 병자에 비유한 것은 유명한 이야기지만, 단테의 시대에서 200년이나 지났는데도 피렌체인의 이같은 성향은 도무지 바뀌지 않고 있었다. 피렌체는 통치 능력이 벽에 부딪칠 때마다 정면으로 맞서서 발본적인 대책을 세우기보다는, 모양만 바꾸어 위기를 비켜 나가는 방책을 쓰는 것이 보통이었다. 16세기 초두에도 이런 면에서는 전혀 달라진 것이 없었다. 1502년의 '개혁'은 그때까지 줄곧 1년 임기였던 대통령을 종신제로 바꾸는 일이었다.

종신 대통령제는, 그 당시 정치적으로 가장 안정되어 있던 베네치아공화국의 정체를 모방한 것이 분명했다. 종신제로만 하면 정국이 안정될 줄 알았던 모양이다. 그러나 『바다의 도시 이야기』를 읽은 분이면 금방 수긍해주실 줄 알지만, 16세기 초두에 이탈리아 제1의 안정을 누리고 있던 베네치아의 정체는 두 세기에 이르는 주도한 배려의 산물인 것이다. 더욱이 200년 전에는 베네치아 역시 산고를 겪었지만, 그래도 단념하지 않고 신중에 신중을 거듭하여 육성해낸 결과인 것이다. 위기에 직면할 때마다 손쉬운 해결법을 고안하여 그것이 다행스럽게도 성공한 그런 경우가 전혀 아닌 것이다.

하물며 베네치아에서 성공한 것이 피렌체에서도 성공한다는 이유는 없었다. 교역을 주된 산업으로 하는 베네치아의 '길'은 해로이다. 한편 금융업이 주인 피렌체의 '길'은 육로이다. 해로는 배를 젓는 하층민의 협력이 없으면, 선장의 능력이 아무리 뛰어나도 배가 나아가지 않는다. 그러나 육로에서는 개인의 힘에 따라 나아가는 행정(行程)에 극단적인 차이가 생긴다. 르네상스 이탈리아의 대표적 도시국가라는 점에서는 같아도, 베네치아와 피렌체는 공동체에 대한 사람들의 인식은 양극에 서 있었다고 할 만큼 달랐다. 하물며 한 나라의 정체란 그 나라 국민의 성향이랄까 기질과 맞지 않는 한, 결국은 훌륭한 효율의 기능 발휘는 기대할 수 없는 것이다.

문명·문화면에서 위대했던 피렌체인도 정치에 관한 한 어린애 장난이나 다름없었다. 하기야 그러기에 마키아벨리와 같은 혁명적이라고도 할 사상을 가진 정치철학자를 낳았는지도 모른다. 정치에 관심을 가진 사람을 격분시키는 점에서 피렌체는 보기 드문 온상이었기 때문이다. 아울러 정국 안정의 견본처럼 여겨졌던 베네치아에서는 정치철학뿐 아니라 역사의 세계에서조차 독창적인 이론이 끝내 태어나지 않고 만다.

그러나 관료 마키아벨리에 한해서 말한다면, 손쉬운 호도식이기는 해도 종신 대통령제는 다시 없는 기회를 그에게 부여하게 된다. 그리고 그 좋은 기회가 30대라는 절호의 연대에 찾아왔다는 점에서도 시의를 얻은 것이었다. 운도 시의를 얻지 않으면 행운이 되지 않는다.

종신 대통령제를 취하기로 한 피렌체공화국의 초대 대통령, 이것은 결국 초대인 동시에 마지막이 되고 말지만, 이 종신 대통령에 선출된 사람은 피에로 소데리니이다. 1502년 9월 20일이었다. 마키아벨리가 체사레 보르자와의 두번째 절충을 위해서 떠나기 20일 전이었다.

정치 능력은 탐이 나지만, 그렇다고 어느 한 사람이 강대해지는 것은 곤란하다고 생각하는 피렌체인이 고른 사람답게, 피에로 소데리니라는 인물은 모든 것을 가졌으나 뚜렷한 것은 아무것도 안 가진 유형의 사나이였던 모양이다.

나이는 쉰 살. 여윈 몸집에 중키로, 교양은 특별히 뛰어난 것은 없으나 언변은 좋았다.

소데리니는 피렌체에서 손꼽는 명문가의 당주이다. 동생 프란체스코는 그후 얼마 안 가서 추기경이 된다. 부자였으며 북이탈리아의 호족 말라스피나 집안의 딸을 아내로 맞이했다. 자식은 없었다. 이것이 세습제로 이어지는 위험성을 두려워한 피렌체 시민을 안심시킨 점이다.

1년제 시대의 대통령을 한 적도 있어서 경험의 양은 문제가 없었다. 두말할 것 없는 상층 계급에 속해 있으면서도 서민파로 간주되고 있었다. 신앙심이 깊고 자비로웠으며 야심이 없었다. 금전적으로도 맑았고, 이성 관계도 깨끗했다. 선거에서도 돈이 움직인 흔적은 전혀 없었다. 선출되었을 때 그 자신은 피렌체에 있지도 않았다.

또 무엇보다도 법(法)의 사람이었다. 적군이 하루 거리에 육박해 왔는데도, 결정을 국회의 토의에 맡기는 사나이였다. 죄상이 명백한 범인인데도 극형에 처하기를 꺼렸으며, 관용과 인내가 시정 방침의 근본이었다. 직권 남용의 우려 따위는 할 필요조차 없다고 누구나가 생각했을 것이다. 그래서 절대 다수의 찬성을 얻어 종신 대통령에 선출된 것이었다.

평시라면 이상적인 지도자였을 것이다. 그러나 16세기 초의 이탈리아는 난세의 한가운데에 돌입하고 있었다. 이탈리아 반도를 무대로, 신흥 전제군주국인 프랑스와 에스파냐가 유럽의 패권을 다투기 시작하고 있었기 때문이다.

마키아벨리는 이 피에로 소데리니와 개인적으로도 친했던 것 같다. 특히 동생 추기경과는 얼마 전에 있었던 체사레 보르자와의 제1회 절충을 함께 한 사이기도 했으며, 추기경 소데리니는 마키아벨리의 능력을 매우 높이 사고 있었다.

형인 종신 대통령은 앞에서 설명한 그런 사람이다. 이 사람이 그후 10년 동안 마키아벨리의 '상사'가 된다. 동생 추기경이 그를 추천하기도 했거니와, 체사레 보르자와의 두번째 절충 때 보인 마키아벨리의 능력을 피에로 소데리니 자신이 인정하여 발탁했기 때문인데, 이런 인물을 상사로 가진 마키아벨리는 그를 어떻게 보았을까?

그해로부터 20년 후의 일이지만, 피에로 소데리니가 죽었을 때 쉰세 살이 된 마키아벨리는 집필중인 『10년사』의 하권에서 그를 다음과 같이 한 칼로 두 동강을 낸다.

피에로 소데리니가 죽은 날 밤,

그의 영혼이 지옥의 입구로 갔다.

그러자 플루톤이 소리쳤다.

"어리석은 혼백아, 지옥에 오겠다고?

바보 같은 소리 작작 해라.

너한테는 갓난아기의 림보가 더 걸맞다!"

플루톤은 명부의 문지기 노릇을 하는 신이다. 림보는 세례를 받을 겨를도 없이 죽은 유아의 영혼이 가는 곳으로, 지옥과 천당의 중간에 있다고 한다.

이에 대해 후세의 마키아벨리 연구자들 중에는, 자기 재능을 인정하여 발탁까지 해준 사람에게 혹평을 해도 너무 했다는 사람이 많다. 이것은 마키아벨리를 연구하는 학자들 가운데, 그와 정신적 기반을 공유하는 사람이 얼마나 적은가를 나타내는 증거 이외에 아무것도 아니다. 객관적인 평가가 무엇인가를 그들은 생각해봐야 할 것이다. 은의니 친애의 정이니 하는 것은 그것과 전혀 관계가 없다는 것을 말이다. 법의 사람, 정의 사람, 중도주의자 소데리니를 실제로 상사로 모신 사람은 마키아벨리이다. 더욱이 세상은 난세가 아니었던가.

그렇다면 서른네 살의 마키아벨리는 이 모든 것이면서 아무것도 아닌 유형의 상사와 어떤 관계를 가졌을까?

피에로 소데리니가 공식으로 종신 대통령에 취임하여 관저가 된 팔라초 베키오(정청)에 들어간 것은 1502년 11월 1일이었다. 그때 마키아벨리는 체사레 보르자와의 두번째 절충을 위해 이몰라에 가 있어서 피렌체에는 없었다. 그래서 공식 보고서를 통해서가 아니라 1 대 1로 소데리니와 같이 일하기 시작한 것은 이몰라에서 돌아온 지 두 달이 지난 이듬해인 1503년 봄이었다.

그 무렵, 종신이라는 보증 딱지가 붙은 지위에 앉은 지도 다섯 달이나 지나 있었고, 그래서 별로 국민의 호의를 기대할 수 없는 정책이라도 내놓을 용기가 났던지, 소데리니는 사실은 긴급히 필요했던 새 세법안을 그제야 제출할 마음이 생겼던 모양이다. 새 세금이라도 징수해야 할 만큼 피렌체공화국의 재원은 바닥이 난 지 이미 오래였다. 그러나 새 세금이 인기를 끌지 못하는 것은 500년 전이나 지금이나 다를 바 없다. 속으로는 아무도 찬성하지 않는 일을 표면으로 분출하지 않도록 하여 실시해버리려면 누구나 수긍하지 않고는 못 배기는 이론적 근거로 밀어붙이는 수밖에 없다.

소데리니는 이 이론적 근거 만들기를 마키아벨리에게 지시한다.

그리하여 『군주론』의 전조로 간주되는 짤막한 논문이, 『약간의 서론과 고려할 사정을 적은 자금 준비에 대한 제언』이라는 기묘한 표제로 후세에 남게 된다. 더욱이 작전상 자금 준비 그 자체에 대해서는 전혀 언급이 없다. 약간의 서론과 고려할 사정만 기술되어 있고, 표제가 나타내는 것의 절반밖에 논하지 않은 이상한 논문이다.

그래도 여기서 마키아벨리는 처음으로 자기 생각을, 다시 말해 국가의 기능을 효율적으로 발휘시키려면 무엇이 필요한가를 똑똑히 논하고 있다. 가식 없이 솔직히 논한다는 것은 이를 두고 하는 말인가 싶을 정도다. 이탈리아에서는 "전문이 바로 신경이다"라는 평가가 이에 주어져 있다. 형식은 '소데리니를 비롯한 정책 결정권을 가진 사람들에게 보내는 제언'으로 되어 있다.

"도시(국가)는 모두 어느 시대에나 그것을 지배하는 자가 절대 군주건 귀족이건, 또는 현대의 피렌체처럼 민중이건 상관없이, 스스로를 지키기 위해서는 힘과 사려가 필요했다. 왜냐하면 사려만으로는 충분하지 않고 힘만으로도 모자라기 때문이다. 사려만으로는 생각을 실행에 옮길 수 없고, 힘만으로는 실행에 옮긴 것을 계속할 수 없다.

따라서 이 두 가지는 어떤 정체거나 그 기능을 효율적으로 발휘시키는, 한마디로 말해 '정치'의 근본이 되는 것이다. 이 현실은 과거에도 그랬고 또 장래에도 변함이 없을 것이다."

이어 마키아벨리는 종신 대통령제가 되어 자기는 희망을 가졌다고 약간 아첨을 한다. 그러나 아첨은 길게 계속되지 않는다. 금방, 그후 자기가 왜 실망하지 않을 수 없었는가 하는 것을 바로 그 가

식 없는 솔직한 어조로 털어놓는다. 그는,

"여러분은 현실이 어떤 것인지 인식도 하지 않고 보지도 않는다"고 몰아세우고는, 그 예를 하나하나 들어나간다. 피렌체공화국 정부는 사려와 힘 가운데 어느 하나는 고사하고 그 어느 하나도 갖고 있지 않다는 식이다. 그의 독설은 최근의 실책을 지적하는 것이라 설득력을 갖지 않을 수 없었다. 그래 놓고 마키아벨리는 계속한다.

"나는 되풀이한다, 도시(국가)는 군사력 없이 존속할 수 없다는 것을. 존속은커녕 최후를 맞이하지 않을 수 없게 된다는 것을. 최후란 파괴 아니면 예속이다. 여러분은 근년에 하마터면 이 두 가지 사태를 맞이할 뻔했다. 만일 현재의 방식을 바꾸지 않는다면 머지 않아 다시 같은 사태를 초래하게 될 것이다. 그때에 가서, 아무도 미리 일러주지 않더라는 말은 하지 말아주기 바란다.

만일 여러분이, 우리가 왜 군사력이 필요한가, 피렌체는 프랑스의 보호 아래 있지 않은가, 피렌체의 적은 사라지지 않았는가, 발렌티노 공작 체사레 보르자가 공격해 올 염려도 없지 않은가 하고 말한다면, 나는 대답하겠다, 그런 생각만큼 경솔한 것은 없다고.

왜냐하면 모든 도시 모든 국가에게 있어서, 그 영토를 침략할 수 있다고 생각하는 자가 적인 동시에 그것을 방위할 수 없다고 생각하는 자도 적이기 때문이다. 군주국이건 공화국이건, 지금까지 어느 나라가 방위를 남에게 맡겨놓고 자국의 안전을 유지할 수 있다고 생각했던가?"

이렇게 단언한 뒤 마키아벨리는 피렌체가 자체의 힘을 가지려

하지 않기 때문에 자국민의 충성마저 획득하지 못하고 있다면서 이 공화국의 현상을 하나하나 검토하기 시작한다.

"인간은 자기를 지켜주지 않거나 과오를 교정할 힘을 안 가진 자에게 충성을 다할 수는 없다."

그리고 마키아벨리는 이런 의무를 완수하지 않는 지도자들은 자기들에게 충실하지 않은 국민을 비난할 자격이 없다고 지적한다.

"여러분은 이들을 신민(臣民)이라고 부르지 못한다. 이들을 먼저 공격하는 자들이나 신민이라고 부를 수 있을 것이다."

일개 관료의 주제에 대담하게도 말했다는 느낌이지만, 이 서른 네 살의 비직업관료는 정부의 최고 간부들에게 숨쉴 틈도 주지 않고 자기 생각을 쏟아붓는다.

"피렌체의 바깥을 바라봐주기 바란다. 그리고 피렌체 주변에 어떤 나라들이 둘러싸고 있는지 보아주기 바란다. 그러면 피렌체의 '생'보다 '사'를 바라는 나라가 몇몇 있다는 것을 깨닫게 될 것이다. 다시 토스카나 지방 밖으로 나가서 전 이탈리아를 둘러봐주기 바란다. 그러면 이탈리아가 얼마나 프랑스 왕, 베네치아, 교황, 발렌티노 공작 등의 뜻대로 움직여지고 있는지 이해할 수 있을 것이다."

더욱이, 하고 마키아벨리는 계속한다. 이들 권력자들 가운데 어느 하나도 피렌체의 이익을 존중해주리라고 기대할 수는 없으며, 또 기대해서도 안된다. 이어 그는 여느 때의 논법에 따라 이탈리아를 움직이고 있는 그 네 개의 권력을 일일이 예로 들면서 자기 생각의 근거를 증명해나간다.

그리고 이렇게 결론을 내렸다.

"개인들 사이에서는, 법률이나 계약서나 협정이 신의를 지키는 데 도움이 된다. 그러나 권력자들 사이에서 신의가 지켜지는 것은 오로지 무력에 의해서뿐이다."

다시 마키아벨리는, 지금까지 잘되었다고 해서 앞으로도 프랑스 왕의 군사력에 의지하려 한다는 것은 잘못이라고 단언한다.

"왜냐하면 시대는 변하는 것이고, 또 무엇보다도 중요한 것은 언제까지나 남의 칼에 의지할 수만은 없는 일이기 때문이다."

그런고로, 하고 마키아벨리는 말을 잇는다. 강대한 적이 아직 신변 가까이에 와 있지 않은 이때야말로 자기 군비를 갖출 필요가 있다는 것이다.

그 시기는 바로 지금이라고 보는 마키아벨리는, 집에 재력이 있으면서 나라에 협력하지 않은 비잔틴제국의 국민은 터키의 대포가 울리기 시작하고 나서야 돈을 내겠다고 제의했지만, 그때는 이미 때가 늦었더라는 에피소드까지 소개한다. 그러고는,

"6개월 전에 20두카토를 내놓는 데 동의하지 않은 사람들은, 6개월 후에는 200두카토를 빼앗기게 된다."

고도 설교한다. 그리고,

"여러분은 이대로 계속된다면 피렌체가 얼마나 약체가 될 것인지 보려고도 하지 않을 뿐더러, 운명이란 변하게 마련이라는 것을 알지도 못한다."

고 일갈한다.

"인간은 보통 이웃 사람의 위기를 보고 현명해진다. 그런데 여러분은 스스로가 직면하고 있는 위기로부터도 배우려 하지 않고, 여러분 자신에 대한 믿음도 없으며, 잃었거나 현재 잃고 있는 시간조

차 인식하려 하지 않는다. 여러분의 사고방식을 바꾸지 않는 한 헛된 눈물만 흘리게 될 것이다.

나는 분명히 말한다. 운은 제도를 바꿀 용기가 없는 자에 대한 재정(裁定)을 바꾸지는 않을 것이고, 하늘은 스스로 파멸하고 싶어하는 자는 돕지도 않을 것이며 도울 수도 없는 것이라고.

그렇기는 하나, 나는 자유로운 피렌체인인 여러분이, 그리고 그것을 결정할 수 있는 힘을 가진 여러분이 자멸을 바라고 있다고는 절대로 믿지 않는다. 그래서 나는 여러분이 자유로이 태어나 자유로이 살기를 바라는 사람이면 고려하지 않을 수 없는 이런 것들을 반드시 존중하시리라 믿는 것이다.”

마키아벨리의 이 『제언』이 어떻게 사용되었는지는 분명치 않다. 다만 새 세법안의 가부를 묻는 국회에서 소데리니 대통령이 한 연설은 매우 열띠고 설득력이 있었다고 한다. 소데리니는 아마도 마키아벨리의 이 제언을 낭독까지는 하지 않았어도 크게 참고는 했을 성싶다. 알려진 결과는, 가결이 위험시되던 새 조세법안인데도 한 번의 투표로 통과되었다는 것이다.

우선 새 재원의 확보에 성공한 셈이다. 그러나 확보된 재원도 마키아벨리가 그토록 역설한 부문에는 사용되지 않았다. 남의 샅바로 씨름을 하지 않기 위한 자위력을 확보하는 데는 다시 3년을 더 기다려야 한다. 그리고 이것이야말로 일개 30대의 관료가 처음으로 손을 대는 정책의 입안이 되는 것이다.

행인지 불행인지, 마키아벨리는 그 3년을 국민군 창설의 실현에

만 전념한 것은 아니다. 피렌체공화국 정부 제2서기국 서기관이라는 유격대장 같은 처지가 그를 정청의 책상에만 앉아 있게 해주지 않았기 때문이다. 로마에 두 번, 프랑스에 한 번 등을 비롯한 그의 국외 출장은 여전히 많았고, 협상 상대도 교황과 왕에서 소국의 영주에 이르는 등 비직업관료에만 그치지 않았다. 협상자로서의 능력을 상당히 높이 평가받고 있었기 때문에 필요하면 어디에나 손쉽게 파견되는 그였다.

그러한 경험은 그의 가슴 속에 들끓고 있던 생각을 더욱 공고히 하는 데 도움이 되었을 것이다. 보르자 와해 후의 이탈리아는 오직 프랑스 왕과 에스파냐 왕의 경쟁심이 충돌하는 무대로 변했으며, 이 두 나라에 대항할 수 있는 힘을 가진 나라로는 베네치아공화국이 남아 있을 뿐이었다. 자국민의 자유를 확보하기 위한 방위력의 보유가 이 정세 아래서 필요 불가결하다는 마키아벨리의 확신은 점점 더 강해지기만 했다.

그러나 그는 정책 결정권이 없었다. 그리고 그것을 가진 사람들은 종래의 방식을 바꿀 생각을 좀처럼 하지 못했다. 당시의 피렌체 정부는 마키아벨리의 생각을 '이례적으로 새로운 것'으로 보았다. 사람이란 이례적인 일에는 언제나 경계심을 갖는 법이다. 또 대통령 소데리니는 중도주의자로 알려져 있었다. 중도주의자는 흔히 콘센서스가 갖추어지지 않으면 행동을 일으키지 않는다. 처음 소데리니가 보인, 열의라고까지는 할 수 없는 찬동도 해가 가면서 차츰 시들해졌다.

정책 입안자이면 당연한 일이지만, 입안한 정책의 실현을 생각지 않는 사람은 없다. 여기서 실현이란 국회에서 가결되어 실시로 옮겨지는 일인데, 내용만 훌륭하면 의원들은 반드시 찬성해주리라고 생각한다는 것은 공상이요, 그것은 동서고금에 변하지 않는 현실이다. 그래서 사전 공작이 필요한 것이다. 마키아벨리는 어떤 '사전 공작'을 했을까?

먼저 소데리니 추기경을 움직이는 일부터 착수했다. 추기경과 마키아벨리의 관계는 체사레 보르자와의 첫번째 절충을 함께 한 사이에서 그치지 않는다. 마키아벨리가 두번째 절충을 위해 이몰라에 가 있는 동안, 추기경 소데리니는 프랑스 왕에게 파견되어 있었으므로 서로의 일이 서로에게 영향을 주는 관계에 있었다. 또 로마에 파견될 때마다 마키아벨리는, 그 무렵 이미 추기경에 승격해 있던 소데리니의 저택에 유숙했다. 피렌체 정부의 경비 절약 방침의 결과지만, 한 집에 몇 달씩이나 같이 살다 보면 자연히 의견을 나눌 기회도 많아지게 마련이다. 짐작건대 마키아벨리는 이 '식객'이라는 기회를 이용하여 추기경에게 꾸준히 자기의 생각을 주입한 모양이다. 형과는 달리 성직자답지 않게, 아니 르네상스의 성직자라면 그 편이 보통이라고 해야겠지만, 뜨거운 가슴의 소유자였던 추기경은 마키아벨리의 열변에 감동한 것임에 틀림없다. 게다가 피렌체공화국의 외교관 시절에 마키아벨리의 능력은 익히 보아왔다. 평소에 그 능력을 높이 산 마키아벨리가 하는 말이다. 자위력 확보의 필요성에 추기경 소데리니도 공감했다.

교황을 보좌하는 것이 직무인 추기경에 승격하여 이제 조국 피렌체의 외교관 노릇은 할 수 없게 된 소데리니지만, 태생으로나 경력으로나 아직도 피렌체의 상층 계급에 무시할 수 없는 영향력을 가지고 있었다. 그리고 무엇보다도 종신 대통령 소데리니의 친동생이었다. 마키아벨리는 이런 소데리니 추기경에게 형인 대통령을 설득시키는 역할을 부탁한 것이다. 추기경은 그 일을 성실하게 완수했다. 자기는 마키아벨리가 구상하고 있는 정책을 지지할 뿐 아니라, 그 실행이야말로 피렌체에 불가결하다고 역설하고, 나아가서 마키아벨리 개인의 재능과 인격을 칭송하는 편지를 몇 번이나 피렌체의 형에게 보냈던 것이다. 그 가운데 몇 통은 지금도 남아 있다.

물론 마키아벨리는 이 좋은 관계를 지속시킬 수 있는 기회가 있으면 놓치지 않았다. 그는 로마의 추기경 저택에 '식객'으로 있을 때 태어난 장남 베르나르도의 첫 대부가 되어달라고 그에게 부탁했다.

대부제도는 당시에 꽤나 중요한 의미를 가진 제도였으며, 마키아벨리가 이를 부탁한 또 하나의 인물은 피렌체 정부 관료의 필두격인 제1서기국 서기관장 마르첼로 비르질리오였다. 직장 상사에게도 예를 갖추었던 것이다. 마르첼로 비르질리오도 관료적인 태도를 흐트러트리지 않으면서 마키아벨리의 생각에 찬성하는 한 사람이었다.

그러나 마키아벨리도 인간이다. 너무 인간적이랄 수 있는 인간이다. 장남의 대부로서 자기 일에 도움이 될 인물만 고른 것은 아니다. 이 두 사람의 고위 관리 다음에, 일개 관료에 지나지 않는 자기보다 하위직인 비아조 보나콜시를 골랐다. 자기를 진정으로 좋아하고, 자기가 출장중일 때는 자질구레한 정보를 열심히 알려줄 뿐 아니라 가족의 뒷바라지까지 싫은 기색 하나 없이 알뜰히 돌봐주는 이 친구에게 그런 형태로나마 보답하고 싶었는지도 모른다. 마키아벨리에게서 장남의 대부가 되어달라는 부탁을 받고 가장 기뻐한 것은 아마도 이 보나콜시가 아니었을까 싶다.

마키아벨리는 또 피렌체의 상층 계급에, 다시 말해 정책 결정권을 가진 사람들에게 영향력을 발휘할 수 있는 사람들에 대한 사전 공작이 소데리니 형제만으로 충분하다고는 생각지 않았다. 출신 가계로 보나 인격으로 보나 능력으로 보나, 당시의 피렌체 정계에서 대단한 존경을 받고 있던 다른 두 인물을 회유하는 것도 잊지 않았다. 알라만노 살비아티와 잔바티스타 리돌피였다.

리돌피는 피사 전선에 함께 파견된 사이이기도 하여, 마키아벨리와는 서로가 소속된 계급을 넘은 친우 관계여서 이야기하면 알아듣는 상대라 별 문제가 없었다. 문제는 상층 계급 중에서도 상층에 속하는 거물 알라만노 살비아티였다.

이 인물에게 마키아벨리는 막 탈고한 시문집 『10년사』 상권을 바쳤다. 이 작품은 마키아벨리의 저작으로서는 보기 드물게 서기국 동료였던 아고스티노 베스푸치의 주선으로 즉시 출간되었다. 인쇄본 첫 페이지에 이 작품을 헌정하는 인물로서 알라만노 살비아티의 이름이 기재되었다.

『10년사』 상권은 실은 그리 대단한 작품이 아니다. 1494년에 있었던 프랑스 왕 샤를 8세의 이탈리아 침공에서 시작하여 얼마 전인 1503년까지의 이탈리아 역사를 시문 형식으로 서술한 것인데, 문학 작품으로서는 별로 잘된 것이 아니다. 다만 난세에 돌입한 이탈리아를 냉정히 분석하고 통렬히 비판하여 열렬하게 위기 타개를 호소하고 있는 점에서 당시로서는 보기 드문 작품이었다. 그러기에 같은 생각을 가진 관료 아고스티노 베스푸치가 간행을 주선했을 것이다. 실제로 이것은 매우 호평을 얻어서, 작자인 마키아벨리의 허가도 없이 다른 곳에서 당장 재판이 나오기까지 했다.

해적판이 나올 정도니까 초판은 잘 팔렸을 것으로 짐작된다. 초판을 몇 부나 찍었는지는 알 수 없다. 저자에게 인세가 얼마나 지불되었는지도 알 길이 없다. 다만 당시의 출판 사정으로는 저자가 인세를 기대할 수 없었고, 증정용으로 몇십 부 받는 것이 곧 '인세'였으므로, 인쇄본으로서는 마키아벨리의 처녀작인 이 작품도 예외는 아니었을 것이다. 그러나 적어도 마키아벨리는 자기 작품을 선사할 수는 있었던 것이다. 그리고 그는 이것을 십분 활용한 모양이다.

'증정'을 받은 사람도 한 명 알려져 있다. 책을 보내준 데 대한 인사와 독후감을 적은 편지가 남아 있기 때문이다. 볼로냐의 참주 조반니 벤티볼리오가 그 사람인데, 일찍이 체사레 보르자의 용병 대장이었던 이 소국의 영주는 당시 용병으로 편성된 피렌체군 총사령관이기도 했다. 이 인물의 독후감은 아주 훌륭했다.

피렌체 정계의 거물 알라만노 살비아티는 이런 작품을 헌정받은 것이었다. 그래서인지는 모르지만, 이 거물은 자기가 한때 불한당이라고까지 혹평한 마키아벨리가 구상한 '이례적으로 새로운 일'의 실현을 위해 실제로 적잖은 영향력을 행사하게 된다.

그러나 피렌체공화국은 민주주의 나라이다. 민주주의를 주창하는 국가에서는 정책 결정권을 가진 사람들이 흔히 민중의 여론이 필요하다고 주장한다. 그것은 평계에 지나지 않는 경우가 많으므로, 정책의 실현을 추구하는 사람은 그런 평계의 소지를 조금도 주어서는 안된다. 마키아벨리도 그래서 새삼스레 움직인 것은 아닐 테지만, 여론을 환기시키기 위해 분주히 뛰어다니게 된다.

그것은 문자 그대로 동분서주였다. 1505년에서 6년에 걸쳐 마키아벨리는 그야말로 30대 사나이에게서밖에는 기대할 수 없는 민첩한 거동으로 피렌체의 도시를 에워싼 농촌 지대를 오늘은 무젤로 마을, 내일은 카젠티노 마을 하는 식으로 병사를 모으러 뛰어다녔다. 농민을 보병화하는 것, 이것이 마키아벨리의 구상이었던 것이다.

도시 주민들을 징병하는 것은 아직 불가능하다고 그는 생각했다. 전쟁은 용병에게 맡기는 것으로 믿어온 지 오래인 피렌체 시민이었다. 더욱이 피렌체인은 개인주의적 경향이 강하기로도 이름이 나 있었으며, 다른 나라에서 교황파와 황제파로 갈라지는 동안에 피렌체에서는 이 두 갈래로는 모자라 승리한 교황파가 다시 흑당(黑黨)과 백당(白黨)으로 쪼개지는 나라였다. 그같은 항쟁에 오염되지 않은 농민들에게 마키아벨리는 기대를 걸었던 것이다.

또 기병과 보병의 우열이 되풀이되는 것이 군대의 역사이기도 하지만, 16세기 초두는 화려한 군장을 다투며 얼핏 압도적인 힘으로 육박하는 듯이 보이는 기병대보다 강인하게 군단을 짜고 전진하는 보병대가 각광을 받기 시작한 시대였다. 우직할지는 모르나 쉽게 붕괴되지 않는 스위스인 보병단을 각국 군주들이 고액으로 고용하는 현상을 마키아벨리는 잘 알고 있었다.

어쩌면 농민을 설득하기 위해서 뛰어다니는 마키아벨리의 머릿속에는 영광에 빛나는 고대 로마 군단의 그림자가 드리워져 있었는지도 모른다. 그러나 그보다도 강한 자극은 체사레 보르자가 조직한 로마냐 지방의 농민군단에 대한 추억이었을 것이라는 생각이 든다.

이번에는 출장비가 적다는 불평을 하지 않았다. 휴가를 얻었거나, 아니면 상사가 눈 감아 주는 것을 기화로 삼아 제멋대로 '동분서주' 한 모양이다. 그런데 설득에 성공하더라도 농민을 무장시키려면 돈이 든다. 그것까지 자비로 부담할 만큼 그는 부자가 아니다. 동생 소데리니 추기경의 파상 공격과도 같은 설득 공작에 두 손을 든 대통령 소데리니가 적당한 구실로 지출을 정당화시켜주었는지도 모른다. 이 언저리를 해명해줄 사료가 없어서 마키아벨리가 어떻게 돈을 끌어냈는지는 전혀 알 길이 없다.

어쨌거나 마키아벨리가 '동분서주' 한 결과는, 1506년 2월 15일 정청 앞 시뇨리아 광장을 메운 피렌체 시민들의 눈 앞에 나타났다.

이날의 광경을 루카 란두치의 『일지』에 의거해서 소개하기로 한다. 지금까지 자주 인용해온 이 연대기 작가는 피렌체 시정 사람들의 관점을 아는 데 가장 믿을 수 있다고들 보는 증인이다. 자기가 보고 자기가 느낀 것을 그대로 기록해놓았기 때문이다. 그의 1506년 2월 15일자 일지를 완전 직역으로 소개한다.

오늘 광장에서 보병 400명의 행진이 있었다. 이것은 대통령의 명령에 의한 것으로, 병사들은 농민들이다. 그들은 똑같은 흰 동의(胴衣)에 흰색과 붉은색의 타이츠를 입고, 흰 베레모를 쓰고, 구두를 신고, 철제 흉갑을 대고, 긴 창을 들었다. 소총을 멘 일대도 있었다. 전투 부대라고 부른단다. 그들에게 한 사람의 지휘관이 붙어서, 병사들을 지휘하고 무기 다루는 방법을 가르친다고 한다.

　이 군인들은 평소에는 집에 있다가 필요할 때 소집된다. 이런 식으로 하면, 농촌 지방만으로도 수천 명의 병력을 확보할 수 있다는 얘기다. 정말 이것은 일찍이 피렌체의 도시에서는 한번도 제정된 적이 없는 근사하고도 아름다운 것이었다.

　민중은 마음에 들었던 것이다. 불과 400명이지만, 정부 고관들이 즐비하게 늘어선 앞에서, 광장 주위를 새까맣게 메운 사람들 앞에서, 마키아벨리가 만든 미니 국민군은 대열을 짜고 행진을 하여 사람들의 박수 갈채를 받았을 것이다. 루카 란두치는 마키아벨리의 이름은 적지 않았으니, 그 아이디어 맨이 누구였는지 일반 사람들은 알지 못했다. 그러나 그 아이디어 맨은, 자기가 만든 작품의 첫 데먼스트레이션의 성공에 감격하고 있을 여유가 없었을 것이다. 그의 눈은 모여든 군중의 반응을 주시하는 동시에, 귀빈석에 앉은 정책 결정권자들의 반응에 주의를 집중시키고 있었을 것이다. 이 미니 국민군의 데먼스트레이션의 진짜 목적은 서민의 반응을 상층 계급의 인간들에게 보여주는 데 있었기 때문이다.

　그 당시 피렌체의 정책 결정권을 가진 사람들은 바보라서 진취적 정신이 결여되어 있었던 것은 아니다. 한 사람 한 사람을 보면 프랑스 왕보다 단연 머리가 명석했는데, 바로 이것이 '이례적으로 새로운 일'을 하려는 사람에게는 골치 아픈 점이었다. 아마도 귀빈석에 앉아 있는 사람들 가운데는 비현실적이라고 판단하여 냉소를 띠고 바라보는 자가 적지 않았을 것이다. 우연히도 그날이 사육제 기간이었다는 것도 재미있는 일치였다.

이런 종류의 데먼스트레이션은 그후에도 몇 번이나 되풀이된 것 같다. 되풀이되지 않을 수 없었다고 해야 할는지도 모른다. 왜냐하면, 마키아벨리가 입안한 정책이 국회의 토의에 부쳐지는 데는 놀랍게도 열 달이나 걸렸기 때문이다.

마키아벨리가 입안한 정책을 간단히 설명하면 다음과 같다.

농촌 지방 전역의 병역에 적합한 장정은 모두 등록할 의무를 갖는다. 그러나 전원을 징집할 수는 없으므로, 비상시에 소집하는 규모를 5천 명으로 한다.

먼저 150명에서 200명 정도로 소대를 편성한다. 소대마다 깃발을 정한다. 소대장도 둔다.

소대 3개에서 5개로 중대를 편성하고, 중대장의 지휘 아래 둔다.

중대 11개를 모아 대대를 편성한다. 대대의 병력은 5천 정도로 한다.

이밖에 도시에서 참가하는 자로는 기병 30명에 석궁병 50명을 구상하고 있었던 것 같다.

이 군대는 피렌체 정규군이라 부르기로 했다. 군대는 자기 나라와 가족을 지키는 정신을 토대로 해야 한다는 것이 마키아벨리의 생각이었다. 실전에서는 용병과 함께 싸워야 한다고 하더라도 정규군으로서의 긍지는 가져주어야 했다. 군기도 제복도 참된 목적은 거기에 있었다. 체사레 보르자의 농민군단을 본뜬 것이다.

이것은 대대장의 인선에도 나타났다. 5천 농민군의 총지휘관으로서 마키아벨리는 체사레 보르자의 오른팔로 명성이 높았던 돈 미켈로토를 추천했다. 통칭 돈 미켈로토로 불린 에스파냐인 미켈레 다 코렐리아는 체사레가 실각한 후 피렌체 영내에서 잡혀 투옥되었는데, 마키아벨리는 그런 그를 지목한 것이다. 지난날 체사레의 농민군단을 지휘한 사람이 바로 이 돈 미켈로토였다.

외국인에게 자국군의 총지휘를 맡긴다는 것은 베네치아에서는 절대로 하지 않는 일이지만, 피렌체에서는 정책 결정권을 가진 사람들의 찬동을 얻는 데는 이 편이 훨씬 쉬웠다. 피렌체의 유력자들이 가장 두려워한 것은 자국 군대의 창설이 종신 대통령 소데리니의 권력 강화로 이어지는 것이었다. 군의 최고사령관이 피렌체와 아무 관계도 없는 외국인이라면, 그런 걱정도 없지 않겠느냐는 것이었다.

게다가 마키아벨리는 그런 종류의 걱정의 씨를 뿌리지 않기 위해서도 문관 지도 체제의 확립을 잊지 않았다. 피렌체 정규군의 책임자는 종신 대통령 소데리니가 아니다. 국회에서 선출되는 피렌체 시민 9명으로 구성되는 '군사 9인 위원회'가 책임을 진다. 징집에서 장비에 이르기까지 모든 것을 이 문관들이 결정하는 체제로 만든 것이다.

'9인 위원회'는 또 전시에는 전부터 있는 방위·군사 담당 '10인 위원회'의 지휘 계통에 들어간다. '10인 위원회'도 문관의 모임이다.

돈 미켈로토의 인선은, 실은 용병으로 전쟁을 치르는 데 길든 피렌체에는 군을 지휘할 인물이 없었기 때문인데, 이것이 속사정이지만 속사정을 그대로 드러내버리면 밑천도 건지지 못한다. 마키아벨리는 끝까지 문관 지도 체제를 고수하면 대통령의 직속 군대가 될 우려도 지울 수 있다는 명목으로 정책 결정권을 가진 사람들에게 호소했던 것이다.

1506년 12월 6일 공화국 국회는 '80인 위원회'가 세 차례 투표 끝에 간신히 국회에 돌린, 마키아벨리가 입안한 정책을 찬성 841 표, 반대 317표로 통과시켰다.

시정인 루카 란두치의 『일지』에 이에 대한 아무런 언급도 없는 것을 보면, 시민들 사이에서는 화려한 군대의 데먼스트레이션 때와는 달리 화제에도 오르지 않았던 모양이다.

그러나 마키아벨리는 이번에야말로 가슴 깊숙이에서 솟아오르는 기쁨을 만끽한 날이었을 것이다. 그는 마침내 해낸 것이다. 오랫동안 품어온 생각을 기어이 실현시킨 것이다. 서른일곱 살의 마키아벨리로서는 그의 생애 최고의 날이었을 것임에 틀림없다.

'9인 위원회'에는 두 사람의 서기관을 두게 되어 있었다. 마키아벨리가 그 한 사람이 된다. 다시 또 욕심꾸러기 할망구처럼 일을 잔뜩 끌어안게 되었지만, 자기가 구상한 일을 남에게 맡길 수는 없었는지도 모른다. 또 한 사람의 서기관에는 그의 공명자이기도 한 서기국 동료 아고스티노 베스푸치가 취임한다. 마키아벨리가 뜻대로 움직일 수 있는 체제가 만들어진 셈이다. 이듬해인 1507년 1월 10일, 위원 9명이 선출된다. 그리고 한 달 후, 돈 미켈로토가 최고 지휘관에 임명된다.

마키아벨리의 꿈은 단지 형태만으로 실현된 것이 아니었다. 그 2년 반 후인 1509년 6월, 마키아벨리가 만든 정규군을 주축으로 하는 피렌체군은 피사를 다시 점령하는 데 성공한다. 사육제의 가장

(假裝)이라는 조롱까지 들은 농민군단이 실제의 전쟁에서 승리한 것이다. 그것도 피렌체인이 그것의 재점유야말로 피렌체의 사활 문제라고 믿고 있던 피사 문제의 해결에 공을 세웠으니 민중은 열광했다.

열광한 것은 민중만이 아니었다. 피렌체인은 15년이라는 긴 세월을 이 문제로 끊임없이 농락당해왔었다. 당시 피렌체의 한 지식인은 며칠 후 이런 편지를 마키아벨리에게 보냈다.

"이번의 고귀한 성공은 오로지 선생의 공적으로 돌아가야 할 것입니다. 선생은 유대 민족의 위대한 예언자들보다 위대한 일을 하셨습니다. 오, 니콜로, 니콜로, 사실 나는 내 가슴 속의 생각을 표현하기에 족한 말을 찾지 못하고 있습니다."

피렌체공화국으로서는 참으로 기념할 만한 피사 재점유의 성공이었으나, 그 공로자인 마키아벨리의 이름이 대리석판에라도 새겨진 것은 아니다. 그가 차지하는 지위가 사람들의 마음속에 그럴 필요를 환기시킬 만한 것이 못되었기 때문이다.

그런데 마키아벨리 같은 사람은 공을 세웠을 때는 특별히 포상도 받지 못하면서, 일이 무언가 조금이라도 잘못되면 당장 그 이름이 떠오르니 감당 못할 일이다. 두드러지게 눈에 띄는 일을 한 응보겠지만, 그런 일이 이때로부터 3년 후에 그를 찾아오게 된다.

12 '보좌관' 마키아벨리

1507~1512

이 책 서두에서 나는 이 시대의 마키아벨리의 처지를 굳이 현대의 국가에서 예를 찾는다면, 중앙 관청의 과장 정도 되는 관리를 생각해주십사고 했다. 물론 속령을 다 합쳐봐야 인구가 50만은 되었을까 싶은 16세기 초의 도시국가 피렌체와 현대 국가 체제의 중앙 관청은 비교가 되지 않는다는 것은 잘 안다. 그래서 '굳이'라는 단서를 붙인 것이다.

다시 말해 굳이 비교한다면, 1498년에서 1506년 말에 이르는 마키아벨리의 처지는 제2서기국의 수석 서기관이니까 중앙 관청의 과장쯤이라고 하지 못할 것도 없고, 또 군사 방위를 담당하는 '10인 위원회'의 비서관도 겸하고 있었으니 국방부 파견 근무라고 생각할 수도 있으며, 게다가 공화국 대통령의 비서관이기도 했으므로 총리 비서관도 겸임한 것이 된다.

이런 예는 관료 조직이 완비된 현대 국가에서는 있을 수 없는 일이라지만, 더욱이 마키아벨리는 서기관 이상 출세하려야 할 수도 없는 비직업 그룹에 속해 있었기 때문에 더더욱 현대 국가에서는 있을 수 없는 예가 되는가보다.

그런데 1507년 초부터 1512년 9월까지 약 6년 동안 마키아벨리의 처지는 이에 더하여 실질적으로는 대통령 보좌관이라고 해도 될 위치로 바뀐다. 이렇게 되면 이제 현대 국가의 비직업관료라도 일을 좋아하는 사람이면 차라리 16세기 초의 피렌체공화국에 한번 태어나봤더라면 하고 생각하는 사람이 많지 않을까 싶다. 인간이란 역시 자기 능력을 최대한으로 발휘할 수 있는 것만큼 행복한 일이 없기 때문이다.

서른일곱 살에서 마흔세 살에 이르는 시기, 마키아벨리는 그런 종류의 행복을 누리면서 살았다. 특히 그가 구상하고 실현에 성공한 국민군은 입법화된 뒤에도 그의 손을 떠나지 않았으며, 그 담당 조직인 '9인 위원회'도 비서관에 취임한 마키아벨리의 활약에 의존했다. 그 당시 피렌체공화국 안에서 마키아벨리가 차지한 사실상의 위치는 직업관료로서 단숨에 에스파냐 대사라는 요직에서 출발한 구이차르디니의 그것보다 훨씬 중요했고 또 보람이 있는 것이었다고 해도 될 것이다.

그러나 마키아벨리가 누린 행복은 어디까지나 실질적인 것이었으며, 공식적인 지위는 공직에 처음 취임한 스물아홉 살 때와 전혀 변한 것이 없었다.

직함은 피렌체공화국 서기국 서기관이다. 급료는 아무리 여기저기 비서관을 겸해봐야 다르지 않았다. 인플레이션이 전혀 없던 시대라고는 하지만, 14년 동안 승급한 사실이 발견되지 않는다. 집무실도 종신 대통령이 된 피에로 소데리니는 정청 안에 아파트가 주어져서 그곳에 살았지만, 그 '보좌관' 또는 '비밀 계획의 책사'인 마키아벨리는 특별히 그 근처 어디에 방이 주어진 흔적이 없다. 그를 제2서기국의 장에서 제1서기국의 장으로 승격시켜주자고 생각한 사람도 건의한 사람도 없었다. 요컨대 마키아벨리는 급료도 늘어나지 않고 지위도 오르지 않은 채 오로지 일만 불어났으며 불어났을 뿐 아니라 그 일에 더욱 전념하기까지 했던 것이다. 또 마키아벨리라는 인간은 수입이 보장되어 있을 때 그것을 착실히 운용하여, 다만 얼마라도 떼어서 불의의 사태에 대비하는 따위의 여유는 정신적으로나 물질적으로나 없었던 모양이다. 그저 즐겁고 기쁘게 일하는 동안에 '보좌관' 6년이 지나간 것이었다.

대통령 소데리니의 심복이 된 뒤에도 외국에 출장하는 그의 격은 높아지지 않았다. 피렌체 정부가 태도를 명확히 하고 싶지 않을 때는 언제나 마키아벨리가 파견되었다. 파견 상대는 독일 황제일 때도 있고 프랑스 왕인 경우도 있고, 로마 교황에게 보내질 때도 있다는 식으로, 명문가 출신이 아닌 그는 시간을 벌거나 정보를 수집하기 위한 목적에 전적으로 활용되는 점에서도 그전 8년과 하등 변함이 없었다.

필요할 때 손쉽게 파견되는 것도 마찬가지였다. 한낱 용병대장과의 교섭을 위해서 파견되기도 했고, 소국의 군주도 자주 찾아갔다. 요컨대 마키아벨리는 그 자신의 말을 빌리면, "정청 안의 내 자리가 뜨뜻해질 겨를도 없을 만큼 혹사당했던 것이다." 다만 그는 경비 부족에 불평한 적은 있어도 혹사에는 아무 불평도 하지 않은 모양이다. 서기관이라는 직책에도 만족했던 것 같다.

꼭 한 번 마키아벨리도 '대사'가 된 적이 있었다. 모나코의 영주 그리말디에게 파견되었을 때다. 1511년 5월이었는데, 이때만은 마키아벨리도 생전 처음이자 마지막으로 'Ambasciatore communitatis florencie'라는 직함으로 파견되었던 것이다. '피렌체공화국 대사'라는 말이다.

당시의 모나코는 제노바 서쪽에 있는 점 같은 소국으로 오늘날과 같은 대공국도 아니고 카지노와 요트 하버도 없었다. 제노바인 그리말디가 거점으로 삼아 해운과 해적을 절반씩 하고 있던 조그만 나라였다. 아울러 말하면, 모나코는 지난날의 할리우드 스타 그레이스 켈리가 시집간 곳으로, 그녀의 남편인 대공 레이니에의 성이 그리말디이다. 마키아벨리가 대사로서 파견된 그 그리말디의 후손인 것이다.

이와 같이 어디에나 누구에게나 필요하기만 하면 즉시 파견된 마키아벨리였는데, 역시 중요한 나라에 갔을 때는 출장중에 관찰하고 분석하고 사색하고 종합한 것을 기록해두자는 생각이 자연히 솟아올랐던 모양이다. 아니면, 첫번째 것이 호평을 받는 바람에 그렇다면 계속 쓰자고 제2, 제3의 것을 내놓게 되었는지도 모른다. 『모나코 사정』은 남기지 않은 그도, 『프랑스 사정』, 『독일 사정』을 써서 남겼다. 이것들은 관찰력과 분석력과 종합력에서 그 당시 베네치아공화국 대사가 귀임 후 원로원에서 반드시 하게 되어 있던 연설과 쌍벽을 이룬다. 다만 기술의 역량에서는 정확하기는 하지만 재미가 조금도 없는 베네치아인의 것에 비해 마키아벨리가 지은 논문은 단연 생동감이 난다. 이를테면 『프랑스 사정』의 서두부터가 이런 투다.

프랑스를 다스리는 왕조와 왕들은, 오늘날 일찍이 유례 없이 기세가 등등하고 풍부하고 강력하다. 그것은 다음과 같은 이유 때문이다.

문인이 되기 시작했을 때 내게 말한 어느 담당 편집자의 말이 생각나는 대목이다. 그는 말했다. 첫 석 줄로 독자의 마음을 휘어잡지 못하면 프로라고 할 수 없다고.

참고로 동시대의 베네치아공화국 대사가 원로원에서 한 보고 연설의 첫머리 부분을 소개하고 싶다. 모두는 신사 숙녀 여러분식의 군소리가 길게 이어지므로 생략하기로 한다.

파리는 프랑스에 있습니다. 풍족한 도시로서, 상업이 활발한 곳입니다. 인구도 많고 면적도 넓습니다. 그러나 풍족하다지만, 베네치아에까지는 미치지 못합니다. 그렇기는 하나 사람들은 그래도 만족해하고 있는 듯했습니다.

그러나 국가란 정체 여하를 막론하고 사려와 힘을 아울러 갖지 않으면 살아남을 수 없다는 마키아벨리의 생각으로 본다면, 당시 사려와 힘을 아울러 갖고 있었던 것은 이 따분한 논법의 베네치아인이고, 반대로 사려도 힘도 갖지 않은 것이 피렌체의 현실이었다. 비록 생동감 넘치는 논문을 썼지만, 마키아벨리가 '보좌'한 것은 이 피렌체공화국이었다.

이같은 현상의 피렌체는 나라의 정체마저도 반드시 국내 사정으로만 변하지 않게 된다. 실제로 종신 대통령 소데리니를 중심으로 하여 마키아벨리가 보좌한 피렌체공화국의 민주 정체의 운명은 국내의 반소데리니 분자가 아니라 국외의, 다시 말해 피렌체를 에워싼 국제 정세가 좌우하게 된다.

1508년, 마키아벨리가 사실상의 보좌관이 된 지 얼마 안 가서 힘뿐 아니라 사려까지 갖고 있던 베네치아공화국은, 아마도 그 1천 년 역사상 거의 유일한 외교적 과오를 범하게 된다. 이탈리아 반도에 영토적 야심을 품은 열강 모두를 동시에 적으로 돌리는 우를 범한 것이다.

로마교회를 강대하게 만드는 데 열심이고, 그러기에 이탈리아 제1의 강국 베네치아에 호의를 갖고 있지 않은 로마 교황 율리우스 2세.

은밀히 교황의 삼중관(三重冠)까지 쓸 욕심을 품고, 그것으로 유럽 제1의 권력자가 되는 꿈을 꾸고 있는 신성로마제국 황제 막시밀리안 1세.

이탈리아 반도에서의 지금까지의 실적을 바탕으로, 황제 막시밀리안과는 사사건건 대립 관계에 있는 프랑스 왕 루이 12세.

여왕 이사벨이 죽은 뒤 이베리아 반도를 사실상 손아귀에 넣고, 나폴리를 발판으로 이탈리아까지 넘보고 있는 에스파냐 왕 페르난도.

아무리 오리엔트와 북이탈리아에 광대한 속령을 가졌고 경제력에서는 유럽 제1이라고는 하나, 도시국가인 점에서는 변함이 없는 베네치아공화국이다. 그래도 이 가운데 한 나라라면 훌륭하게 대결할 수도 있었겠지만, 모두 한꺼번에 적대한다는 것은 어리석은 짓이라고밖에는 달리 할 말이 없었다.

마키아벨리였는지 구이차르디니였는지는 잊었지만, 이때 베네치아 외교가 저지른 오산을 이렇게 분석하고 있다.

　현실주의자가 과오를 범하는 것은 상대편도 자기와 같고, 따라서 바보 같은 짓은 하지 않을 것이라고 생각할 때다.

　베네치아는 자기들의 역할이 유럽 제국에 지극히 중요하다고 생각하고 있었다. 베네치아의 해군력과 오리엔트 각지의 기지가 건재하기에 비로소 터키의 공세가 유럽에 미치지 않고 있다는 현상. 또 베네치아의 교역의 번영이야말로 유럽 경제의 활력소라는 실적. 그리고 마지막으로 북이탈리아의 속령도 영토적 야심으로 획득한 것이 아니라 통상로의 확보가 목적이며, 속령 주민들도 베네치아의 선정으로 은혜를 입고 있다는 1세기 이상이나 계속된 사실.

　이러한 것들을 바탕으로 베네치아공화국 정부는 베네치아를 무력화하려는 행동은 교황에게나 다른 누구에게나 아무 이득도 가져다주지 않을 것이므로, 그런 어리석은 짓은 입으로는 말하더라도 실행에 옮기지는 않을 것이라고 판단했다. 그런데 교황 율리우스 2세가 제창한 대(對)베네치아 동맹에 모두 가맹해버린 것이다.

　캉브레 동맹이라는 이름으로 유명한 이 동맹은 목적이 목적이니만큼 먼저 각자 차지할 분배의 몫부터 정했다.

　교황―로마냐 지방의 베네치아령.
　황제―파도바, 비첸차, 베로나, 그리고 베네치아 북쪽에 펼쳐지는 프리울리 지방과 아드리아 해에 임한 이스트라 반도.

프랑스 왕—베르가모, 브레시아, 크레모나 등, 북서이탈리아에 있는 밀라노 영토 이외의 모든 베네치아령.

에스파냐 왕—아드리아 해 연안에서도 남쪽의 오트란토를 포함한 모든 베네치아령.

실제로 참전은 하지 않았으나 동맹에 이름이 올라 있는 헝가리 왕을 포함하여 전원이 베네치아공화국 영토를 분할한 셈이다. 이것이 실현된다면, 베네치아에 남는 것은 바다에 떠 있는 도시 베네치아와 크레타 섬 정도가 된다. 역시 이름이 올라 있는 사부아 공이 키프로스 섬을 요구하고 있었기 때문이다.

그렇다면, 온 유럽이 베네치아를 상대로 일어선 듯한 이 동맹에 피렌체공화국은 어떤 태도를 취했을까?

결과부터 말하면 중립을 유지했다. 그러나 그것은 각국이 상대를 해주지 않았고, 그래서 강력한 권유도 받지 않았기 때문이다. 피렌체보다 작은 만토바후국(侯國)과 페라라공국도 동맹에 참가했으며, 나누어 가질 몫도 정해져 있었다. 만토바도 페라라도 영주가 몸소 지휘하는 군사력을 가지고 있었기 때문이다. 다만 피렌체의 중립은 엄정 중립이라기보다 동맹 쪽에 기운 것으로 간주되고 있었다. 피렌체공화국의 보호자처럼 행세하는 프랑스 왕 루이 12세의 의향에 어긋나는 행동을 군사력이 제로나 다름없는 피렌체가 취할 턱이 없다는 것은 문서화할 필요도 없을 만큼 당연한 일로 여겨지고 있었기 때문이다. 물론 분배받을 몫은 없었다.

'캉브레 동맹전'은 그래서 피렌체와는 직접적인 관계가 없다.

그러나 국제관계의 주도권을 전혀 갖고 있지 않은 것이 당시의 피렌체였다고 하더라도 국제관계의 움직임에 좌우되지 않을 수는 없었다. 그러므로 이 싸움에 대해 상술할 것은 없으나, 간단한 경과쯤은 적을 필요가 있을 것 같다. 더 자세한 것을 알고 싶은 분은, 교황 율리우스 2세의 정치를 이야기한 『신의 대리인』 제3부 '칼과 십자가'를 읽어주시기 바란다.

　사전 공작에 실패한 베네치아공화국은 전 유럽을 상대로 감연히 대항하여 일어섰다. 다만 감연하게 보인 것은 외관뿐이었으며, 베네치아의 수법을 아는 사람이면 '일단 대항하여 일어섰다'고 했을 것이다. 군사력에서는 자신이 있었던 베네치아는 대항하여 일어서면서 상황을 보아 외교전을 재개할 생각이었던 것이다.

　그러나 일단이라고는 하지만 일어서서 싸운 결과는 참담했다. 동맹측에서 군사 행동의 준비가 갖추어져 있었던 것은 프랑스였는데, 아냐넬로 전투에서 그 프랑스군에 참패한 것이다. 총지휘관 두 사람의 의견이 맞지 않아 베네치아군 전군이 통일된 행동을 취하지 못한 것이 원인이었으며, 결과는 총지휘관 한 사람이 생포까지 되는 참상이었다.

　이 승전으로 프랑스 왕은 다른 어느 가맹국도 본격적으로 채 참전도 하기 전에 그의 몫으로 정해진 지방 전부를 획득하는 데 성공했다. 당시 그 근처에 출장가 있던 마키아벨리는,

　베네치아는 800년 동안에 획득한 것을 깡그리 잃었다.

고 보고했는데, 이것이 그 단계에서 대부분의 사람들이 가진 의견이었을 것이다. 이것으로 이탈리아 제1의 강국 베네치아도 끝장이 나는구나 하고 누구나가 생각했다. 그런데 이 압도적인 프랑스의 승리가 오히려 베네치아를 도와주게 된다. 외교전을 재개할 실마리를 발견한 것이다.

교황 율리우스 2세는 대담무쌍한 정신의 소유자였으나, 심려원모와는 거리가 멀었다. 동맹군이 홧김에 베네치아를 두들겨 눕히는 데 성공은 했지만, 두들겨 눕힌 것이 교황군이 아니라 프랑스 왕의 군대라는 것이 그의 마음에 들지 않았다. 마음에 들지 않을 뿐 아니라 프랑스 세력이 이탈리아에서 너무 강대해지는 것이 불안했다. 베네치아 외교는 여기에 쐐기를 박은 것이다. 교황에게는 국궁 재배하여 공순을 맹세함으로써 남으로부터의 군세를 막고, 독일 황제에게는 국궁 재배하여 영토를 바침으로써 북으로부터의 창끝을 피하려고 애썼다. 동맹 가맹국 사이의 이간을 획책한 것이다. 로마 주재 피렌체 대사는 이렇게 썼다.

베네치아 대사들이 땅바닥에 슬슬 기는 몰골은 비참 바로 그것이다. 평소에 거들먹거리던 그들의 오만을 아는 사람들의 눈에는 금석지감을 누를 수 없는 광경이다.

베네치아는 외교전에만 매달린 것은 아니다. 황제가 몸소 지휘한 군대와 맞서서 끝까지 파도바를 방어해냄으로써 승리를 거두었다. 이렇게 되면 교황의 불안은 점점 더 심해진다. 베네치아를 상대로 이긴 것은 프랑스 왕이고 반대로 황제는 졌다. 직접 싸워놓고 패배한 황제도 프랑스 왕에 대해서 기분이 좋을 턱이 없다. 베네치아 외교는 착착 성과에 접근하고 있었다.

1510년, 정확히 말하면 캉브레 동맹이 결성된 지 1년밖에 되지 않는데, 싸움의 상대가 바뀌었다. 이번에는 교황과 베네치아의 군대가 프랑스군과 대결하는 도식으로 바뀐 것이다. 여전히 태도가 분명치 않은 황제는 우선 교황 쪽에 붙었으나 실전에는 참가하지 않았다. 고립된 것은 이번에는 프랑스 왕이었다.

이렇게 되니 전통적으로 친프랑스주의를 취해온 피렌체공화국의 처지가 매우 난감해졌다.

교황 율리우스가 프랑스에 대해서 내건 기치는,

"야만인은 나가라!"

는 것이었다. 야만인으로 번역한 말의 원어는 '바르바리'로, 이것은 고대 그리스에서나 고대 로마에서나 외국인을 의미했다. 그러므로 16세기 초에 야만인이라고 하면 이탈리아인 이외의 인간을 가리킨다. 이런 기치가 내걸리면 이탈리아인인 피렌체인이 바르바리족에 붙을 수는 없다. 특히 이 말을 꺼낸 인물이 교황청의 주인이고 보면 그리스도교도로서도 반대하기 어려워진다.

그렇다고 명확하게 교황 쪽에 붙는 것도 '보호자'인 프랑스 왕과의 관계로 보아 피렌체공화국으로서는 간단히 할 수 있는 일이 아니었다. 게다가 아냐넬로의 싸움이 증명해 보였듯이, 군사력에서는 프랑스가 가장 강하다. 그런 프랑스를 적으로 돌린다는 것은 피렌체로서는 도저히 할 수 없는 일이었다.

대책에 궁해진 피렌체 정부는 여느 때의 수법을 썼다. 그리고 그것을 맡긴 사람도 여느 때의 그 인물이었다. 시간 벌기의 임무를 맡은 마키아벨리가 프랑스 왕에게로 떠나간 것은 1510년 7월이었다. 체류 기간은 그 목적으로 보아 또다시 길어져서 3개월에 이르렀다.

그러나 이번 프랑스 출장은 단순한 시간 벌기만이 임무가 아니었다. 전운은 이탈리아 반도를 시커멓게 덮고 있었으며, 그 암운이 근간에 어디로 사라질 기미도 보이지 않았다. 그러나 아직은 대규모 전투로 발전하지는 않고 있었다. 마키아벨리는 그것을 회피해야겠다는 생각을 가지고 프랑스로 향했던 것이다. 그러나 이미 피렌체공화국은 국제관계에서의 주도권을 쥐고 있지 않았다. 그러한 나라는 정확한 전망을 바탕으로 올바른 판단을 내리더라도 참으로 우연한 사건 때문에 반대의 결과를 낳게 마련이다. 이때의 피렌체가 바로 그 좋은 예였다.

여기서 한숨을 좀 돌리면서, 지금까지의 저명한 사건과는 반대인 저명하지 않은 사실 하나를 소개할까 한다. 품위 없는 이야기라 송구스럽지만, 마키아벨리 본인이 원래 품위 있는 인간이랄 수 없는 사나이다. 어쩌면 이런 이유 때문에, 아니면 저명하지 않은 사실이라서 그런지 수많은 마키아벨리 학자들이 그동안 줄곧 무시해 온 에피소드다.

이 편지는 1509년 12월에 씌어진 것이다. 캉브레 동맹전에서는 아무 분배도 얻어걸리지 못한 피렌체가 황제의 전비 조달에는 끌려 나와서 40만 두카토를 떠맡게 되었고, 마키아벨리가 그 가운데 제2회 분할분을 황제에게 전달하는 역할을 맡았을 때의 것이다. 발신지가 베로나로 되어 있는 것은 황제가 당시 그곳에 있었기 때문이다. 같은 르네상스 이탈리아의 대표적 도시국가인데도, 한쪽의 베네치아는 그 5개월 전에 황제군을 실력으로 격파했는데, 다른 한쪽의 피렌체는 요구받은 돈을 거절하지 못하고 고작 분할불로 하는 데 동의를 얻는 정도가 그들이 할 수 있었던 유일한 대항책이었던 것이다.

교황과 프랑스 왕의 대결은 아직도 표면화되지 않았다. 이것이 표면화되어 몹시 난처해진 피렌체 정부가 마키아벨리를 다시 프랑스에 파견하는 것은 이 편지가 씌어진 시기에서 8개월이 지나서였다.

사신이지만 그런 공무출장 중에 씌어진 편지다. 수신인은 루이지 구이차르디니. 후일 마키아벨리의 친한 친구가 되는 역사가 구이차르디니의 형이다. 명문가의 도련님인 루이지는 이때 서른한 살. 발신인인 마키아벨리는 마흔 살이 되어 있었다. 점잖은 사전에는 실려 있지 않은 천한 속어가 마구 튀어나오는 편지인데, 이탈리아에서는 그래도 문장에 재기가 넘치면 '색채가 풍부한 문장'이라는 평가를 받는다.

정말 너무한 얘기야, 루이지. 운이라는 것은 놀랍게도 같은 행동을 하는데도, 사람에 따라 다른 결과를 가져오는 법인가.

자네의 경우는 여자와 자는 일 하나만 하더라도, 자네가 바라는 결과를 얻을 수 있지. 한데 내 경우는 다른 모양이야.

나는 이 도시에 온 지가 여러 날이 되었네. 이 말은, 요즘 그 방면의 관계가 너무 뜸해서 이성마저 흐려졌다는 말일세. 이런 때에 셔츠를 빨아주는 한 노파와 알게 되었지. 자기 집에서 세탁을 하는데, 그 집이 반지하여서 출입구로밖에는 빛이 들어가지 않더군.

하루는 내가 그 집 앞을 지나고 있는데, 노파가 나를 알아보고 무척 다정스레 말을 건네더니, 괜찮으시면 잠깐 들렀다 가시지 않겠냐는 거야. 고운 셔츠를 보여줄 테니, 마음에 들면 사라면서 말일세.

왠지 나라는 인간은 '새(新) 불알'(경망한 자를 의미한다)이라, 노파의 말을 곧이듣고 안으로 들어갔지.

그런데, 한쪽 구석에 웬 여자가 하나 있지 않겠는가. 흐릿한 빛에 보이는 그 여자는 머리와 얼굴이 건조대에 가려져 있고, 무언가 부끄러운 듯이 몸을 웅크리고 있더군. 노파는 내 손을 꼭 잡더니, 여자에게 다가가면서 말하는 거야.

"이게 내가 선생님한테 팔고 싶은 셔츠라고요. 한 번 입어봐요, 지불은 나중에 해도 되니까."

나는 자네도 알다시피 소심한 인간 아닌가. 깜짝 놀라버렸지. 그럴 수밖에, 어둠 속에 여자와 단둘이 남았으니까. 노파는 그렇게 말해놓고 밖으로 나가 문을 닫아버렸거든.

그래서, 말하자면, 결국 단숨에 해버렸지. 허벅지는 탄력이 없고, 성기는 촉촉하니 젖었고, 토하는 숨결은 퀴퀴했지만, 어쨌거나 나는 절망적으로 욕망에 사로잡혀 있었으니, 눈 깜박할 사이에 가버렸다네.

끝나고 나서야 비로소 나는 이 상품이 어떻게 생겼나 보고 싶어지더군. 난로에서 불 붙은 장작을 하나 집어들고, 난로 위에 있는 칸델라를 켰지. 그런데, 불이 채 켜지기도 전에 나는 하마터면 칸델라를 떨어뜨릴 뻔했다네.

아아, 어쩌면 여자가 그렇게도 추하게 생겼던지. 나는 그만 방바닥에 죽어 넘어질 지경이었네.

흐린 빛깔인가 하고 생각했던 앞머리는 새하얗고, 머리꼭지는 대머리야. 그 벗겨진 자리에 이가 몇 마리 산책을 하고 있는 것까지 보이더군. 머리털이 그렇게 적은데도 그게 눈썹까지 이어졌고, 쪼글쪼글한 조그만 머리꼭지에는 불로 지진 동그라미 같은 것이 있어서, 마치 축제일에 시장 바닥의 둥근 기둥에 묶어놓은 낙인 찍힌 동물을 떠올리게 했네. 눈 위로 내리쳐진 눈썹에는 털마다 이가 서캐를 슬었고 말일세.

눈은 한쪽은 높이 붙었고 한쪽은 낮게 붙었는데다가, 하나는 크고 하나는 작았네. 뿐만 아니라 속눈썹이 빠진 눈꺼풀 가장자리에는 눈곱이 넘칠 지경이야. 코는 온통 주름투성이의 이마와 접했고, 콧구멍 하나에는 콧물이 가득 찼더군. 입술은 로렌초 데 메디치의 바로 그 입이었네.

마키아벨리의 이 편지는 몇 번을 읽어도, 이 대목에 이르면 그만 웃음이 터지고 만다.

일 마니피코(위대한 사람)라는 별명까지 얻은 로렌초 데 메디치는,

"로렌초 데 메디치는 피렌체의 혼(魂)이었다. 피렌체가 르네상스의 혼이었던 시대의 피렌체의 혼이었다."

고 해도 될 만한 인물로, 죽은 지 17년이 지나 있었다. 그만한 인물이 17년이 지났는데도, 입술이 로렌초 데 메디치를 닮았다고 하면 서로가 금방 알아들으니 동향인이란 그래서 무섭다. 설령 로렌

초가 틀림없이 지갑 같은 입을 하고 있었더라도 말이다. 이 편지를 받은 루이지 구이차르디니도 아마 웃음을 터뜨렸을 것으로 여겨진다.

입술은 바로 로렌초의 그것이라고 쓴 뒤에도 마키아벨리의 묘사는 계속된다. 짐작건대 그 '상품'은 수염까지 나 있었던 모양이다. 너무한 추녀라 까무라쳐 나자빠질 뻔한 것치고는 묘사가 세밀하기이를 데 없어서, 마치 자연주의파의 정밀한 그림이라도 보는 느낌이다. 그리고 이렇게 계속된다.

망연히 이 괴물을 쳐다보고 있으니, 무슨 착각을 했던지 여자가 묻더군.

"나리, 뭘 생각하고 계세요?"

말은 이렇게 하지만, 실은 이 여자가 무슨 말을 하는지 난 알아듣지 못했네. 말더듬이라서 그런 말이라도 하지 않았나 싶을 뿐이지. 정확히는 입을 벌리고 무슨 말을 한답시고 우물거린 거야. 그 덕에 구린 입냄새가 확 풍겨 오더군. 그 냄새가 얼마나 지독하던지, 페스트도 겁이 나서 엎어질 지경이라, 이 공세에 내눈과 코는 끝내 견디지 못하고 확 토하고 말았지. 그렇게 해서이 상품에 걸맞은 대가를 치른 나는 간신히 밖으로 도망칠 수 있었다네.

정말이지, 이런 고통을 겪은 것만으로도 나는 죽어서 천당 가는 것은 따놓은 당상 같네. 하기야 이것으로는 아직 모자랄는지도 몰라. 롬바르디아에 갔을 때도 절망적인 욕망이 되살아났으니까.

자네는 신께 감사해야 하네. 즐거운 경험을 잇따라 하게 해주시니 말일세. 나도 신께 감사를 드려야지. 다만 내 감사는, 하고 싶어도 좀처럼 할 수 없는 지독한 경험을 하게 해주신 데 대한 감사지만 말일세.

이번 출장으로 돈이 조금 남을 것 같아서 피렌체로 돌아가면 이것을 밑천으로 무언가 해볼 참이네. 양계업이라도 해볼까 싶네. 다만 내가 직접 손을 댈 수는 없으니까, 누군가 돌봐줄 사람을 구해야지. 피에로 디 마르티노 정도면 적당하지 않을까? 그 사람이 맡아줄는지 물어봐야겠네. 자네 의견을 좀 들려주게나. 그 사람이 못하겠다면 다른 사람을 찾아야 하니까.

이 편지의 수신처는 만토바로 되어 있다. 아마도 루이지 구이차르디니도 그때 공용으로 만토바에 가 있었던 모양이다. 공무로 출장중에 서로 이런 편지를 주고받고 있었던 것이다.

정말 마키아벨리라는 인간은 이중, 삼중으로 기가 막히는 사나이다. 경비가 부족할 때는 그토록 열심히 호소하더니, 여유가 좀 생기니까 그만 착복해버린 모양이니 말이다. 그러나 이 편지가 씌어진 불과 몇 달 전에 대국끼리 싸우는 허를 찌르기는 했으나, 마키아벨리가 고생한 산물인 피렌체 정규군은 피렌체인의 염원이던 피사 재영유에 성공하고 있다.

피사 재영유로 이야기가 돌아간 김에, 여기서 저명하지 않은 사실에서 저명한 사실로 화제를 돌릴까 한다.

나는 13년 전에 쓴 『신의 대리인』에서, 그 가운데 한 사람으로 교황 율리우스 2세를 골라 '칼과 십자가' 라는 제목으로 다룬 적이 있다. 그 장은 지금 쓰고 있는 시기와 완전히 일치하는 시기를 그린 것이다. 그런데 피렌체공화국에 대해서는 거의 언급하지 않았다. 그것은 교황 율리우스라는 당시의 주역에 관해서 썼기 때문에, 피렌체는 교황을 중심으로 움직이고 있던 당시의 스타들, 곧 프랑스 왕, 황제, 에스파냐 왕, 베네치아공화국 등에 비하면 경쟁 대열에서 완전히 밀려나 있었다는 것을 의미한다. 피렌체보다 작은 페라라공국의 동향에 오히려 더 많은 지면을 할애한 것은 페라라 공 알폰소 데스테가 대포의 위력에 착안하여 활용한, 당시로서는 유일한 군주였기 때문이다.

그러면서도, 1508년 당시는 베네치아 대(對) 교황, 프랑스 왕, 황제, 에스파냐 왕의 대결이었던 것이, 1511년이 되자 교황, 베네치아, 황제, 에스파냐 대 프랑스 왕의 대결로 바뀐 국제관계의 피해를 정통으로 입은 것은 피렌체공화국이다. 마키아벨리식으로 말한다면, 그것은 '사려' 와 '힘' 을 둘 다 갖지 않은 나라의 도착점이었다.

어제의 친구인 교황 율리우스 2세와 프랑스 왕 루이 12세가 적대 관계가 되는 바람에 가장 난처해진 것이 피렌체였다.

교황은 "야만인은 나가라!" 라는, 이탈리아인이라면 누구나 반대하기 어려운 기치를 내걸고 피렌체에도 대 프랑스 동맹에 가담하라고 요구했다. 한편 프랑스 왕은 피렌체의 오랜 보호자로서의 '실적' 을 내세워, 교황 율리우스 2세의 배제를 목적으로 하는 공의회 개최지로 하필이면 다시 영유한 지 얼마 안되는 피사를 지명했다.

이것을 간단히 승낙해버리면 교황이 격노할 것은 불을 보듯 뻔했다. 교황은 대단한 군사력은 갖고 있지는 않지만, 그 배후에는 이제 베네치아와 에스파냐가 있다.

그렇다고 간단히 거절할 수도 없는 노릇이다. 이탈리아 반도에 가장 강력한 군대를 주둔시키고 있는 프랑스 왕이 아닌가. 피렌체 공화국으로서는 매우 중대한 이 위기를, 마키아벨리의 보좌를 받는 종신 대통령 소데리니는 우선 이런 수법으로 회피하는 데 성공한다.

피사에서의 회의 개최를 거절하지 못한 피렌체는, 공의회에 참가하기 위해 피사로 가는 도중의 추기경들을 상대로 각개 격파의 설득 작전을 개시한 것이다. 추기경들이 피렌체공화국 영내에 들어오면 마키아벨리가 대기하고 있다가, 가지 않는 편이 서로를 위해 상책이 아니겠는가 하고 설득하는 것이다. 마키아벨리 혼자서 할 수 있었던 것은 교황의 뜻을 어기면서까지 공의회에 참석하려고 하는 추기경이 적었기 때문이다. 그래도 피렌체공화국은 공식적으로 피사 회의 개최를 거부하지 않았고, 추기경들에게 영내 통행의 허가증 발급도 거부하지 않았다는 이유로 화가 난 교황으로부터 성무금지 처분을 받는다. 그러나 파문 조치는 아니었으므로 최악의 사태는 면했다.

그 때문에 피사 공의회 예정일인 9월 1일까지 피사에 도착한 추기경은 네 명밖에 없었다. 교황이 피사 공의회에 대항하여 로마의 라테라노 대성당에서 공의회를 연다고 선언했기 때문이기도 한데, 네 사람으로는 회의가 되지 않는다. 그래서 개최가 두 달 동안 연기된다.

피렌체 정부로서는 두 달밖에 안되더라도 무언가 손을 쓸 시간이 생긴 셈이다. 그래서 소데리니의 '책사'(策士) 마키아벨리가 다시 프랑스 왕을 찾아가게 되었다. 임무는 이제 더 설명할 필요도 없을 것이다. 피렌체의 곤란한 처지를 프랑스 왕에게 설명하고 왕의 노여움을 가라앉혀 프랑스 왕과 교황의 결정적인 대결, 다시 말해 전쟁을 벌이는 사태를 가능한 데가지 회피하도록 노력하는 일이었다. 그런데 당시의 피렌체는 교황에게나 프랑스 왕에게나, 그렇게 해주면 그들에게 줄 수 있는 것이 아무것도 없었다. 아무리 마키아벨리의 외교 수단이 뛰어나더라도 줄 것이 없는 이상 받을 것도 없는 것이다.

프랑스에서 돌아온 마키아벨리를 기다리고 있었던 것은 프랑스 왕으로서는 자기의 권위를 위해서라도 네 사람으로나마 열지 않을 수 없는 피사 공의회였다. 마키아벨리의 새 임무는 프랑스 왕에 대한 배려로 회의를 열게 하기는 하되, 그것을 되도록 빨리 다른 곳으로 옮기게 하는 일이었다. 피사 시민들은 말썽 많은 공의회가 자기들 도시에서 열리는 것을 좋아하지 않았으므로, 마키아벨리는 이 점에 주목했다. 치안 유지에 자신이 없다는 것이 이유라면 공의회에 참석하는 추기경들도 무관심할 수 없다. 마키아벨리의 첫 의도는 프랑스나 독일로 옮기는 것이었는데, 거기는 이전이 너무 눈에 띈다고 하여 프랑스 왕령이 된 밀라노로 옮기는 것으로 타협이 이루어졌다. 교황도 프랑스 왕의 일보 후퇴를 기뻐했던지, 피렌체에 대한 성무금지 처분을 풀어주었다. 12월, 밀라노로 옮긴 공의회는, 옮긴 직후의 제1회 회의는 열렸으나 그후는 자연 소멸의 느낌으로 결국 성공하지 못하고 말았다.

그러나 기질이 강한 인간은 승리를 적당한 선에서 누리기가 어려운지도 모른다. 교황 율리우스 2세는 "야만인은 나가라!"라고 떠들어버린 이상, 실제로 그것을 실현하지 않고는 직성이 풀리지 않는 사나이였다. 결정적인 대결이 피렌체의 일개 관료의 의지와는 관계없는 곳에서 진행되고 있었다. 1511년 말, 대 프랑스 전쟁을 목적으로 하는 신성동맹의 성립과, 그 결과로 일어난 라벤나의 대회전이 그것이다. 이번에도 군사력이 약한 피렌체공화국은 방관하는 수밖에 없었다.

머리 꼭대기에서 발끝까지 강철제 갑옷으로 무장한 중기병에 의한 중세 최대이자 최후의 전투라 일컬어지고, 16세기 전반의 가장 처참한 싸움이라고도 하는 라벤나 대회전의 양상은, '칼과 십자가' 속에 양군의 배치도까지 곁들여서 상술해놓았으므로 여기서는 생략하기로 한다. 라벤나의 들판에 진을 친 양군의 병력은 합쳐서 4만 명. 동맹군의 총지휘는 에스파냐인 카르도나. 프랑스군은 약관 스물세 살의 가스통 드 푸아가 지휘했다.

1512년 4월 11일 아침 8시부터 오후 4시까지 계속된 전투의 결과는 프랑스군의 승리로 끝난다. 양군을 합쳐서 1만 4천 명의 전사자를 낼 만큼 피해가 컸는데, 후퇴 명령을 내린 것은 카르도나였기 때문이다. 그러나 프랑스 쪽도 총지휘관 가스통 드 푸아가 전사하는 바람에 승전과는 거리가 먼 분위기였다.

마키아벨리의 전망은 정확했다. 피렌체공화국으로서는 프랑스 왕과의 관계를 결정적으로 끊는 것은 불리하다고 본 그의 판단은 피렌체가 군사력을 갖고 있지 않는 한 옳았던 것이다. 라벤나 대회전의 결과는 아냐넬로의 전투에 이어 다시 프랑스의 군사력이 우세하다는 것을 증명해 보였다.

그런데 마키아벨리가 잘못 내다본 것이 하나 있었다. 그것은 라벤나의 대회전이 끝난 후에 나타났다. 그간의 사정을 『신의 대리인』에서 발췌하는 것을 양해하시기 바란다.

어둠살이 끼기 시작하고 있었다. 어둠은 라벤나의 들판을 덮은 시체에 그림자를 던져 조금씩 그것들을 덮어나갔다. 그러나 승리한 프랑스군의 대장들은 죽은 자를 처리하는 일도, 남은 병사들을 정리하는 것도 다 잊은 듯했다. 누워 있는 가스통 드 푸아의 유해를 둘러싸고 서서 누구 하나 입도 떼지 않고 움직이는 것조차 잊은 채 오래도록 우두커니 서 있었다.

이튿날, 겁에 질린 라벤나의 시민 대표가 성문을 열겠다고 제의해 왔다. 그날 밤 프랑스군은 라벤나에 입성했다. 승자 가스통 드 푸아의 찢어진 몸은 피에 젖은 동맹군의 군기에 싸여 입성했다. 장병들은 고개를 푹 숙이고 무거운 공기에 싸여 있었으며, 개선의 입성이라기보다 장례의 행렬이었다. 나흘 후, 요새에 의거하여 저항하고 있던 마칸토니오 콜론나도 항복했다. 이어서 리미니, 포를리, 체세나, 이몰라, 파엔차가 속속 항복했다. 그리하여 로마냐 전 지역은 며칠 만에 프랑스의 수중에 들어갔다.

로마는 공포의 도가니가 되었다. 당장이라도 플라미니아 가도에 프랑스군의 그림자가 나타날 것만 같아 모두가 무서워했다. 온 로마 시내가 약탈당하고, 바티칸 궁은 교황과 성직자들이 안에 갇힌 채 불탈 것이라는 소문이 퍼져서 사람들은 점점 더 공포에 사로잡혔다.

교황 율리우스 2세의 공포도 다른 사람과 다를 턱이 없었다. 패전, 더욱이 완패라니 믿어지지가 않았다. 그는 아직 드 푸아의 죽음을 모르고 있었다. 혼란에 빠진 동맹군 패잔병들은 총사령관을 비롯하여 모두 체세나로 달아났다가, 거기서도 주민들에게 쫓겨나 마르케 지방까지 도주하는 데 정신이 팔려 로마에 제대로 보고도 못하고 있었던 것이다. 게다가 항상 베네치아로부터 입수하던 정보도 라벤나의 선에서 차단되어 로마까지 도달하지 않았다. 율리우스 2세는 초조했다. 그도 승리의 기세를 탄 프랑스군이 당장 로마로 몰려오는 환상에 시달렸다.

4월 15일, 줄리오 데 메디치가 로마에 도착했다. 그도 동맹군에 가담해 있었으나 도주하는 데 성공하여, 그 이튿날 프랑스군에 포로로 잡힌 사촌 조반니 추기경을 면회할 수 있었다. 그 자리에서 추기경은 그에게 다음과 같은 소식을 은밀히 교황에게 전해달라고 당부했다. 총사령관 가스통 드 푸아가 전사했다는 것, 드 푸아가 죽은 뒤 프랑스군은 망연자실한 상태에 빠졌고, 라 팔리가 후임 총사령관이 되었으나 군이 통일되지 않아 대장들 사이에서 앞으로의 일에 관해 의견이 갈라져 있다는 것, 산세베리노 추기경이 즉각 로마로 진격하자고 주장하고 있으나 라 팔리는 왕의 지시를 기다려서 행동하겠다며 듣지 않고 있다는 것, 다른 대장들도 반반으로 갈라졌고 이런 작태에 실망한 알폰소 데스테는 대포를 끌고 페라라로 돌아가버렸다는 것 등이었다.

그러나 이것으로 율리우스 2세의 걱정이 사라진 것은 아니었다. 총사령관이 죽고 군의 지휘 계통이 문란해졌다고는 하지만, 2만 3천 명의 대군 가운데 4분의 3은 아직도 건재하다. 더욱이 롬바르디아와 로마냐 등 북이탈리아는 완전히 프랑스의 수중에 들어갔다. 군의 보강 따위는 간단하다. 반면에 에스파냐와 베네치아를 주축으로 한 동맹군은 해체된 거나 다름없다. 율리우스 2세에게는 무섭도록 불안한 며칠이 지나갔다.

그런데 일주일이 지나도록 아무 일도 일어나지 않는다. 열흘이 지나도 마찬가지였다. 두 주일이 그냥 지나가자 사람들은, 라벤나에서 아무 일도 일어나지 않은 것이 아닌가 하는 착각마저 하게 되었다. 율리우스 2세는 이번에도 적에게 구원받은 셈이다.

날이 감에 따라 프랑스 왕 루이 12세가 그의 생애 최대의 호기를 놓친 것이 뚜렷해졌다. 그는 라벤나의 승리를 헛된 것으로 만들어버렸다……. 어이없게도 프랑스군을 밀라노로 소환해버린 것이다. 비록 가스통 드 푸아라는 뛰어난 통솔자를 잃었다 하더라도, 라벤나 전쟁 이후의 루이 12세의 태도는 평소부터 그가 보여온 통일되지 못한 정치 방침을 드러낸 것이었다. 언제나 마지막까지 간다고 선언하지만, 거기까지 간 적은 한번도 없었다. 결단력이 없다는 증거였다. 그 때문에 그는 매우 비싼 대가를 치르게 된다. 반대로 율리우스 2세는 마치 결단력과 용기만으로 되어 있는 듯한 사나이였다.

'대가'를 먼저 지불하게 된 것은 피렌체였다. 마키아벨리가 잘

못 읽은 것은, 프랑스 왕 루이 12세가 그런 절호의 기회를 놓치는 인간이라고까지 읽지 못한 데에 있었다. 세 번에 걸친 사절 경험으로 마키아벨리는 루이 12세의 성격을 알고는 있었다. 다만 그토록 중증인 줄은 상상도 못했던 모양이다.

이래도 역시 잘못 읽었다고 하는 것일까? 아니면, 제아무리 인지를 다해도 회피할 수 없는 불운이라고 해야 할 것인가? 다만 루이 12세의 결단성 부족이, 그리고 그것으로 구원을 받은 교황의 결단이 피렌체공화국으로서는 치명적인 것이 되는 것이다.

프랑스 왕이 군대를 밀라노로 소환하고 있는 동안, 뿔뿔이 흩어졌던 동맹군 부대도 조금씩 모여들기 시작하고 있었다. 베네치아는 프랑스군이 태세를 제대로 정비하지 못하는 틈을 타서 1508년의 아냐넬로 전투에서 잃은 도시들을 되찾기 시작하고 있었다. 군대를 보내어 힘으로 회복한 것이 아니다. 원래 프랑스나 독일보다 베네치아공화국의 지배를 받는 쪽을 바라고 있던 주민들이, 프랑스 왕이나 독일 황제의 군대가 가까이에 없는 것을 기화로 다시 베네치아 밑에 되돌아온 것뿐이었다. 베네치아는 이렇게 하여 마키아벨리로 하여금 800년 동안에 구축한 것을 전쟁 한 번으로 잃었다고 개탄시킨 캉브레 동맹으로부터 4년이 지난 후, 잃은 것을 죄다 되찾는 데 성공한 셈이다. 그러나 한쪽의 피렌체는 존망의 위기에 직면하게 되었다.

라벤나 대회전에서 진 동맹군 가운데 베네치아군은 이렇게 재편성의 목적을 가질 수 있었으나, 에스파냐군에는 그것이 없었다. 명확한 목적 없이 그저 집합한 데 지나지 않는 군대처럼 처치 곤란한 것도 없다. 총지휘관 카르도나가 이끄는 에스파냐군이 행군하는 길목이 된 피렌체는 불길한 예감이 들었을 것이다. 더욱이 에스파냐군에는 피렌체에서 추방된 지 18년이 지난 메디치 집안 사나이들이 가담해 있었다.

그들은 단지 군에 가담한 것만이 아니었다. 행군 비용이 메디치가에서 나오고 있다는 얘기였다. 메디치가 거저 돈을 댈 턱이 없다. 그리고 메디치 가가 피렌체에 복귀하려는 의도는, 오랜 친프랑스정책을 써왔고 공의회의 피사 개최를 허용한 피렌체를 제재할 결심을 한 교황 율리우스 2세의 후원을 받고 있었던 것이다.

조반니 데 메디치 추기경이 동행하고 있는 에스파냐군은 피렌체에서 20킬로미터밖에 떨어지지 않은 프라토에 접근하고 있었다.

13 1512년 · 여름

프라토 시는 정확히 말하여 피렌체에서 18킬로미터밖에 떨어져 있지 않다. 피렌체에서 피사로 가는 고속도로를 타면, 먼저 입을 벌리는 출구가 프라토로 나가는 길이다. 볼로냐와 피렌체 사이에 가로놓인 아펜니노 산맥이 끊어지고, 아르노 강 연안의 평원으로 들어간 곳에 있는 도시들을 서쪽 방향으로 차례대로 들면 프라토, 피스토이아, 루카, 피사, 리보르노로 이어져서 티레니아 해에 이른다. 말하자면 프라토는 성벽이라도 둘러치지 않으면 방어가 불가능한 평야의 한가운데에 있는 도시다. 게다가 볼로냐에서 아펜니노 산맥을 넘어 남하해오는 가도의 출구이기도 하다.

다만 단순한 피렌체의 위성도시가 아니다. 피렌체 영토가 된 14세기 중엽에 이미 섬유공업이 성했던 곳으로, 특히 모직물공업은 피렌체의 그것이 쇠퇴하기 시작할 무렵부터 피렌체의 자리를 차지했으며, 이 전통은 근년에 특히 강해져서 토스카나 지방의 맨체스터라는 소리를 들은 지 오래다. 지금은 직물 전시회 같은 것은 사람들이 잘 모이는 피렌체에서 개최되지만, 전시되는 직물은 모두 프라토에서 만들어진다.

역사에 유명한 프라토의 약탈이 일어난 16세기 당시도, 지금처럼 풍성하지는 않았으나 결코 조그만 농촌 도시가 아니었다. 인구도 시 성벽 안의 상주 인구만도 6천을 헤아렸다. 이 도시에 접근하고 있는 에스파냐 병력은 6천 남짓. 라벤나 전투에서 4개월이 지나 있었고, 어디를 가나 환영을 받지 못하는 에스파냐군의 잔당들이었다.

피렌체공화국 정부는 그동안 완전히 무위무책으로 세월을 보낸 것은 아니다. 라벤나 전투 1년 전부터 이미, 언젠가는 프랑스 왕과 교황·베네치아·에스파냐 세력과의 싸움이 피하기 어렵다고 본 피렌체는 국경을 지키는 성채의 정비와 국민군의 증강에 착수하고 있었다. 이것을 둘 다 대통령 소데리니의 군사방위 부문 '보좌관'인 마키아벨리가 담당했다.

성채 정비는 마키아벨리가 건축가이자 축성기술이 뛰어난 줄리아노 산갈로를 데리고 다니면서 일일이 돌아보고 지시했다. 국민군의 증강도 종래의 보병군단 이외에 기병대와 포병대의 조직에도 착수했다. 이것도 여느 때와 같이 마키아벨리의 방식에 따라, 기병이 100기가 되었을 때 시뇨리아 광장에서 시위 행진을 벌여 여론을 환기시키고, 다시 그 이상의 보강을 추진하는 수법에 호소했다.

외교면에서도 프랑스 쪽에 기울기는 했으나 중립을 표명하고 있었다.

당초에는 마키아벨리가 내다본 대로 진행되었다. 라벤나의 싸움은 프랑스의 군사력이 교황·베네치아·에스파냐 합동군을 압도하는 힘을 가졌다는 것을 실증했다. 그러나 그후의 발전은 마키아벨리의 전망을 웃돌았다. 라벤나의 승리를 헛된 것으로 만들어버린 프랑스 왕이 군대를 밀라노로 철수시켰으며, 그 때문에 중부 이탈리아를 떠돌아다니는 에스파냐의 잔당을 제어할 수 있는 존재가 없어져버린 것이다.

에스파냐군은, 일단은 동맹군의 총지휘관이자 에스파냐 영토가 된 나폴리의 총독이기도 한 라이몬도 카르도나의 지휘를 받는 것으로 되어 있었다. 그러나 싸움에 패배하여 7천에서 4천으로 줄어든 군대를 지휘한다는 것은 누구에게나 쉬운 일이 아니다. 게다가 카르도나 자신이 이 군대를 대체 어디로 이끌고 가야 좋을지 모르는 상태에 있었다. 군비도 없는 거나 마찬가지였다. 그것을 메디치에게 교묘히 이용당하고 있었다.

피렌체에서 추방된 지 18년이 지나 있었던 메디치 가는, 그동안 경솔한 행동으로 집안을 망명으로 몰고간 피에로가 죽고 없었다. 이 당주가 죽은 뒤의 메디치 가를 지도한 것이 피에로의 동생 조반니 추기경이다. 1492년 이전의 피렌체공화국에 사실상 군주로서 군림한 로렌초 일 마니피코는 자기의 세 아들을 이렇게 평한 적이 있다.

"하나는 미치광이고, 하나는 영리하고, 하나는 호인이다."

1512년의 메디치 가에게 행운이었던 것은 미치광이가 이미 죽고 없다는 것이었다. 더욱이 그 뒤를 이은 것이 영리하다는 평을 들은 둘째 아들 조반니였다.

1512년 8월 프라토 시에 접근한 에스파냐군은 피렌체공화국 정부에 다음과 같이 요구했다.

군의 유지비로 10만 두카토를 지불할 것. 소데리니 정권을 무너뜨리고 대통령을 다른 인물로 교체할 것. 이것이 수용되지 않으면 프라토를 공격한다.

이에 대해 대통령 소데리니의 대답은 이랬다.

10만 두카토의 지불은 이유 없는 것이므로 거부한다. 종신 대통령 소데리니 정권은 시민이 선출하여 국회가 결정한 일이며, 변혁의 결정권은 시민과 국회에 있다. 타국인이 간섭할 일이 아니다.

나무랄 데 없는 정론이다. 법의 사람 소데리니로서는 너무나 당연한 반론이었을 것이다. 더욱이 어김없는 법의 사람인 소데리니는 이 결정을 국회에 위임하기까지 했다. 국회의 결의는 소데리니를 지지했다.

소데리니의 정론은 단순한 논리가 아니었다. 정론을 표면에 내세울 수 있었던 이면에는 방위력에 대한 피렌체의 자신감이 있었다. 마키아벨리가 고안한 국민군은 입법화된 지 4년 반이 지난 1512년 여름에는 보병 9천과 포병 300, 그리고 수백 명에 지나지 않았으나 기병까지 갖춘 군대로 증강되어 있었다. 그밖에 프라토 시에는 400명의 병력이 주둔하고 있었다. 이만하면 5천 남짓한 에스파냐군에 저항할 수 있다고 피렌체는 판단한 모양이다.

뿐만 아니라 소데리니에 대한 지지를 표명한 국회는 소데리니가 요청한 긴급 군사비 5만 두카토의 지출도 승인했다. 만일 프라토를 잃더라도, 견고한 시 성벽 안에서 7만 인구를 가진 피렌체에 배수의 진을 치는 각오로 농성을 한다면, 패잔병의 집합 따위는 물리칠 수 있다고 생각한 것이다.

피렌체 정부의 회답을 들은 라이몬도 카르도나는 다시 같은 요구와 같은 협박을 보냈다. 이 에스파냐 무장이 특별히 마음이 후한 사람이었던 것은 아니다. 어쩌면 그 자신도 패잔병을 거느린 전투에 자신이 없었는지도 모른다. 그러나 피렌체의 대답은 변하지 않았다. 이윽고 공격이 개시되었다.

에스파냐인의 성격이 좋은 일에서나 나쁜 일에서나 극단적이라는 것은 역사가 증명하는 일이다. 중용이라는 말은 그들과는 무관했다. 에스파냐인이 주력이 되어 개발한 식민지가 오늘날 얼마나 정정 불안에 시달리고 있는가만 보아도 그들의 성향을 짐작할 수 있을 것이다. 더욱이 1512년에 프라토를 공격한 것은 보통 이상으로 포학해진 패잔병의 무리였다.

8월 29일, 프라토는 함락되었다. 시 성벽을 사이에 두고 싸우는 동안은 방위하는 쪽도 격렬하게 응전했으나, 일단 시 성벽이 뚫리고 에스파냐군이 노도처럼 밀려들어오자, 전황은 의심할 여지없이 에스파냐 쪽에 유리하게 전개되었다. 쳐들어온 적병 앞에 마키아벨리가 만든 국민군이 버티지 못하고 한꺼번에 허물어졌기 때문이다. 머릿수를 모으기는 했으나, 아직 '군대'가 되어 있지 않았던 것이다. 그 뒤에 남은 것은 살육뿐이었다. 프라토의 주민들도 살해되고 욕을 보고 상처를 입었으나, 무장병만도 4천 명이 죽었다. 그 대부분은 피렌체 국민군인 농민병들이었다.

불과 20킬로미터밖에 떨어지지 않은 프라토에서 일어난 이 참극은 온 피렌체를 떨게 했다. 그러나 인심은 겁에 질려 벌벌 떨면서도 즉각 시문을 여는 정도에는 아직 이르지 않고 있었다. 그래도 배수의 진을 칠 준비가 잘 진행되지 않아 동요가 컸다. 그 허를 조반니에게 찔린 것이다.

메디치 가의 이 서른일곱 살의 추기경은, 프라토 공격이 시작되기 전부터 이미 피렌체 시내의 메디치파 사람들과 연락을 취하고 있었으며, 프라토 공격이 성공한 뒤에는 적에게 재기의 시간적 여유를 주지 않았다. 8월 31일, 프라토가 함락된 지 불과 이틀 후, 전부터 분명히 메디치의 지지자로 지목되고 있던 시민 5명이 정청에 찾아가 소데리니 대통령에게 면회를 요구했다.

면회라기보다 급습이었다. 이 5명은 모두 20대에서 30대로, 알비치, 베트리, 카포니, 루첼라이, 바롤리 등 그 성이 말해주듯이 피렌체의 상층부에 속하는 젊은이들이었다. 마키아벨리 같은 중산계급을 발탁하고, 결정을 국회에 맡기는 식의 소데리니 정권을 평민 정권이라 부르면서, 소외된 데 대한 불만을 품어온 계층이다. 이 5명의 젊은이는 이야기하면 알겠지 하는 생각으로 면회에 응한 소데리니에게 말했다.

"당신을 죽이겠소. 다만 당장 여기서 나간다면 살려주겠소."

소데리니가 국회의 토의에 부치겠다고 주장했으나 그들은 듣지 않았다. 무기를 들고 그를 포위한 다섯 젊은이의 행동이 얼마나 민첩했던지, 같은 정청 안에 있던 사람들도 미처 깨닫지 못한 순간적인 사건이었다.

소데리니는 마키아벨리를 불렀다. 방에 들어온 마키아벨리에게 그는, 지금 당장 프란체스코 베트리의 집에 가서 대통령의 안전을 지키는 책임을 질 생각이 있느냐고 물어보게 했다. 프란체스코 베트리는 마키아벨리와 함께 황제에게 사절로 파견되었을 정도니까, 대통령 소데리니와는 가깝다. 그러나 5명의 젊은이 가운데 하나인 파올로 베트리의 형이기도 했다.

프란체스코 베트리의 집에 찾아간 마키아벨리는 곧 그와 함께 돌아왔으며 그런 그에게 소데리니는 뒷일을 맡긴다고 말했다. 5명의 젊은이들도 이 사실을 이해해주자 소데리니는 정청에서 나왔다. 그날 밤 소데리니는 피렌체의 남쪽에 나 있는 시문으로 피렌체를 떠나 먼저 시에나로 향했다가, 곧 남이탈리아의 로레토로 갔으며, 거기도 안전하지 않다고 생각했던지 배로 아드리아 해를 가로질러 라구사로 피신했다.

시정인인 루카 란두치의 『일지』는 이날의 사건을 이렇게 적고 있다.

"1512년 8월 31일, 종신 대통령 피에로 소데리니와 사절 5명은 평화리에 협정을 맺었다. 소데리니는 말했다. 피렌체 시민을 떠들게 만들어서는 안된다. 내 개인으로서는, 신의 뜻이라면 기꺼이 따르겠다.

이렇게 해서 피렌체는 대통령 부재가 되었으며, 전 대통령은 신과 함께 시를 떠났다. 시민 몇 사람도 그와 함께 피렌체를 뒤로했다. 어떤 사람은 시에나로 가고, 어떤 사람은 저마다 안전하다고 생각하는 곳으로 향했다."

"9월 1일, 오늘 메디치 가의 셋째 아들 줄리아노가 피렌체에 입성했다. 정청에는 대통령이 없는 채로 새 정부가 수립되었다."

쿠데타가 성공한 것이다. 피렌체공화국의 소데리니 정권은 국민의 지지를 잃고 쓰러진 것이 아니라, 쿠데타에 의해서 붕괴된 것이다.

더욱이 이때의 쿠데타는 사전에 대책을 세울 수도 있는 쿠데타였다. 메디치파로 지목되는 피렌체 시민들의 언동은, 에스파냐군이 프라토에 접근하고 있다는 소식과 더불어 공공연한 것이 되고 있었다. 그러나 '법의 사람' 소데리니는, 확실한 증거도 없는 사람의 체포를 허가하지 않았다. 소수파에 지나지 않는 메디치 동조자들의 행동은 완전히 자유였다. 소데리니는 압도적인 지지를 누리고 있었던 것은 아니다. 그러나 대다수 시민들의 마음은, 소데리니에 대한 불만과 메디치를 맞아들이는 것과는 반드시 일치하지는 않았다.

동시대인인 필리포 데 네리는 이렇게 쓰고 있다.

"소데리니는 나쁜 지도자가 될 수도 없었고, 그렇다고 좋은 지도자가 될 수도 없었다. 그는 너무나도 인내를 믿고, 때(時)의 은혜를 과신했다. 모든 곤란은 때가 해결해줄 것으로 알고 있었다."

마키아벨리도 비슷한 말을 그 이듬해에 쓰게 되는 『정략론』에서 말하고 있다.

"그는 인내와 선의로 임하기만 하면 곤란은 해결된다고 믿고 있었다. 그래서 적이 절호의 기회를 제공해주는데도, 절대로 힘으로 적을 쳐부수려 하지 않았다.

나는 필요악으로서 말하는 것이지만, 때로는 법에 어긋나는 일도 하지 않으면 안된다고 생각한다."

마키아벨리가 피렌체를 떠나는 소데리니를 어디까지 배웅했는지는 알려지지 않았다. 시에나까지 기병 40기가 호위한 지난날의 상사를 로마 문까지는 배웅했을지도 모른다. 다만 란두치가 쓴, 소데리니를 따른 '몇 사람인가의 시민들' 가운데 끼여 있지 않은 것은 확실하다.

마키아벨리 앞에 일이 산적해 있었던 것은 사실이다. 소데리니의 '책사'였으니, 이렇게 간단히 실현된 정권 타도 뒤의 사무 인계에는 측근 중의 측근으로서 세밀한 부분을 잘 아는 그가 꼭 필요했던 것이다. 그리고 소데리니를 위해 자기를 희생하고 싶은 생각도 없었던 마키아벨리는 사무 인계의 책무를 충실히 수행했다. 충실히 수행함으로써 새 정권의 비위를 맞추고 싶은 타산도 작용했을는지 모른다. 그는 자기가 공무원에 지나지 않는다고 생각하고 있었다. 우수하지만 단순한 일개 공무원에 지나지 않는다고.

  18년 만에 피렌체로 돌아온 메디치 가의 사나이들은 시민의 환호성 속에 개선장군처럼 화려하게 입성한 것은 아니다. 그들은 복귀의 성공이 어떤 사정 아래 이루어진 것인지 잘 알고 있었다.

  먼저 소데리니 정권이 붕괴한 다음날인 9월 1일, 줄리아노 데 메디치가 혼자서 피렌체에 들어왔다. 메디치 가를 의미하는 "팔레, 팔레"의 환호에 답하기는 했으나, 곧장 메디치 궁으로 가지는 않았다. 알비치의 집에 들렀다가 정청으로 간 줄리아노는, 그때까지 길렀던 턱수염을 피렌체 태생 남자의 습관에 따라 깨끗이 밀어버린 얼굴이 되어 있었다. 매사가 이랬으며, 메디치 가 사람들은 피렌체 시민을 자극하는 것은 무슨 일이나 피하고 있는 듯이 보였다. 물론 에스파냐 병사 같은 것은 한 사람도 데리고 오지 않았다. 이런 메디치에 피렌체 시민은 마음을 놓았다.

  이 1512년의 메디치 가의 주된 면면은 다음 네 사람이었다.

  둘째 아들인 추기경 조반니는 서른일곱 살. 6개월 후 레오 10세의 이름으로 교황에 선출된다. 메디치 가의 사실상의 당주였다.

메디치 가의 문장

셋째 아들 줄리아노, 서른세 살. 지난날 아버지 로렌초 일 마니피코에게 호인이라는 평을 들은 인물로, 곧 레오나르도 다 빈치의 패트런이 된다. 다만 건강이 좋지 않았다.

주교 줄리오, 서른네 살. 파치의 난에서 살해된 로렌초의 동생 줄리아노의 아들이다. 사촌 조반니가 교황에 선출되는 덕분에 그도 추기경의 주홍색 옷을 입게 되고, 이해로부터 11년 후인 1523년, 클레멘스 7세의 이름으로 교황이 된다. 피렌체 복귀를 이룩한 메디치 집안에서 '당주'인 조반니의 오른팔이 그였다.

로렌초, 스무 살. 죽은 장남 피에로의 아들로 메디치 가의 종손이다. 다만 그도 무쇠 같은 건강의 소유자는 아니었다.

이런 구성이면 당연한 일이지만, 표면에 나서는 것은 줄리아노이다. 그를 뒤에서 떠받드는 것이 조반니와 줄리오 두 고위 성직자였다. 이렇게 해놓고 언젠가는 로렌초에게 인계할 생각이었는지도 모른다.

메디치 가의 두뇌인 추기경 조반니는 피렌체와 메디치 가의 관계를, 1492년, 아버지 로렌초 일 마니피코가 죽은 해까지 존재했던 관계로 되돌려놓을 생각이었다. 공화 정체를 유지하면서, 실제로는 메디치 가가 지배하는 참주 정체다. 그러기 위해서도 화려한 귀환을 피했던 것이다. 그로서는 메디치 가의 복귀에 의한 변혁이 소데리니의 추방뿐이었다는 인상에 그치고 싶었던 것이다.

그러면서도 20킬로미터 거리의 프라토에는 여전히 에스파냐군을 주둔시켜놓고 있었다. 메디치는 이 무언의 압력을 배경으로 표면상 온건한 변혁을 시작했다. 그리고 피렌체 신정부는 국회에서 공식으로 정한 것도 아닌데, 에스파냐군의 군비로 12만 두카토를 지불하는 의무까지 진다.

9월 8일, 종신 대통령제가 폐지되고, 대통령은 10년 전인 1502년 당시의 제도로 돌아가 1년 임기로 고쳐졌다. 이날 대통령에 선출된 것은 잔바티스타 리돌피였다. 인망이 높은 인물로, 소데리니 정권 아래서도 일했으나 반메디치파는 아니었으며, 그렇다고 친메디치파라고 할 수도 없었다. 이 인물의 선출은 메디치의 교묘한 작전의 결과였다. 리돌피는 상층 계급에 속했으나, 마키아벨리의 능력을 인정한 사람의 하나이기도 했다.

동시에 '80인 위원회'의 위원이 증원되었다. 이 위원회의 중요성은 여기서 가결된 사항만이 국회의 토의에 부쳐진다는 데 있었다. 위원의 증원은 물론 메디치파를 들여보내기 위해서였다. 또 정청에 근무하는 공무원의 월급도 올랐다.

9월 16일, 1년 임기의 대통령을 보좌하는 8명의 한 사람이 된 줄리아노 데 메디치가 공식적으로 정청에 들어갔다.

9월 18일, 피렌체공화국 국민군 해산. 루카 란두치의 『일지』에는 한마디 언급도 없는 것을 보면, 시민들의 화제에도 오르지 않을 만큼 은밀히 마키아벨리의 고심작은 해산된 모양이다.

그날의 그의 심경을 살필 방도는 없다. 그러나 그가 그토록 확신했고, 그 실현과 존속을 위해 노고를 아끼지 않았던 국민군이다. 아무 감정도 없을 수는 없었을 것이다. 더욱이 마키아벨리야말로 '9인 위원회'의 비서관으로서 실무 전체를 담당해온 사람이 아닌가. 해산을 하는 데도 모든 것이 그의 손을 거쳐야 했다. 그래서 바빴던 것이 그를 구해주었는지도 모른다.

같은 날, 에스파냐군 총사령관 카르도나가 피렌체를 방문하여, 마침내 그동안 프라토에 눌러앉아 있던 에스파냐군의 철수가 결정되었다. 12만 두카토도 4일 전에 지불이 끝났다.

이튿날 19일, 에스파냐군은 로마로 떠났다.

10월 5일, 피렌체 정부의 이름으로 명령 하나가 내려졌다. 1494년 메디치 추방 때, 메디치 궁전이나 별장에서 들고 나와 소유하고 있는 물품을 반환하라는 것이었다. 어기는 자는 참수형에 처한다고 했다. 많은 물품이 메디치의 손에 되돌아왔다.

10월 13일, 정부는 전 대통령 피에로 소데리니의 해임을 공식으로 발표하고, 그에게는 5년 간의 추방, 동생들에게는 3년 간의 추방령이 내려졌다. 이 시기에 새 대통령 리돌피의 취임식도 거행된다.

그리고 11월 7일에는 니콜로 마키아벨리가 제2서기국 서기관직에서 파면된다. 군사·방위 담당인 '10인 위원회'의 비서관도 면직되었으니, 이것으로 모든 자리에서 떨려난 셈이다. 같은 날, 마키아벨리의 보좌역 같은 처지에 있던 친구 비아조 보나콜시도 자리를 잃었다.

마키아벨리는 면직만으로 그치지 않았다. 앞으로 1년 동안 피렌체 시에서 추방되며, 다만 피렌체 영내에 머물러 있어야 한다는 의무를 지게 되었다. 1년 간 정청 출입도 금지되었다. 그리고 이런 것들을 준수한다는 보증금이랄지, 아니면 준수해야 돌려줄 턱이 없으므로 벌금이라고 해야 할지는 모르지만, 1천 두카토의 금화를 지불하는 의무까지 졌다. 그의 10년치 급료와 맞먹는 큰 돈이었다. 이름은 알려지지 않았으나, 그의 친구 세 사람이 입체하여 지불을 끝냈다고 한다. 감옥살이만은 면한 셈이다. 마키아벨리의 후임에는 메디치파의 미켈로치가 선임되었다.

그러나 실제로 마키아벨리는 이 시기 내내 피렌체 시내에 머물게 된다. 정청에도 거의 날마다 출입했다.

왜냐하면 마키아벨리가 깨끗이 사무 인계를 해주지 않으면, 신정부는 무엇이 어디 있는지 알지 못했기 때문이다. 입이 험한 사람의 말대로 한다면 '소데리니의 심부름꾼'이었던 마키아벨리가 소데리니의 측근으로 있었던 시기는 길다. 정청 내의 지위와 관계없이 공화국의 군사와 외교의 세부에 정통한 사람을 들라면, 먼저 이름이 떠오를 사람이 마키아벨리이다. 게다가 그는 국민군을 담당한 '9인 위원회'의 비서관이기도 했다. 경비만 하더라도 실제로 그것을 움직인 사람은 그였다. 그래서 마키아벨리는 면직된 후에도 여전히 직장에 다니고 있었던 것이다.

그런데 자기의 면직을 마키아벨리는 예측하고 있었을까? 면직이 결정되기 전에 씌어진 것은 확실하지만, 실제로 발송이 되었는지 아니면 그저 자기의 심정을 써본 것에 지나지 않는지는 분명치 않으나, 메디치 가의 어느 여성 앞으로 쓴 듯한 편지가 한 통 남아 있다. 그것을 보면, 조금은 예측하고 있지 않았나 하는 생각이 든다. 소데리니가 추방된 이상, 그 책사인 마키아벨리 자신도 무사히 넘어가지 않을 것이라고 생각했을지도 모른다.

다만 100퍼센트 예측하고 있었느냐 하면, 그렇지는 않았던 것 같다. 소데리니의 실각이 곧 자신의 실각이라고 생각했더라면, 소데리니와 일찌감치 행동을 같이했을지도 모른다. 도망만 쳤더라도 일신의 안전만은 보장되었을 것이다. 그것이 쿠데타파가 소데리니에게 준 조건이다. 그러나 그는 피렌체를 떠나지 않았다.

마키아벨리는 혹시 자기는 유임될 것이라고 생각한 것은 아닐까? 얼마간 불안하기는 해도 유임될 가능성이 더 크다고 생각한 것이 아닐까?

이런 생각을 뒷받침한 재료는 당시 얼마든지 있었다.

첫째, 새 대통령에 선출된 사람이 그와도 친했던 잔바티스타 리돌피이다. 리돌피는 반메디치파는 아니었으나 메디치파도 아니다.

둘째는, 마키아벨리의 직속 상사인 제1서기국 서기관 마르첼로 비르질리오가 유임된 일이다. 또 마키아벨리가 면직되었을 때, 그와 보나콜시 이외에 서기국에서 면직된 사람은 한 명도 없었다.

셋째는, 소데리니 정권 아래서 요직에 앉아 있던 자로서 해임된 사람이 하나도 없었다는 사실이다. 쿠데타 당시 소데리니가 뒷일을 부탁할 정도의, 그것은 곧 소데리니의 신임이 두터웠다는 증거인데, 그 프란체스코 베트리도 얼마 안 가서 로마 주재 대사로 임명된다.

그런데 왜 나만, 하고 마키아벨리는 자기의 면직 처분이 믿어지지 않은 것이 아닐까?

바로 이것이 추기경 조반니 데 메디치의 심모원려였던 것이다.

대통령을 1년제로 바꾸었을 뿐 그밖에는 거의 아무것도 바꾸지 않은 상태, 이것은 피렌체 시민의 메디치 가에 대한 불신감을, 참주 정체로의 이행에 대한 두려움을 완화하는 데 도움이 되었을 것이다. 새 대통령이 리돌피라는 것도 메디치의 야심을 가리는 데 아주 적합했다. 그리고 사무관료의 '얼굴'인 제1서기국 서기관 비르질리오도 유임시킨다. 비르질리오 역시 반메디치도 친메디치도 아니었으므로, 메디치로 봐서는 불편할 것이 아무것도 없었다. 프란체스코 베트리도 소데리니와 가까웠다는 것을 누구나 다 알고 있었으나, 베트리 가문이라는 피렌체의 명문 출신에다, 또 쿠데타에서 메디치를 위해 일한 파올로 베트리의 형이기도 했다.

이름도 없고 유리한 친족도 없는 마키아벨리, 실력을 인정받아 획득한 위치를 실력을 인정받았기 때문에 잃은 것이다. 그의 실각은 사무차관은 유임시키면서 능력있는 실무과장은 면직시키는 사례와 비슷하다.

마키아벨리는 몰랐던 것이다. 메디치 가의 두뇌인 조반니의 가슴 속을 몰랐던 것이다.

이때부터 4개월도 되지 않아 교황에 선출되는 조반니 추기경은 교황 즉위 후 얼마 안 있어서 젊은 조카 로렌초 앞으로 피렌체를 다스리는 수단을 가르치는 편지를 보낸다. 그 안에 이런 대목이 있다.

"피렌체 관료 기구의 주요 포스트에 자파 사람을 침투시키는 것을 잊지 말아야 한다. 이 목적의 첫째는, 정보를 얻는 것이다. 그것을 위해서는 니콜로 미켈로치가 매우 적당한 도구가 되어줄 것이다."

니콜로 미켈로치란 니콜로 마키아벨리의 후임에 선정된 사나이다. 메디치는 마키아벨리가 15년 간 차지해온 이 포스트에 스파이를 들여보낸 것이다. 마키아벨리는 쫓겨날 이유가 있었던 것이다.

그러나 이런 것을 모르고 있었던 그 시기 마키아벨리의 심경은 어떠했을까?

마흔셋의 남자에게 있어 모든 것을 박탈당한다는 것은 어떤 것일까? 그것도 조금씩 박탈되는 것이 아니라 어느 날 아침 눈을 떠보니 발가숭이가 되어 있다면……. 모든 것이 무(無)로 되돌아가 버린 것이다.

마키아벨리가 지금까지 쓴 논문에서도, 그리고 지금부터 쓰게 되는 저작에서도, 그가 이상적인 정체를 추구하는 타입의 정치철학자가 아니라는 것을 우리는 떠올려주어야 할 것이다.

그는 단 한 번도 어떤 하나의 정체를 택해야 한다고 주장한 적이 없다. 그로서는 왕정이건 귀족 정체건, 혹은 민주 정체건 아무 상관도 없었던 것이다. 민족은 저마다 자기들에게 맞는 정체를 선택해야 한다고 믿고 있었기 때문이다. 그런 그가 끈질기게 추구한 것은, 어떻게 생각하고 어떻게 행동하면 정체로 하여금 효율적으로 그 기능을 발휘시킬 수 있느냐는 것 한 가지였다.

이런 마키아벨리가 섬기는 상관이 별로 존경도 하지 않은 피에로 소데리니에서 메디치로 옮겨졌다고 하여 무엇이 부당하겠는가. 마키아벨리는 15년 동안 관료라는 테크노크라트로 살아왔다. 가령 여당이 야당이 되고, 야당이 정권을 잡았다고 하여 사직하는 과장이 있겠는가? 특히 자기 능력의 전부를 걸고 일해왔다고 생각하는 사람이라면, 신정권도 그런 자기의 능력이 필요한 이상 주인이 바뀌어도 근무를 계속하는 것이 당연하다고 생각하게 마련이다. 면직된 후의 마키아벨리가 한 달 이상이나 정청 근무를 계속하지 않을 수 없었던 것이, 정부가 그의 능력을 필요로 했다는 것을 증명한다.

다만 그는 메디치가 자기 포스트를 스파이 역할에 매우 적합하다고 생각하고 있는 것까지는 알지 못했다. 알지 못했기에 면직 후에도 여전히 직장 복귀의 희망을 버리지 않았던 것이다.

이 마키아벨리가 앞을 깊이 살피지 못한 바보로 보이는 것은 후세의 우리가 메디치의 편지를 읽었기 때문이다. 그러기에 일개 관료에 지나지 않는 마키아벨리와 더불어 그 보좌에 불과했던 보나콜시까지 면직의 쓰라림을 겪은 이유를 우리는 아는 것이다. 적어도 '책사'였던 마키아벨리는 소데리니의 측근 중의 측근이었다는 '전과' 때문에 면직의 이유가 없지 않았다. 그러나 가엾은 보나콜시는 청천벽력 같은 느낌으로 면직 처분을 받지 않았을까? 신임 서기관이 보나콜시의 보좌를 계속 받고 있다가는 스파이 구실을 제대로 할 수 없기 때문이었다.

그건 그렇고, 면직이 된 뒤에도 날마다 직장에 나가고, 보나콜시 이외는 지난날의 동료들과 얼굴을 맞대고, 능력에서는 자기보다 분명히 못한 것이 주지의 사실인 후임자에게 업무를 인계해준 마키아벨리의 가슴 속은 어떠했을까? 평소에는 펜을 잘 든 그였는데, 이 시기에는 편지도 쓰지 않았다. 그러나 한 통의 기묘한 편지가 남아 있다. 라구사로 추방된 소데리니한테서 온 편지에 대한 회신으로 적은 형식인데, 실제로는 발송이 안된 것이 아닌가 하고 짐작들을 하는 편지다. 무엇보다도 여느 때의 그 유쾌한 편지에 익숙한 사람들은 전혀 다른 톤에 깜짝 놀라게 된다.

제가 받은 귀하의 서한은, 다른 사람이 쓴 것이고 서명도 다른 사람이 한 것이었습니다. 그래도 열 마디를 읽고 이것이 귀하의 편지라는 것을 알았습니다……. 귀하의 짧은 편지가, 몇 번이나 다시 읽는 통에 긴 것이 되었습니다.

귀하께 감사하다는 말씀을 드려야겠습니다. 왜냐하면 귀하는 제가 하기를 주저하고, 저를 잘 아시는 귀하는 제가 하지 않는다는 것을 아시는 일을 할 기회를 주셨기 때문입니다. 저는 실은 아연해하고 있습니다. 저에게 일어난 모든 일이 너무나 다양한 데에 말씀입니다…….

사람은 누구나 자기의 판타지아에 의해서 행동하는 것입니다……. 남에게 충고를 주지 말라. 또, 일반적인 것 이외는 남의 충고를 받아들이지 말라. 사람은 저마다 자기의 마음과 의지에 따라서 사는 수밖에 없습니다.

한니발과 스키피오는, 군대의 통솔력은 별도로 치더라도, 두 사람 다 출중한 인물이었습니다. 전자는 이탈리아에서 자기 군대를 냉혹과 부실과 무신앙으로 통솔했고 그러면서도 민중의 경애를 받았으며, 그를 경애한 민중은 그를 따르기 위해 로마인에게 반기를 들기까지 했습니다. 한편 후자는 에스파냐에서 자애와 신앙과 성실로 병사를 통솔하여 민중의 사랑을 받았습니다. 두 사람 다 수많은 승리에 빛난 점에서도 같았습니다.

로마인으로까지 이야기를 돌리지 않더라도, 로렌초 데 메디치(일 마니피코)는 피렌체 시민에게 무장을 하지 못하게 함으로써 피렌체를 다스리는 데 성공했고, 반대로 볼로냐의 벤티볼리오는 시민을 무장시킴으로써 볼로냐 지배에 성공했던 것입니다.

젊은이의 친구인 운명의 여신을 시험한다는 것은, 여신의 기분 여하에 따라 운도 변한다는 것을 허용하는 일입니다…… 행운이 떠날 때, 파멸이 시작됩니다. 그것은 가정에서나 도시에서나 개인에게서나 마찬가지이며, 행운이 떠나면 저마다 자기에게 맞는 다른 수단으로 그것을 회복하지 않으면 안됩니다……

요컨대 방법은 전혀 변함이 없는데도 어떤 때는 좋은 결과를 가져오고, 어떤 때는 나쁜 결과를 초래하는 것입니다……

시대는 바뀌고 주위 환경도 어지럽게 변하는데 사람의 생각과 방법이 변하지 않는다면, 그 사람은 어떤 때는 행운을 만나도 어떤 때는 비운에 울게 됩니다. 다만 대현자가 있어서 시대가 변하는 것을 재빨리 깨닫고, 그것으로 여러 정황이 어떻게 변할 것인지 내다보아 스스로를 그것에 대응시킬 수 있다면, 그는 틀림없이 언제나 행운을 누리게 될 것입니다. 그러나 그런 대현자는 존재하지 않으므로, 인간은 언제나 가까운 데 있는 것밖에 보지 못하고, 그 결과 운에 좌우되지 않을 수 없는 것입니다. 만일 스키피오가 이탈리아에서 그런 방법을 쓰고, 한니발이 에스파냐에서 이런 방법으로 밀고나갔다면, 그들은 그만한 효과를 거두지는 못했을 것입니다.

니콜로 마키아벨리

수신인도 없고 날짜도 없는 편지지만, 해설할 필요도 없을 것이다. 이것이 문자 그대로 하루아침에 모든 것을 잃은 마흔셋의 사나이가 쓴 편지다.

남자의 액년은 마흔두 살인 것으로 되어 있다. 이것은 육체적 액만을 의미하는 것일까? 아니면 정신적인 액까지도 포함하는 것일까? 또 1년 정도의 신축은 허용되는 것일까?

정말이지 마키아벨리에게서 마흔셋의 나이는 액년이라고나 생각지 않으면 수긍할 수 없을 만큼 재난에 재난이 꼬리를 문 해였다. 실직과 10년 봉급에 해당하는 큰 돈의 벌금으로도 일이 끝나지 않은 것이다. 1513년으로 해가 바뀐 2월, 한 사건이 그를 다시 운명의 여신의 변덕에 맡기게 된다.

추방중인 소데리니의 친척인 렌치라는 사람의 집에서, 시에나 사람인 코치오라는 자가 마침 한자리에 있던 파올로 보스코리라는 젊은이의 호주머니에서 떨어진 종이 한 장을 주웠다. 보스코리는 메디치를 싫어하기로 알려진 젊은이기도 했으므로, 코치오는 주운 종이를 임자에게 돌려주지 않았다. 그 종이에 사람들의 이름이 적혀 있었기 때문이다. 이것은 반메디치 음모자의 명단이 틀림없구나 하고 생각한 코치오는 즉각 경찰에 신고했다. 그 종이에 적힌 20명 가까운 인명 속에 마키아벨리의 이름이 끼여 있었던 것이다.

피렌체 경찰은 '8인 위원회'라고 불렸는데, 정부 침투에 신중을 기한 메디치도 이에는 복귀 후 즉시 자기 사람을 박아넣었다. 그래서 이름이 열기된 종이 쪽지를 받아든 경찰은 즉각 파올로 보스코리의 체포령을 내렸다. 보스코리의 친구 아고스티노 카포니도 동시에 체포된다. 두 사람에 대한 고문이 시작되었다.

두 사람은 곧 실토했다. 반메디치 음모 계획은 사실이며, 줄리아노 데 메디치를 비롯한 메디치 가문의 남자들을 죽이고, 피렌체를 폭정에서 구할 목적이었다고 고백한 것이다. 두 사람 다 사보나롤라 시대로의 회귀를 바라고 있었으며, 그것으로도 이미 블랙리스트에 올라 있는 인물들이었다. 이제 막 30대에 들어선 나이들이었다.

그러나 두 사람 다 음모의 사실은 고백했으나, 종이 쪽지에 적힌 인명은 음모 가담자들이 아니라 가담할 가능성이 있다고 생각되는 사람들의 이름일 뿐이라고 말했다. 그러나 8인 위원회는 곧이듣지 않았다. 이름이 열기된 사람들 전원에 대한 체포령이 내려졌다. 두 사람이 체포된 2월 18일, 바로 그날 밤이었다.

마키아벨리의 체포는 당장 집행되지는 않았던 모양이다. 다음날 19일자로, "베르나르도 마키아벨리 씨의 아들 니콜로의 소식을 아는 자는 1시간 이내에 신고할 것. 이를 어기는 자는 재산 몰수형에 처함"이라는 포고가 나왔기 때문이다. 마키아벨리가 처음에 도망치려고 했던지, 아니면 우연히 거처 불명이었는지는 알 수 없다. 결국 자진 출두하여 체포된 모양이다. 연행된 곳은 당시의 피렌체 경찰서 바르젤로 궁이었다.

마키아벨리도 다른 용의자와 마찬가지로 고문을 피할 수는 없었다. 밧줄에 거꾸로 매달리는 고문이었는데, 고문으로서는 그리 잔인한 부류에는 들어가지 않는다. 그래도 여섯 번 정도 매달려서 쥐어짜인 모양이다. 그러나 아무리 짜봐야 고백할 것이 없으니 애를 먹었을 것이다. 장년인 마키아벨리가 브루투스나 된 듯이 날뛰는 젊은이들의 경거망동에 가담하지 않은 것만은 거의 확실한 사실로 되어 있다. 그러나 감옥살이는 면하지 못했다. 의혹이 풀리지 않았기 때문이다.

마키아벨리의 체포와 대략 같은 날로 여겨지는 2월 19일자로, 줄리아노 데 메디치가 형 추기경의 비서에게 보낸 편지가 남아 있다. 거기에는 확증은 없으나 의심스러운 자라고 12명이 열거되어 있는데, 그 가운데 마키아벨리의 이름도 들어 있다. 20명에서 12명으로 줄었는데도 남아 있었던 것이다.

그 사흘 후, 주범인 보스코리와 카포니 두 사람은 참수형에 처해진다. 또 한 사람 니콜로 바롤리는 볼테라 시의 지하 감방에 2년간 갇혀 있게 된다. 나머지는 경찰서 내의 감옥에 수감되었다.

오늘날 바르젤로 궁은 국립미술관이 되어 있어서 입장료만 내면 누구나 들어갈 수 있다. 도나텔로를 비롯한 르네상스 조각의 보고이며, 전시되어 있는 당시의 장식품도 매우 훌륭하다. 내부의 보존도 완벽해서 르네상스 시대는 경찰서까지 이토록 아름답게 꾸몄는가 싶어 그 시대 사람들의 판타지아의 놀라움에 눈이 휘둥그레진다. 역사상 가장 아름다운 경찰서가 아닌가 싶다.

그러나 마키아벨리가 갇혔던 감옥은 물론 이런 쾌적한 방이 아니다. 지하 감방이었다. 지금은 창고로 사용되고 있지만, 빛도 들어오지 않는 습기로 숨이 콱 막히는 조그만 방들이 가장 아름다운 경찰서의 지하에 즐비하게 늘어서 있었다. 그는 이 하나에 들어가게 되었다.

그것이 어떤 것이었는지 마키아벨리 자신이 시의 형태로 기록해놓고 있다.

감방 안은 악취가 지독했고, 벽에는 이가 줄을 지어 행진했으며, 더욱이 그놈의 이들은 크고 통통하게 살이 쪄서 마치 나비 같았다. 게다가 들려오는 소리는 쇠사슬을 채우는 소리, 끄르는 소리, 열쇠 부딪치는 소리, 그리고 고문이라도 하고 있는지 "너무하다!"고 외치는 비명 소리……

16세기의 감옥은 어디나 비슷했다. 아주 지위가 높은 사람이면 쾌적한 감방이 제공되는 수도 있지만, 그런 인물들은 징벌이 목적이 아니다. 반메디치 음모에 가담한 혐의가 있는 자는 그런 의심을 받았다는 것 자체만으로도 징벌에 해당된다고 보는 시대가 피렌체도 된 것이었다.

마키아벨리가 고문을 당하고 있을 무렵이었는지, 아니면 그것도 끝나고 통통하게 살진 이떼와의 공동 생활이 시작되었을 때였는지, 1513년 2월 20일 로마에서는 기도보다 전쟁에 열중하는 일이 더 많았던 교황 율리우스 2세가 죽었다. '콘클라베'라고 통칭되는, 교황 선출을 위한 추기경 회의가 3월 6일에 소집되었다.

처음부터 조반니 데 메디치 추기경이 유리한 경쟁을 벌였다. 원래 그의 재능은 주지의 사실이기도 했다. 다만 메디치 추기경이 불리한 점은 서른일곱 살이라는 젊음이었다.

교황 선출의 '실제'는 추기경들이 한 사람씩 표를 던져서 결정한다. 그러나 '원칙'은 성령이 추기경들에게 강림하여 표의 행방을 지시하는 것으로 되어 있으므로, 성령이 정한 인물을 인간의 의지로 바꿀 수는 없는 일이었다. 그래서 로마 교황은 일단 선출되면 죽을 때까지 그 자리에 머물러 있게 된다. 이런 제도가 채택되는 이상, 젊은 사람을 골라 몇십 년이나 그 자리에 눌러앉아 있게 되면 추기경들로서는 곤란했다. 추기경인 자기들도 차기 교황에 선출될 수 있는 피선거권자이기도 하기 때문이다.

그러나 조반니 데 메디치는 자기의 불리한 점을 보충하는 계책을 잊지 않았다. 마침 시기가 일치하기는 했지만, 지병이 악화됐다며 콘클라베 회의중에 수술까지 해 보인 것이다. 지병은 치질이었으며, 이런 상태로는 젊어도 오래 살지 못할 것이라는 생각을 추기경들이 갖게 하는 효과가 있었다. 그러나 콘클라베의 결과를 결정지은 것은 이 역시 재능이 풍부하여 일파를 이루고 있었던 소데리니 추기경이었다. 바로 그가 쥐고 있는 표를 획득하는 데 성공한 것이었다. 이에 대한 교환 조건은, 피렌체에서 추방된 전 대통령 피에로 소데리니를 비롯하여 소데리니 일족 전원의 추방을 푸는 것이었다.

3월 11일, 성령은 결정을 내렸다. 조반니 데 메디치 추기경이 교황으로 선출된 것이다. 로렌초 일 마니피코의 둘째 아들이 레오 10세로서 교황에 취임했다.

온 피렌체가 이 소식에 미친 듯이 좋아했다. 메디치파도 반메디치파도 없었다. 같은 향토 출신이 교황이 되는 것은 피렌체인으로서는 처음 이룩한 쾌거였다. 온 거리가 기쁨에 들뜬 사람들로 메워졌다. 메디치 가도 새 교황의 축전 행사에 10만 두카토를 쓰겠다고 발표했다. 이것이 또한 소데리니 정권 아래서의 긴축 재정에 진절머리를 내고 있던 피렌체인들을 기쁘게 만들었다.

최초의 향토 출신 교황이 선출되는 바람에 바르젤로 궁의 지하 감방에도 빛이 비치게 되었다. 대사령이 내려지고, 마키아벨리도 그 은혜를 입는 한 사람이 되었다.

출옥한 날이 언제였는지는 확실치 않다. 교황 선출의 날이 3월 11일이고, 출옥한 것을 알리는 그의 편지가 3월 13일자로 되어 있으니까, 대사령은 교황 선출 직후에 내려지고, 그 다음날인 12일이나 13일에 출옥하지 않았나 하는 생각이 든다. 그 전년 8월 31일의 소데리니 정권 붕괴에서 시작하여 11월의 면직, 2월의 체포로 이어진 6개월이 넘는 동안 세상에 침묵을 지켜온 마키아벨리는 3월 13일, 지금은 로마 주재 대사가 되어 있는 친구 프란체스코 베트리에게 처음으로 편지를 썼다.

파올로 베트리에게 들어서 알고 있겠지만, 나는 온 시내가 축하로 떠들썩한 가운데 감옥에서 나왔네. 나의 출옥은 파올로와 자네가 손을 써준 덕택인 줄 알고 있네. 정말 고맙네.

나의 이 긴 재난에 대해서 여기서는 쓰지 않겠네만, 자네에게는, 운명은 내게 해를 끼치기 위해 온갖 짓을 다 했다는 말만 해두고 싶네. 하기야 신의 은총으로 그것도 이제 과거사가 되었네. 다시는 이런 일이 되풀이되지 않기를 빌고 있네. 나도 좀더 신중해질 것이고, 시대도 보다 자유로워져서 함부로 의심하지 않겠지 하고 생각하기 때문일세.

자네는 내 동생 토토가 성직계에서 어디쯤에 있는지 알고 있을 줄 아네만, 그 애의 장래를 자네와 파올로에게 부탁하고 싶네. 나도 그렇지만, 토토가 교황을 가까이에서 섬길 수 있게 되기를 바라고 있다네.

유념해둬주게. 그리고 가능하다면, 새 교황께 말씀드려주면 좋겠네, 나도 이제 슬슬 일을 하고 싶어한다는 것을 말일세. 그분 밑에서나, 아니면 그분의 측근들 밑에서라도 무언가를 시작하고 싶어서 그러네. 내가 일을 함으로써 내게 일을 주는 분도 이득을 볼 것이고, 내 자신에게도 유익하다고 생각하기 때문일세.

1513년 3월 13일
피렌체에서 군의 니콜로 마키아벨리

가엾은 마키아벨리. 재능만 뛰어나면 사람은 기용해주리라고 믿고 있었을까? 아니면 커지기만 하는 생계의 고통이, 그가 실업 상태를 지속해 나가는 사치를 허용해주지 않았기 때문이었을까?

마흔세 살의 그에게는 부양해야 하는 가족이 있었다. 아내와 딸이 하나, 아들이 셋, 그리고 그 이듬해 9월에는 또 하나 태어나므로 모두 일곱 식구가 된다. 면직을 당했으니 급료는 한푼도 안 나온다. 게다가 벌금 같은 기분으로 약 10년치 급료에 해당하는 돈을 지불하지 않으면 안된다. 친구 세 사람은 단지 입체를 해주었을 뿐이다. 원래 불의의 사태에 대비하여 저축이나 부업에 힘을 쓰는 성질도 아닌 마키아벨리의 재산이라야 피렌체 시내에 있는 집과 산탄드레아에 있는 산장뿐이었다.

고등교육을 받지 않은 그인지라, 실직했다고 다른 데에 직업을 구하기도 썩 쉽지 않다. '대학 출신'이 아니니 대학에서 가르치는 것은 말할 것도 없고 변호사나 공증인이 될 수도 없다. 좀더 정도가 낮은 직업이라도 참을 생각이었겠지만, 한 번 의심을 받은 자는 그것조차 어려웠을 것이다.

그가 그때까지 포도나 올리브를 수확할 때쯤에나 가보던 산장으로 솔가하여 이사한 것은 언제였는지는 분명치 않다. 다만 이 시기에 씌어진 베트리에게 보낸 편지의 내용으로 미루어 출옥한 지 한 달 전후가 아니었나 싶다. 레오 10세 즉위에 의한 사면은 출옥뿐 아니라 피렌체 시내로부터의 1년 간 추방령도 용서받은 것이 되므로, 마키아벨리는 시내에 머물러 있고 싶으면 그럴 수도 있었다. 그런데 산장으로 옮겨버린 것이다. 하지 않아도 되는 추방령에 자진하여 복역한 거나 같았다.

내 생각에는 아무래도 경제적인 이유가 컸던 것 같다. 피렌체 교외의 산장은 주변에 밭이 딸려 있는 것이 보통이며, 지질 관계로 밀을 재배하기에는 맞지 않으나 그밖에는 거의 자급자족할 수 있게 되어 있다. 의복의 자급은 할 수 없지만, 판로의 걱정이 없는 올리브유와 포도주가 특산물이다. 사치를 바라지 않는다면, 일곱 식구의 입에 그렁저렁 풀칠은 할 수 있었을 것이다.

다만 애초부터 도시 생활자였고, 바로 얼마 전까지만 해도 국정의 중추에 있던 사람에게는 산장의 조용한 생활은 견디기 어려운, 생과의 단절을 의미한다. 이것이 마흔네 살로 옮겨가고 있는 마키아벨리를 괴롭히지 않을 수 없었으리라.

니콜로 마키아벨리는 평온한 은둔 생활을 그것대로 즐길 수 있는 사나이가 아니었다. 이것도 제2의 인생이다 하고 유연히 대할 수 있는 사나이도 아니었다. 그는 분노가 들끓는 가슴으로 '은둔' 한 것이었다. 『군주론』은 이 분노의 산물이었다고 생각하는 것은 나의 그릇된 판단일까?

제3부

마키아벨리는 무엇을 생각했는가

14 『군주론』의 탄생

1513~1515

마키아벨리를 쓰면서 나는 전체를 3부로 나누기로 했다.

제1부에서는, 마키아벨리가 태어난 해인 1469년에서 공직에 취임하는 1498년까지의 29년 간을 다룬다. 설명이 필요해서 이야기가 이 시기에만 한정되지 않는 경우도 있지만, 주체는 어디까지나이 29년 동안에 일어난 이야기다. 왜냐하면 내가 제1부에서 쓰고싶었던 것은, 마키아벨리는 무엇을 보았는가였기 때문이다.

이어지는 제2부에서는, 1498년에서 1513년까지의 15년 간을 이야기하기로 했다. 니콜로 마키아벨리, 피렌체공화국 제2서기국 서기관의 시대이다. 나이로 치면 스물아홉 살에서 마흔네 살로 들어가기까지의 시기에 해당한다. 이 제2부에서는, 마키아벨리는 무엇을 하였는가를 썼다.

지금부터 시작되는 제3부인데, 여기서는 1513년에서 1527년에이르는 시기의 마키아벨리를 이야기하게 된다. 그가 실직한 해에서 죽을 때까지의 기간이다.

마키아벨리는 무엇을 생각했는가가 바탕이 될 것이다.

왜냐하면 이 시기의 마키아벨리는 제1부나 제2부의 그와는 다르다. 본의는 아니더라도 글 쓰는 사람이 되어버렸기 때문이다. 『군주론』을 비롯한 그의 전 저작은 이 시대에 씌어진다. '생각하는 것' 밖에 할 일이 없어진 마키아벨리로서는 생각하기 때문에 쓰고 쓰기 때문에 생각한다는, 글 쓰는 생활밖에 남아 있지 않았기 때문이다. 그러나 만일 관료 마키아벨리만으로 끝났더라면 조만간에 완전히 잊혀졌겠지만, 글 쓰는 마키아벨리는 역사에 이름을 남기게 된다. 왜 그렇게 되었는가 하는 것을 버트런드 러셀은 『서양의 지혜』에서 다음과 같이 간결하게 설명하고 있다.

정치를 논한 마키아벨리의 2대 저작은 『군주론』과 『정략론』이다. 『군주론』은 군주 정체 아래서의 권력은 어떻게 획득할 수 있고, 어떻게 유지할 수 있는가, 그 방법과 수단을 논한 것이다.

이에 비해서 『정략론』은 공화 정체를 주로 하면서도 모든 정체별로 각 정체 아래서의 권력과 그 적용에 대해 논하는 것으로 구성되어 있다.

『군주론』에서 마키아벨리는, 자애심에 차고 덕이 높은 행위를 정치의 세계에 요구하고 있지 않다. 오히려 정치 권력을 획득하려면, 나쁜 행위도 유효하다고까지 단언하고 있다. 그래서 마키아벨리즘이라는 말은 나쁘고 불길한 인상을 끌고 다니게 된 것이다.

그러나 마키아벨리를 변호하여 말한다면, 첫째 그는 인간을 근본적으로 나쁜 존재라고 믿지 않았다는 것을 상기해야 할 것이다. 그의 탐구 분야는 선악의 피안에 있었다. 원자물리학자가 하는 실험과도 흡사했다.

만일 권력을 획득하고 싶으면, 방법은 하나밖에 없다. '냉철'
해야 한다는 것이다.

그 수단이 선이건 악이건 그것은 별개의 문제. 이 별개의 문
제에 대해서 마키아벨리는 흥미를 보이지 않는다. 별개의 문제
에 관심을 기울이지 않았다고 마키아벨리를 비난할 수는 있다.
그러나 현실에서 정치 권력이 어떤 모습으로 나타나 있는가를
논했다고 그를 규탄한다는 것은 전혀 무의미할 뿐이다.

결석재판은 아무리 권위 있는 변호인측 증인을 등장시키더라도
나의 본의가 아니다. 여기서는 피고 본인의 주장을 한 번 들어봐야
한다고 생각한다. 마키아벨리는 『정략론』에서 이미 이렇게 쓰고
있다.

일이 조국의 존망에 걸려 있을 때는, 그 수단이 옳다든가 그
르다든가, 관대하다든가 잔혹하다든가, 칭찬받을 만하다든가
수치스럽다든가 하는 것 따위는 일절 고려할 필요가 없다. 무엇
보다도 우선되어야 할 목적은 조국의 안전과 자유를 유지하는
일이기 때문이다.

플라톤과 아리스토텔레스 시대의 정치는 윤리와 같은 것이었다.
그들이 이상적인 정체의 추구를 그치지 않은 것은 당연한 일이다.
그리고 중세. 토마스 아퀴나스(원어인 이탈리아어로 충실히 발음
하면 톰마소 다퀴노)는 플라톤과 아리스토텔레스의 사상에 그리스
도교의 생각을 가미했으므로, 윤리는 점점 더 지상적인 것에서 멀

어져버렸다. 그로부터 정치는 윤리도 의미한다는 것을 유럽은 오랫동안 의심하지 않게 된 것이다.

마키아벨리의 독창성은, 오랜 세월 연결된 채 본래의 성질마저 변질해버린 느낌의 이 정치와 윤리를 명쾌하게 갈라놓은 데 있었다. 그 갈라놓는 방법이야말로 르네상스였던 것이다.

플라톤과 아리스토텔레스와 토마스 아퀴나스까지 시대를 거슬러 올라가지 않더라도, 마키아벨리보다 아홉 살밖에 적지 않은 동시대인 토머스 모어는 다음과 같이 말하고 있다.

정치란 인간의 본성에 뿌리박은 '비르투스'의 문제다.

플라톤이나 아리스토텔레스나 토마스 아퀴나스나 이에는 이론이 없었을 것이다. 마키아벨리도 동감하는 것은 마찬가지다. 다만 앞에서 든 마키아벨리 이외의 사람들은 비르투스라는 라틴어의 뜻을 오로지 '덕'으로만 풀이하여 사용한 데 비해, 마키아벨리는 '역량 · 재능 · 기량(器量)'이라는 뜻으로 사용했다.

비르투스가 이탈리아어에서는 비르투가 된다. 마키아벨리가 지도자에게 요구한 3대 요소도,

비르투(역량 · 재능 · 기량)
포르투나(운 · 행운)
네체시타(시대의 요구에 합치하는 것)

였다.

그러나 비르투스라는 말은 본시 생명력이 최상의 상태에서 발휘되었을 때의 인간을 의미하므로, 덕도 역량도 다 포함된다. 그러니까 아무도 오용한 것은 아니다. 다만 어느 쪽 의미에 중점을 두고 사용했느냐는 차이밖에 없다.

이런 경우 중점을 어디에 두느냐 하는 것은 인간에 대한 그 사람의 생각을 나타내는 것이 아닐까?

자, 인간 마키아벨리로 화제를 돌리면, 제3부의 시작이 되는 제14장에서 다루는 시기는 1513년에서 1515년에 걸친 2년이 채 안 되는 기간이다. 마키아벨리의 나이 마흔네 살에서 마흔여섯 살에 이르는 시기인데, 그로서는 생애에서 가장 실의에 빠졌던 때에 해당되며, 불혹은커녕 갈팡거리기만 했다. 별안간 찾아온 불행과 체념으로 더불어 사는 방식 따위는 그와는 무관한 일이었다. 그러기에 『군주론』이 이 시기에 완성되었고, 『정략론』도 이 시기에 기본 구상이 이루어졌는지도 모른다.

그러나 나는 이 시기의 마키아벨리를 『군주론』이나 『정략론』으로 논하지 않고, 친구 한 사람과 주고받은 왕복 서한을 바탕으로 추구해 나가볼까 한다. 왜냐하면 글을 쓰는 사람에게 있어 그의 작품은 그 사람의 에센스가 결정(結晶)된 것이기는 하지만, 그 사람의 산 몸의 상태를 들여다보는 데는 최적의 대상이 되기 어렵기 때문이다. 글 쓰는 사람이 누가 자신의 상처에서 피가 철철 흐르는 모습을 변용(變容)도 하지 않고 그대로 쓰겠는가?

마키아벨리의 교신 상대는 프란체스코 베트리라고 했다.

나이는 마키아벨리보다 다섯 살 아래였으므로, 마키아벨리와 편지를 주고받던 시기는 서른아홉 살에서 마흔한 살에 걸친 때가 된다. 베트리 집안은 피렌체의 명문의 하나로, 어머니는 루첼라이 가문 출신이며, 그 인연으로 메디치 가와도 연결이 있고, 아내는 카포니 집안에서 시집왔으니, 중산 계급 출신인 마키아벨리의 처지에서 보면 완벽하게 피렌체의 상층 계급에 속하는 사람이다. 그런 저런 이유로 실의에 빠진 친구는 산장에 칩거하지 않을 수 없었는데, 그는 로마 주재 피렌체 대사의 요직에 앉아 있었던 것이다.

이 두 사람이 주고받은 것이 43통에 이르는 유명한 왕복 서한이다. 유명한 것은 이것이 교환된 시기가 『군주론』과 『정략론』의 집필 시기와 합치하기 때문인데, 그같은 사료적 가치는 별도로 치더라도 흥미진진함에는 변함이 없다. 여기에는 500년 전 옛날이라고는 생각되지 않을 만큼 두 사나이의 숨결이 생생하게 살아 있는 것이다.

이 왕복 서한은 서로가 의식해서 시작한 것이 아니라, 완전한 우연으로 시작된 것이다. 독자 여러분은 앞장에서 소개한 마키아벨리의 편지를 상기해주시기 바란다. 로마에 있는 프란체스코 베트리에게 보낸 것으로, 자기의 석방에 힘써준 베트리에게 출옥을 알리는 김에 감사의 뜻을 전한 편지다. 날짜는 1513년 3월 13일로 되어 있다.

이에 프란체스코 베트리가 즉각 회신을 보내옴으로써 그후 2년 동안 계속되는 왕복 서한이 시작된 것이다. 날짜는 놀랍게도 그 바로 이틀 후인 3월 15일이었다.

나의 친구여, 자네에게 이변이 일어난 지난 몇 달 동안, 나는 내 생애에서 가장 큰 고뇌를 겪었다네……. 자네 아우 토토가 그 것을 알려온 당초에는 내가 할 수 있는 일이 아무것도 없었지만, 새 교황이 선출된 후로 내가 그분께 부탁드린 것은 오직 자네의 자유를 회복시켜달라는 것뿐이었네.

지금 내가 할 수 있는 것은 마음을 강하게 가지라는 당부뿐일 세. 겨울은 언제까지나 계속되지는 않는다네. 그리고 사정이 허락하거든, 만일 그때도 여전히 나의 로마 주재가 계속되고 있다면 나에게 오게나. 언제까지 머물러 있어도 상관없네. 자네가 와 주는 것만으로도 나는 기쁘니까 말일세.

우리 동료였던 브란카치가 오늘 로마에 도착했네. 포지본시에서 왔는데 몹시 지쳐 있더군. 오늘 밤에는 교황을 만나지 못했지. 조반니 카발칸티가 붙들고 놓아주지 않았기 때문일세.

그럼 또,

프란체스코

이 얼마나 정다운 편지인가! 불과 7개월 동안에 잇따라 닥친 소데리니 정권 붕괴, 해직, 10년치 급료에 해당하는 벌금, 1년 간의 시외 추방과 정청 출입금지 처분, 투옥, 고문, 석방 등으로 녹초가 되어 있었을 것이 분명한 마키아벨리에게는 사막에서 마시는 한 잔의 시원한 냉수와도 같지 않았을까? 프란체스코 베트리도, 소데리니 정권을 "무혈로 붕괴시켰다"는 구실로 한때는 메디치의 미움을 사서 투옥도 되고 고문을 당한 경험도 있다. 그러나 지금은 로마 주재 대사이다. 그가 말하는 "겨울은 언제까지나 계속되지는 않는다네"라는 한마디는, 마키아벨리를 특히 비탄에서 구해주는 작용을 했을 것이다. 그는 친구의 편지를 읽기가 무섭게 즉각 펜을 든다. 날짜는 사흘 후인 3월 18일.

위대한 대사님, 따뜻한 정이 넘쳐흐르는 자네의 편지는 나에게 과거의 불행을 모두 잊게 해주었네. 여태까지도 나에 대한 자네의 애정을 의심해본 적이 없지만, 이번 편지처럼 그것을 새삼 느끼게 해준 것도 없네. 어떻게 감사해야 좋을지 모르겠네. 내가 자네에게 도움이 되고, 그것으로 은혜를 갚을 수 있는 때가 오기를 신께 빌고 있네…….

그래서 운명의 행방에 관해서네만, 내게 일어난 온갖 불행을 적어도 내 일신에 한해서 말한다면, 자괴감이 없이 견디어낼 수 있었네. 이것이 유일한 수확일세. 그리고 아직도 나는 희망을 잃지 않았네. 언젠가 다시 호전되겠지 하는 희망을 아직은 잃지 않고 있다네. 그때까지는 정청에 근무하기 이전의 나로 돌아가서 살아나갈 테지. 나는 가난하게 태어나서, 즐기기 전에 고생하는 것을 먼저 배웠네. 만일 자네의 로마 주재가 계속된다면, 꼭 가겠네. 자네가 적당한 시기를 알려주게나.

그 뒤에 베트리가 써 보낸 편지에 답하여 그도 정청 근무 시대의 동료들에 관한 소식을 전한다. 다만 그것이 마키아벨리의 펜에 걸리면 다음과 같은 투가 되어버리지만.

친구들은 모두 자네에게 안부를 전해달랬네. 모두들 거의 날마다 자네도 아는 도나토의 집에 모여 나올 줄을 모른다네. 그곳에는 여자가 몇 사람 있어서 힘을 회복하는 데는 안성맞춤이거든.

어제는 이 또한 일동이 떼를 지어 축제 행렬을 구경하러 갔었지. 이런 식으로 날마다 교황 즉위로 들끓고 있는 시내를 돌아다니기도 한다네. 인생의 나머지를 즐기면서 말일세. 감옥 일을 생각하면 마치 꿈을 꾸고 있는 기분이네.

이렇게 서로 위로하고 근황을 알리고 한 것뿐이었다면, 몇 통의 편지를 주고받는 것으로 끝나고 왕복 서한은 되지 않았을 것이다. 그런데 먼저 공을 던져 보낸 것은 프란체스코 베트리 쪽이었다.

'대사님'은, 정청 근무가 해면되어 지난날 함께 일하던 친구들과 놀이 상대로밖에 어울릴 수 없게 된 마키아벨리를 정치의 세계로 다시 불러온 것이다. 베트리는 3월 31일자 편지에서, 메디치 교황의 즉위가 이탈리아 내외에서 어떻게 받아들여졌는가를 썼다. 그러나 원래 마키아벨리보다 훨씬 더한 비관론자인 베트리는, "이런 대사(大事)를 논하는 것은 이제 싫증이 났다"고도 덧붙이고 있다.

이 편지가 마키아벨리에게 불을 지폈다. 4월 9일에 그는 쓴다.

만일 자네가 아무리 진지하게 논해도 우리가 생각하는 대로 일이 진행되지 않는 예가 너무나 많고, 그래서 대사를 논하기가 싫어졌다면 나도 동감일세. 나에게도 같은 일이 일어났으니까.

그러나, 하고 마키아벨리는 계속한다. 후세에 유명해진 대목이다.

운명은 나를 견직물업에 밝게 해주지도, 면직물업으로 돈을 벌게 해주지도, 금융업으로 입신할 수 있게 해주지도 않았으므로, 정치를 생각하는 수밖에 달리 할일이 없단 말일세.

이렇게 하여 두 피렌체인은 정치론을 주제로 한 서한을 주고받게 되었던 것이다. 주제는 4월 1일에 막 체결된 프랑스 왕 루이 12세와 에스파냐 왕 페르난도 2세 사이의 우호조약이었다. 정청 서기국실에 되돌아간 기분이라도 된 것일까. 마키아벨리는 친구가 "프란체스코, 대사"라고 서명한 데 대해, 이 편지에만은 자기 이름 뒤에 quodam segretario라고 덧붙인다.

"니콜로 마키아벨리, '전' 서기관"

이라는 말이다.

왕복 서한이 가치를 가지려면, 몇 가지 조건이 충족될 필요가 있다.

첫째, 두 사람이 다 편지를 중개로 하는 대화라고 생각하는 것이다. 그러기 위해서는 씌어지는 내용이 보내온 상대편 편지의 내용을 받는 것이어야 한다. 쌍방이 자기 생각을 제멋대로 써서는 왕복 서한이 될 수 없다.

그러려면 회신은 역시 편지를 받자마자 곧 써야 한다. 아무리 상대편 편지의 내용을 받아서 쓴 것이라도, 거의 다 잊어버릴 무렵에 도착한다면 대화로서의 생기를 잃는다.

이것은 여담이지만, 두 사람의 편지 날짜를 보다가 피렌체와 로마 사이에 걸린 시간이 이틀밖에 되지 않은 것을 알고 경탄했다.

이틀이면 오늘날에도 속달로 도착할까말까 하는 시간이다. 두 사람이 공용 파발꾼에게 맡긴 것도 아닐 것이므로, 이것은 이제 문명은 진보한다는 원칙의 예외로 보거나, 아니면 이 원칙 자체를 의심하는 수밖에 없다.

제2의 조건은, 쓰는 사람 양쪽이 생각을 솔직하게 토로하는 성질의 소유자여야 한다는 것이다. 사회적 지위와는 관계없이 인간 대 인간이 맞닥뜨리는 것이 대화이기 때문이다. 마키아벨리는 원래 이런 면에서는 걱정이 전혀 없는 사나이지만, 베트리도 대사라고 서명을 해오기는 해도 내실은 한 인간으로서의 태도를 흐트러트리지 않았다.

이런 관계로 시종할 수 있었던 것은 직업관료인 베트리에 비해 마키아벨리는 비직업관료였지만, 함께 독일 황제에게 파견된 경험을 공유하고 있었기 때문인 듯도 싶다. 그리고 소데리니 정권 붕괴 때 유혈을 피할 수 있었던 것도 베트리와 마키아벨리가 협력한 이면 공작의 덕이 컸다.

이에 더하여 두 사람의 나이가 가까웠다는 것도 효과가 있었을 것으로 짐작된다. 뭐니뭐니해도 동시대인끼리는 이야기가 통하기 쉬운 법이다.

제3의 조건은, 공통의 관심사를 갖는다는 것이다. 30대 후반에서 40대 초반인 두 사람의 관심사는 조국 피렌체의 안전이고, 피렌체가 속하는 이탈리아의 운명이고, 그런 '대사'가 아닌 '소사'일 때는 자기들의 인생과 여자였다.

제4의 조건은, 양쪽이 자기가 생각하는 것을 별로 힘들이지 않고 전할 수 있는 문장력이 있어야 한다는 것이다. 편지 한 통 쓰는 데 마음이 무거워진대서야 왕복 서한의 파트너가 될 수는 없다. 마키아벨리는 말할 것도 없지만 프란체스코 베트리도 후년에 역사물 같은 것을 썼을 정도니까 상당한 문장력의 소유자였다.

마지막 조건은, 역시 이 사람 같으면 이야기가 통한다고 서로가 생각하는 사람이어야 한다는 것이다. 시간적 · 정신적 여유의 유무는 큰 문제가 되지 않는다. 우연히도 이 시기의 마키아벨리나 베트리나 상당히 한가한 신분이었지만, 바쁘기로는 남의 배는 되었을 율리우스 카이사르야말로 왕복 서한을 처음 시작한 사람으로 알려져 있다. 카이사르는 서기에게 구술 필기를 시켰다지만, 요는 편지를 통해서 대화를 해보고 싶어하느냐 않느냐이다.

두 사람의 편지로 되돌아가서,

정치적 관심에 불이 붙은 '전' 서기관의 편지가 쓰어진 날과 같은 4월 9일, 이것은 곧 그 편지를 아직 읽지 않았다는 말이 되는데, 대사를 논하기도 싫어졌다던 베트리가 생각을 바꾸었다.

니콜로, 내 친구여, 심각하게 정치를 논하는 것 따위 이제는 그만두겠다고 생각했는데, 새로운 사건으로 인해 그것도 바꾸지 않을 수 없게 되었네. 하지만 지금은 상세하게 쓸 겨를이 없네. 파발꾼이 곧 떠난다고 해서 말일세. 그래서 한 가지만 말하겠네.

만일 에스파냐와 프랑스의 이 우호조약이 본격적인 것이라면, 에스파냐 왕 페르난도는 전해지는 것만큼 교활하고 신중한 인물이 아닌 것 같은 생각이 드네. 어쩌면 우리를 끌어안은 고양이를 닮아서, 이미 몇 번이나 언급된 일이지만 프랑스와 에스파냐와 독일 황제 3자 사이에 이 가엾은 이탈리아를 갈라먹자는 최종 결정이 내려진 모양이네. 만일 소상히 사태를 검토한 사람이 있어서, 그렇게는 되지 않을 것이라고 말한다 해도 나는 이제 믿지 않겠네······.

그리고 내가 자네 소원의 실현에 도움이 되지 않는 것은, 다만 내 자신의 소원도 실현하지 못하기 때문이라는 것을 알아주기 바라네······. 소데리니 추기경과 의논하면 어떨까 하는 것이 자네 생각인데, 이것도 지금은 적당치 않다고 생각하네······.

이 마지막 부분은, 로마에 옮겨가서 살아도 좋으니 무언가 할일을 찾아달라는 마키아벨리의 거듭된 소원에 좋은 대답을 주지 못하는 베트리의 해명이다. 정치 세계의 제1선으로의 복귀라는 마키아벨리의 꿈도 조금씩 시드는 수밖에 없었다. 이에 대답한 마키아벨리의 편지에는 3행시가 곁들여져 있었다.

때로 내가 웃으며 노래하더라도
그것밖에 쓰디쓴 눈물을,
토해낼 수 없기 때문이다.

어디까지나 정다운 베트리는 이 편지를 받은 지 3일 후, 친구의 한탄에 자기도 한탄으로 화답한다. 다만 그것이 세금에 대한 불평으로 시작되고 있어서 웃게 되지만.

오늘 아침 눈을 뜨자마자 4피오리노의 일이 머리에 떠올랐네. 우리 형제에게 부과된 세금일세. 게다가 또 4피오리노, 백부도 과세되었네. 이것은 너무 많아. 다른 부자와 비교해봐도 너무 많네. 이것이 나를 혼란시키고 말았네.

나는 달리 일을 갖고 있지 않네. 살아가는 데 간신히 충분한 것 이상의 수입이 있는 것도 아닐세. 딸이 둘이라, 장차 결혼 지참금도 걱정해야 하네. 지금의 내 지위를 돈벌이에 이용한 적도 없네. 내 주변의 것이나 그밖의 일에서나 사치를 자랑한 적은 없네. 오히려 질소(質素)할 정도지. 하기야 대단히 곤란하다고 할 수는 없지만 말일세.

베트리도 나를 닮아 저혈압 기미가 있지 않았나 하는 생각이 들어서 혼자 웃었다. 나도 아침에 눈을 뜰 무렵에는 혈당치가 낮아서인지, 공연히 비관적이 되곤 한다. 세금에 분개하는 동안에 연상이 피렌체에 미쳤던지, 대사님은 이렇게 계속한다.

그때도 소데리니에 대해서나 누구에 대해서나 잘되라고 그렇게 행동했지. 그런데도 사람들은 나를 좋게 말하지 않는단 말일세.

이야기가 정치에 미친 김에 연상도 그쪽으로 발전했을까. 베트리는 앞에 나온 그 두 나라의 우호조약에 대해서 이번에는 상세하게 쓰기 시작한다. 이 우호 관계가 계속된다면, 베네치아공화국과 스위스 용병은 어떻게 반응할까 하고 추론을 하나하나 열기하면서 이론을 전개한다. 그러고는 이렇게 쓰고 펜을 놓는다.

그렇기는 하나, 친구여, 표면에 나타난 이러한 현상의 이면에는, 우리가 짐작할 수 없는 무언가가 숨어 있다고 생각할 필요가 있지 않을까? 나는 평소보다 두 시간이나 더 침대에 누워서 생각해보았지만, 결론에 이르지는 못했네.

이 상태에서 나를 해방시켜주게. 써 보내주게. 만일 자네가 이 우호조약을 에스파냐가 숙고한 결과라고 한다면, 나도 자네 의견을 따르겠네. 아첨하는 것은 아니지만, 자네 이상 날카롭고 정확한 판단력을 가진 인물을 나는 알지 못하네. 그러니 부탁이네, 의견을 들려주게.

이 편지 역시 마키아벨리에게는 포근한 이슬비나 다름없었을 것이다. 바로 이 시기에 마키아벨리는 결정적으로 산장에 들어박혀버렸기 때문이다.

도무지 직업이 얻어걸리지 못한 마키아벨리는 정신적으로나 경제적으로나 장기전을 각오할 필요가 있었는지도 모른다. 출옥한 지 한 달밖에 되지 않았는데도, 수입을 잃은 마키아벨리네는 도시에서 생활을 계속해 나가기가 무리였던 것임에 틀림없다. 녹초가 된 기분으로 산장에 들어박힌 마키아벨리에게, 부탁한다, 자네 의견을 들려다오 하고 쓴 대사의 편지가 도착한 것이다. 어쩌면 그는 햇빛과 푸르름에 넘치는 4월의 키안티 지방의 풍경 속에서 처음으로 생기를 되찾은 것이 아닐까? 마키아벨리는 보기 드물게 장문의 편지를 보내온 친구에게 답하여, 그 또한 인쇄해서 9페이지나 되는 긴 편지를 썼다. 거의 전문이 '대사', 곧 정치를 논하는 데 할애되어 있다. 날짜는 4월 29일이다.

내가 그래도 행복했던 때, 자네와 토론하는 것은 가장 즐거운 일이었네. 언제나 무언가 배울 것이 있었거든. 그러한 시대가 사라져버린 지금, 자네 편지만큼 나를 행복하게 해주는 것은 없네. 자네 편지를 되풀이해서 읽고 있으면, 내 몸 가까이에 자네의 존재를 느낀다네. 자네의 목소리를 듣고 있는 듯한 생각이 들지. 덕분에 나는 현재의 온갖 불행을 잊을 수 있고, 마치 그토록 열중해서 보낸, 근무하고 있을 당시로 되돌아간 느낌이 든다네. 시골로 옮긴 지금, 모든 것으로부터 단절된 내게 있어 자네의 질문에 대답한다는 것은 현재 나를 에워싸고 있는 갖가지 번거로움에서 나를 해방시켜주는 일도 된다네.

이에 이어 마키아벨리는, 자기는 이제 정보에 접하고 있는 몸이 아니므로 어둠 속에서 모색하는 거나 다름없다고 전제해놓고, 베트리의 질문에 조목조목 대답하기 시작한다. 에스파냐와 프랑스 사이의 우호조약으로, 에스파냐는 무엇을 얻고 프랑스는 무엇을 얻느냐 하는 식으로 이야기를 진행해 나간다. 당시 고개를 들기 시작하고 있던 영국을 다스리는, 아직도 젊은 헨리 8세를 논하는 것도 잊지 않는다. 결론은, 에스파냐 왕은 현재는 얻는 것이 많다고 보고, 경솔함과는 정반대의 생각으로 프랑스 왕과 조약을 맺은 것이라고 되어 있다.

베트리와 마키아벨리의 편지 전문을 소개하면, 평소보다 두 시간이나 더 침대에 누워서 생각해도 결론을 끌어내지 못한 베트리와 마키아벨리의 날카로운 분석의 차이를 알 수 있지만, 너무 길어져서 요약하는 수밖에 없다.

마키아벨리 연구자들에 의하면, 이 시기에 『정략론』이 씌어지기 시작한다. 이 편지에서 보는 그의 날카로운 분석은 『정략론』을 쓰기 시작했기 때문인지, 아니면 사신에서조차 이토록 날카롭게 정치를 분석한 그의 필법이 그대로 『정략론』의 문체로 이어졌는지는 알 수가 없다. 어쨌거나 정치에서 멀어져 있던 마키아벨리에게 '사는' 계기를 마련해준 것은 베트리였다. 두 사람이 서로 국제정치를 논하고 있으니 말이다. 국제정치의 세계에서 이제 주도권을 잃은 지 오래인 피렌체공화국의 한 대사와 한 '전' 서기관이다. 영국 외무부에서 지난날의 동료였던 두 40대 남자가, 미국 대통령과 소련 공산당 서기장이 가진 회담의 진의를 서로 탐지하고 논하는 것과 비슷하지 않은가.

이 뒤에 약 두 달 동안 두 사람의 교신이 끊어졌다. 6월 20일, 한 번 붙은 불을 끌 수 없게 된 마키아벨리가 먼저 침묵을 깬다.

한참 전에 에스파냐와 프랑스 두 나라 사이의 화평에 관한 자네의 주장에 대한 대답을 써 보냈지. 그후 자네한테서 편지도 받지 않았고, 나도 쓰지 않았네. 자네가 근간에 피렌체로 귀임한다는 말을 들었기에, 그렇다면 말로 토론해야지 하고 생각했기 때문일세. 하지만 자네의 귀임 이야기도 식어버린 것 같으니, 이 편지로 다시 한번 그 테마로 되돌아가기로 하겠네.

이번에 마키아벨리는 거리를 두고 국제관계 전반을 논한 지난번의 편지에서 한 걸음 더 나아가, 만일 내가 현 교황이라면이라는 가설에 관점을 두고 다시 유럽 정세의 분석을 시작하고 있다. 그에 의하면, 당시의 정세를 좌우할 수 있는 힘을 가진 양대 강국은 역시 프랑스와 에스파냐이고, 그 다음으로는 프랑스의 움직임을 견제할 수 있는 힘을 가진 영국과 스위스 용병단, 그리고 이탈리아에서는 제1의 강국 베네치아공화국이 그 뒤를 잇는다. 교황청은 교황이 바뀔 때마다 정치가 바뀌는 조직이지만, 심판과 흡사한 역할을 부정할 수는 없다. 다만 그 심판은 공평과는 거리가 멀고, 자기 출신 가문의 이익을 먼저 생각하는 것이 보통이라는 것이 당시의 현실주의적 견해였다. 마키아벨리도 그 언저리는 현실적으로 직시하면서, 목적을 이탈리아의 독립 보전에 두고 이야기를 진행시키고 있다.

이 냉정하면서 정열적인 편지에 대해서 베트리는 받은 지 나흘도 지나지 않아 답을 보냈는데, 그 내용은 마키아벨리에 비하면 다소 장년의 타령 투가 지배적인 편지였다. 귀국할 수 있다고 생각한 것이 이루어지지 않아 정신적으로 어정쩡한 상태에 있었기 때문인지도 모른다.

친애하는 친구여, 한 달이나 전에 도착한 자네 편지에 회답을 하지 않은 것은, 이번 주에는 출발할 수 있을까, 다음 주에는 귀국이 실현될까 하고 고대하는 나날을 보내고 있었기 때문이네. 귀국하면 자네와 실컷 이야기할 수 있다고 생각하고 있었지. 그런데 여전히 이곳에 머물러 있네……. 교황이 희망하는 한 로마에 눌러 있게 될 것 같네. 그분이 돌아가도 좋다고 말씀하시면, 좋아라고 고국에 돌아가겠는데 말일세. 거의 매주 교황께 사임을 원했었지. 그러나 떠나지 말라는 말씀을 들은 이상, 이제 그렇게 요청할 수도 없게 되었네. 그래서 아무 하는 일 없이 이 자리에 앉아 있다네. 브란카치와 나와, 그리고 자네만 합세한다면, 독일 황제에게 파견되었던 시절과 같아지는데 말일세.

아무것도 하지 않고 임지에 그대로 눌러앉아 있는데 싫증이 났던 모양이다. 베트리는 계속한다.

프랑스가 이기건 스위스 용병이 승리하건, 될 대로 되라는 기분이네. 만일 이것으로도 충분하지 않다면, 터키와 전 아시아가 공격해 와서 단숨에 모든 것이 해결되겠지…….

그러나 자네가 전에 그리고 지금 다시 써 보낸 주제로 돌아가면, 나는 자네의 분석과 예측이 정말 옳다고 생각하네. 내가 잘못 보았었네. 에스파냐가 이렇게도 간단명료한 이유로 조약을 맺었다고는 생각지 않았지. 뒤에 무언가가 있다고 생각했거든. 잘못 생각한 거지. 조약 체결 후의 여러 정세 변화가 그것을 증명하고 있지 않은가.

자네 편지는 받는 당초부터 과연 그렇구나 하고 생각했었지. 지금은 더욱 감탄하고 있네. 특히 이번 편지의 논법은 더욱 명쾌하군그려. 나는 자네만큼 스위스 보병들의 힘을 높이 사고 있지는 않지만, 자네의 견해에는 전적으로 찬성하네.

이 뒤에도 베트리의 대사에 대한 의론은 계속되는데, 마지막으로 이런 것을 쓰고 있는 것이 매우 흥미롭다.

우리는 그리스도교 세계에서의 이야기만 하고 있지 터키에 대해서는 논하고 있지 않은데, 터키야말로 유럽 군주들이 화평하고 전쟁하고 하는 동안에 무언가를 도전해 올 우려가 있지 않을까? 유럽의 어느 나라도 생각지 않는 일을 하게 되는 것은 바로 그들이 아닐까?

터키의 술탄은 싸움에서나 정치에서나 상당히 뛰어난 재능의 소유자가 아닌가. 행운은 그의 편을 들고 있고, 군의 통솔력에서도 문제가 없네. 경제적으로도 풍족하고, 국토는 광대하지 않은가. 타타르인과의 관계도 잘되고 있어서 이 제국의 앞날에 큰 장애는 보이지 않거든. 그래서 어느 날엔가 터키가 이탈리아에 쳐들어온다 해도 나는 놀라지 않을 것 같네. 그렇게 되면 적어도 로마의 성직자들은 쫓아내줄 것이거든.

터키 황제에게 주목하고 있다는 것은, 베트리라는 사나이가 예사 인물이 아니었다는 것을 증명하는 것이다. 반대로 마키아벨리는 유럽 문제에 관해서는 '대화'할 의지에 차 있었으나, 터키에 관한 친구의 이같은 문제 제기에는 대답도 하지 않았다. 유럽에 터키는 임박한 위험이 아니라고 생각했던 것일까?

당시의 터키는, 그 4년 후인 1517년에 시리아와 이집트를 정복하고, 동지중해를 빙 둘러싸는 대제국으로 변모할 만큼 큰 힘을 가지고 있었다. 그리하여 8년 후에는 쉴레이만 대제의 시대를 맞아 전성기를 구가하게 된다.

베트리와의 왕복 서한이 계속되고 있던 같은 시기, 마키아벨리는 친족의 한 사람인 베르나치와도 가족적인 내용이기는 하나 몇 통의 편지를 교환한다. 베르나치는 상용으로 터키의 수도 콘스탄티노플에 머물러 있었다. 또 쉴레이만 대제의 시대가 된 후이지만, 마키아벨리의 장남이 터키 제2의 도시 아드리아노플에 용무로 출장가 있곤 했다. 마키아벨리는 이 아들과도 자주 편지를 주고받았다.

이들 서신을 읽으면서 이상하게 느끼는 것은, 유럽에 관해서는 그토록 알고 싶어하고 논문을 쓰곤 한 마키아벨리가, 터키에 관해서는 거의 관심을 보이지 않았다는 사실이다. 수신지가 콘스탄티노플이나 아드리아노플로 되어 있지 않으면, 터키 땅에 있는 사람에게 쓴 편지인 줄도 모를 정도다. 정치적인 이야기를 하고 싶어도 할 수 없는, 다시 말해 지식인이라고 할 수 없는 친족이나 장남과의 교신이라 그랬다면 그만이지만, 마키아벨리의 너무한 무관심은 당시의 터키가 지중해 세계의 대국이었기에 더욱 흥미롭다.

그런데 『군주론』이나 『정략론』에 언급되어 있는 터키는, 언급된 횟수는 얼마 되지 않으나 참으로 정확한 판단을 내리고 있으니 점점 더 알 수 없어진다. 그것은 거의 예술가적이라고 해도 될 직관의 날카로움 때문에 아주 보잘것없는 자료로도 핵심에 이를 수 있었다는 말일까?

1513년 7월과 8월, 두 친구 사이에 국제정세에 관한 활발한 의견 교환이 계속된다. 마키아벨리가 시간 여유가 있었다는 것은 쉬이 상상이 가지만, 대사의 요직에 있는 베트리도 다음과 같은 상태에 있었기에 가능했던 것 같다.

대사라고 하지만, 하는 일은 아무것도 없네. 처음에는 추기경들과 시간을 보내는 일도 많았지만, 이제는 그것마저 없어졌네. 교황이 피렌체 출신이라, 로마와 피렌체 사이의 일은 깡그리 자기가 해버리기 때문이지. 게다가 피렌체에서 와 있는 사절도 많고, 제일 나이가 적은 나는 사람들이 하는 일을 바라보고 있는 역할이나 다름없다네. 의전적인 일도 되도록 피하고 있지.

그래서 마키아벨리와의 정책 논쟁이 열을 띠게 되었는지는 모르지만, 마키아벨리는 『정략론』은 일단 펜을 놓고, 『군주론』의 집필에 착수하고 있었다. 그런 줄을 아직 모르는 베트리는, 11월 23일 여느 때 것과는 좀 색다른 다음과 같은 편지를 보낸다. 국제정세는 잠시 휴지 상태에 들어간 모양이니, 사생활에 관한 이야기나 좀 나누자면서.

이 편지에는 로마에서의 내 일상 생활을 쓰기로 했네…… 내가 사는 집은 산 미켈레 인 보르고에 있지. 교황 궁전과 산 피에트로 대성당에서 가깝네. 사람이 사는 마을에서 그리 멀지도 않고, 고대인이(20세기의 오늘날도 그렇지만) 자니콜로라고 부른 언덕이 수호해주고 있지. 집 자체는 꽤 잘 지어져서 작지만 방도 많네. 북향이라 선선한 바람을 즐길 수도 있고 말일세.

집에서 성당으로 빠질 수 있네. 하기야 자네도 잘 아는 나의 그 신앙심으로는 고작해야 통과하는 데 이용하는 것이 보통이고, 성당으로 생각하는 것은 1년에 한 번 정도일까.

성당에서는 과수원으로 빠질 수 있지. 조금 전까지는 제법 손질이 잘 되어 있어서 아름답다고 할 만한 과수원이었는데, 이번 계절에 오랫동안 비가 오지 않은 탓도 있고 해서 지금은 상당히 스산해졌네. 과수원에서는 자니콜로 언덕에 오를 수 있지. 아무도 만나지 않고 포도밭 사이의 양지바른 오솔길을 올라가는 걸세. 고대인에 의하면, 이 근방에는 옛날 네로 황제의 포도밭이 있었다는군. 그럴 듯한 유적을 지금도 볼 수 있지.

이 집에 나는 9명의 하인들과 살고 있네. 그밖의 식구로는 부대사 브란카치, 사제와 서기가 각 한 사람, 그리고 말 일곱 필이 있는데, 이런 생활로 벌써 내 봉급은 깨끗이 날아가고 만다네.

대사로 부임해온 당시는 사치스러운 고급 생활이 하고 싶어서 그렇게 했었지. 말하자면 뻔질나게 외국인을 초대하여 서너 쟁반씩 식사를 대접하곤 했지. 은식기를 사용해서 말일세. 그러나 얼마 안 가서 출비가 과다하다는 것을 깨닫고, 더욱이 별로 즐겁지도 않다는 것을 알고는 그런 생활을 그만두었지. 중요한 인물은 아무도 초대하지 않고, 어느 정도의 수준을 유지하면서 보통 사람의 생활로 돌아가기로 했다는 얘기네. 은식기는 빌린 사람에게 돌려주었지…….

아침에는, 요즘은 10시쯤 침대에서 일어나네. 옷을 차려입고 교황궁으로 가지. 하기야 매일은 아니네. 2, 3일에 한 번쯤 될까. 교황궁에 들어가면, 교황과 스무 마디 이야기를 나누고, 메디치 추기경(줄리오 데 메디치)과는 열 마디 이야기를 나누고, 줄리아노 데 메디치 님과는 여섯 마디 이야기를 나누지. 만일 줄리아노와 이야기를 나눌 수 없으면 교황 비서관 아르딩겔리와 이야기를 나누고, 그 뒤에는 그 자리에 있는 어느 나라 대사와 부질 없는 말을 몇 마디 하고는, 이따금 있는 메디치 추기경의 점심 상대를 하는 일이 없으면 그대로 집에 돌아오네.

집에 돌아오면 평소의 인간들과 식사를 하지. 때로는 외국인이나 누구 손님과 함께할 때도 있지. 이를테면 사노 님이나 트렌토에서 함께 있었던 톰마소 님, 아니면 조반니 루첼라이나 조반니 지롤라모 같은 사람들이네. 점심을 먹고 나면, 상대가 있으면 카드 놀이를 할 판이지만, 대개는 없으니까 성당을 빠져나가서 과수원을 산책하고, 날씨가 좋으면 로마 교외까지 말을 달리기도 한다네.

밤이 되면 집에 돌아오는데, 역사책을 꽤 많이 사들였네. 특히 로마사 관계의 책인데, 이를테면 리비우스, 플루타르코스, 타키투스, 수에토니우스, 살루스티우스 등등이지. 그들과 더불어 시간을 보낸다네. 지난날의 로마도 이들 황제들을 참고 견디면서 세계를 진해(震駭)시켰으니, 오늘의 알렉산데르 6세나 율리우스 2세 같은 교황들을 참고 견딘다고 해서 놀랄 것도 없다는 생각을 하곤 한다네.

나흘에 한 번 피렌체 정부에 보고서를 쓰지. 내용은 써 보낼 필요도 없는 정도의 이야기네. 그밖에는 자네에게 편지를 쓰는 정도일세.

독서 후에는 브란카치와 자주 찾아오는 잔바티스타 나지와 잠시 잡담을 나눈 다음 잠자리에 드네. 제일에는 미사의 냄새를 맡으러 가지. 그것마저도 하지 않는 자네와는 좀 다른 셈일세.

만일 자네가 여자 친구는 아무도 없느냐고 묻는다면, 처음에는 찾아왔었다고 대답하겠네. 다만 그후는 여름의 더위에 진절

머리가 나서 사절하기로 했지. 상당한 미인이고 이야기도 재미 있는 여자였는데 말일세. 그밖에 이웃에 사는 여자가 있지. 귀족 에 출가했으나, 지금은 미망인이라네. 나쁘지 않은 여자야.

아, 니콜로, 이 생활에 자네를 초대하네. 와주면 얼마나 좋을 까. 그리고 피렌체에 함께 돌아가세. 여기서 자네는 거리를 돌아 다니며 구경을 하고, 집에 돌아와서 우리들과 농담을 나누면서 웃고 있기만 하면 되네. 대사 집에 산다는 생각은 할 필요가 없 네. 나는 아주 자유롭게 살고 있으니까. 긴 겉옷을 입는 경우도 있지만, 짧은 옷으로 있는 때도 많네. 말을 타고 달리는 것도 혼 자지. 부득이한 경우에는 도보로 따라오는 종자를 데리고 가기 는 하지만 말일세. 방문하는 곳도 어쩌다가 메디치 집안 사람들 을 만나러 가는 것뿐이고, 그밖에는 비비에나 추기경을 찾아가 는 것이 고작이라네. 그것도 그가 병석에 누워 있지 않을 때 말 이지만.

나는 누구에게나 주저하지 않고 내 생각을 말하네. 나를 적임 자라고 생각지 않는다면, 피렌체로 소환해버리면 그만 아닌가. 그거야말로 내가 바라는 바거든.

자네가 꼭 믿어주기를 바라는 것이 한 가지 있네. 이것은 입에 발린 공치사가 결코 아니네. 이곳 로마에서 많은 사람들과 사귀 었지만, 내게 만족을 준 인물은 정말 적었네. 그 중에서도 자네 이상의 인물을 만나보지 못했다네.

1513년 11월 23일, 로마에서

프란체스코 베트리

이 편지만은 거의 전문을 옮겼다. 그것은 머리말에서 소개한 저 유명한 마키아벨리의 편지가, 실은 이 편지에 대한 대답이었기 때문이다. 피렌체 교외의 산장 생활에 관해서 보고한 것은, 친구가 로마에서의 생활을 적어 보냈기 때문이다. 마키아벨리의 '대답'을 다시 한번 들어보기로 하자.

……나는 시골집에 있네……. 여기서 나는 해가 뜨면 일어나 숲으로 가네. 그곳에서 나무를 벌채시키고 있기 때문이지.

숲에서는 두어 시간 머물러 있네. 그때까지의 작업을 다시 검토하기도 하고, 일꾼들과 함께 어울리곤 하면서 말일세. 이 친구들 손도 잘 다치고, 툭하면 저희들끼리 싸우고, 이웃마을 사람들과도 곧잘 다투곤 해서 도무지 사고가 그치지 않는 인간들이거든……

숲에서 나오면 옹달샘으로 가지. 그 샘가에 가서야 비로소 나는 내 자신의 시간을 갖게 된다네. 보통 책 한 권을 들고 가는데, 단테나 페트라르카나 아니면 더 마음 편한 티불루스나 오비디우스 같은 시인들의 작품이지. 그리고 거기에 읊어져 있는 정열적인 연애라든가 시인 자신의 사랑을 읽고, 내 자신의 그것들을 떠올리면서 잠시 그런 생각을 만끽하며 보낸다네.

그런 다음 한길로 돌아서 선술집으로 가네. 거기서는 나그네들과 이야기를 나누지. 그들 나라의 새로운 사건에 관해서 물어보기도 하고, 그들의 입으로 전해지는 정보에 귀를 기울이곤 하면서 말일세. 그러면 사람들의 취향의 차이랄지, 생각의 차이 같은 것을 알 수가 있다네.

그럭저럭하다가 식사 시간이 되면, 집에 가서 가족들과 식탁에 둘러앉아 이 가난한 산장과 보잘것없는 재산이 허용해주는 식사를 들지.

식사가 끝나면 다시 선술집으로 돌아가네. 이 시간의 선술집 단골들은 푸줏간 주인과 밀가루 장수와 두 사람의 벽돌공인데, 이 친구들과 나는 그날이 끝날 때까지 크리커나 트릭 트랙 놀이를 하면서 불한당이 되어 보낸다네. 카드와 주사위가 난무하는 동안 무수한 다툼이 벌어지고, 욕설과 폭언이 터져나오고, 생각할 수 있는 별의별 짓궂은 짓이 다 자행되지.

거의 매번 돈을 걸기 때문에, 우리가 질러대는 야만스런 목소리가 산 카시아노 마을에까지 들릴 정도라네. 이렇게 해서 나는 나의 뇌에 눌어붙은 곰팡이를 긁어내고, 나를 향한 운명의 장난에 분노를 터뜨리는 것일세. 이처럼 내 자신을 짓밟는 것은, 운명의 신이 나를 괴롭히는 것을 아직도 부끄러워하지 않고 있는지 시험하기 위해서라네.

밤이 되면 집에 돌아가서 서재에 들어가는데, 들어가기 전에 흙 같은 것으로 더러워진 평상복을 벗고 관복으로 갈아입네.

예절을 갖춘 복장으로 몸을 정제한 다음, 옛 사람들이 있는 옛 궁정에 입궐하지. 그곳에서 나는 그들의 친절한 영접을 받고, 그 음식물, 나만을 위한, 그것을 위해서 나의 삶을 점지받은 음식물을 먹는다네. 그곳에서 나는 부끄럼 없이 그들과 이야기를 나누고, 그들의 행위에 대한 이유를 물어보곤 하지. 그들도 인간다움을 그대로 드러내고 대답해준다네.

그렇게 보내는 네 시간 동안 나는 전혀 지루함을 느끼지 않네.

마키아벨리

모든 고뇌를 잊고, 가난도 두렵지 않게 되고, 죽음에 대한 공포도 느끼지 않게 되고 말일세. 그들의 세계에 전신전령(全身全靈)으로 들어가 있기 때문이겠지.

단테의 시구는 아니지만, 들은 것도 생각하고 종합하여 정리하지 않는 한 과학이 되지 않는 것이니, 나도 그들과의 대화를 『군주론』이라는 제목의 소논문으로 정리해보기로 했네. 거기서 나는 가능한 데까지 이 주제를 추구하고 분석해볼 참이네.

군주국이란 무엇인가? 어떤 종류가 있는가? 어떻게 하면 획득할 수 있는가? 어떻게 하면 보전할 수 있는가? 왜 상실하는가?

만일 자네가 지금까지 내 공상의 소산이 무엇 하나 마음에 들지 않았더라도, 이것만은 마음에 안 들 턱이 없을 것이라고 생각하네. 그리고 군주들에게는, 특히 신흥 군주들에게는 받아들여진 것임에 틀림없을 줄 알고 있네.

여기까지가 머리말에서 소개한 부분이다. 그러나 이에 이어 마키아벨리는 여전히 직장을 갖고 싶다고 친구에게 호소하고 있다. 아직 퇴고할 필요는 있지만 하고 말하면서도, 『군주론』을 메디치 가의 줄리아노에게 바치면 어떨까 하고 친구의 의견을 묻는 것도 잊지 않았다. 그리고, 그러면 메디치의 누군가가 일을 주지 않겠느냐고 솔직하게 쓰고 있다.

"지금과 같은 생활을 이 이상 계속하고 있다가는, 나는 무위(無爲)로 소모되는 수밖에 없네."

이렇게 호소하는 그는 이어서,

"이 논문(『군주론』)을 읽으면, 내가 15년 동안 자지도 않고 놀지도 않고 정치의 기술을 연구했다는 것을 알게 될 것인데, 이런 경험은 누군가가 유용하게 써야 하지 않겠는가?"

라고도 쓰고 있다. 정말이지 대오각성한 심경과는 거리가 한참 멀다. 마키아벨리가 아직도 전선 복귀를 단념하지 않고 있다는 증거다. 『군주론』은 그런 상념에 불타는 사나이가 단숨에 써낸 작품이었다.

그건 그렇고, 이 두 통의 편지는 베트리와 마키아벨리의 자질의 차이를 보여주고 있어 재미있다.

베트리의 편지도 나쁘지는 않다. 상당히 좋은 편지다. 특히 자기를 잠이 깬 관점에서 포착하는 태도는, 좋은 집안에서 자라 품위가 넘치고, 지중해 문명에 이해가 깊은 옥스퍼드나 케임브리지 출신의 이탈리아 주재 외교관쯤에서 지금도 쉬이 동류를 발견할 수 있을 듯한 생각이 든다. 반하지 않더라도 애인으로 삼기에 가장 적합한 타입이 아닌가 싶다. 그러나 그의 편지는 어디까지나 편지이다.

이에 반해서 마키아벨리의 편지는 문학이다. 유일무이한 작품이 되어 있다.

이것은 창작하는 자에게는 언제나 자극이 필요하다는 것을 말해 주는 것이기도 하다. 베트리가 로마에서의 일상에 관한 것을 써 보내지 않았더라면, 마키아벨리의 이 '작품'은 태어나지 않았다. 자극은 무엇이라도 좋다. 자극을 받고 자극을 준 본인은 상상도 못한 것으로 그것을 승화시키는 것이야말로 창작하는 자의 특질이기 때문이다.

이 뒤에도 베트리와 마키아벨리는 1년 남짓 다시 22통이나 편지를 주고받는다. 물론 '대사'도 논했지만 '소사'에 대한 대화도 빼놓지 않았다. 말하자면 서로 연애 감정까지 보고한 것이다. 기가 막히게도 우리의 마키아벨리는 실의의 시기에조차, 아니 그래서 그랬는지도 모르지만, 어떤 미망인에게 반하여 친구에게 그녀가 갖고 싶어하는 물건을 로마에서 사보내달라는 부탁까지 하고 있다. 물론 친구는 즉각 그의 소원을 들어주었다. 베트리도 사랑을 했는데 이쪽 역시 상대는 미망인이라, 두 사람이 다 40대 남자인데도 젊은 여자에 반하지 않은 것이 왠지 우습다.

이와 같이 마키아벨리의 최악의 시기에 서로 흉금을 털어놓은 것이 베트리인데, 이 사람에 대해 의외로 후세의 역사학자나 사상가의 평이 별로 좋지 않다.

그 첫째 이유는, 마키아벨리가 몇 번이나 간청했는데도 실의의 친구를 위해 직장을 구해주는 노고를 아꼈다는 데 있다. 이 비난 뒤에는 마키아벨리와는 전혀 다른, 처세술이 교묘한 베트리에 대한 반감이 숨어 있는 것같이 여겨진다.

실제로 소데리니의 실각과 동시에 감옥 생활을 해야 했던 시점까지는 베트리도 마키아벨리와 별 다름이 없었으나, 그후의 베트리의 생애는 마키아벨리의 그것과는 좌우의 차이만큼이나 다르다.

1515년 피렌체로 귀임한 그는, 즉각 프랑스 주재 대사로 임명된다. 3년 간 계속된 프랑스 주재 시대의 그의 임무는 피렌체공화국 대사라기보다는 메디치 가의 도령들, 줄리아노와 로렌초를 돌보는 후견인 역이었다. 이 임무를 무사히 마친 베트리는 1521년 피렌체공화국 대통령에 선출된다. 이 시기에 아무리 임기 1년의 대통령이라고는 하나, 아직도 실직중인 마키아벨리를 위해서 무언가 해 줄 수 있지 않았겠느냐고 사람들은 말하는 것이다. 그는 마키아벨리가 실의 속에 죽은 뒤에도 재차 로마 주재 대사로 나가게 되고, 당시의 교황으로서 메디치 가 출신인 클레멘스 7세의 심복이라 일컬어지게 된다.

1530년 피렌체공화국 붕괴 후 승자 편에서 조국에 들어온 그는, 군주 정체로 이행중인 피렌체에서 메디치 가의 알레산드로의 후견인 역을 맡는다. 그러다가 이 공자가 암살되자, 같은 메디치 가의 코시모에게 권력을 인계시키기 위해 암약한다. 알레산드로의 죽음을 숨겨놓고 코시모를 은밀히 불러온 솜씨는 마키아벨리스트의 진면목을 연상케 하는 훌륭한 재주였다.

그러나 우아한 비관론자이자 현실주의자인 이 프란체스코 베트리도 끝까지 실의와 무관할 수는 없었다. 그가 풋내기로밖에 보지 않았던 코시모는 일단 권력을 쥐고 나자 공로자인 베트리를 멀리

하고 말았기 때문이다.

코시모 옹립의 공로자로는, 베트리말고도 말년에 마키아벨리의 왕복 서한의 상대가 되는 구이차르디니가 있었다. 그런데 비관론자인 점에서나 현실주의자인 점에서나 비슷하고, 관료로서 최고위까지 출세한 점에서도 똑같은 이 두 사람이 불과 열일곱 살의 젊은 녀석에게 당하고 마는 것이 흥미롭다.

다만 실의의 때를 맞이해도 상층 계급에 속하는 베트리는, 마키아벨리처럼 직장을 구하려고 몸부림치는 일도 없이 정치 논문 같은 것을 써갈기면서 우아한 은퇴 생활을 보낸다. 구이차르디니도 은퇴 후에는 따분하지만 역사학자들로부터 좋은 평을 듣는 역작 『이탈리아사』를 쓰며 시간을 보냈다.

베트리가 후세 사람들로부터 사랑을 받지 못하는 두번째 이유는 『군주론』을 정당하게 평가하지 않았다는 데 있다. 더욱이 그것을 누구보다도 할 수 있는 처지에 있으면서 소홀히 했기 때문에 그 죄가 더 무겁다고들 말한다.

마키아벨리는 1513년 12월 10일자 편지로 베트리에게 『군주론』의 집필을 알렸다. 이 편지에 대한 답장을 베트리는 같은 달 24일에 보냈는데, 『군주론』에 관해서는 다음 몇 줄밖에 언급하지 않았다.

"자네가 정치 논문을 쓰고 있다는 것은 자네 편지뿐 아니라 필리포로부터도 듣고 있네. 그러나 그것을 줄리아노 님께 헌정하는 문제에 관해서는 이것을 읽은 다음에 결정하고 싶네."

마키아벨리는 12월 10일의 단계에서는 "퇴고의 필요 있음"이라고 쓰고 있는 것을 보면, 아마도 아직 완성되지 않은 『군주론』을 베트리에게만 먼저 보내준 모양이다. 이듬해 1514년 1월 18일자 편지에 베트리는 다음과 같이 쓰고 있기 때문이다.

"자네 작품을 읽었네. 매우 감탄했네. 다만 완성 원고가 아니니까, 본격적인 독후감은 완성된 원고를 읽을 때까지 보류하고 싶네."

이것뿐이었다. 그후의 편지에 『군주론』에 대해 언급한 대목이 없는 것은 아니나, 그것도 헌정하는 것이 좋겠는가 나쁘겠는가, 혹은 또 로마에는 마키아벨리가 직접 갖고 가야 하지 않겠는가 하는 따위의 이야기에 지나지 않는다. 그래서 베트리를 이해심이 없는 자라고 단정들을 내리게 되었는지도 모른다.

확실히 서로 그렇게도 열심히 국제정치를 논한 편지를 주고받은 사이였으니, 『군주론』의 독후감만으로 가득 찬 장문의 편지를 보내왔다면, 그것은 오히려 당연한 일이라고 누구나가 생각했을 것이다. 그런데 베트리는 이것밖에 써 보내지 않은 것이다.

나는 여기에서야말로 두 사람의 차이점이 있었다는 생각을 하는 것이다.

로마 주재 대사 베트리가 산장에서 실의의 생활을 보내고 있는 마키아벨리와 기꺼이 국제정치를 논한 것은, 정세를 분석하는 마키아벨리의 능력을 높이 평가했기 때문이다. 마키아벨리가 보내주는 의견은 베트리의 입을 통해서 교황 레오 10세와 줄리오 추기경과 같은 당시의 두 교황청 실력자에게 전해지기 일쑤였다. 그런 경우 베트리는 그것을 자기 생각인 양 꾸미지 않고, 마키아벨리의 것으로서 이야기했다. 또 마키아벨리의 편지 자체를 두 사람에게 보여준 적도 있었다. 두 사람은 크게 감탄하면서도 마키아벨리를 불러다 쓸 생각까지는 하지 않았다. 따라서 로마 시대의 베트리가 친구의 구직을 위해 노고를 아낀 것이 아니었다. 메디치 가 쪽에서 마키아벨리를 여전히 위험 인물로 보고 있었기 때문에 구직 운동은 좌절될 수밖에 없었던 것이다.

그러나 여기서 마키아벨리의 사상은 베트리의 이해를 초월하게 된다.

베트리도 피렌체를 생각하는 점에서는 마키아벨리 못지않았다. 마키아벨리에게 보낸 편지의 하나에 이렇게 쓰고 있다.

"내게 있어 최대의 관심사는 고국의 안전 이외에 없네. 그곳에 사는 사람들 태반을 나는 사랑하네. 법률도 풍속도 사랑하네. 시 성벽도 집도 성당도, 그리고 교외의 전원도 사랑하네. 이것들이 파괴되고 짓밟힌다면 얼마나 큰 슬픔이겠는가."

프란체스코 베트리의 경력이, 파도 타기 명수를 연상케 하는 데가 있는 것은 여기에 이유가 있었다. 아름다운 피렌체를 파괴에서 구하기 위해서라면 이 우아한 비관론자에게는 어떤 정체건 무방했던 것이다. 그런 것은 제이의적(第二義的)인 문제였다.

그의 시대에서 500년이 지난 오늘날, 피렌체는 아직도 르네상스의 대표적 고도로서 그 아름다움을 간직하고 있다. 1527년 독일군에 의한 파괴와 약탈로 르네상스 시대의 잔재를 발견하기 어렵게 된 로마를 떠올리면, 베트리의 노력도 헛일이 아니었다고 인정하지 않을 수 없다. 그는 우수한 내과의사였던 것이다.

그러나 아무리 뛰어난 내과의사라도 외과수술이 절대로 필요한 사태에 이르면, 내과의사로서의 우수함이 오히려 해로운 경우도 있다. 당시의 이탈리아는 내과의사보다 외과의사가 필요한 상태에 있었다. 그리고 당시에는 오직 마키아벨리 한 사람만이 외과수술의 필요를 역설했다. 그것은 베트리의 이해의 범위를 완전히 벗어나는 것이었다.

공화 정체를 주로 다루면서 여러 정체 전반을 논한 『정략론』을 쓰기 시작해놓고, 왜 중도에서 중단하고 단숨에 『군주론』을 완성하게 되었을까?

마키아벨리는 공화 정체 아래의 피렌체에서 태어나 자랐다. 사실상의 지배자는 메디치 가의 로렌초 일 마니피코였어도, 피렌체는 오랫동안 공화 정체였고, 로렌초라는 뛰어난 지도자 아래서 교묘히 운영되던 시대에 마키아벨리의 정신은 형성되었던 것이다. 그리고 그에 뒤이은 소데리니 정권 아래서의 보다 민주적인 공화 정체가 15년에 이른 그의 작업장이었던 것이다.

이런 마키아벨리가 당시의 피렌체 시민 대부분과 마찬가지로 공화 정체에 친근감을 품고 있었다는 것은 당연한 일일 것이다. 그는 공화 정체의 공명자였다.

그런데 군주 정체를 논한 『군주론』이 먼저 탈고된 것이다. 그러나 거기서 그는 20년이 지나도 명군의 명성이 사그라지지 않는 로렌초 일 마니피코를 본받으라는 말은 하지 않았다. 오히려 몰락한 지 10년이 지났는데도 여전히 많은 이탈리아인이 마치 악마처럼 회상하고 있는 체사레 보르자를, 그 사람이야말로 새 군주의 모델로서 적격한 인물이라고까지 단언하고 있는 것이다.

그것은 자신도 실직의 고통을 겪은 마키아벨리의 가슴 속에, 그전에 그가 생각하고 있던 지도자에 필요한 조건, 즉,

비르투(재능 · 역량 · 능력)

포르투나(운 · 행운)

여기에 다시,

네체시타(시대의 요구에 합치하는 것, 시대성)

라는 개념이 불가결하다는 확신이 싹텄기 때문이 아닐까?

그런 그의 눈에는 로렌초 일 마니피코가 아무리 명군으로서 명성이 자자하더라도, 지난 시대의 명군에 불과했던 것이다. 로렌초의 정치는, 국내에서 외양은 공화 정체더라도 실제로는 메디치 가가 지배하는 참주 정체였고, 국외에서는 이탈리아 열강의 세력균형정책을 확립하는 일이었다. 이것은 이탈리아 외부에서 전제 군주국의 대두가 아직도 약했던 시대에는 완벽하게 통용되었다. 로렌초 일 마니피코는 이탈리아가 아직 행복했던 시대의 명군이었던 것이다.

로렌초의 죽음을 경계로 하듯 시대는 변했다. 불행한 시대의 피렌체를, 그리고 이탈리아를 구하려면, 이 시대의 요구에 부응할 수 있는 다른 인물이어야 한다고 마키아벨리는 생각한 것이다. 이를테면 체사레 보르자와 같은 인물이었다.

이것이 본래는 공화주의자였던 마키아벨리가 '전환'한 이유다. 이 공화 정체 공명자는 공화 정체를 버려야 한다는 데에 생각이 미쳤다. 그러는 수밖에 이탈리아의 독립과 안전을 확보할 길이 없다는 결론에 도달한 것이다. 이 점이 마음의 친구임에는 변함이 없어도, 마키아벨리와 베트리가 결정적으로 다른 점이었다.

마키아벨리는 이탈리아의 통일을 생각하고 있었던 것이다. 그러나 정치란 가능성의 기술이라고 생각한 그의 머릿속에는, 19세기 말에 가리발디와 카보우르 백작의 협력으로 실현된 현대 이탈리아의 영토는 그려지지 않았을 것이다. 현대 이탈리아의 형태로서의 통일은 16세기 초두에는 비현실적이었다.

첫째, 공고한 정체로 안정되고 강력한 경제력을 가진 베네치아 공화국이 통일에 가담한다는 것은 상상도 할 수 없었을 것이다. 또 밀라노를 중심으로 하는 롬바르디아 지방에 대한 프랑스의 뿌리 깊은 야심도 프랑스의 군사력을 무시 못하는 이상 인정하는 편이 현실적이었다. 그리고 나폴리에서 시칠리아에 이르는 남이탈리아도 에스파냐 세력의 침투가 깊어 조급히 이를 뒤집기는 우선 어려웠다. 16세기 초두에 본격화된 프랑스, 에스파냐, 터키 등 대군주국 형성 시대에 대응할 수 있고, 이탈리아의 독립을 확보할 수 있는 강력한 군주국 창설의 가능성은 이런 현상 아래서는 중부 이탈리아밖에 없었다. 그것만 실현된다면 북으로부터의 베네치아와 프랑스, 남으로부터의 에스파냐의 세력 신장도 저지할 수 있었다. 다시 말해 이것이야말로 체사레 보르자가 구상하여 실행에 옮기려다 중도에서 좌절된 일이었던 것이다.

이런 마키아벨리의 생각은, 당시의 이탈리아에서는 혁명적이었을 것이다. 사람들이 체사레 보르자를 악마처럼 무서워하고 있었으니, 마키아벨리가 도무지 관청의 일자리를 얻지 못한 것은 당연한 일이었다. 마키아벨리의 재능을 높이 사서 그 이재(異才)를 활용한 피에로 소데리니조차도, 만일 마키아벨리가 이같은 생각을 확립하기 시작하고 있다는 것을 알았다면 오싹 무서운 생각이 들어서 한직으로 돌렸을 것이다. 이렇게 되면 『예나 지금이나』에서 보여준 서머싯 몸의 작가적 상상이 의외로 박진(迫眞)하지 않았던가 하는 생각이 든다. 말하자면, 『군주론』 같은 것을 쓰게 되는 마키아벨리가 취직을 할 수 있다면, 체사레 보르자 밑에서나 가능하지 않았을까 하는 상상을 하게 된다는 것이다.

이것이 당시의 지배적인 분위기였는데도, 마키아벨리 자신은 어째서 자기를 활용하지 않을까 하고 취직의 소원을 버리지 못했던 것이다. 정말이지 인간성에 대해서 최고의 비관론자였던 그도, 자기 자신의 일에 대해서는 순진할 정도로 낙관론자였던 모양이다.

참된 르네상스 혼(魂)은, 레오나르도 다 빈치에 체현되어 있다고 나도 생각한다. 그리고 니콜로 마키아벨리는 정치사상의 세계에서 레오나르도였다고 생각하는 것이다. 그런 그의 대표적 작품이 『군주론』과 『정략론』이다. 특히 『군주론』은 도발적인 주제와 명쾌한 문체, 그리고 이것이 무시할 수 없는 이점인데, 단숨에 읽을 수 있는 분량 등으로 하여 세계의 명저에서 빠뜨릴 수 없는 한 권이 되었다. 이 작품을 집필중인 마키아벨리의 마음을 계속 따뜻하게 데워주고 자극을 준 것이 바로 베트리와 주고받은 왕복 서한이다. 마키아벨리는 언젠가 이 친구에게 이렇게 써 보냈다.

만일 누가 우리들의 편지를 읽는다면, 그 너무나 다양한 내용에 놀라지 않을까 하는 생각이 드네. 원체 우리 두 사람은 마치 대단한 주요 인물이기라도 하듯, 서로 장중한 어조로 국제정치를 논하다가도, 종이 한 장을 넘기면 화제는 일전하여 보통 사람들에게 일상 일어나는 가벼운 것으로 바뀌곤 하거든.

이런 방법은 품위를 떨어뜨린다고 생각하는 사람도 있겠지만, 나는 나쁘지 않은 방법이라고 생각하네. 왜냐하면, 우리들 인간은 자연을 모방하는 것인데 자연은 다종다양하게 마련이고, 따라서 다양하다는 것이 비난받을 수는 없는 일이기에 말일세.

베트리는 실의에 빠진 마키아벨리에게 '삶'을 주었다. 마키아벨리는 생각한 것을 정리하여 『군주론』이라는 형태로 종합하고 있었다. 고독하기는 했으나 다음과 같은 '삶'이라면 가지고 있었다.

예절을 갖춘 복장으로 몸을 정제한 다음, 옛사람들이 있는 옛 궁정에 입궐하지. 그곳에서 나는 그들의 친절한 영접을 받고, 그 음식물, 나만을 위한, 그것을 위해서 나의 삶을 점지받은 음식물을 먹는다네. 그곳에서 나는 부끄럼 없이 그들과 이야기를 나누고, 그들의 행위에 대한 이유를 물어보곤 하지. 그들도 인간다움을 그대로 드러내고 대답해준다네.

그렇게 보내는 네 시간 동안 나는 전혀 지루함을 느끼지 않네. 모든 고뇌를 잊고, 가난도 두려워하지 않게 되고, 죽음에 대한 공포도 느끼지 않게 되고 말일세. 그들의 세계에 전신전령으로 들어가 있기 때문이겠지.

그러나 이런 종류의 삶밖에 주어지지 않았다면, 마키아벨리도 괴로웠을 것이다. 베트리는 그런 그에게 인간의 체온을 느끼게 하는 삶을 준 것이다. 그것은 『군주론』과 『정략론』을 집필중인 마키아벨리의 펜에 힘을 주는 데 분명히 효과가 있었을 것이다. 창작은 정령이 영감을 주기에 시작되는지는 모르지만, 그것을 속행하는 의지력은 산 인간의 지원과 격려로 지탱되는 일이 많은 법이다.

현대 이탈리아의 문호 알베르토 모라비아는 작가가 본 『군주론』에 대해서 다음과 같이 쓰고 있다.

"이것을 읽고 받은 인상의 첫째는, 글 쓰는 사람으로서의 마키아벨리의 문장력이다. 그 힘은 운동 선수의 근육 하나하나가 피부 아래 있으면서도 떠오르는 것과 같다. 현대의 작가가 상실한 것으로, 매력적인 모순에 의해 빚어지는 힘이다. 합리적인 동시에 기발하고, 논리적인 동시에 정열이 넘치고, 엄밀한 동시에 감흥이 향하는 대로 내맡기는 식이기 때문이다."

베트리는 마키아벨리의 사상의 혁명성을 이해하지 못했는지는 모른다. 그러나 그 시기의 마키아벨리에게는 베트리 같은 사람이 절대로 필요했던 것이다.

마키아벨리의 연구자들이 이 시대의 그를 불행했다고 단정하는 데는 나는 찬동하지 못한다. 확실히 그는 불행했다. 그러나 그것은 불행한 동시에 행복하고, 행복한 동시에 불행하다는 따위의 불행이 아니었나 하는 생각을 나는 자꾸만 하게 된다. 그러기에 창작이 가능했던 것이다 하고. 창작하는 행위는 행복한 것만으로도 할 수 없는 일이지만, 불행하다고 할 수 있는 일도 아니기 때문이다. 그러나 이런 종류의 행복은, 실(實)을 추구하는 것이 본래의 임무인

학자들은 좀처럼 이해하지 못하는 것일는지도 모른다.

　마키아벨리와 베트리 사이에 교환된 왕복 서한은, 1515년 1월 31일자 마키아벨리의 편지를 마지막으로 끝난다. 그후에도 서로 편지는 주고받지만, 2년 가까이나 왕래한 편지만큼 '대화'를 느끼게 하는 것은 이제 두 사람 다 쓰지 않았다. 베트리가 피렌체로 돌아온 사정도 있다. 그러나 그후 얼마 안 가서 프랑스 주재 대사로 임명된 베트리는 프랑스로 떠나지만, 왕복 서한은 재개되지 않았다.

　『군주론』을 완성하고『정략론』을 종합하기 시작한 마키아벨리에게 다른 대화 상대가 나타났기 때문인지도 모른다. 또 실직한 지도 2년이 지났고, 자기 일에 대해서는 순진한 낙관론자였던 마키아벨리도 역시 언제까지나 복직의 희망에 매달려 있을 수만도 없게 된 사정도 있었을 것이다.『군주론』은 복직의 소원을 담아 메디치 가의 젊은 공자 로렌초에게 바쳐졌다.『정략론』은 복직에는 별로 도움이 될 것 같지 않은, 그러나 가장 훌륭한 이해자는 될 수 있는 두 인물에게 바쳐진다. 다음과 같은 헌사(獻辭)와 함께.

　"이 작품을 저는 군주보다도 군주가 될 자격을 충분히 갖추셨으면서도, 군주가 아니신 두 분께 바치기로 하였습니다. 다시 말씀드려서, 저에게 지위나 명예나 부를 줄 수 있는 분이 아니라, 그렇게 해주고 싶어도 그렇게 할 권력을 안 가진 분께 헌정하기로 하였습니다."

　『군주론』을 증정받은 메디치 가의 젊은 공자는 이것을 읽어보지도 않았다고 한다. 그러나『정략론』을 헌정받은 자노비 본델몬티와 코시모 루첼라이는 확실하게 읽었다. 마흔여섯 살이 된 마키아벨리의 씁쓸한 절망을 엿볼 수 있지만, 글 쓰는 사람에게는 읽어주는 사람이 제일인 것이다.

'전' 서기관은 사라지고, 대신 작가가 탄생한 것이다.

15 젊은 제자들

1516~1522

꽤 오랫동안 나는, 마키아벨리가 『정략론』을 바친 자노비 본델 몬티와 코시모 루첼라이라는 두 사나이를 나이도 지긋하고 공명도 어느 정도 이룬 느낌의, 유복하고 학예를 사랑하는 인물인 줄 알고 있었다. 그후 마키아벨리를 소상히 공부하기 시작하고서도 학자들이 이들을 "젊다"고 쓴 대목에 늘 부딪쳤지만, 아무리 젊어도 서른이야 훨씬 넘었겠지 생각하고 의심하지 않았다.

그 당시는 비록 명문가의 자제라도 서른 살이 요직에 앉는 최저 연령이었다. 베네치아공화국에서나 피렌체공화국에서나 국정에 발언권을 갖게 되려면 서른이 출발점이었기 때문이다.

물론 메디치 가의 로렌초 일 마니피코라든가 체사레 보르자처럼 20대에 활약한 사람도 있다. 그러나 그들은 달리 적당한 인물이 없는 행운아였고, 인생 50이라던 당시에도 서른에 이르지 않고는 제대로 인정을 받지 못하는 것이 보통이었다.

학자들과 달리 내 눈 앞에 정경이 떠오르지 않으면 승복하지 못하는 나는 '젊다'는 형용사만으로는 만족할 수 없었다. 얼마나 젊은지 확인할 필요가 있었다. 그렇잖고는 실감이 나지 않기 때문이다.

코시모 루첼라이의 나이는 1495년생이라는 것을 금방 알았다. 자노비 본델몬티는 좀처럼 알 수가 없어서 애를 먹었지만, 『전략론』의 내용으로 짐작건대 코시모보다 한두 살 위가 아니었나 싶다. 어쨌거나 마키아벨리와는 25, 6세 차이가 난다. 『정략론』은 1517년에는 확실히 탈고된 것으로 되어 있으므로, 마키아벨리는 4년이나 걸려서 완성한 이 대작을 아직 상속도 받지 않은 신분의 20대에 갓 들어선 두 젊은이에게 바친 셈이다. 더욱이 "군주보다도 군주가 될 자격을 충분히 갖추었다"고까지 찬양하면서 말이다.

『군주론』을 바친 메디치 가의 직계 로렌초도 당시 스물한 살에 지나지 않았으나, 같은 젊은이들에게 바쳐졌다지만 『군주론』과 『정략론』은 문제가 다르다. 『군주론』의 경우는, 메디치 가의 젊은 공자에게 바치는 것이 마키아벨리로서는 바로 복직 운동이었다. 그런데 『정략론』을 바친 것은, "저에게 지위나 명예나 부를 주시고 싶어도 그럴 수 있는 권력을 갖지 않은" 아직 상속도 받지 않은 젊은이 두 사람이었던 것이다.

게다가 이 젊은이들에게 마키아벨리가 자기 작품을 바친 것은 『정략론』뿐이 아니었다. 『정략론』보다 3년 후에 씌어진 전기 소설 『카스트루초 카스트라카니의 생애』까지 바쳤는데, 그 헌사는 이랬다.

"자노비 본델몬티와 루이지 알라만니와 그들의 친구들에게"

루이지 알라만니도 코시모 루첼라이와 동갑이었으니까, 아직 성인이 아닌 것만은 변함이 없다.

더욱이 『군주론』과 『정략론』을 말할 때는 반드시 그 다음에 거론되는 마키아벨리의 대표작 『전략론』에서는, 20대에 막 돌입한 이들 젊은이들이 작품 속에 실명으로 등장하는 것이다. 『전략론』은 당시의 고명한 무장 파브리치오 콜론나와 네 젊은이들이 전략 전반에 관해서, 말하자면 인터뷰를 하는 형식으로 구성된 작품인데, 그 네 사람이라는 것이 다름 아닌 코시모 루첼라이, 자노비 본델몬티, 루이지 알라만니, 그리고 나머지 한 사람은 그들의 친구 바티스타 델라 팔라였다.

인터뷰 형식은 논문 형식보다 손을 대기 쉬운 것이 보통이다. 이 것은 글 쓰는 사람 마키아벨리로서는 작품 구상의 한 전략이었으며, 그러기에 아는 사이인 네 사람을 등용했을 것이다. 특히 70에 가까운 노장과 20대에 갓 들어선 네 젊은이의 편성이어서 빚어지는 분위기가 아주 멋지다. 그래서 마키아벨리의 『전략론』은 북방 사람 클라우제비츠가 쓴 같은 종류의 것보다 지중해적으로 명쾌하고 문학적인 논의가 된 것이었다.

그러나 아무리 글 쓰는 사람이라도 싫어하는 인간을 이렇게 구사하지는 못한다. 호의를 가졌기에 잘 사용할 수도 있는 것이다.

작품을 바치는 것도, 글 쓰는 사람으로서는 그리 간단히 할 수 없는 의사 표시이다. 웬만큼 마음에 없으면, 자기에게 지위나 명예나 부를 주고 싶어도 그러지 못하는 사람에게 굳이 그런 말을 해가면서 증정하지는 않는다.

1516년에서 1522년에 걸쳐 마키아벨리는, 마흔일곱 살에서 쉰세 살의 연대에 있었다. 그런 그에게 20대의 젊은이들은 무엇을 주었을까?

피렌체 시의 중심인 시뇨리아 광장에서 남서 방향으로 20분쯤 걸어간 곳에, 시 성벽 바로 가까이라고 해도 될 만한 거리에 루첼라이 집안의 별장이 있었다. 뒤쪽에 광대한 정원이 있다고 하여 오르티 오리첼라리라는 이름으로 역사에 유명해지는 곳이다. 옮기면 '오리첼라리의 정원'이라고나 할까.

1584년에 만들어진 피렌체 최초의, 뭐라고 부르면 될까, 헬리콥터에서 내려다본 느낌의 지도인데, 그 지도에 의하면 루첼라이 가 별장의 정원은 대단히 넓었다는 것을 알 수 있다. 마키아벨리의 시대보다 60년쯤 뒤에 만들어진 지도가 매우 정확해서, 1972년에 촬영한 항공 사진과 비교해보면 피렌체라는 도시가 400년 동안 거의 변하지 않았다는 것도 알 수 있어서 무척 흥미롭다. 다만 루첼라이 가 별장의 정원에 한해서 말한다면 상당히 축소되었음을 항공 사진은 보여준다.

실제로 지금 찾아가 보면, 옛날에는 나무와 꽃과 새의 낙원이었던 정원에 미국인 성당이 서 있고, 별장 건물도 은행으로 쓰이고 있곤 해서 마키아벨리가 다니던 시대의 면모는 전혀 남아 있지 않다. 찾아가는 것 자체가 헛걸음이라고 해도 될 만하다. 지난날의 피렌체 지식인 서클을 떠올리게 하는 것은, 길 건너편에 있는 도이체 인스티투트(독일 문화원) 정도일까.

'오리첼라리의 정원'의 모임을 처음으로 마련한 사람은 루첼라이 가의 당주 베르나르도였다. 루첼라이 가는 상업으로 재산을 이룬 피렌체 굴지의 명문가의 하나로, 베르나르도의 아버지는 피티, 메디치, 스트로치와 나란히 15세기 피렌체 건축을 대표하는 궁전 루첼라이 저택을 건축가 레온 바티스타 알베르티의 설계로 세웠다. 르네상스 건축의 이정표라 일컬어지는 걸작이다.

이 집에서 자란 베르나르도 루첼라이는 학예를 좋아하고 스스로도 글을 쓰기도 한 지식인으로서, 로렌초 일 마니피코를 중심으로 전성기에 있던 아카데미아 플라토니카(플라톤 아카데미)의 단골이기도 했다. 그리고 로렌초의 누이를 아내로 맞이한다. 메디치 가와 인연을 맺은 것이다.

피렌체 정계에서도 차츰 무게를 갖기 시작한 베르나르도는 아들이 둘 있었다. 둘째 아들은 일찌감치 성직계에 내보내어 추기경까지 승진한다. 창작 같은 것도 하는 성직자였으며, 그 점에서도 루첼라이 집안의 피가 흐르는 인물이었다.

다만 장남 코시모가 요절한다. 아들의 탄생을 모르는 죽음이었다. 그래서 갓난아기는 죽은 아버지의 이름을 따서 코시모라 명명되었다. 『정략론』이 헌정된 사람들 가운데 하나다.

플라톤 아카데미는 1492년 로렌초 일 마니피코의 죽음과 더불어 소멸한다. 그리고 2년 후인 1494년 메디치 가의 후계자 피에로의 무능은 피렌체로부터의 메디치 가 추방으로 이어진다. 메디치 가와 인연이 깊었던 베르나르도 루첼라이는 학예 애호가들을 표면에 내세움으로써 이 소란의 시기를 간신히 살아 남았다. 플라톤 아카데미도 루첼라이 가의 별장으로 옮겨짐으로써 지식인의 살롱으로 살아 남을 수 있었다.

다만 이제 아카데미아 플라토니카라고 부르지는 않았으며, 그곳에서의 화제도 시나 철학에서 역사나 정치로 바뀌었다. 주재자의 취향의 차이이기도 했을 것이다. 그래도 루첼라이 가의 '오리첼라리의 정원'은 이 시기의 피렌체에서는 가장 지적인 모임이 있는 곳으로 인식되고 있었다.

베르나르도 루첼라이가 주최한 시대는 1494년에서 1512년 정도였다고 한다. 피렌체공화국이 피에로 소데리니 밑에서 보다 민주적인 공화 정체를 취하고 있던 시기와 일치한다. 이 시대에 반메디치 세력을 상징하는 소데리니 정권에 대해서, 루첼라이 가의 모임은 순 학예적이라고는 하나 친메디치파의 아성으로 지목되고 있었다.

이 시기의 오리첼라리의 정원에 마키아벨리는 전혀 근접하지 않았다. 자기가 섬기는 정체의 반대파였기 때문이기도 했을 것이다. 그러나 무엇보다도 그 시기의 마키아벨리는 서기국의 자리가 뜨뜻해질 겨를도 없을 만큼 동분서주하는 상태였으므로, 사실은 시간적 여유가 없었을 것이다. 또 여가를 아껴가며 찾아다닐 만큼 그 자신도 당시는 이런 종류의 모임이 필요하지도 않았다.

베르나르도 루첼라이는 1514년에 죽는다. 그 뒤를 이은 것이 열아홉 살의 손자 코시모였다. 이 코시모가 루첼라이 가문을 승계하는 동시에, 지적 살롱의 주인 자리를 물려받는 것이다.

그러나 코시모 루첼라이는 불행히도 어릴 때부터 병을 앓아 줄곧 병상을 떠나지 못하는 상태였다. 그래서 시내의 루첼라이 저택보다는, 당연한 일이지만 별장에서 지내는 일이 많았다. 아니, 거의 대부분 광대한 정원이 펼쳐진 오르티 오리첼라리에 살고 있었다는 편이 나을 것이다.

그러나 젊은 코시모는 육체적인 불행을 힘차게 물리치고 있는 듯한, 호기심에 불타는 젊은이였다. 머리가 좋고 명쾌한 논리력을 가진데다가, 경제적으로도 문제가 없는 양가의 일원이다. 참으로 자연스러운 형태로 그를 둘러싸는 같은 세대의 한 동아리가 형성되었다. 이동용 침대의자가 만들어져서, 여름이면 이에 누운 코시모 루첼라이를 하인들이 시원한 나무 그늘로 운반한다. 더러는 친구들이 밀어다줄 때도 있다. 그리고 젊은이들은 코시모를 중심으로 여기저기 풀밭에 흩어져 앉아, 책을 읽기도 하고 이야기를 나누기도 하면서 시간을 보내는 것이다. 거의 전원이 피렌체의 명문 자제들이었다.

『전략론』 제3장의 모두에 다음과 같은 대목이 있다. 제1장, 제2장에서 그동안 인터뷰어의 역할을 맡아온 코시모 루첼라이가 이제 슬슬 인터뷰어를 교대하면 어떠냐고 제안한다. 그 뒤를 조금만 옮겨보면 다음과 같다.

자노비 : "자네가 그대로 계속해도 우리는 아무 상관없어. 하지만 자네가 교대를 바란다면, 자네 자신이 후계자를 지명해봐."

코시모 : "그럼, 파브리치오에게 부탁하기로 할까?"

파브리치오 : "나야 기꺼이 맡지. 하지만, 우리도 베네치아 방식을 따르면 어떨까? 나이가 적은 사람부터 시작하는 거야."

코시모 : "아, 그렇다면 루이지, 자네부터야."

그렇게 되면, 코시모 루첼라이와 루이지 알라만니는 같은 1495년생이니까, 그 뒤의 인터뷰어는 교대할 때마다 나이가 많은 사람으로 바뀌는 셈이다. 따라서 루이지 알라만니 다음에는 자노비 본델몬티, 자노비 다음에는 바티스타 델라 팔라가 된다. 아마도 한 살 정도의 차이로 이런 순서가 되었을 것으로 짐작된다.

병자인 코시모를 둘러싼 '오리첼라리의 정원'의 단골은 이 세 사람뿐이 아니었다. 피렌체의 상류 계급 자제로서는 톰마소 알라만니도 있었고, 필리포 데 네리도 빼놓을 수 없는 얼굴이었다. 디아체티노라는 애칭으로 불린 자코모 다 디아체토와, 『전략론』을 증정받는 필리포 스트로치도 자주 얼굴을 내밀었다. 단골 대부분이 주인인 코시모와 같은 세대에 속하는 20대의 젊은이들이었지만, 나이 많은 사람이 없었던 것은 아니다. 단골의 한 사람으로 나중에 피렌체의 역사를 쓰게 되는 자코모 나르디는 1476년생이니까 마키아벨리보다 일곱 살 아래일 뿐이다. 그는 중류 출신의 지식인이라는 점에서도 마키아벨리와 비슷한 존재였다.

이 살롱에 언제부터 마키아벨리가 출입하기 시작했는지는 분명치 않다. 1516년이라는 학자도 있고, 그 1년 후라고 주장하는 연구자도 있다. 다만 최근의 연구 결과에 의하면, 1516년 여름이라는 설이 유력한 모양이다. 마키아벨리로서는 『정략론』이 완성에 가까워지고 있던 시기에 해당한다. 마흔일곱 살 때이다. 코시모와 그 친구들은 스물한두 살이었을 것이다.

누가 마키아벨리를 이 그룹에 소개했을까?

'오리첼라리의 정원'은 친메디치로 간주되고 있었다. 마키아벨리가 이곳에 드나들기 시작한 것과 같은 무렵, 코시모의 숙부인 루첼라이 추기경이 만든 연극이 이 별장에서 상연되어, 주빈으로서 교황 레오 10세가 임석한 사실이 있다. 한편 마키아벨리는 1512년에 실각하고, 이듬해에는 반메디치 음모가 발각되어 그 일당으로 오해를 받아 투옥되었으며, 그후에도 줄곧 그에 대한 메디치 가의 의심은 풀리지 않고 있었다. 그 증거로 마키아벨리의 복직이 도무지 실현되지 않고 있었다.

『정략론』에서(마키아벨리의 친필 원고)

어쩌면 '오리첼라리의 정원'의 젊은이들은 자기들도 아직 집안을 계승하지 않은 처지라, 그와 같은 마키아벨리의 전력에 별로 신경을 쓰지 않았는지도 모른다. 또 그 사건 후 이미 3년이 지나 있었다. 메디치 쪽에서도 당초의 악감정이 거의 사그라졌을 법도 했다.

그래도 최초의 소개자가 누구였을까 하는 데는 호기심이 솟지만, 사실(史實)은 아무것도 말해주지 않는다. 어머니가 루첼라이 집안이고 마키아벨리의 친구기도 한 프란체스코 베트리가 데리고 갔다는 추정이 가장 이치에 맞지만, 1516년 설이 옳다면 그때 그는 프랑스에 가고 없었다. 아마도 여기서는 제일 단순한 추리에 따라, 『군주론』에 감탄한 젊은이들이 그 저자를 초청했다고 생각하는 편이 진실에 가까울 듯도 하다. 2년 반 전에 탈고한 『군주론』은 여전히 수사본이기는 하나 완성 직후부터 상당수의 사람들이 서로 돌려가며 읽은 사실이 있는 것이다.

마키아벨리가 실각하는 바람에 언걸을 먹고 같이 해임된 비아조 보나콜시가, 그런 것은 조금도 원망하지 않고 오랜 세월 경애해온 이 친구의 본격적인 첫 작품을 놀랍게도 3부나 필사해준 덕분이었다. 보나콜시는 『전략론』도 2부나 필사했다.

마키아벨리가 『군주론』에서 진실로 말하고자 한 수준까지 이 젊은이들은 도달하지 못한 것 같다. 그러나 『군주론』에서 활활 타오르고 있는 마키아벨리의 우국 열정은 그들도 감지했을 것이다. 하기야 그들의, 말하자면 유일한 결점은 마키아벨리에게서 이것만을 배운 데 있었지만.

젊은이들은 열광적이라고 해도 될 호의와 양가의 자제들만이 갖춘 바른 예절로 마키아벨리를 맞이했다. '오리첼라리의 정원'에서 마키아벨리가 어떠했나 하는 것은 두 가지 사료로 추측할 수 있다.

먼저, 이 그룹 단골의 한 사람인 자코모 나르디가 쓴 『피렌체 도시의 역사』에서 발췌한다.

니콜로 마키아벨리는 코시모와 그 친구들로부터 대단한 경애를 받았다. 내가 알기로 마키아벨리는 코시모한테서 얼마간의 사례도 받고 있었던 것 같다. 니콜로의 이야기는 모두 흥미진진했으며, 자기 작품을 읽으면서 이야기하는데도 젊은이들에게 큰 감명을 주지 않을 수 없었다. 그래서 (나중에 나타나는) 이 젊은이들의 사상과 행동에 대해, 니콜로에게 책임이 없다고는 할 수 없는 것이다.

둘째 증언은 마키아벨리 자신이 쓴 『전략론』에 있는 것인데, 당사자의 말이기는 하나 신용도는 매우 높다고 해도 될 것이다.

왜냐하면 『전략론』의 등장인물들은, 이것이 씌어진 시기에 생존해 있던 사람들이기 때문이다. 다만 한 사람의 예외인 코시모 루첼라이는 죽은 지 1년도 채 되지 않아 사람들의 가슴에 그 인상이 선명하게 남아 있었을 것이다. 『전략론』에서 주고받은 말은 모두 마키아벨리의 창작이다. 그러나 그것을 읽는 사람이 만일, 코시모는 그렇게 말할 사람이 아니라든가, 자노비는 좀더 다른 생각을 할 사람이라는 식으로 느끼기 시작한다면, 그는 그 뒤를 계속 읽으려 하지 않을 것이다. 사람들이 세부를 거짓말이라고 생각하기 시작하면, 사실은 아니지만 진실에 육박하는 장대한 거짓말을 할 수 없게 된다. 글 쓰는 사람은 그런 어리석음은 범하지 않는다.

그래서 마키아벨리 본인의 증언인데, 『전략론』에 다음과 같은 대목이 있다.

(파브리치오 콜론나가 북이탈리아에서의 싸움을 마치고 로마 남쪽에 있는 자기 영토로 돌아가는 도중 피렌체에 들렀을 때) 코시모는 이 고명한 무장을 초대했다. 차분히 그의 이야기를 들으면서 여러 가지를 배우고 싶었기 때문이다……. 파브리치오의 도착을 코시모와 친구들 전원이 맞이했다. 그 가운데는 자노비 본델몬티, 바티스타 델라 팔라, 루이지 알라만니가 들어 있었다. 이 세 사람은 코시모의 친우들로, 연구심이 강하고 상당히 풍부한 재능의 소유자들이었다……

이날은 별나게 더워서 코시모는 손님을 그의 정원에서도 제일

울창하게 나무에 둘러싸인, 방해를 받을 염려가 없는 시원한 곳으로 안내했다. 참가자들은 저마다 마련되어 있는 의자에 앉거나 무성하게 난 서늘한 풀 위에 앉아 이야기가 시작되기를 기다렸다……

코시모 : "파브리치오 콜론나 님, 아무 괘념도 마시고 솔직하게 말씀해주셨으면 좋겠습니다. 저도 스스럼없이 질문을 드릴 테니까요……."

그전에도 피렌체공화국의 일개 관료에 불과했고, 지금은 실업중인 문사에 지나지 않는 마키아벨리와, 콜론나라는 이탈리아 굴지의 명문가 출신이자 고명한 용병대장이기도 한 파브리치오 콜론나는 사회적 지위부터가 비교도 안되는 것은 확실했다. 그러나 『전략론』 속의 이 묘사로, 마키아벨리와 젊은이들의 대화가 어떤 분위기 속에서 어떻게 진행되었는지 상상할 수 있지 않은가. 수목이 만드는 선선한 그늘 아래서 긴 소파에 누운 코시모와, 그 바로 옆의 의자에 앉아 『정략론』을 읽어 나가면서 이야기하는 마키아벨리, 그리고 이 두 사람을 에워싸듯이 하여 젊은이들답게 풀 위에 아무렇게나 앉아 있는 청년들. 아무 거리낌도 없는 솔직한 토론이, 40대도 후반에 접어든 마키아벨리나 20대 초반인 젊은이들에게나 서로의 나이 차이를 잊게 한 모양이었다.

마키아벨리는 젊은이들에게 참된 뜻의 '마에스트로'가 된 것이었다. '마에스트로'라는 이탈리아말은, 마이스터로 해버리면 마에스트로라고 중얼거렸을 때의 그 그리운 느낌이 희석되는 것 같은 기분이 든다. 스승이라고 옮기는 것도 선생이라고 옮기는 것도 왠지 적합하지 않은 것 같다. 미켈란젤로는 레오나르도 다 빈치를 한 번도 마에스트로라고 생각하지 않았을 것이다. 그러나 라파엘로는 그를 평생을 두고 마에스트로라고 생각했다.

그리고 또 하나의 마에스트로인 마키아벨리는 『정략론』을 제자들에게 바쳤다. 자기 입에서 나오는 한마디 한마디에 열심히 귀를 기울이며 싱싱한 반응을 보여주는 이 젊은 제자들에게 바친 것이었다.

마키아벨리가 고마워한 것은 이와 같은 정신적 보수뿐이 아니었는지도 모른다. 그와는 같은 세대라고 해도 될 자코모 나르디가 약간 짓궂게 쓰고 있듯이, 코시모가 지불해주는 얼마간의 사례는 수입이 없는 마키아벨리에게는 고마운 일이었을 것으로 짐작된다. 그 무렵의 마키아벨리는 워낙 재정 상태가 파산 직전에 있었고, 피렌체 상인의 부탁을 받아 제노바에 수금을 하러 다녀오기까지 하는 형편이었으니 말이다. 수고료 벌이와 오랜만에 피렌체 밖으로 나갈 수 있는 즐거움 양쪽이 목적이었다고 하더라도 그렇다. 수고료를 벌기 위해 1520년에는 루카에도 다녀왔다.

그러나 루첼라이 집안의 당주라고는 하지만, 병자인 스무 살의 젊은이가 지불하는 사례금이다. 지난날 메디치 가의 당주처럼 연금을 보장한다든가, 별장 하나를 몽땅 선사하는 따위의 호방한 행동은 할 수 없었을 것이다. 나르디도 '얼마간의'라고 못박고 있다. 『정략론』을 바치는 이유라고 하기에는 너무도 가련한 액수였을 것으로 여겨진다. 그렇다면 여기서는 역시 스승의 정신적인 보수에 대한 사례라고 생각해도 좋지 않을까.

코시모 루첼라이는 마키아벨리가 '오리첼라리의 정원'에 출입하기 시작한 지 3년 후인 1519년에 죽는다. 겨우 스물네 살이었다. 『전략론』은 코시모의 공부 모임에 단골로 드나든 필리포 스트로치에게 바쳐졌는데, 그 제1장은 이렇게 시작된다.

누구나 죽은 뒤에는 좋은 말을 듣게 된다는 데에 나도 동감이지만, 우리의 친구였던 코시모 루첼라이를 찬양하는 데는 아무런 주저도 생기지 않는다. 이 이름을 나는 눈물 없이 회상하지 못한다. 그는 참으로 뛰어난 성품의 소유자였다. 친구들에게는 더 이상 바랄 수 없는 좋은 벗이었고, 국가에게는 더 바랄 수 없는 최상의 시민이었다……. 나는 진심으로 실토하지만, 내가 지금까지 알고 관계를 맺은 인물 중에서도 이 사람만큼 위대한 것에 대한 열렬한 욕구를 가진 인물은 없었다……. 그는 그야말로 좋은 벗이라는 표현이 걸맞은 사람이었다…….

뒤에 남은 우리들이 할 수 있는 것은 생전에 그가 한 말을 더욱 선명하게 추억하는 일이다……. (이『전략론』을 읽는 사람은) 사라져간 코시모가 가슴 속에 되살아나주기를 바란다.

그리고 마키아벨리는 이 참으로 문학적인 전략 논의를 일흔 살의 노장 파브리치오로 하여금 다음과 같이 말하게 함으로써 끝을 맺는다.

앞으로 살 날이 얼마 남지 않은 나로서는, 아무리 내 생각을 강하게 가져봐야 그것을 실현할 기회를 갖는 일은 아마도 이제 없을 것이다. 그래서 제군들에게 솔직하게 모든 것을 이야기했다. 왜냐하면 군들은 젊으니까. 그리고 재능도 있으니까. 만일 내 생각이 타당하다고 생각한다면, 내 생각들을 군주들에게 진언해서 그것으로 그들을 도울 수도 있을 것이다.

군들은 낙심할 것도 없고 의심을 품을 것도 없이 그 길로 나아가주기 바란다. 왜냐하면 이 피렌체는 예로부터 죽은 것을 소생시키는 특질을 가진 도시이기 때문이다. 그것은 시나 그림이나 조각만 보아도 일목요연하지 않은가.

다만 내 개인으로 말한다면, 군들이 그 작업으로 거둘 성과를 내 눈으로 본다는 것은 아마도 바랄 수 없는 일인 줄 안다. 만일 운명이 내게 좀더 미소를 지어준다면, 좀더 짧은 기간에 실현되리라고 믿을 수도 있었으련만. 그리고 사람들에게 옛 사람들의 방식이 현재도 유효하다는 것을 보여줄 수도 있었을 텐데 말이다.

그것으로 나는 내 자신이 성공자가 되건 실패자로 끝나건 원통하다는 생각 없이 죽을 수 있을 것이라고 생각하는 것이다.

『전략론』은 1519년에서 20년 사이에 집필된 것으로 되어 있다. 그렇다면 이 마지막 부분은 1520년에 씌어졌다고 봐도 될 것이다. 파브리치오 콜론나의 입을 빌려 자기가 생각하는 바를 깡그리 토해낸 마키아벨리는 그해에 쉰 살이었다. 그런 그가 군들이라고 부른 루이지 알라만니는 스물다섯 살, 자노비 본델몬티는 아마도 스물여섯 살, 바티스타 델라 팔라도 아마 스물여섯이나 일곱 살쯤이었을 것이다. 그리고 등장인물은 아니나 마키아벨리가 『전략론』을 바친 것은 '오리첼라리의 정원'의 단골이었을 뿐 아니라, 메디치 가의 고문 격으로 알려져 있던 스트로치 가의 필리포 스트로치였다. 마키아벨리가 아직도 정치 세계의 지도자들에게 영향을 끼치고 싶은 야심이 사라지지 않았다는 증거가 아닐까.

나는 이것이야말로 정치사상가로서의 건전한 생활 방식이라고 생각한다. 하기야 자기의 생각을 실현하고 싶어하는 것은 누구에게나 건전한 일이기는 하다.

『전략론』은 1520년대 이탈리아인이 가장 크게 관심을 가졌던 테마를 찔렀다. 『군주론』과 『정략론』은 당시에 이미 상당한 파문을 일으킨 작품이지만, 두 작품 다 인쇄는 마키아벨리가 죽은 지 5년이 지난 1532년에야 이루어진다. 그러나 『전략론』만은 탈고한 지 불과 1년 후인 1521년에 벌써 인쇄되었다. 초판 간행은 1521년 8월 16일이었으며, 부수는 알 수 없으나 즉각 호평을 얻어 잇따라 중판된 것으로 기록되어 있다. 인터뷰 형식으로 씌어져 있어서 친근해지기 쉬웠기 때문이기도 했을 것이다. 또 등장인물들도, 아, 그 사람이구나 하고 누구나 아는 사람이었던 것이 창작상의 특색이기도 했다. 그리 생각이 깊지도 머리가 좋아 보이지도 않은 파브리치오 콜론나도, 마침 1520년 인쇄본으로 보급되기 1년 전에 죽었다. 죽은 사람은 누구나 좋게 말한다는 것은 다름 아닌 마키아벨리의 말이다. 그리고 피렌체의 젊은 도령 네 사람도 베스트셀러인 『전략론』 덕분에 지명도가 국경을 넘는다.

마키아벨리와 젊은이들은, 1519년 코시모 루첼라이가 죽은 뒤에도 마에스트로와 제자의 관계가 소멸되지 않았다. 이제 '오리첼라리의 정원'이 배움의 마당이 되는 일은 없었으나, 누군가의 집에서 계속되기는 했다. 명문의 자제들이라 쾌적한 장소는 얼마든지 구할 수 있었을 것이다. 그리고 이들 젊은 제자들은 마키아벨리가 소망을 이루는 데 적극적으로 움직였다.

1520년 3월, 마키아벨리는 필리포 스트로치의 안내로 메디치 가의 대문 안에 들어섰다. 그를 맞이한 것은 줄리오 데 메디치 추기경이었다. 추기경은 메디치 가가 피렌체 통치를 맡길 참이었던 줄리아노와 로렌초가 잇따라 죽는 바람에, 교황 레오 10세가 피렌체를 통치하라고 들여보낸 인물이다. 그래서 메디치 추기경을 만난다는 것은 마키아벨리와 메디치 가의 오랜 세월에 걸친 껄끄러운 관계가 이윽고 끝났다는 것을 의미했다. 젊은 제자의 한 사람인 바티스타 델라 팔라도 로마 체재를 이용하여 교황에게 열심히 마키아벨리를 선전했는데, 이것도 측면 공격으로서 효과가 있었을 것이다.

그래도 메디치 가는 마키아벨리의 복직까지 인정하지는 않았다. 피렌체 정부의 서기관에 다시 임명하려고는 하지 않은 것이다. 그 대신 문필가로서 이름이 나기 시작한 마키아벨리에게 피렌체의 역사를 써보지 않겠느냐고 제의했다.

조건은 2년 간에 완성할 것과 1년에 100피오리노 소금화의 보수를 지불한다는 것이었다. 마키아벨리가 서기관이었을 때의 연봉이 192피오리노였으니 약 절반인 셈이다. 또 대금화로 환산하면 57피오리노밖에 안되는데, 그 당시 베네치아공화국 정부는 연대기 작가 사누도에게 1년에 150대금화를 지불하고 있었다. 계약의 상대편 당사자는 피렌체공화국이다. 공식적으로 자국 역사의 집필을 청탁받는다는 것은 대단히 명예로운 일이기는 했으나, 마키아벨리도 꽤나 싼 값매김을 당한 셈이다. 그래도 그는 힘차게 집필에 착수했다. 1520년 11월이었다. 루카에 빚을 대신 받으러 갔다가 두 달 만에 돌아온 직후였다. 젊은 제자들도 그 완성을 고대했다.

루카에 간 것은 수고료 벌이가 목적은 아니었다. 그것도 무시 못할 이유였겠지만, 이때의 루카행은 절반은 피렌체 정부의 일이었다. 루카의 어느 유력자가 파산하여 상당수의 피렌체 시민이 피해를 입었으므로, 그것을 되찾는 것이 그의 임무였다. 루카 시당국에 대한 소개장도 메디치 추기경이 썼다. 이렇게 되니 마키아벨리도 거절할 수 없었는지 모른다. 이때의 보수가 얼마였는지는 알려지지 않았다.

어쨌거나 루카 시와 교섭하는 것이 주된 일이었으며, 그런 일이 하루 종일 계속될 턱은 없다. 그래서 한가한 시간을 이용하여 짧막한 전기 소설을 한 편 썼다. 14세기경 루카 집안의 당주였던 한 인물에 관한 것으로, 『카스트루초 카스트라카니의 생애』라는 제목이었다. 이 전기 작품의 헌사에는 다음과 같이 씌어져 있었다.

"자노비 본델몬티와 루이지 알라만니와 그들의 친구들에게"

『정략론』에서 시작하여 『전략론』에 다시 이 작품, 이렇게 이 시기에 씌어진 마키아벨리의 작품 가운데, 희극 이외는 모두 그들에게 바쳐진 거나 다름없다. 마키아벨리의 호의는 상상하기 어렵지 않지만, 그 호의를 이렇게도 받은 그들은 대체 어떤 사람들이었을까?

그들이 마키아벨리에게 보낸 편지가 남아 있다. 수는 많지 않다. 아직도 젊은 그들은 용무로 여행하는 일도 별로 없었고, 마키아벨리도 피렌체 시내에서 힘겹게 살아가고 있었을 때이다. 자주 만나는 관계로 이야기는 말로 주고받을 수 있었으니, 서로 편지를 쓸 필요가 없었을 것이다. 그래서 편지는 그들 중 누군가가 로마에 갔을 때라든지, 마키아벨리가 루카에 출장 가 있었을 때 씌어진 것이라 몇 통 되지 않는다.

이 얼마 안되는 사료에서도 그들의 성격이 어떠했을지 그 모습이 대강 떠오른다. 다들 성실하고 진지한 성격이라는 것, 젊어도 모두 분방하지 않고 자연스러운 예의를 잃지 않았다는 것, 그리고 자노비 이외의 젊은이들이 어딘지 모르게 마키아벨리에게 어리광을 부리는 듯한 경애의 정이 떠돈다는 것 등이다.

그래서 당연한 일이지만, 코시모 루첼라이가 살아 있을 때부터 이 그룹의 지도자 격인 듯한 자노비 본델몬티의 성격이 흥미의 초점으로 떠오르는데, 이 젊은이는 마키아벨리에게 한 통밖에 편지를 쓰지 않았다. 1520년 9월 6일자로, 루카에 체재중인 마키아벨리에게 보낸 것이다.

"저희들은 지난달 29일, 선생님의 서한과 선생님이 쓰신 『카스트루초 카스트라카니의 생애』를 잘 받았습니다. 상당히 좋은 작품이라고 생각합니다."

이렇게 시작되는, 스물여섯 살이 쉰한 살에게 보낸 이 편지를 읽으면서, 나는 솟아오르는 미소를 누를 수 없었다. 그리고 참으로 난폭한 연상이지만, 현대의 젊은이, 고급 주택가에 집이 있는 한 회사 중역을 아버지로 가졌고, 최상위 성적으로 일류대학에 들어가 현재는 대학원에 재학중인 스물여섯 살을 상상한 것이다.

"이 작품을 루이지와 구이데토와 디아체티노와 안톤프란체스코,

그리고 저도 함께 읽고 의견을 나눈 결론으로서는, 모두 다 양질의 작품이며 아주 잘 씌어졌다는 것입니다. 우리는 모두 의견이 일치하였습니다."

이것을 보더라도 자노비는 전제 군주적인 지도자가 아니라, 상당히 민주적인 지도자였다는 것을 알 수 있다. 그런데 이 스물여섯 살은 쉰한 살을 완전히 대등하게 다루고 있다. 자기 재능에 한번도 의심을 가져보지 않은 젊은이가 아니면 이렇게 말하지 못한다.

그리고 머리도 확실히 좋다.

"하지만 몇몇 대목에서는 좀더 손질하면 훨씬 더 좋아지겠다는 생각을 하였습니다. 특히 마지막 부분에 카스트루초의 언행으로 기술되어 있는 대목은 좀더 단축하는 편이 좋을 것으로 생각됩니다. 너무 길고, 또 고대인의 말이 분명한 것이 너무 많이 나옵니다."

마지막 부분이 너무 길다는 데는 나도 동감한다. 아니 후세의 연구자들도 다 찬성하고 있으며, 이것을 일찌감치 지적한 데는 감탄하지만, 이 언저리에서부터 나의 미소는 고소로 바뀐다.

왜냐하면 그리 길지도 않은 편지의 후반에서 자노비는 재차 『카스트루초 카스트라카니의 생애』에 대해 언급하고 있는데, 이런 식이다.

"…… 뭐니뭐니 해도 역시 (임종 때 카스트루초가 하는) 그 고백은 음미해볼 필요가 있다고 생각합니다. 왜냐하면 제가 생각하기에 그것은 사실(史實)에 충실하다기보다 선생님의 스타일로 씌어져 있으며, 제재를 사실에서 취한 이상 거기에는 거기에 적합하게 쓰는 방식이 있어야 한다고 생각하기 때문입니다."

그리고 이 수재 청년은 이렇게 쓴다.

"저를 포함하여 저희들 전원의 의견은 선생님이 전력을 이 역사 (피렌체사)를 쓰는 데 투입하셔야 한다는 것입니다."

이 편지에서도 자노비를 지도자 격으로 하는 '오리첼라리의 정원'의 젊은이들이, 마키아벨리가 피렌체사를 쓸 수 있도록 메디치가를 비롯하여 여기저기 열심히 운동한 모습을 엿볼 수 있다. 그들은 『카스트루초 카스트라카니의 생애』와 같은 '역사에서 떠난 것'이 아니고, 피렌체의 역사라는 '역사 그대로의' 형태의 작품을 마키아벨리에게 기대하고 있었던 것이다.

그것은 그것대로 취향의 문제니까 하는 수 없다. 그러나 『카스트루초 카스트라카니의 생애』와 같은 작품을 즐기지 못하는 것도 문제가 아닐까?

자노비 본델몬티는, 단 한 통의 편지로 그런 판단을 내린다는 것은 모험이기는 하지만, 참으로 진지한 청년이었구나 하는 생각이 든다. 양가의 출신인데다가 머리도 좋다. 성실하고 건전하고 생각도 엄밀하다. 자신감에 차 있고 인망도 높다. 아마 육체적으로도 건강하게 자란 아름다운 청년이었을 것이다. 그리고 가슴 속은 불타는 정열로 넘쳤을 것이다.

그러나 아무런 결점도 발견해내지 못할 것 같은 이 젊은이도 내가 보기에는 한 가지가 부족했다. 해학의 정신이 완전히 결여되어 있는 것이다. 특히 6년 동안이나 마키아벨리와 친하게 지냈는데도 그것을 배우지 못했다는 것은 이 청년은 본래부터가 그런 종류의 정신이 결핍되어 있었다는 것이 아닐까?

『카스트루초 카스트라카니의 생애』는 말하자면 시간이 남아돈 마키아벨리가 심심풀이로 쓴 작품이다. 루카에 체재했기 때문에 머리에 떠오른 테마를 사실(史實)에는 별로 신경도 쓰지 않고 구겨맞춘 작품이다. 그로서는 하나의 장난이었던 것이다. 『피렌체사』를 쓰는 일이 거의 결정되어 있었으므로, 레오나르도가 그림을 그리기 전에 몇 번이나 스케치를 한 것처럼 마키아벨리도 역사적인 소재를 가지고 습작해본 것이다.

이 작품은 인쇄 페이지로 32쪽밖에 안되는 소품이다. 그런데 거의 2페이지마다 1개꼴로 "여기도 마키아벨리의 완전한 날조"라느니, "사실은……" 하는 식으로 연구자들의 주석이 붙어 있으니, 그것만 읽어도 웃어버리게 된다. 하기야 모두에 나오는 카스트루초의 출생의 비밀이라는 것부터가 한 번만 읽어보면 금방, 아, 이것은 「구약성서」의 모세의 출생을 흉내낸 것이구나 하는 것을 알 수 있는 물건이다. 이런 식으로 조금만 교양이 있는 사람이면 당장 출처를 알 수 있는 유명한 에피소드가 시대를 무시하고 여기저기 이용되고 있으며, 고대 역사가의 책에서 읽은 기억이 나는 것들이 14세기의 사나이의 입에서 나오곤 하여 미소를 짓지 않고는 읽을 수 없는 역사 소설이다. 카스트루초가 참가하는 수많은 전투도, 거기에 씌어 있는 것을 그대로 믿었다가는 시험에 번번이 낙방하고 말 것이다.

요컨대 이 소품은 웃으면서 읽으면 참으로 즐거운 소설인 것이다. 임종이 임박했을 때 하는 카스트루초의 고백도, 마키아벨리가 제 가슴 속을 확 쏟아부은 것이라고 생각하면서 읽으면 유쾌하고 그러면서 숙연해지기도 한다. 그런 것을 사실(史實)이 아니니까 음미해볼 필요가 있느니 없느니 하고 말하는 쪽이 인간성에 대해 너무 일면적이다.

『카스트루초 카스트라카니의 생애』는 '역사에서 떠난 것'이 '역사 그대로' 보다 때로는 진실에 육박하는 데 오히려 유효하다는 것을 보여준 작품이다. 이 작품만큼 14세기 이탈리아의 실존 인물인 카스트루초가 '살아 있는' 것은 다른 어느 역사 기술에서도 찾아볼 수 없다.

'오리첼라리의 정원'의 젊은이들은 육체적인 나이뿐 아니라 젊었다. 마키아벨리의 말처럼 다양한 자연을 닮아서 다양한 것이 인간성이라면, 그 인간이 쓰는 작품도 다양한 것이 당연하지 않은가. 지난날 마키아벨리의 왕복 서한의 상대였던 프란체스코 베트리였다면, 이 작품을 웃으면서 즐겼으리라고 확신한다.

그리고 마키아벨리를 경애하는 데는 누구보다도 열렬했으나, 유희의 정신에서는 '스승'과 공통점을 갖지 못한 듯한 이들 젊은이들과의 교우는 참으로 참혹한 방식으로 종말을 고하게 된다. 1522년 6월, 반메디치 음모가 발각되었기 때문이다.

이 음모의 목적은 줄리오 데 메디치 추기경을 살해하는 것이었다. 그리고 그것을 은밀히 계획한 것이 '오리첼라리의 정원'의 젊은이들이었던 것이다.

자노비 본델몬티, 루이지 알라만니, 자코모 다 디아체토, 톰마소 알라만니, 바티스타 델라 팔라······.

'오리첼라리의 정원'의 젊은이들 전원이 음모에 가담한 것은 아니다. 필리포 데 네리, 자코모 나르디, 필리포 스트로치 등은 끼지 않았다. 그러나 앞에 든 자노비 이하의 이름들은 '오리첼라리의 정원'의 주요 멤버들이다. 마키아벨리의 이 시대의 작품 거의 전부가 바쳐지거나 작품 속에 등장하거나 하여 낯익은 이름들이다. 출신 가문으로 보아도 메디치 가와 친했던 이들이 메디치 추기경의 암살을 기도한 것이다.

체포대가 들이닥쳤을 때 피하지 못한 것은 톰마소 알라만니와 디아체티노라는 애칭으로 불린 자코모 다 디아체토 두 사람이었다. 체포된 두 사람은 고문을 당하고, 메디치 추기경 암살 음모를 자백한다. 바티스타 델라 팔라는 운좋게 프랑스에 가 있어서 난을 면한다. 자노비 본델몬티와 루이지 알라만니는 간발의 차로 추적자를 따돌리고 프랑스로 달아나서 살았다. 디아체티노와 톰마소 알라만니 두 사람은 6월 7일 참수형에 처해졌다. 같은 날 음모 가담자 전원의 재산 몰수형이 포고되었다.

'오리첼라리의 정원'의 괴멸로 이어진 이 음모 사건은, 실은 2년 전인 1520년부터 계획되고 있었다고 한다. 젊은이들은 마키아벨리로 하여금 피렌체 역사를 쓰게 하려고 열심히 메디치 가에 대한 로비 활동을 벌이는 한편에서, 메디치 가의 전복을 꾀하고 있었던 것이다. 마키아벨리는 전혀 모르고 있었다.

그들의 계획은 이랬다.

먼저, 전제 군주적인 메디치 가의 실력자 줄리오 데 메디치 추기경을 죽인다.

동시에 프랑스군의 후원을 얻어, 로마에 은거중인 피에로 소데리니를 피렌체공화국의 대통령으로 다시 옹립하여 민주 정체를 확립한다. 바티스타 델라 팔라가 프랑스에 가 있었던 것은 그곳의 군대를 움직이기 위해서였던 것이다.

이것이 27, 8세의 청년들이 생각한, 피렌체에 민주적 공화 정체를 확립하기 위한 쿠데타의 전모였다. 체포된 두 사람은 이구동성으로 메디치 추기경 개인에게 적의가 있었던 것은 아니고, 피렌체에 자유를 회복하기 위해서 살해하기로 결의한 것뿐이라고 말하고 있다. 카이사르에게 칼을 들이댄 브루투스와 같은 기분이었는지도 모른다.

이 음모는 객관적으로 분석해볼 때 참으로 근거가 박약하다.

첫째, 줄리오 데 메디치 추기경은 피렌체의 전제 군주가 될 생각이 추호도 없었다. 이 인물은 교황의 지위를 노리고 있었기 때문이다. 추기경쯤 되면 누구나 교황이 되고 싶어하는 법이지만 그의 경우는 실현될 확률이 상당히 높았다.

음모가 발각된 1522년의 1년 전에 같은 메디치 가 출신인 교황 레오 10세가 죽었다. 그 직후의 교황 선출 회의에서는 메디치 추기경이 매우 유력시되고 있었는데, 이탈리아 출신 추기경들에게 회유책을 잘못 써서 네덜란드 출신 하드리아누스 6세의 선출을 허용하고 말았던 것이다. 그러나 메디치 추기경을 유망시하는 사람이 아직도 많았으며, 실제로 교황 재위 1년에 죽는 하드리아누스 6세의 후임으로 1523년에는 이 줄리오 데 메디치 추기경이 클레멘스 7세라는 이름으로 교황에 선출되는 것이다. 음모 발각 당시에 그가 피렌체에 있었던 것은 피렌체의 전제 군주가 되기 위해서가 아니라, 교황 선출 회의에서 네덜란드인에게 고배를 마신 그 실지회복에 전념하기 위해서였다.

줄리오 추기경이 마음속으로 피렌체에서 메디치 가의 안전을 생각하지 않은 것은 아니다. 그러나 당시의 메디치 가에는 아무리 피렌체를 전제 군주국으로 만들고 싶어도 그것을 맡길 만한 인재가 없었다. 메디치 직계로 성직계에 들어가 있지 않은 남자는 줄리아노와 로렌초밖에 없었는데, 이 두 사람은 미켈란젤로가 제작한 것으로 유명해지는「메디치 가의 무덤」이라는 조상(彫像)을 남겼을 뿐, 아무 일도 하지 않은 채 요절하고 만다. 그밖에는 아직 적당한 남자가 자라지 않았다. 교황 자리를 노리는 줄리오 추기경으로서는 피렌체에서 메디치 가의 안정만 보장되면 그것으로 좋았던 것이다. 메디치 가 출신의 교황도 없는 이 시기, 메디치는 급할 때 로마의 후원조차 기대할 수 없게 되어 있었기 때문이다.

실제로 피렌체에 돌아온 줄리오 추기경은 전제 군주적인 데가 조금도 없었다. 오히려 앞으로의 피렌체 정체는 어떤 것이어야 하는가에 대한 답신을, 마키아벨리를 포함한 몇몇 지식인들에게 의뢰하고 있다. 전원이 이에 답한 논문을 제출했는데, 마키아벨리의 것은 피렌체에는 공화 정체가 적합하다는 내용이었다.

이에 대해서도 줄리오 추기경은 기분이 나쁘지 않았다. 메디치 가가 공식으로 권력을 독점하는 것은 안된다고 본 마키아벨리인데도, 그런 그에게 공식적으로 피렌체 역사의 집필까지 허락하고 있는 것이다.

이런 사람의 암살이 시민들에게 설득력이 있었을까?

젊은이들이 꾸민 음모의 둘째 약점은, 피에로 소데리니를 업고 나온 점이다. 소데리니는 마키아벨리가 서기관으로 있던 민주적 공화정 시대에 대통령이었던 인물이므로, 그를 공화 정체의 주인공으로 보는 것은 이해 못하는 바는 아니다. 그러나 일흔이 넘은 노인이다. 또 종신 대통령 때의 그 언동을 떠올려보면, 쿠데타의 중심에 앉힐 만한 배짱의 소유자도 아니다. 실제로 이 음모가 발각된 지 1주일 후, 그는 지병이 악화되어 타계하고 만다. 이러한 인물을 업고 나올 생각을 한 것만으로도 음모 가담자들의 통찰력에 의심을 품을 수밖에 없지 않은가.

그리고 마지막 약점인데, 프랑스 왕이 공짜로 움직여줄 줄 알았던가? 프랑스군이 뒤를 밀어주었다고 치자. 성공 후 과연 피렌체에 자유 민주적인 공화정권의 수립을 허가해주리라고 생각한 것인가?

'오리첼라리의 정원'의 음모는 이런 까닭으로 피렌체 시민이 동요도 하기 전에, 주모자 중 두 사람의 처형과 주모자 전원의 재산 몰수형으로 간단히 결말이 났다. 그리고 마키아벨리는 아무 의심도 받지 않고 끝났다. 마키아벨리 자신은 이 사건에 소스라치게 놀랐던지 산탄드레아의 산장에 들어박혀버렸는데, 그런 그가 두려워한 일은 아무것도 일어나지 않았다. 『피렌체사』의 집필을 중지하라는 명령도 내려지지 않았다.

그러나 마키아벨리 개인의 심중은 어떠했을까? 이 시기에 그는 아무것도 쓰지 않았다. 편지도 쓰지 않았다. 사건 한 달 후에 쓴 편지도 산장의 수확물을 파는 값에 관한 사무적인 것이었다. 산탄드레아 산장에 들어박힌 마키아벨리로부터는 오직 침묵밖에 엿보이지 않는다.

1513년에 마키아벨리는 투옥되어 고문까지 당했는데, 그 자신은 결백하다고 믿고 있었던 것 같다. 출옥 후 이 '불행'에 관해서 이야기하는 것을 베트리와의 왕복 서한에서도 볼 수 있듯이 그는 피하지 않고 있다. 그런데 1522년에는 침묵이 그가 보인 유일한 태도였다. 자신에게 파급되는 것이 두려웠기 때문일까? 아니면, 남에게 전할 길 없는 비애와 고뇌 때문이었을까?

'오리첼라리의 정원'의 단골이기도 했으나 음모에는 가담하지 않은 자코모 나르디는, 『피렌체 도시의 역사』에서 이렇게 쓰고 있다. 이미 앞에서 소개한 것인데, 마키아벨리가 코시모 루첼라이가 주인인 '오리첼라리의 정원'의 젊은이들로부터 어떻게 받아들여지고 경애를 받았는가를 적은 대목이다. 그 마지막 줄에 다음과 같은 글이 있다.

그러므로 이 젊은이들의 사상과 행동에 대해서 니콜로에게 책임이 없다고는 할 수 없다.

1522년의 테러리스트 그룹의 이론적 지도자는 니콜로 마키아벨리였다는 얘기다. 이것은 원래 친메디치였던 젊은이들이 어째서 반메디치의, 더욱이 과격한 행동으로 나아갔을까를 생각하는 사람이면 누구나 도달하는 결론이었을 것이다. 적어도 당시에는 가장 설득력 있는 가설이었던 것은 확실하다. 마키아벨리는 민주적 공화 정체의 소데리니 정권 아래서 제1선에서 활약한 사나이이다. 그리고 지금도 역시 피렌체에 관해서는 공화 정체가 적합하다고 말하는 데 서슴지 않는다. 이런 그에게 젊은이들이 영향을 받아 폭주했다는 것이다.

그러나 줄리오 데 메디치 추기경은 그렇게 생각하지 않은 모양이다. 실제로 마키아벨리는 아무 '혐의'도 받지 않았고, 메디치가 바란 『피렌체사』의 집필을 계속했다. 메디치 추기경은 살인 소설을 읽고 살인을 한 자는 벌을 주지만, 그 소설의 작자까지 벌하지 않는다는 생각을 가진 사람이었는지도 모른다.

원체 자노비 이하의 젊은이들이 꾸민 음모 계획이 앞에서도 말한 것처럼 참으로 유치한 것이었다. 자노비 본델몬티는 자기에게 바쳐진 『정략론』의 제3권 제6장의 '음모에 대하여'라는 대목을 읽지 않았을까? 읽었다면, 거기서 마키아벨리가 보기좋게 분석한 사항을 전혀 지키지 않은 음모를 어떻게 생각할 수 있었을까?

만일 마키아벨리가 이 음모를 알았더라면 누구보다도 먼저 그런 짓은 그만두라든지, 아니면 그런 방법으로는 성공하지 못한다고 훈계했을 것임에 틀림없다. 실로 『정략론』에서 그토록 친절하고 소상히 가르쳐주었는데도, 그에 완전히 어긋난 짓을 한 것이 '오리첼라리의 정원'에서 일어난 반메디치 음모였던 것이다.

마키아벨리에게서 젊은 제자들이 얼마나 깊은 영향을 받았느냐 하는 것은 자코모 나르디의 증언을 기다릴 것도 없이 명백한 사실이다. 그러나 이 제자들은 막상 행동을 일으켰을 때는 그들 자신의 머리가 명령하는 대로 달려가버렸던 것이다.

이런 경우 스승은 어떤 심경에 빠지는 것일까? 좀 너무 성실해서 답답하지 않았던 것은 아니나 사랑할 만한 젊은이들이기는 했다. 1522년에 보인 마키아벨리의 완전한 침묵은 단순한 두려움 때문은 아니었을 것으로 여겨진다.

냉철하게 채점한다면, 정치사상가 마키아벨리는 이 불초(不肖)의 제자들에게 실망할 수밖에 없었을 것이다. 그러나 인간 마키아벨리로서는 그렇게 간단히 냉정하게 볼 수는 없었을 것이 분명하다. 6년이나 전부터 그가 쓰는 것에 누구보다도 열렬한 반응을 보인 것이 이 젊은이들이었다. 어제까지 함께 읽고 함께 이야기한 그들 가운데 두 사람은 목이 달아나고, 나머지는 프랑스로 도망쳤다. 그런데, 무엇보다도 마키아벨리의 가슴을 깊은 비애로 채운 것은 2년 동안이나 그들은 자기에게 아무것도 알려주지 않고, 은밀히 음모를 짜고 있었다는 사실이었는지도 모른다.

쉰 살이 넘은 마에스트로는 제자들로부터 완전히 소외되어 있었던 것이다. 그것이 스승에게 폐를 끼치고 싶지 않은 제자들의 배려에서 온 것일지라도 스승은 슬픔을 느끼지 않고는 견딜 수 없었을 것이다. 마키아벨리는 죽을 때까지 1522년 초여름에 발생한 이 사건에 대해서는 한마디도 언급하지 않는다.

16 역사가, 희극작가, 비극작가

1518~1525

자연을 닮아서 다양한 것이 인간이라면, '오리첼라리의 정원'의 젊은이들과의 교우관계만이 마키아벨리의 마음을 독점하고 있었던 것은 아니다. 익살의 기미가 있기는 하나 자기 이름 뒤에,

"역사가, 희극작가, 비극작가"

라고 덧붙인 마키아벨리이다. 비극작가와 역사가는 『군주론』, 『정략론』, 『전략론』, 그리고 『피렌체사』로 증명이 되었다고 하더라도, 아직 희극작가 마키아벨리가 남아 있다. 사람들에 의하면, 처음으로 이탈리아 희극을 보았다고까지 괴테를 찬탄케 한 골도니의 작품보다 낫고, 더 나은 것은 코르네르의 최우수작뿐이라는 말을 듣는 르네상스 희극의 걸작 『만드라골라』의 작자가 실은 다름 아닌 마키아벨리이다.

『군주론』과 『정략론』이 프란체스코 베트리와의 편지에 의한 대화 시대의 산물이고, 『전략론』이 '오리첼라리의 정원'의 젊은이들과의 교우관계를 토양으로 한 것임을 생각하면, 『만드라골라』에도

이것을 낳고 기른 교우관계가 있어야 한다고 생각하는 것이 타당하지 않은가.

다만 미리 말해둘 것이 있다. 글 쓰는 사람은 교우관계에는 근본적으로 좌우되지 않는다는 것이다. 본시 그 방면에 소질이 있었기에 그 결정체인 작품이 생기는 것이며, 환경은 그 소질을 자각시키는 구실밖에 하지 않는다. 마키아벨리가 피렌체공화국의 서기관이었을 무렵, 동료인 아고스티노 베스푸치는 프랑스에 출장중인 마키아벨리에게 이런 편지를 보냈다.

자네 편지는 3일 전에 도착했네. 에트루리아어로 씌어져 있던데, 그런 것과는 관계없이 우리는 모두 대환영이었지. 다름 아닌 니콜로 마키아벨리의 편지였으니까(해독이 불가능한 것이 에트루리아어니까, 공적인 보고서에서는 꽤나 정돈된 글씨를 쓰는 마키아벨리인데 사신에서는 상당한 난필이라는 것을 놀린 것이다).

마르첼로(서기관장)에게 보낸 자네의 보고서도 읽었네. 그밖에 두 통, 서기국 앞으로 보낸 것도 읽었고, 비아조에게 보낸 편지도 읽었지. 모두들 자네와 이야기하고 싶은 마음으로 가득 차 있다네.

자네의 회화, 유쾌하고 재미있고 기지에 찬 회화는 우리들 모두의 기분을 가라앉히고, 그러면서도 힘을 북돋워주네. 일에 쫓겨 지칠 대로 지치고 녹초가 되어 있을 때도 자네의 회화는 우리들 마음에 다시 자신감을 불러일으켜주더란 말일세. 옥타비아노다 리파도 말하더군. 자네를 화제로 삼고 있을 때였지. 자네만큼 유머에 넘치고 머리가 명석하고, 무엇이든 즉각 사람을 감탄시키는 대답으로 반격해오는 사람은 없다고 말일세.

사실이야. 자네가 좌중에 끼기만 하면, 얼마나 우리는 모든 것을 잊고 명랑해져 웃고, 그것도 체면불구하고 천한 웃음으로 배꼽을 쥐고 웃으며 뒹굴었던가……

이 편지가 썩어졌을 때의 마키아벨리는 30대 전반이었다. 그러나 그의 이런 성향은 많은 고초를 겪은 끝에 도달한 50대가 된 후에도 상대만 얻으면 발휘된 모양이다. 그 당시 구이차르디니의 뒤를 이어 모데나 지방의 장관이 되어 있던, '오리첼라리의 정원'의 옛 젊은이의 한 사람인 필리포 데 네리도 이런 편지를 마키아벨리에게 보내고 있다.

선생님이 발보게리아를 떠나시는 바람에, 이곳 사람들은 선생님이야말로 모든 악의 근원이었다는 것을 깨닫게 된 것 같습니다……. 선생님이 안 계시게 되자, 이제 우리는 아무도 테이블에 둘러앉지도 않고 선술집에 들어박혀 있지도 않습니다. 그러니까 아무것도 하지 않게 된 것이죠. 이 근처 일대를 악으로 물들이고 있었던 것은 바로 우리들의 소행이었으니 말씀입니다.

도나토는 다시 일로 돌아가고, 바치노는 모습을 보이지 않으며, 조반니만은 아직도 놀고자 하는 기분이 충분하지만 저는 그럴 기분이 나지 않으니, 뭐니뭐니 해도 사람들을 한데 묶어 이끌고 나갈 인물이 없습니다. 왜냐하면 선생님이 안 계시기 때문이지요……

쉰한 살의 마키아벨리가 받은 '찬사'였다.

이 편지에도 언급되어 있지만, 도나토 델 코르노라는 이름의 사나이가 1513년부터, 말하자면 실각한 마키아벨리의 인생에 매우 빈번히 출몰하게 된다. 상인으로 상당한 재산가였던 모양이나, 성으로도 알 수 있듯이 피렌체의 명문가는 전혀 아니다. 중소기업의 주인이라는 느낌의 신흥 졸부였는지도 모른다. 그밖에는 나이조차 분명치 않은 것은, 마키아벨리를 위대한 정치사상가로서만 생각하고 싶어하는 연구자들이 이 사나이에 대해서는 별로 언급하고 싶어하지 않기 때문이다. 명문가 출신으로 엘리트 관료였던 베트리나 구이차르디니, 혹은 너무 젊어서 엘리트 관료는 아직 되지 못하고 있었어도 같은 명문 출신인 '오리첼라리의 정원' 그룹의 젊은 이들에게는 펜을 많이 할애하는 연구자들도, 도나토 같은 사람은 같은 마키아벨리의 친구지만 탐탁지 않은 부류에 속한다고 생각한 모양이다. 그러나 당시는 자유로운 르네상스의 마지막 시기에 해당한다. 베트리도, 그리고 같은 명문 출신 엘리트 관료였던 필리포 데 네리도 도나토와의 교우를 숨기지 않았다. 그들은 피렌체 명문의 직업인 금융업으로 재산을 모으지는 않았어도, 대범하고 개방적이고 '안이한 풍습의 여자들이' 언제나 몇 사람씩 모여 있는 집이면 대환영이었던 것이다. 하기야 가장 환영한 것은 마키아벨리였지만.

이 신흥 졸부는 메디치 가의 줄리아노에게 500두카토라는 거금을 빌려주고 있었다. 그런데 이 교황 레오 10세의 아우는 좀처럼 돈을 갚으려 하지 않았다. 마키아벨리는 자기의 취직도 뜻대로 되지 않는 불우한 시기였는데도, 로마 주재 대사 베트리에게 이 돈의 반제에 힘을 써달라고 부탁하고 있다. 그것도 한두 번이 아니었으며, 그의 열성은 기이하게 보일 정도였다.

신흥 졸부 도나토는 또 정치에도 욕심이 있었는지, 피렌체공화국의 국회 의원이 몹시 되고 싶어했다. 마키아벨리는 이것도 힘이 되어주라고 베트리에게 부탁했다. 그러나 베트리는 이 두 가지를 다 열심히 고려할 필요가 없다고 생각했던지 별로 움직인 기미가 보이지 않으며, 결국 1516년까지 베트리의 재임 기간중에는 실현되지 않았다.

그래도 마키아벨리는 단념하지 않고, '오리첼라리의 정원'에서 사귄 젊은이들이 메디치 가와 친한 것을 이용하여 그들 중 누구라도 로마에 가기만 하면 500두카토의 빚을 받아내는 데 조력해달라고 부탁하는 것을 잊지 않았다. 그리하여 1520년, 마침내 8년에 걸친 마키아벨리의 열성이 결실을 보아 도나토는 500두카토를 다시 호주머니에 넣을 수 있었다. 빌린 당사자인 줄리아노 데 메디치는 4년 전에 세상을 뜨고 없었으므로, 빚을 갚은 것은 이때의 교황 레오 10세였다. 우연인지 마키아벨리에 대한 메디치 가의 감정이 호전되고 있던 시기와 일치한다. 연구자 중에는, 마키아벨리의 그 열성은 수고료를 받기 위해서였을 것이라고 말하는 짓궂은 사람도 있다.

정치가로 전향하고 싶어한 도나토의 희망은 실현되지 않았다. 재능도 없었던 것 같다. 이쪽에 대한 마키아벨리의 열성은 빚을 받아내는 데 쏟았던 것에 비해 집요함이 덜했던 것이 사실이다.

도나토 델 코르노라는 우스꽝스러운 성을 가진 이 사나이는

('뿔'이라는 뜻의 코르노라는 말을 들으면 누구나 코르누토, 곧 오쟁이진 사나이를 연상하게 된다), 『군주론』의 '군' 자도 이해하지 못했을 것이다. 그러나 참으로 호인이었던 모양으로, 그의 집 문은 마키아벨리 앞에 어느 때고 열려 있었다. 그리고 개방적이며 가식이 없는 마키아벨리를 진심으로 좋아한 것 같다. 궁할 때는 돈도 빌려주었다. 하기야 마키아벨리는 500두카토니 하는 큰돈을 빌리지는 않았다. 두 사람 사이의 조금은 수상쩍은 우정은 마키아벨리가 죽을 때까지 이어진 듯하다.

그러나 이 도나토의 '살롱'은, 동시대의 이사벨라 데스테라든지 비토리아 콜론나의 살롱과는 문화적 향기에서 비교할 수도 없었을 것이다. 그러나 마키아벨리는 평생 명사 부인들의 지적 살롱과는 인연을 맺지 않았다. 마키아벨리가 그런 데에 접근하고 싶은 생각이 없었거나, 명사 부인들이 그를 부르지 않았거나, 혹은 어쩌면 양쪽 다였는지도 모른다. 미켈란젤로는 비토리아 콜론나의 살롱에 단골로 드나들었고, 이 교양 높은 귀부인을 정신적 연인으로 숭배했는데, 마키아벨리에게는 그런 존재가 없었다. 그에게 여자는 여자였다. 빵이 빵인 것과 같았다.

이런 마키아벨리의 여자 친구나 연인은 이웃의 미망인이기도 했고, 세계에서 가장 오랜 직업의 여자이기도 해서 모두 무명의 여성들이었다. 이름을 들 만한 가치가 있는 여자는 가수 바르바라뿐이었다.

그런 여자들 가운데 누구 하나도 마키아벨리에게 단테의 베아트리체나 페트라르카의 라우라와 같은 존재가 된 여자는 없었다. 그들이 뮤즈의 여신이 될 자격이 결여되어서가 아닐 것이다. 마키아벨리를 언제나 정답게 대해주고 남에게도 늘 좋게 말해준 그녀들에게는 안된 얘기지만, 마키아벨리라는 예술가는 여신에 의해 영감이 환기되는 타입이 아니었다. 마키아벨리의 창작욕을 자극한 것은 언제나 남신(男神)이었다. 아니, 남신들이었다.

마키아벨리에게는 1520년경부터 또 한 사람 약간 수상쩍은 친구가 생겼다. 자코모 데 필리포라고 했다. 벽돌 공장주인데, 도나토와 마찬가지로 그 역시 신흥 졸부였다. 벼락부자의 정도는 도나토보다 더했던 모양으로, 마키아벨리의 두번째 희극 『크리치아』의 초연을 위한 후원자가 되어준 것도 그였다. 이 자코모와의 인연으로 마키아벨리는 최후의 연인 바르바라를 알게 된다. 그리하여 벽돌 공장주와 가수는 『만드라골라』의 상연에 깊이 관여하게 된다.

피렌체 시의 중심, 보통 두오모라고 부르는 산타 마리아 델 피오레 대성당에서 도보로 2분 거리에 오리올로 극장이 있다. 오리올로라고 부르는 것은 그런 이름의 길가에 있기 때문이다. 피렌체의 극장 가운데서도 연극 상연을 주로 하는 극장이다. 규모는 작다. 단층인데다가, 좌석수도 300에 한참 모자랄 성싶다. 그래도 무대는 속이 깊어서, 무대 장치에 제법 힘을 기울일 수 있게 되어 있다. 좌석의 기분도 로드쇼의 영화관 못지않아 나쁘지 않다. 4월의 어느 날 밤, 나는 이 극장에서 상연되는 『만드라골라』를 보러 갔다. 관람료는 9천 리라. 상연 기간은 20일이라고 했다.

『만드라골라』를 보는 것은 몇 번째던가? 나는 연극이라는 것에 별로 흥미를 가질 수 없지만, 이것만은 마키아벨리의 작품이라 벌써 대여섯 번은 본 것 같다. 상연 장소로서 가장 인상이 깊었던 곳은 르네상스 시대의 경찰서로 지금은 국립미술관이 되어 있는 바르젤로 궁의 안마당이었다. 그때의 포스터가 유쾌했다.

원작 니콜로 마키아벨리
연출 루이지 구이차르디니

로 되어 있었기 때문이다. 루이지 구이차르디니는 마키아벨리의 말년의 친구인 프란체스코 구이차르디니의 형일 뿐 아니라, 관료 시대의 마키아벨리가 앞에서 소개한, 베로나에서 굉장한 창녀를 만난 이야기를 보고한 편지의 상대이기도 하다.

그런데 이렇게 생각한 것은 내 머릿속이 한 순간이나마 500년 전으로 돌아가버렸기 때문이며, 구이차르디니 집안의 남자들 이름에는 루이지와 프란체스코가 압도적으로 많다. 이 집안 전래의 이름인 모양이다. 그래서 20세기의 오늘날에도 이어지고 있는 구이차르디니 가의 당주가 공교롭게도 연극의 연출가였기 때문에, 첫눈에 500년 전 옛날로 돌아간 듯한 구성이 되어버린 것이다.

그러나 지난 4월에 보았을 때의 연출가는 다른 사람이었다. 극단도 특별히 문화부 사업으로 구성된 것이 아니었다. 그 극장도 마키아벨리 작품 전에 셰익스피어의 것이 상연되었다. 말하자면 『만드라골라』는 셰익스피어나 골도니나 지로두나 피란델로 등의 작품의 상연과 똑같이 취급되고 있는 것이다.

이번 상연도 포스터에는 피렌체 시 문화과 후원으로 되어 있었으나, 관광단 같은 것도 보이지 않았고 학생 단체도 없었다. 아울러 학생 할인은 1천 리라가 쌀 뿐이었다. 평일 밤이기도 해서 그런지, 7할쯤 든 관객층은 양질의 영화를 상영하는 영화관의 그것과 비슷한 느낌이었다.

상당히 현대어화되었다고는 하나 중요한 부분은 16세기 초의 피렌체 사투리로 진행되므로, 관객의 지적 수준도 어느 정도는 높은 듯했다. 그 증거로 웃는 대목이 정확했다.

이탈리아 문학사를 쓸 때나 유럽 연극사를 쓸 때 무시할 수 없는 희극 『만드라골라』의 줄거리는 대강 다음과 같다.

먼저 만드라골라란, 의역하면 '미약 (媚藥)'쯤 될 것이다.

16세기에 들어와서 조금 지났을 때, 프랑스에 카리마코라는 사나이가 살고 있었다. 나이는 서른 살. 피렌체에서 태어났으나 열 살 때 프랑스로 건너가서 20년이 지났다. 프랑스 땅에서 아무 아쉬운 것 없이 살고 있는 피렌체내기였다. 그런 카리마코가, 피렌체에서 오는 사람들이 늘 화제에 올리는 나이가 지긋한 부자 니치아의 젊은 아내 루크레치아의 아름다움과 정숙함을 듣고, 아직 보지도 않은 이 여자에게 반한다. 그리고 반드시 자기 것으로 만들겠다고 마음 먹는다. 그래서 전운이 감도는데도 프랑스를 떠나 이탈리아로 향한다. 약삭빠른 종복 시로까지 데리고. 무대는 이 두 사람이 피렌체에 도착하는 데서 시작된다.

그런데 문제는 어떻게 루크레치아에게 접근하느냐 하는 것이었다. 카리마코는 돈에 부자유를 느끼지 않는 처지임을 방패로, 언제나 돈은 부족하되 간지에는 부자유를 느끼지 않는, 약간 마키아벨리를 연상시키는 리글리오라는 친구에게 이 문제의 해결을 부탁한다. 물론 리글리오는 응낙한다. 리글리오가 말하기를, 지금까지 뜬 소문 하나 나지 않은 니치아와 루크레치아 부부의 유일한 아킬레스건은, 두 사람 사이에 아이가 없다는 것이며, 특히 남편은 몹시 아이를 갖고 싶어한다는 것이었다.

그래서 먼저 남자가 여자에게 쉬이 접근할 수 있는 온천에 이 부부를 끌어내기로 하지만 실패한다. 나이가 많은 니치아는 나돌아다니기가 귀찮아 하인들까지 총동원해야 하는 출타를 싫어했기 때문이다.

작전을 바꾸지 않을 수 없게 된 리글리오는, 이번에는 다른 '수법'을 짜낸다. 외국에 오래 산 카리마코가 피렌체에서는 얼굴이 알려지지 않은 것을 기화로, 그를 프랑스의 유명한 의사, 불임녀를 임신시키는 전문가로 변신시키기로 한 것이다. 그리고 먼저 남편부터 설득하기 시작한다. 그는 남편에게 '만드라골라'라는 약을 먹은 남자가 아내와 잠자리를 같이하면, 아내는 반드시 임신한다고 말한다. 다만 이 미약을 먹은 남자는 머지않아 죽게 된다는 것도 밝힌다. 니치아는 프랑스 왕실까지 만족시켰다는, 그리고 걸핏하면 라틴어를 지껄여대는 카리마코가 분장한 의사를 금방 신용하게 되고 미약의 효능까지 믿게 되지만, 먹은 남자가 곧 죽는다는 것이 꺼림칙하여 선뜻 동의하지 못한다.

리글리오는 걱정할 필요가 없다고 구슬린다. 어디에 사는 누군지도 모르는 사나이를 데려와서, 다만 아이의 아버지가 되는 것이니 신체만은 건전무결한 청년을 데려와서 그 일만 대행시키는 것이므로 문제가 없다고 강조한다. 그제서야 남편도 마음을 놓게 되어 이 문제는 해결된다.

남은 문제는 정숙하기로 소문난 루크레치아를 어떻게 이 작전에 끌어들이느냐 하는 것이었다. 이 또한 리글리오의 발상으로, 루크레치아의 고해 신부인 티모테오에게 부탁하여 그녀를 설득시키기로 한다. 천당을 설교하면서 황금 또한 무척이나 좋아하는 신부 티모테오로 하여금 이 역할을 맡게 한 것 역시 금화의 위력이었다.

루크레치아의 어머니에게도 대강 사정을 알려 설득 역할을 맡은 신부 티모테오의 원호사격을 시켰으므로, 루크레치아는 신부와 이야기하는 것을 승낙한다. 그런 그녀를 신부 티모테오는, 남편을 위해서 하는 일이라 죄가 되지 않는다고 설득한다. 천당에서의 자리도 걱정할 것 없다는 신부의 말이라 루크레치아는 안심한다. 결국 루크레치아는 다른 남자와 잠자리를 같이해도 되는 대의명분을 얻은 셈이다.

여기까지 오면, 독자는 서머싯 몸의 『예나 지금이나』가 이 작품의 패러디였다는 것을 깨닫게 될 것이다. 몸의 작품의 특색은, 카리마코와 리글리오를 합친 듯한 인물에 마키아벨리 자신을 갖다놓은 데 있다.

자, 작전은 완료되었다. 이제 남은 것은 실행뿐이다. 카리마코는 그때까지 걸쳤던 의사의 분장을 벗어던지고, 어디에 사는 누군지도 모르는 사나이가 된다. 그리하여 무사히 잠자리가 완료된다.

그런데 그 뒤가 유쾌하다. 모두가 아무것도 모르는 줄 알았던 루크레치아가 실은 죄다 눈치채고 있었던 것이다. 사랑을 나누고 난 뒤, 아직도 황홀경에 빠져 있는 카리마코에게 그녀가 황홀한 눈으로 입을 맞추며 속삭인다.

"당신의 간지와 내 남편의 우둔함과 어머니의 단순함과 고해 신부의 탐욕이 내게 나 혼자서는 도저히 생각할 수도 없는 일을 시켰으니, 이것은 이제 주의 뜻이라고 생각하는 수밖에 없어요. 주께서 바라시는 일을 제가 어떻게 거역할 수 있겠어요.

그래서, 지금부터 저는 당신을 남편으로 알겠어요. 보호자라고도 생각하겠고요. 당신도 저를 위해서 좋은 일을 늘 기원해주셔야 해요.

제 남편이 오늘 밤에 바란 일을 저는 앞으로도 남편이 몇 번이나 뜻을 이루게 해주고 싶어요. 말하자면, 당신과 남편은 이제 한가족 같은 사이가 되는 거예요. 그러니까 내일 아침에는 성당에도 와주셔야 해요. 그리고 그후에는 이 집 식탁에도 함께 앉아주셔야 하고요. 그런 상황이 되면, 우린 아무 거리낌없이 만나고 싶을 때 언제나 만날 수 있어요. 서로를 위해서도 제일 좋은 방법 같은 생각이 드네요."

카리마코가 이 제안을 기꺼이 받아들인 것은 두말할 것도 없다. 이렇게 하여 먹어도 죽지 않는 '만드라골라'를 통해서 모든 사람이 만족하게 되고, 해피 엔딩으로 극은 막을 내린다. 나는 마지막에 나오는 루크레치아의 이 대사만 듣기 위해서도 모든 여성에게 『만드라골라』를 보라고 권하고 싶다.

16세기 초두에도 『만드라골라』의 등장은 대성공으로 시작된다. 대본이 순식간에 피렌체에서도 로마에서도 베네치아에서도 출판되기에 이른다. 초연은 1518년이라는 말이 있으나, 그후에도 해마다 연극 시즌이기도 했던 카니발 철이 되면, 각지에서 앞을 다투어 상연되었다. 민중은 박수 갈채를 보냈다. 1522년 베네치아에서는 너무 많은 관객이 몰려와 극장이 터질 지경이 되어 상연 기간을 연기하지 않으면 안되었다. 지식인 계층의 평도 좋았다. 교황이 임석한 상연은 끝내 실현되지 않은 모양이지만, 메디치 가 출신의 레오 10세였다면 아마도 박장대소하며 보았을 것이다. 로마냐 총독이라는 중직에 있던 프란체스코 구이차르디니도 이 극의 상연에 열심이었다. 아직도 르네상스 정신의 잔영이 번쩍이고 있었던 것이다. 그러나 이때부터 불과 10년 후에는 르네상스의 이 정신이 종교개혁과 반종교개혁의 공격을 좌우에서 받아, 두 큰 파도 사이에서 사라지고 만다.

마키아벨리의 희극 제2작 『크리치아』는 1524년에 완성된다. 그리고 이듬해인 1525년 1월에 초연된다.

벽돌 공장주의 저택이 그날만은 극장으로 일변했다. 무대 장치는 화가로서도 유명한 안드레아 델 사르토가 맡았다. 무대가 그리스의 아테네이므로 그런 분위기로 감싸였을 것이다. 객석에는 메디치 가의 젊은 공자들 알레산드로와 이폴리토를 비롯하여 온 피렌체의 명문들이 기라성처럼 늘어앉았다. 유명한 『만드라골라』의 작가가 두번째로 만든 작품의 초연인 것이다. 극의 중간쯤에서 주제가를 부르는 것은 물론 가수 바르바라이다. 주제가를 작가인 마키아벨리와 함께 만든 사이다.

초연은 대성공이었다. 극이 끝난 후 별실에 마련된 호화로운 만찬도 사람들의 만족을 더욱 완벽한 것으로 만들어주었을 것이다. 벽돌 공장주는 효율 높은 투자에 만족하고, 바르바라는 애인의 성공과 자신의 성공에 만족하고, 마키아벨리는 물론 더없이 흡족했을 것이다. 『크리치아』는 그후, 당시에 오늘날과 같은 극장을 가진 유일한 나라 베네치아에서도 큰 성공을 거두어, 희극작가 마키아벨리의 이름은 전 이탈리아의 수준에서 알려지게 된다. 『군주론』은 그 존재조차 모르고, 지식 계급의 베스트셀러였던 『전략론』은 거들떠보지도 않던 일반 대중도 『만드라골라』는 기꺼이 보았던 것이다.

원작자에 대한 사례금이 어느 정도였는지는 알 수 없다. 다만 얼마쯤은 지불된 모양이다. 『만드라골라』를 임지인 볼로냐에서 상연하고 싶어한 프란체스코 구이차르디니에게 마키아벨리는, 내 몫은 필요없네 하고 그로서는 보기 드문 대범한 말을 써 보내고 있다.

이야기는 이보다 4년 전으로 거슬러 올라가지만, 1521년 4월 중순께 쉰두 살의 마키아벨리는 뜻밖의 사람으로부터 한 통의 편지를 받았다. 로마에 은둔중인 지난날의 상사 피에로 소데리니가 보낸 것이었다. 메디치 가의 피렌체 복귀로 추방된 전 공화국 대통령은, 그때 자신과 함께 실각한 부하 마키아벨리가 피렌체 명문 출신인 자기와는 달리 직업이 없으면 살아갈 수 없다는 사정을 알고, 그 나름으로 걱정하고 있었다는 것을 엿볼 수 있다. 이 편지도 마키아벨리에게 직업을 소개하기 위한 것이었다.

친애하는 니콜로, 라구사(아드리아 해 연안의 소국으로, 추방 직후 소데리니가 도피해 있던 나라)의 재상 자리는 자네 마음에 들지 않았던 모양이네만, 그후에도 중지하지 않고 계속 찾고 있던 중에 프로스페로 씨(용병대장 프로스페로 콜론나)가 비서를 구하고 있다는 것을 알았네. 그분께 자네 이야기를 했더니, 자네라면 괜찮다고 말하고 있네. 자네를 잘 알고 있었네(아마도 마키아벨리가 종형제간인 파브리치오 콜론나를 『전략론』의 주인공으로 등장시킨 것을 가리키는 모양이다). 그리고 프로스페로 씨는 그 중개를 나한테 부탁하기에 이렇게 편지를 쓰는 것일세.

연봉은 200두카토 대금화, 경비는 별도로 지불하겠다네. 잘 생각해보고 만족할 만한 회답을 주기 바라네. 다만 이 일은 아무에게도 의논하지 않는 것이 좋겠네. 결정을 하거든 아무에게도 밝히지 말고 피렌체를 떠나게.

이 이야기는 지금까지 들어온 것 가운데서 가장 유리한 조건 같네. 적어도 피오리노 소금화를 받고 역사를 쓰는 것보다는 낫다는 생각이 드네.

건강에 조심하게.

1521년 4월 13일, 로마에서
자네의 피에로 소데리니

일흔이 넘은 전 상사의 이 친절에 쉰두 살의 마키아벨리가 어떤 회답을 보냈는지는 알려지지 않았다. 다만 결과적으로 마키아벨리는 거절했다. 『피렌체사』를 쓰는 일로 피렌체에서 받는 연봉에 비하면 약 4배의 봉급을 보장받으면서도 현재의 신분을 택한 것이다.

나중에 생각하면, 마키아벨리의 이때의 선택은 옳았다고 할 수 있다. 왜냐하면 로마의 명문 콜론나 집안 출신의 이 고명한 용병대장은 1452년생이니까 당시에 이미 예순아홉 살이었고, 이 '이야기'가 있었던 2년 후에는 이미 이 세상 사람이 아니었기 때문이다.

그러나 이 이유만으로 마키아벨리가 연봉이 당장 4배가 넘는 기

회를 거절한 것은 아니었을 것이다. 이 이야기가 있었던 해의 7년 전인 1514년, 당시의 '대화' 상대인 프란체스코 베트리에게 보낸 편지에서 다음과 같이 토로하고 있기 때문이다.

지금처럼 이가 들끓는 속에서 거처하고만 있으면, 내가 소용이 닿던 시절도 잊어버리고, 나는 이제 아무것도 아니라는 생각을 하게 되네. 이런 상태를 이 이상 계속할 수는 없네. 왜냐하면 무위하게 소모되는 이런 상태를 신이 바란다면, 나는 언젠가 이 집에서 나가지 않을 수 없거든. 어느 지방 장관이나 대장의 가정교사나 비서라도 되어서 말일세. 그런 혜택도 입지 못한다면, 벽지에나 들어가서 어린애들에게 읽기나 쓰기라도 가르치는 수밖에 없지 않겠는가.

가족은 두고 갈 참이네. 나 같은 인간은 죽은 셈치라고 말하고서 말일세. 가족들도 내가 없는 편이 낫거든. 집에서 돈을 쓰는 것은 나뿐이니까. 돈을 쓰는 버릇이 들어서 쓰지 않고는 배기지 못하게 되었다네.

자네더러 걱정해달라고 이런 것을 쓰고 있는 것은 아니네. 그저 토해내고 싶어서 그러네. 앞으로 다시는 이런 서글픈 소리를 하지 않기 위해서도, 지금 토하고 싶네.

그 당시뿐이 아니지만, 복장이라든가 종복을 거느리고 다니는 외관 따위에는 평생 무관심했던 마키아벨리의 출비라고 할 만한 것을 든다면, 노름에 쓰는 돈 정도였던 것 같다. 천재적인 노름꾼도 아니었던지, 결국 잃는 편이 많았던 모양이다.

만일 이같이 우울한 상태에 있을 때 소데리니의 그런 편지가 왔다면, 마키아벨리는 두말 없이 당장 프로스페로 콜론나의 비서 자리에 매달렸을까? 교황청에 자리가 있으면 로마에라도 기꺼이 달려가겠다고 말한 그였으니, 로마행 자체가 장애가 되지는 않았을 것이다. 급료도 공화국 서기관 시대의 두 배나 된다. 게다가 당시는 수입이 거의 전무였다.

그러나, 그때라도 마키아벨리는 응낙하지 않았을 것이라는 생각이 나는 든다. 몹시 고민은 했겠지만, 결국은 거절하지 않았을까? 그 까닭은 두 가지가 있다.

첫째, 마키아벨리는 용병제도를 철저하게 싫어했다. 체사레 보르자도 프랑스 왕 밑에서 일했으니 용병대장이라고 부르지 못할 것도 없으나, 그에게는 자기 왕국의 창건이라는 확고한 목표가 있었다. 똑같이 고명하다고 해도 프로스페로 콜론나에게는 그것이 없었다. 다른 용병대장과 마찬가지로 군무를 직업의 하나로 생각하는 인물에 속한다. 그런 인물 밑에서 용병제도를 날카롭게 규탄하는 『군주론』을 완성하고, 『정략론』을 쓰기 시작한 마키아벨리가 과연 근무할 수 있었을까?

두번째 이유는, 마키아벨리의 직업관이라고 할 만한 것에 있다. 마키아벨리는 앞으로의 피렌체에는 어떤 정체가 적합한가를 논술한, 메디치 추기경 줄리오의 부탁에 대답한 서신에서 남자가 할 최상의 일은 국가를 위해 진력하는 것이라고 단언하고 있다. 지위의 높고 낮음은 문제가 아니다. 문제가 된다면, 지위가 높으면 그만큼 자기 생각을 실현하는 데 유리하다는 것뿐이다. 불행히 낮더라도, 높은 지위에 있는 사람이 듣는 귀만 갖고 있다면 그리 큰 문제가 되지 않는다.

피에로 소데리니는 8년이나 지나도 옛 부하의 취직 자리를 걱정할 정도니, 친절한 인물이었던 것 같다. 그리고 지난날의 부하를 사랑하기도 한 모양이다. 그러나 마키아벨리를 이해했다고는 생각되지 않는다. 베네치아의 속국에 지나지 않는 조그만 나라의 재상이나 용병대장의 비서 같은 마키아벨리가 도무지 흥미를 느끼지 못한 일자리만 권한 것부터가 마키아벨리라는 사나이를 이해한 친절이라고는 생각되지 않는 것이다.

또 알려온 시기도 좋지 않았다. 이것이 1521년 당시의 마키아벨리가 거절한 이유같이 여겨진다.

1521년에는 마키아벨리가 글 쓰는 사람으로서 이미 상당한 경력의 소유자가 되어 있었다.

1513년 — 『정략론』, 『군주론』 착수.

1514년 — 『군주론』 완성.

1516년 — '오리첼라리의 정원' 출입 시작.

1517년 — 『정략론』 완성.

1518년 — 『만드라골라』 완성.

1520년 — 메디치 가와의 관계 호전. 『카스트루초 카스트라카니의 생애』 완성. 『피렌체사』 착수. 메디치 추기경의 부탁으로 『피렌체 정체개혁론』 집필. 『전략론』 완성.

1521년 — 『전략론』 간행. 피렌체공화국에 의해 카르피에 파견되어 프란체스코 구이차르디니와 사귀다.

1522년 — '오리첼라리의 정원'의 젊은이들에 의한 반메디치 음모 발각.

1525년―희극『크리치아』완성. 초연부터 대성공.『만드라골라』출판.『피렌체사』완성. 클레멘스 7세로서 교황이 되어 있던, 청탁 당시 메디치 추기경 줄리오에게 이것을 바치기 위해 마키아벨리 로마로.

이것으로도 알 수 있듯이 1521년 당시의 마키아벨리는, 벽지에 나가서 어린애들에게 읽기와 쓰기라도 가르치는 재주밖에 없다는 상태에서 완전히 벗어나 있었다. 어쩌면 1513년에서 1525년까지의 12년에 걸친 글쓰기 시대 중에서도 가장 자신에 찬 시기가 아니었나 싶다.『만드라골라』의 호평과『전략론』의 인기는 그런 점에 특히 효과가 있었을 것이다.

다만 흥미있는 것은 획기적인 걸작은 모두,『군주론』이나『정략론』이나『전략론』이나, 또는 유럽 희극사에 획을 긋는 독창적인 작품『만드라골라』나 모두, 벽지에나 가서 어린애들에게 읽기나 쓰기라도 가르치는 재주밖에 없다고 푸념을 늘어놓아 베트리에게 격려를 받던 시기가 아니면, 그 바로 뒤에 이은, 그의 절반 나이밖에 안되는 '오리첼라리의 정원'의 젊은이들과 도나토네 집의 이름 없는 여자들에게 지탱되어 있던 시절에 씌어졌다는 사실이다. 창작에는, 특히 독창적인 창작에는 약간의 불행이 불가결하다는 것일까? 아니면 1521년까지의 이 8년 동안에 마키아벨리는 이제 쓰고 싶은 것을 죄다 써버렸다는 말일까?

같은 1521년, 옛 상사 피에로 소데리니의 취직 알선 편지를 받은 지 한 달도 채 안되는 5월 11일, 쉰두 살의 마키아벨리는 카르피 마을을 향해 피렌체를 떠난다.

볼일은 보통 사람의 눈으로 보면 로마에 가서 고명한 용병대장 프로스페로 콜론나의 비서를 하는 편이, 남이 보기에 훨씬 낫지 않았을까 싶을 만큼 시답잖은 일이었다. 프란체스코 종파의 토스카나 전체 조직에서 피렌체 조직을 분리, 독립시키기 위한 교섭과, 이듬해 사순절에 피렌체의 본당인 산타 마리아 델 피오레 대성당에서 설교해줄 설교자의 파견을 요청하는 것이 마키아벨리의 임무였다. 전자는 피렌체공화국 정부의 일이고, 후자는 모직물조합의 부탁을 받은 것이다. 그는 이 일을 맡은 것이다. 아무리 시답잖은 임무라도 피렌체를 위한 일이고, 특히 『피렌체사』를 청탁한 메디치 가의 실력자 줄리오 데 메디치 추기경의 의중을 촌탁한 행동이었을 것이다.

이때의 공무 출장은 마키아벨리에게 뜻하지 않은 부산물을 안겨주게 된다. 프란체스코 구이차르디니와의 만남이다.

후세에 걸핏하면 마키아벨리와 비교되는 인물이다. 아니, 후세에서는 마키아벨리를 논하는 사람이 단연 많으므로, 구이차르디니와 비교된다고 바꾸어 말해야 할 것이다. 두 사람 다 피렌체에서 태어나 피렌체에서 자란 순 피렌체내기였다.

17 '나의 친구' 구이차르디니

1521~1525

프란체스코 구이차르디니는 피렌체의 명문 구이차르디니 가의 둘째 아들로 1483년 3월 6일에 태어났다. 마키아벨리보다 열네 살 아래였다. 이것은 마키아벨리가 메디치 가의 로렌초 일 마니피코보다 스무 살 아래였던 것과 비슷하여, 두 사람의 사상과 행동에서로 영향을 주지 않을 수 없었다.

열네 살 위인데도 마키아벨리가 더 젊었다. 그는 정열적이고 희망을 버리지 못했다. 반대로 연하인 구이차르디니는 체관(諦觀)에서 나온 듯한 객관성으로 스스로를 간직하는 기질의 소유자였다. 열네 살의 나이 차가 구이차르디니로부터 마키아벨리라면 아직도가질 수 있었을 열기마저 빼앗아버린 것일까?

상류 계급에서 태어난 그는 받은 교육도 마키아벨리와는 달랐다. 대학을 나왔고 여기저기 유명 대학에서 수학했다. 메세레라는 경칭으로 불릴 자격을 완벽하게 갖춘 법학사였다.

젊을 때부터 야심가였다. 종교심 같은 것은 별로 없는데도, 추기경까지라면 올라갈 수 있다는 자신감으로 성직계에 들어갈 생각을했다. 다행히도 아버지가 그럴 생각이 없어 속계에 머물게 된다.

학업 수료 후에 처음 한 일은 변호사였다. 주로 민사를 다룬 모양이었다.

결혼도 마키아벨리와는 달랐다. 스물다섯 살에 결혼하기로 마음 먹었을 때, 목표를 피렌체 정계의 거물 알라만노 살비아티의 딸 마리아로 정했다. 그 무렵 서기관이었던 마키아벨리가 자기의 정책인 피렌체 국민군 창설안을 공화국 국회에서 통과시키기 위한 사전 공작의 하나로, 자기의 저서 『10년사』를 바친 것도 바로 이 알라만노 살비아티였다. 아버지는 많은 지참금을 바란다면 다른 데도 규수가 있다고 말했지만, 젊은 구이차르디니의 결심은 변하지 않았다. 그는 지참금의 많고 적음보다 살비아티 가문이라는, 권위와 권력과 인척 관계가 넓은 가계와의 연결을 중시했던 것이다. 그의 눈은 틀리지 않았다.

1511년, 스물여덟 살의 구이차르디니는 피렌체공화국의 에스파냐 주재 대사로 임명된다. 서른 살이 공직 취임의 최저 연령이었던 당시에, 더욱이 신흥 대국 에스파냐에 파견되는 대사이다. 이례적인 발탁이었다.

대사 근무는 2년 동안 계속되었다. 이 2년은 마키아벨리가 공화국 대통령 소데리니의 두뇌였던 시절과 일치하므로, 10인 위원회나 소데리니의 이름으로 대사에게 보내는 지령서의 대부분이 마키아벨리의 손으로 이루어지던 시대. 에스파냐 주재 대사 구이차르디니도 아마 마키아벨리가 쓴 것들을 받아본 사람의 하나였을 것이다. 또 대사 등이 보내오는 보고서를 제일 먼저 훑어보는 것은 대통령 비서관이자 10인 위원회 서기관이기도 한 마키아벨리였으니까, 구이차르디니가 쓴 치밀한 보고서를 읽은 것도 그였을 것이다. 그러나 이 관계도 1512년 여름의 정변으로 끝이 난다.

피에로 소데리니의 실각과 메디치 가의 복귀는 마키아벨리를 공직에서 추방하지만, 구이차르디니에게는 그런 일이 일어나지 않았다. 소데리니의 일파로 간주되지 않은 것과, 구이차르디니 가와 메디치 가의 깊은 인연 덕이었다. 다만 에스파냐 대사로부터는 해임되었다. 그래도 피렌체로 돌아온 구이차르디니에게는 정부의 몇 가지 직무가 기다리고 있었다. 그것들을 성실하게 완수한 그는, 동시에 견직물업에까지 손을 대어 경제적 지반을 확립하는 것도 잊지 않았다.

1516년, 당시의 교황 레오 10세는 서른세 살의 그를 교황청령이 된 모데나의 장관에 임명한다. 이듬해에 구이차르디니는 레조의 장관까지 겸하게 된다. 1521년 마키아벨리와 처음 만난 해에 그는 모데나와 레조라는, 에스테 공작 집안으로부터 빼앗은 지방을 교황 대신 통치하는 곤란한 일을 맡을 만큼 되어 있었다. 그해에 임지는 다시 넓어져서 파르마가 추가된다. 그리하여 1525년에는, 레오와 마찬가지로 메디치 가 출신의 교황인 클레멘스 7세는 마흔두 살의 구이차르디니를 전 로마냐 지방의 총독에 임명한다. 신하로서 최고의 지위에 올랐다고 할 만한 출세였다.

프란체스코 구이차르디니는 이 통치하기 어려운 지방, 지금까지 성공한 것은 체사레 보르자밖에 없다는 곤란한 지방을 제법 훌륭하게 다스린다. 군사면에서도 그가 앞장서서 싸운 파르마 방위전에서 그 방면의 능력을 세상에 보여주었다.

1526년이 되자 풍운이 위급해진 이탈리아 전선에서 그의 존재는 점점 더 무게를 더하게 된다. 에스파냐를 상대로 하는 동맹 교황군 참모에 임명된 구이차르디니가 설 자리는 종래의 신중함과 모순되는 제1선밖에 없었다. 이 시기는 동시에 이탈리아의 운명을 결정지은 시기이기도 했다. 구이차르디니 곁에는 마키아벨리가 있었다.

1527년 5월에 일어난 에스파냐 왕 카를로스의 군대에 의한 '로마의 약탈'. 피렌체의 두번째 메디치 추방. 마키아벨리의 죽음. 그리고 3년 후인 1530년에는 마침내 피렌체공화국이 붕괴되는데, 이 시기에 구이차르디니는 그 생애에서 유일한 도박을 하게 된다. 그러나 너무나도 확률이 높은 예상 아래서 한 일이라, 그는 도박이라는 생각을 하지 않았는지도 모른다.

메디치 가의 분가 격인 열일곱 살의 코시모를 공화 정체 붕괴 후의 군주 정체 주인공으로서 업고 나온 것은, 이 구이차르디니와 또한 사람 마키아벨리의 친구인 프란체스코 베트리였다. 구이차르디니는 코시모에게 자기 딸과의 혼인까지 권한다. 열일곱 살의 젊은이라, 장래의 실권을 자기가 쥐고 흔들 수 있다고 판단했기 때문인지도 모른다.

그런데 이 열일곱 살의 젊은이는 단순소박한 무장인 흑색대(黑色隊) 대장 조반니의 아들이라고는 여겨지지 않을 만큼, 권력에 대해 명확한 생각을 가지고 있었다. 코시모는 구이차르디니의 딸과의 혼인을 거절했을 뿐 아니라, 구이차르디니와 베트리라는, 현대에 비교하면 사무차관급쯤 되는 인물들을 멀리해버린 것이다. 정치는 내가 한다는 것이 이 열일곱 살 젊은이의 결별사였다. 그리고 암살되는 바람에 권력이 자기에게 넘어온 메디치 본가의 알레산드로의 미망인인, 에스파냐 왕의 공주 마르게리타와의 결혼을 희망했으나, 카를로스가 이를 허가하지 않는다고 보자, 일전하여 나폴리를 다스리는 에스파냐 왕의 가신인 부왕(副王) 페드로의 딸 엘레오노라와의 결혼을 희망하여 뜻을 이룬다. 구이차르디니는 도박에서 완전히 패배하고 만 것이다.

그후 마키아벨리의 '오리첼라리의 정원' 시대의 제자 필리포 스트로치와 안톤프란체스코 델리 알비치가 연루된 반메디치 음모가 발생하는데, 이에도 혼자 초연했던 구이차르디니는 별장에 들어박혀 대작 『이탈리아사』의 집필에 전념한다. 그가 죽은 것은 1540년, 향년 쉰일곱 살이었다. 후세에 그의 이름이 남은 것은 역사가 구이차르디니로서이다.

『이탈리아사』 이외에 구이차르디니는 『피렌체사』 등 몇 가지 작품을 썼다. 그러나 그것들은 역사 작품이며, 그 속에서 철학을 찾는다는 것은 그의 경우 지나친 바람이라 할 것이다. 철학이 수반되지 않았기 때문에 객관성에서는 거의 만점을 받을 수 있는데도 동시대인의 기록 이상일 수 없었던 것이다.

그러나 구이차르디니에게도 그의 '철학'을 솔직히 털어놓은 소품이 있다. 공개를 목적으로 하지 않은, 가족과 자손들에게 읽히기 위한 소품이다. 『각서』(覺書)라는 제목으로, 현실주의자인 그는 이런 것을 공개하면 자기 처세에 불리하다고 생각했는지도 모른다. 그 가운데서 몇 가지만 소개하고 싶다.

네가 언제나 승자 편에 있게 되기를 신께 기원하여라. 왜냐하면 승자 편에 있으면 네가 아무 공적이 없더라도 보상을 받는 법이지만, 반대로 패자 편에 서면 아무리 공적이 있어도 비난을 받게 마련이기 때문이다.

쓴웃음이 나오지만, 이것이 현실인지도 모른다.

내 눈에 흙이 들어가기 전에 세 가지가 실현되었으면 싶다. 하기야 내 인생도 길지는 않을 터이니, 이것도 한낱 꿈으로 끝날 수밖에 없겠다는 생각이 든다만. 그것은 첫째, 질서가 유지되는 피렌체공화국에서 살 수 있게 되는 것. 둘째, 이탈리아가 모든 바르바리(야만인, 곧 외국인)로부터 자유를 회복하는 것. 마지막은, 세계가 사악한 성직자들의 횡포에서 해방되는 것이다.

이 언저리는 마키아벨리와 완전히 일치했을 것이다. 다만 구이차르디니는 그 사악한 성직자들 밑에서 빛나는 경력을 쌓은 사람이 다른 누구보다도 바로 자신이라는 사실은 또 별개의 일로 치고 있다.

종교를 적으로 돌려서는 안된다. 또 신과 관계되는 모든 것을 적으로 돌리지 않도록 조심해야 한다. 왜냐하면 이 대상이야말로 바보들의 머리에 너무나 강력한 영향력을 가지고 있기 때문이다.

지당한 말씀이다!

권력과 명예는 누구나 갈구하는 것이다. 왜냐하면 보통은 화려한 면만 눈에 보이고, 권력이나 명예가 가져다주는 고생과 불쾌한 면은 숨어서 보이지 않기 때문이다. 만일 양면이 다 백일하에 드러나면, 권력이나 명예를 구하는 이유 하나를 남기고 사라질 것이다. 그 하나란, 남이 경의를 표해주면 줄수록 사람은 마치 자기가 신과 가까운 존재가 된 듯한 생각이 든다는 것이다. 사나이로 태어나서 누가 신과 닮기를 바라지 않는 자가 있겠는가.

이 마지막 한 줄은, 남에게는 권력을 가지라고 권하면서 자기는 가진 적이 없는 마키아벨리로서는, 그거 정말이야? 하고 묻는 수밖에 없었을 것이다. 구이차르디니라야 비로소 할 수 있는 말이었다.

프란체스코 구이차르디니는, 지금도 남아 있는 초상화에서 볼 수 있듯이 훌륭한 관록을 지닌, 모든 것과 일정한 거리를 두고 교제하는 사람에게 흔히 있는 여유에 차고 행동거지도 장중하며 자기가 차지하는 지위를 언제나 의식하지 않고는 못 견디는 사나이였던 것 같다. 마키아벨리와는 정반대다. 정신적으로 남을 필요로 하지 않는 신하로서 최고의 지위에 오른 이 사나이는 친구의 존재와도 무관했던 모양이다. 그가 솔직하게 심정을 토로한 것은 비공개로 정한 『각서』에서뿐이었다.

그런 구이차르디니가 어째서 마키아벨리에게만은 그토록 솔직하게 자기를 드러냈을까? 생각하는 것이 같았다는 것도 그 이유의 하나였을 것이다. 그러나 그밖에도, 자신이 개방적이라 그와 사귀

프란체스코 구이차르디니

는 사람들이 저도 모르게 마음을 열어버리는 마키아벨리 특유의 사람 사귀는 방식에 구이차르디니도 그만 용해되어버린 것이 아닌가 하는 생각이 든다. 마키아벨리에게 쓴 편지만큼 솔직한 것을 이 희대의 현실주의자는 끝내 쓰지 않았다.

1521년 5월 카르피에 출장가다가 모데나에 들른 마키아벨리는 그곳 장관으로 있는 구이차르디니를 만나자 금방 의기 투합한 모양이다. 두 사람의 왕복 서한은 처음부터 친근한 어조로 전개된다. 아울러 모데나 시에서 카르피 마을까지는 20킬로미터가 채 안되는 거리이다.

위대한 피렌체 특사 니콜로 마키아벨리 님께,

친애하는 마키아벨리 님, 선생 같은 분을 설교사 획득을 위한 교섭에 내보낸 것을 보니, 모직물조합도 어지간히 머리를 썼구나 하는 생각 절실합니다. 마치 동성애 애호자더러 친구의 아내를 구해오라고 내보내는 거나 같지 않습니까?

그런 선생께 내가 바라는 것은 선생 자신의 영혼을 구제하는 것만 생각하면서 임무를 완수하시라는 것뿐입니다. 잊지 말아주셨으면 하는 것은, 되도록 빨리 끝내시라는 것. 왜냐하면 그런 곳에 오래 머물면 머물수록 두 가지 해독을 입을 위험이 있기 때문입니다. 첫째는, 그곳의 거룩한 수도사들이 선생을 위선자로 만들어버린다는 것. 둘째는, 카르피의 공기가 선생을 거짓말쟁이로 만들어버린다는 것. 원체 그들의 영향력은 몇 세기에 걸친 전통을 가지고 있으니까요. 그리고 불행히도 선생의 숙소가 만일 카르피인의 집이라면, 그 위험은 이제 피할 수 없는 것이 되지 않을까 걱정이 되는군요.

모데나에서 1521년 5월 17일

당신의 프란체스코 구이차르디니

마키아벨리는 즉각 회답을 보냈다. 날짜는 같은 5월 17일이다.

위대한 모데나 장관 프란체스코 구이차르디니 님께,

선생 편지를 가진 사자가 이곳에 도착했을 때, 나는 마침 변기에 앉아 있었습니다. 더욱이 선생 편지에 씌어져 있는 것과 똑같은 것을 골똘히 생각하면서 말씀이지요…….

그러나 내 머릿속에 있었던 것은 다른 사고방식이었습니다. 말하자면 나는 피렌체공화국을 위한 것이 아닌 일은 한 적이 없고, 앞으로도 그럴 생각입니다. 물론 이번 임무가 내 성향과 정반대라는 것을 알고 있습니다. 피렌체인이 설교사에게 바라는 것은 천당에 가는 길을 가르쳐달라는 것이지만, 나는 그들에게 악마의 집으로 가는 길을 가르쳐주고 싶군요. 피렌체인은 설교사에게 신중과 완벽과 진실을 구하지만, 나는 폰초 신부 이상의 광기와, 사보나롤라 이상의 교활과, 알베르토 신부의 위선을 갖춘 설교사를 찾고 싶으니까요.

내가 생각하기에 혼란된 현재 상황 아래서는 후자와 같은 설교사가 더 유효합니다. 그리고 이것이야말로 진실로 천당에 갈 수 있는 길이라고 생각하지요. 다시 말해 지옥에 안 가려면 지옥에 가는 길을 잘 알고 있어야 한다는 말씀입니다.

이곳에서 나는 빈둥빈둥 날짜를 보내고 있습니다. 내 임무는 둘 다 내게 직접적인 결정권이 없습니다. 샌들 녀석들(프란체스코파 수도사들) 사이에 풍파를 일으키는 것도 내가 두뇌만 잃지 않으면 할 수 있을 것 같은데, 선생의 조언이 있으면 크게 효과가 있을 것 같습니다만.

그래서 만일 선생께서 무슨 이유를 만들어 이곳에 와주실 수 있다면 그 이상 바랄 것이 없겠습니다. 오실 수 없다면 편지만 보내주셔도 좋습니다. 다시 말해 오늘처럼 매일 편지를 써서 매번 병사를 시켜 전해주시기만 해도 나한테는 큰 도움이 되겠습니다.

우선, 그것으로 나는 선생의 조언을 얻을 수 있습니다. 둘째로는, 이곳 인간들에게 내가 마치 대단히 중요한 인물이나 되는 것처럼 보일 수 있기 때문입니다. 오늘 주신 편지도 이것을 전하러 온 석궁병이 머리가 땅에 닿도록 허리를 푹 숙이면서, 지급 편지입니다 하고 고하는 바람에, 이곳 인간들은 그만 허리가 쭉 펴지고 일대 소동이 일어났습니다.

물론 나 같은 인간이 그런 기회를 놓칠 까닭이 없지요. 황제는 지금 트렌토에서 대기중이니 스위스 용병은 무언가 새로운 일을 꾸밀 것 같다느니, 프랑스 왕은 전쟁을 치르고 싶지만 측근들이 반대하고 있느니 하고 지껄여댔더니, 그들은 모두 입을 딱 벌리고 모자를 손에 든 채 멍청해진 얼굴로 서 있더군요.

지금 이 편지를 쓰고 있는 동안에도 이들은 나를 멀찌감치 둘러싸고, 내가 긴 편지를 쓰는 것을 보면서 감탄하여 흥분된 눈을 나한테서 떼지 못하고 있습니다. 나도 이들을 더 놀래주려고, 이따금 펜을 멈추고는 생각을 정리하듯 깊이 숨을 들이켜곤 하지요. 그러면 이들은 점점 더 하품의 연속으로 입을 다물지 못하기라도 하듯, 줄곧 입을 크게 벌린 상태를 계속하고 있습니다. 하지만 만일 이들이 내가 뭘 쓰고 있는지 안다면 아마 더 놀랄 것이 분명합니다.

선생도 아시는 일이지만, 수도사들은 신의 은혜를 입은 자에게는 어떤 악마의 음모도 통하지 않는다고 설교하는데, 그런 인간들과 사귄다고 해서 내가 위선자가 될 걱정은 없습니다. 왜냐하면 그 방면에는 이제 상당한 면역력이 생겼으니까요. 카르피내기들의 거짓말쟁이 영향도 걱정이 없습니다. 이 방면에서도 나는 그들을 크게 앞지르고 있는 듯합니다.

그럼, 내일도 이 놀이를 계속해주시기 바랍니다. 땀에 젖은 병사가 도착하는 것은 이곳에서 나에 대한 대우 개선에도 도움이 되고, 무엇보다도 이 초여름철에 땀을 흘린다는 것은 병사의 훈련에도 나쁘지 않을 테니까요. 쓰고 싶은 것은 많습니다만, 내일 편까지 미루겠습니다.

카르피에서 1521년 5월 17일

수도사회 주재 사절 니콜로 마키아벨리

평소에는 엄숙해서 서른여덟 살이라는 나이보다 어른스러워 보이기가 보통인 구이차르디니도 웃으면서 마키아벨리의 이 장난기 어린 제안을 정면으로 받아들였다. 다음날인 18일, 장관님의 친서를 든 석궁병이 긴장된 표정으로 카르피로 떠난다.

친애하는 마키아벨리, 선생께 조언을 드릴 만한 시간도 두뇌도 없는 몸이지만, 선생의 힘겨운 임무를 측면에서 도와드릴 수 있다면 무슨 일이든 하기로 했습니다. 그래서 이 편지도 석궁병 편으로 보냅니다. 석궁병에게는 내가 특별히 중요하기 짝이 없는 문서니 가능한 한 빨리 전해드리라고 명령해놓았습니다. 셔츠가 땀에 푹 젖더라도 갈아입을 필요가 없다고 했지요. 이 병사가 도착할 때 그 자리에 있는 사람들은 선생을 수도사 따위와 교섭하기에는 아까운 대단히 중요한 인물이라고 생각하게 될 것입니다. 그리고 선생에 대한 대우도 재고할 필요가 있다고 생각할 것임에 틀림없습니다.

취리히에서 온 보고서를 동봉했습니다. 어떻게 사용하셔도 상관없습니다. 그들에게 보여주시든지, 손에 들고 다니시든지, 선생이 유효하다고 생각하는 방법으로 활용하십시오.

어제 선생이 묵고 계시는 집 주인에게도, 선생이 얼마나 귀중한 인물인가 하는 편지를 써 보냈습니다. 그는 즉각 어떤 의미에서 중요한 인물인지 알려주기 바란다는 회신을 보내왔습니다만, 나는 명확하게 쓰기를 피했습니다. 그 편이 수수께끼가 더 깊어진다고 생각한 것이지요.

구이차르디니는 정면으로 받아들인 이 놀이가 꽤나 마음에 들었던지, 같은 날 또다시 편지를 쓴다.

친애하는 마키아벨리, 선생 편지의 마지막에 있는 선생의 현직책, 수도사회 주재 사절이라는 것을 보고, 나는 자꾸만 그것이 수도사들이 아니라 선생이 지난날에 교섭한 수많은 상대, 곧 왕과 공작과 군주들로만 여겨집디다. 그리고 리산드로스의 고사를 상기하게 됩니다. 일찍이 조국 스파르타에 그토록 많은 승리를 안겨준 이 장군에게, 병사들, 그것도 그의 지휘 아래서 싸운 바로 그 병사들에게 고기를 나누어주는 일을 주었다는 그 고사를 떠올리는 것입니다.

그러나 변하는 것은 사람들의 얼굴과 외면의 색깔뿐입니다. 그리고 또 변해도 언젠가는 원상으로 돌아옵니다. 이런 현상은 리산드로스 이후에도 몇 번이나 있었을 것입니다. 하지만 이것을 깨닫는 것도 눈을 가진 자만이 할 수 있는 일일 것입니다. 그러기에 역사가 필요한 것입니다. 그 당시에는 보이지 않았던 일, 몰랐던 일에 사람들의 눈을 뜨게 하기 위해서도 말입니다……

이 한 편의 글을 쓴 덕으로 프란체스코 구이차르디니는 후세의 마키아벨리 연구자들로부터 대단한 호감을 사게 된다. 이름은 같은 프란체스코라도 베트리는 자네처럼 분석력이 날카로운 인물은 일찍이 만나지 못했다고 몇 번이나 썼지만, 이런 문학적인 찬사는 보내지 않았다. 그 바람에 처세술이 능한 점에서 베트리를 압도하는 구이차르디니지만, 이 한 편의 글로 마키아벨리 제1의 친구로서의 자격을 획득하게 되는 것이다.

그러면, 이런 편지를 받은 마키아벨리는 어떻게 느꼈을까? 그는 읽기가 무섭게 회답을 썼는데, 그것은 이런 투로 시작된다.

우리 장난의 효과는 절대적입니다. 땀투성이가 되어 도착하는 병사와 그런 그가 받쳐들고 오는 두툼한 문서 뭉치 앞에서 이제 누구나가 황공해하는 모습입니다. 이 집 주인뿐 아니라 이웃집 사람들도 얼마나 흥분들을 하는지. 나는 나대로 스위스에서 온 통신문 같은 것을 손에 들고 의미심장한 얼굴로 이리저리 왔다갔다 하는 식이고요…….

제공해주는 식사의 양도 한결 많아져서 나는 마치 여섯 마리의 개와 세 마리의 승냥이처럼 이 식사에 덤벼들지요. 피렌체에 오시면 갚아드려야겠습니다…….

이런 투로 시종하는 마키아벨리의 이때의 회신에, 구이차르디니의 찬사에 대답한 것은 불과 몇 줄밖에 안된다.

나는 내가 선생이 말씀하시는 보기 드문 인물이라고는 도저히 생각되지 않습니다. 나는 자고 있거나 읽고 있거나, 아니면 묵묵히 생각에 잠겨 있거나, 이런 정도밖에 하고 있지 않으니까요.
선생은 아마도 나를 놀리고 계시는 것 같군요…….

베트리의 ·부드럽지만 진부한 칭찬에는, 마치 내미는 손에 얼른
매달려 뜨거운 입이라도 맞추듯이 반응한 마키아벨리였는데, 이
조용하고 무뚝뚝하기까지 한 반응은 어째서일까?

1513년 당시의 절망도 그로부터 8년이 지났고, 많은 작품의 완
성과 그것으로 받게 된 사람들의 찬사 덕에 지난날의 절망과 고뇌
가 다 희석되어진 것일까?

아니면, 일찍이 왕후들과 협상한 상대였으나, 지금은 '샌들 녀
석'들과 교섭할 만큼 몰락한 쉰두 살의 자기를 다른 사람이 아닌
현대를 주름잡는 젊은 행정관 제1호인 구이차르디니에게 지적당
하자, 굴절된 기분에 빠졌기 때문일까? 그 굴절된 기분이 마키아
벨리로 하여금 솔직하게 반응하지 못하게 만든 것일까?

그것도 아니라면, 일찍부터 그 재능을 인정하고 있던 서른여덟
살의 구이차르디니로부터 예상치 않은 말투로 찬사를 듣고, 쉰 살
이 넘은 그의 가슴이 뜨거운 것으로 넘쳐 오히려 진부한 반응을 보
이지 않는 쪽을 택한 것일까? 말을 찾지 못할 마키아벨리가 아니
다. 그의 이 과묵은 만 마디의 말보다 더 의미가 깊지 않았을까 하
는 생각을 나는 누르지 못한다.

두 사람의 우정은 그후에도 계속되었다. 피렌체로 돌아온 마키
아벨리는 로마냐 땅에서 여전히 승진을 거듭하며 피렌체로 돌아오
지 못하는 구이차르디니 대신, 별장의 사전 조사를 해주기도 하고,
구이차르디니의 딸들이 출가할 혼처를 알아봐주기도 하곤 한다.

정말로 남의 일 봐주기 좋아하는 사람이라 아니할 수 없는데, 구이차르디니는 딸이 넷이나 되어 알맞은 상대에게 상응하는 지참금도 마련해주어야 하고 해서 정치판의 위대한 현실주의자도 이에는 골치가 아팠을 것이다. 마키아벨리는 사위 후보가 될 만한 젊은이의 정보를 알려주기도 하고, 교황청을 위해서 많은 일을 했으니 지참금쯤은 교황더러 좀 내달라면 어떠냐는 불경스러운 조언을 하곤 한다.

이런 교환 편지를 읽으면, 사사건건 참견하는 마키아벨리의 모습이 눈에 선하여 저절로 웃음이 터져나오곤 하는데, 이쯤 되니 10년 이상이나 전의 일이지만, 이복동생들의 유산 상속 문제로 골치를 앓고 있던 레오나르도 다 빈치를 그가 크게 도와주었다는 말도 사실인지 모른다는 생각이 든다. 아무튼 태생으로 보나 기질로 보나 또 경험으로 보나 모든 것이 정반대인 이 두 사람 사이에 서로를 생각하는 동정심 비슷한 감정이 오간 것은 사실이다. 공통의 언어로 대화할 수 있는 사람을 갖는다는 것은 그야말로 인생의 기쁨 가운데서도 으뜸이 아니겠는가.

그러나 아무리 수재 위에 '대'(大)가 붙더라도, 천재와 수재 사이에는 확연한 선이 그어진다. 마키아벨리와 구이차르디니 사이에 그어진 선은 두 사람의 독창적 사상성의 유무가 아니었나 하고 나는 생각한다.

역사가, 희극작가, 비극작가라고 자칭한 마키아벨리에게, 구이차르디니는 대사니 지방 장관이니 총독이니 하는 직함을 쓸 수 없게 된 실각 후에는 자기를 뭐라고 칭했을까? '역사가'라고만 쓰지 않았을까 하는 생각이 든다. 이해하는 능력을 충분히 가진 그였는데도, 희극을 쓰지 않았고 '비극'도 쓰지 않았다.

그렇다면 역사가로서는 어떠했을까? 사실(史實)에 충실하고, 상당히 객관적인 기술로 시종하는 『이탈리아사』의 저자이다. 그러나 사상 없이 역사는 쓰지 못한다. 사관이 없으면, 객관적인 기술에 멈추고 만다. 구이차르디니의 사상은 어디에 있었을까?

정치사상에 한해서 말한다면, 구이차르디니가 추구한 것은 현자 지배형의 공화 정체였다. 요컨대 귀족 정체니 과두 정체니 하는 정체다. 개인이나 대중의 역량을 믿지 않은 그는 재능을 가진 소수 지혜자의 집단은 믿을 수 있었던 것 같다. 구이차르디니 가나 피렌체의 이와 동류의 명문가는 메디치 가와는 달리 한 가계만으로는 권력을 쥘 만큼 강력하지 못했다. '질서 있는 공화국'에 질서를 가져다주는 자는, 구이차르디니로서는 그 자신이 속하는 피렌체의 명문 집단이어야 했다. 이 점이 명문에 태어나지 않았기 때문에 '명문'으로부터도 자유로울 수 있었던 마키아벨리와의 차이였다.

그런 생각 자체는 나쁘지 않지만, 구이차르디니의 눈은 피렌체 공화국의 모범으로서 베네치아의 공화 정체로 향했다. 당시 귀족 정체가 가장 효율적으로 기능을 발휘한 나라는 베네치아였으니, 자연히 그렇게 되었는지도 모른다.

그러나 베네치아는 피렌체와는 전혀 다른 정신이 떠받치는 국가였다. 게다가 16세기 전반에 볼 수 있었던 것처럼 훌륭하게 기능을 발휘하기까지는 200년의 인내와 노력이 소비된 것을 잊을 수 없다. 또 베네치아라는 공동체에 대한 지배계층의 의식이 피렌체의 그것과는 전혀 달랐다. 부르크하르트도 『이탈리아 르네상스의 문화』에서 쓰고 있다.

"베네치아공화국만큼 먼 나라에 사는 자국민에게 도덕적인 힘을 미친 국가는 없었다."

이런 베네치아와는 반대로, 피렌체는 먼 나라에 사는 자국민은 커녕 자국 내의 자국민에 대해서조차 도덕적인 힘을 미친 적이 없었다. 피렌체인은 베네치아인에게 없는 것을 죄다 갖고 있었으면서도 일치단결의 정신만은 끝내 갖지 못했다.

이런 국민성을 가진 나라에 어떻게 베네치아적인 정체를 이입할 수 있겠는가? 희대의 현실주의자인 구이차르디니가 어째서 이 점을 깨닫지 못했을까?

마키아벨리는 단 한번도 베네치아의 정체를 모범으로 삼아야 한다고 말하지 않았다. 또 베네치아에 얼마 체재하지 않았는데도, 베네치아 정체에 의거하는 정신을 훌륭하게 파악하고 있었다. 한 예만 들어도 다음과 같은 식이다.

공화국에서 시행되는 정치상의 절차는 참으로 유연한 것이 보통이다. 입법이건 행정이건 무슨 일이건 혼자서 결정할 수는 없으며, 대개의 일은 다른 몇 사람과 공동으로 하는 구조로 되어 있다. 따라서 사람들의 의지를 통일시키려면 상당한 시간이 필요해진다. 이와 같이 유연한 방법은 시급할 때 매우 위험하다. 그래서 공화국은 그런 경우를 위해 고대 로마의 임시 독재집정관과 같은 제도를 반드시 마련해놓지 않으면 안된다. 베네치아공화국은 근년의 공화국으로서는 강력한 국가이다.

그곳에서는 비상시에 공화국 국회나 원로원의 일반 토의에 부치지 않고, 권한이 위탁된 소수 위원들의 토의만으로 정책을 결정하는 방법을 써왔다. 이런 제도의 필요에 눈을 뜨지 않은 공화국의 경우 종래의 정체를 지키려면 나라가 망할 것이고, 나라의 멸망을 피하려면 정체 자체를 파괴해야 하는 벽에 반드시 부딪치게 마련이다.

　• 『정략론』에서

어떤 제도를 유지하고 싶으면, 때로 그 제도의 근본 정신에 어긋나는 일도 감히 하는 용기를 갖지 않으면 안된다고 본 마키아벨리의 철학은, 구이차르디니의 그것과는 완전히 선을 긋는 것이다. 이것이 마키아벨리를 정치사상가로 만들고, 구이차르디니를 역사가에 묶어놓은 차이라는 느낌이 든다. 『이탈리아사』가 '세계의 명저' 가운데 한 권이 되지 않은 것은 부피가 큰 저작이라는 이유만이 아니다.

수재의 비극은 천재의 위대함을 알아버리는 데 있다. 범재는 이해할 수 없기 때문에 행복할 수 있는데, 신은 범재보다 높은 재능을 준 수재에게는 그것을 허용하지 않는 모양이다. '신이 사랑하시는 자'의 위대함은 이해할 수 있지만, 자기에게는 그것이 주어지지 않은 것을 깨달은 자는 어떤 기분이 되는 것일까?

프란체스코 구이차르디니는 마키아벨리의 동시대인으로서는 거의 유일하게 마키아벨리의 작품에 대한 논평을 남겼다. 『고찰』이라는 제목으로 『정략론』을 논한 것이다. 그런데 이것이 논지가 명쾌하지 않다. 더욱이 미완으로 남겼다. 연구자들은 이것을 소극적

반론이라고 부르지만, 소극적인 반론이 반론일까? 찬사의 일종이 아닐까? 왜냐하면 구이차르디니는 반론을 쓴 동시대인이면서 『정략론』의 존재를 더 많은 사람들에게 알리기 위해 로마에서 출판 주선까지 했으니 말이다. 그때 이미 마키아벨리는 이 세상에 없었다.

마키아벨리는 무엇이나 터놓고 말할 수 있는 친구 베트리에게 보낸 것이지만, "나는 프란체스코 구이차르디니 님을 사랑한다"고 서슴지 않고 썼다. 천재는 항상 구애되지 않는 것이 특징이기도 한 것이다. 그리고 구이차르디니의 비극은 그 개인의 것에 지나지 않았으나, 마키아벨리의 비극은 시대의 비극으로 이어진다.

18 나의 영혼보다 나의 조국을 더 사랑하노라
1525~1526

시대는 분명히 중앙집권체제를 취하는 대국의 시대로 돌입하고 있었다. 역사의 동향을 좌우할 수 있는 힘은 그때까지의 도시국가, 곧 베네치아나 피렌체나 제노바와 같은 도시형 국가의 손을 떠나 프랑스, 에스파냐, 터키, 영국과 같은 영토형 국가의 손으로 옮겨가고 있었다.

국제관계를 결정하는 힘이 질에서 양으로 이행했다는 말이기도 하다. 전쟁도 이제 통상로의 확보 따위를 목적으로 치러지는 것이 아니라 영토 자체의 획득이 목적이 되기 시작했다.

국제정치의 주인공들도 질형(質型) 국가의 시대에서는 베네치아공화국처럼 개인의 얼굴이 뚜렷하지 않은 공동체였던 것이 양형(量型) 시대가 되자, 역설적인 것 같지만, 얼굴이 똑똑히 보이는 개인이 되기 시작했다.

카를 5세.

그는 신성로마제국 황제와 에스파냐 왕을 겸했기 때문에 정확을 기한다면 황제로서는 5세가 되니까 카를 5세라 불리고, 에스파냐 왕으로서는 1세니까 카를로스 1세라고 불러야 한다. 실제로 에스파냐에는 카를로스 프리메오(1세)라는 브랜디까지 있다. 그러나 유럽 역사에서는 카를로스건 카를이건 '5세'라는 호칭으로 보급되어 있으므로, 여기서도 그렇게 부르기로 한다.

그는 1500년에 태어나 1558년에 죽는다.

신성로마제국 황제 막시밀리안 1세의 아들 필리프를 아버지로, 아라곤 왕 페르난도와 카스티야 여왕 이사벨 사이의 외동딸을 어머니로 에스파냐에서 태어났다. 양친이 요절하는 바람에 열여섯 살 때 외조부의 죽음을 계기로 에스파냐 왕에 즉위, 동시에 그 당시 에스파냐 영토였던 나폴리와 시칠리아도 다스리게 된다.

열아홉 살 때, 이번에는 친조부의 죽음으로 독일을 중심으로 하는 합스부르크 왕가 소유의 영토 전체의 지배자가 된다. 이것은 섬나라 영국은 별도로 치더라도, 프랑스와 북부 및 중부 이탈리아를 제외한 유럽의 거의 전부가 이 젊은이의 지배 아래 들어간 것을 의미한다.

1520년, 신성로마제국 황제에 선출된다. 또 에스파냐 왕으로서는 자동적으로 당시 대단한 기세로 식민지화되어가고 있던 신대륙의 지배자도 된 셈이다.

프랑수아 1세.

그는 1494년에 태어나 1547년에 죽는다.

1515년 스물한 살 때, 장인 루이 12세의 뒤를 이어 프랑스 왕에 즉위. 학예를 사랑했으며, 레오나르도 다 빈치의 말년의 보호자였던 것으로도 유명하다.

정당한 권리를 상속한 결과니까 할 말은 없지만, 광대한 지배권을 가진 카를 5세의 등장은 불과 여섯 살 연장인 프랑스 왕의 마음에 위협감을 주지 않을 수 없었을 것이다. 프랑스는 독일과 에스파냐 사이에 끼여 있다. 숙명적이라는 말까지 듣는 두 왕의 대립이 그래서 시작된다. 프랑수아 1세는 이 현상 타개를 위해 영국뿐 아니라 터키까지 이용하려고 한다.

헨리 8세.

그는 1491년에 태어나 1547년에 죽는다.

1509년 열여덟 살 때, 아버지 헨리 7세의 뒤를 이어서 영국 왕에 즉위한다.

쉴레이만 대제.

그는 1494년에 태어나 1566년에 죽는다.

스물여섯 살에 즉위하여 죽을 때까지의 46년 동안 동지중해를 자기 나라의 내해로 만들어버린 대제국 터키의 전제 군주로서 군림한다.

이 네 사람에게 공통되는 것은 즉위 때 나이가 젊었다는 것만이 아니다. 모두 상당히 영명한 군주들이었는데, 공통점은 이것만도 아니다. 가장 특기할 만한 공통점은 네 사람 다 조금도 무리하지 않고 절대군주의 지위를 차지했다는 것이다.

이것은 마키아벨리가 『군주론』의 제2장 '세습의 군주국에 대하여'에서 말하고 있듯이, 정당한 권리를 행사하여 지위를 얻은 자는 자국을 통치하는 데 뛰어난 능력까지 요구되지 않는다는 것이다. 그것은 말하자면 무리할 필요가 없기 때문인데, 그런 경우 만일 보통보다 나은 능력만 가졌어도 큰 효과를 거둘 수 있다는 말도 된다.

더욱이 이 네 군주는 정당한 권리를 주장하는 것만으로 족했다는 행운 이외에, 모두 영명했을 뿐 아니라 젊어서 권력의 행사에 익숙해지는 행운까지 누렸다. 또 국토가 곧 경작지인 프랑스는 특별한 예라 하더라도, 그들의 광대한 영토에서 급할 때는 얼마든지 자급자족이 가능했다.

반대로 이탈리아의 도시국가는 토지에 경제 기반을 두지 않았기 때문에 타국의 존재가 자국의 존속에 불가결한 조건이 되었다.

남의 존재가 필요한 국가와 그렇지 않은 국가가 대립할 때, 상황이 어느 쪽에 유리하게 전개되기 마련인가는 새삼 설명할 것도 없을 것이다. 국제관계의 주인공 역할을 3세기나 맡아온 이탈리아의 도시국가군이 15세기 말부터 16세기에 걸쳐서 직면한 것이 바로 이 과제였다.

베네치아공화국이 이 위기를 어떻게 돌파했는가에 대해서는 내가 『바다의 도시 이야기』 하권 전체를 통해서 기술한 바와 같다.

이 베네치아에 대해서, 이탈리아 도시국가의 다른 한쪽의 실력자였던 피렌체공화국이 어떻게 대처했나 하는 것은 마키아벨리의 생애를 추적하면 반영되지 않을까 생각된다. 실제로 추도 그가 바란 것은 아니지만, 마키아벨리의 죽음과 그의 조국 피렌체공화국의 죽음은 거의 완전히 겹쳐서 일어나기 때문이다. 하기야 그러기에 경세(經世)의 책인 『군주론』이 씌어졌겠지만 말이다.

1525년 2월 14일, 밀라노 남쪽 30킬로미터에 있는 파비아 평원에서 프랑스군과 에스파냐군이 대전했다. 프랑수아 1세가 몸소 지휘하는 프랑스군은 총병력이 3만 1천. 상대편 에스파냐군은 3만에 조금 모자라는 병력을 배치한다. 에스파냐군의 총지휘자는 조금

전에 죽은 아내의 유산 상속 문제로 왕과 틀어져서 에스파냐 쪽에 붙은 샤를 드 부르봉이다. 부르봉의 프랑스에서의 지위는 원수 격이었으므로 카를로스 1세는 주저하지 않았다. 얼마 전까지 적국인이었던 그를 자국군의 최고사령관에 임명한 것이다.

총사령관만 외국인이었던 것은 아니다. 한마디로 프랑스군이다 에스파냐군이다 하지만, 보병만 보아도 각국의 용병이 주체를 이루는 혼성군이었다.

프랑스군―보병 2만 3천
    프랑스인―6천
    이탈리아인―4천
    스위스인―8천
    독일인―5천
에스파냐군―보병 2만
    에스파냐인―5천
    이탈리아인―3천
    독일인―1만 2천

독일인이라는 것은 통칭 란치케네키라고 부르는 독일인 용병으로, 루터파 개신교도들이다. 가톨릭과 개신교도는 당시에 가장 격렬하게 대립해 있던 사람들까지도 보수를 받는 용병의 형태로 같은 군대에 속해 있었다. 또 이탈리아인과 독일인, 그리고 다른 싸움에서는 스위스인까지 모두 프랑스와 에스파냐 양군에 가담해 있었다. 이것도 16세기의 전쟁 양상을 복잡하게 만드는 요인의 하나였다.

파비아 전투

   그래도 싸움은 고용한 자의 이름으로 치러진다. 파비아 전투의 결과는 왕이 몸소 출진했는데도 프랑스측의 완패로 끝났다. 프랑수아 1세는 부상당한데다가 타고 있던 말이 쓰러지는 바람에 포로가 되고 만다. 샤를 드 부르봉은 어제와는 돌변한 신세가 된 왕을 식탁에 맞이했을 때 저도 모르게 눈물을 흘리며 시중을 들었다지만, 그래도 옛 주군을 마드리드로 호송하는 것은 주저하지 않았다.

   "프랑스 왕, 에스파냐군에 사로잡히다"라는 소식은 역시 온 유럽에 충격을 주었으나 이탈리아에서는 충격만으로 그치지 않았다.

   이탈리아는 16세기에 돌입한 것을 계기로 삼듯, 프랑스와 에스파냐 두 세력이 격돌하는 무대가 되어 있었다. 밀라노, 제노바를 중심으로 하는 북서부 이탈리아에 프랑스가 침투하면, 나폴리, 시칠리아의 남부 이탈리아는 에스파냐가 확보하려고 여념이 없었다. 양 대국의 대립이 이탈리아 반도를 무대로 벌어지는 것은 당연한 귀결이었다.

파비아 전투의 결과로, 먼저 그때까지 프랑스의 지배 아래 있던 밀라노에 이탈리아인 당주 스포르차가 개선할 수 있게 된다. 그리고 역시 프랑스의 지배를 받고 있던 제노바는 합스부르크 가의 영토에 편입된다. 이런 상태를 강국 프랑스가 계속 방치해둘 턱이 없었다. 그러나 아직은 왕이 적국에 잡혀 있는 몸이다. 그 왕 대신 국정을 다스리게 된 왕모 루이즈가 친정인 사부아 가를 통해 상황을 바로잡기 위한 동지를 이탈리아 각국에서 구하고 있다는 소문이 떠돌기 시작했다.

파비아 전투에서 3개월이 지난 1525년 5월, 마키아벨리는 피렌체를 떠나 로마로 향하고 있었다. 가진 것은 갓 탈고한 『피렌체사』 8권뿐이었다. 5년 전에 쓰기 시작했으니 그로서는 느린 편이었지만, 적어도 1492년 로렌초 일 마니피코의 죽음까지는 서술이 완료되어 있었다.

그것을 교황 클레멘스 7세에게 바치는 것이 이번 로마행의 목적이었다. 아직도 인쇄본은 아니다. 깨끗이 정서는 했겠지만 수서본이다. 이 작품을 쓰는 동기를 제공해준 것이 메디치 가의 줄리오 추기경이었다. 5년 전의 추기경은 1523년에는 교황에 선출되어 있었다.

클레멘스 7세가 그가 오면 기꺼이 만나겠다는 전갈을 보내와서 마키아벨리는 로마행을 결심한 것이었다. 당시의 마키아벨리는

『군주론』과 『정략론』의 저자로서는 아직 아는 사람만이 아는 정도의 지명도밖에 없었으나, 인쇄본이 된 『전략론』은 상당히 널리 읽히고 있었고, 『만드라골라』의 작가로서는 여자들조차 그 이름을 아는 존재가 되어 있었다.

로마행은 성공이었다. 교황은 이 작품이 각별히 마음에 든 모양이었다. 로렌초 일 마니피코의 죽음으로 펜을 놓았기 때문에, 그후에 일어난 메디치의 너절한 모습은 쓰지도 않았거니와 클레멘스는 거기까지 읽지도 않았다. 마음에 든 증거로 지금까지의 노고에 보답한다면서 120두카토나 되는 보너스를 자기 주머니에서 꺼내주었을 뿐 아니라, 앞으로도 계속 써달라는 부탁까지 했다. 그것을 위한 연봉이 두 배로 올라갔는데, 이것은 교황의 친족이자 마키아벨리와도 친한 필리포 스트로치가 움직여준 덕이었다.

연봉 100두카토는 서기관 시대의 연봉보다 조금 모자라는 액수였다. 마키아벨리가 정말로 계속 『피렌체사』를 쓸 생각이 있었는지는 알 수 없지만, 교황의 청탁을 받아들이기는 한 모양이다. 이해 8월부터 100두카토씩 지급받게 되었기 때문이다. 그러나 결국 『피렌체사』의 속편은 씌어지지 않았다.

보통 같으면 여기서 피렌체의 시민 니콜로 마키아벨리는 피렌체 출신 교황 클레멘스 7세의 어전에서 공손히 물러나 보너스를 호주머니에 쑤셔넣고 그 길로 귀국길에 오를 터이지만, 마키아벨리는 그렇게 끝내지 않았다. 교황이 자기 말에 기꺼이 귀를 기울이는 것을 보고, 이 기회를 놓칠 수는 없다고 생각했는지 모른다. 피렌체의 역사에 관한 이야기는 제쳐놓고, 자기의 지론을 도도히 토해놓기 시작한 것이다.

마키아벨리의 지론은 당시에도 새삼 설명할 필요가 없을 정도가 되어 있었으니, 그것은 서기관 시대부터의 그의 신념인 국민군에 의한 자력 방위론이다. 다만 호소하는 상대가 이번에는 교황이라, 로마 교황청 영토인 로마냐 지방에서 군대가 조직될 필요가 있었다. 군인은 자기 가족을 지키기 위해서라야 과감하게 싸운다는 것이 마키아벨리가 주장하는 국민군의 근본 정신이었기 때문이다. 체사레 보르자가 그토록 훌륭하게 조직한 전례도 있고 하여, 그 언저리를 강조하면서 그는 열변을 토했을 것이다.

이에 클레멘스 7세의 마음이 움직였다. 나날이 커가는 카를로스의 힘에 대한 불안이 『전략론』의 저자가 토하는 열변에 귀를 기울이게 만들었는지도 모른다. 교황은 마키아벨리에게 로마냐로 가서 그곳 총독 구이차르디니와 이 문제를 협의하라고 명했다.

마키아벨리는 모든 것을 잊었다. 『피렌체사』 속편의 집필은 말할 것도 없고 보너스를 아내에게 전하는 것도, 승급을 확인하는 것도 다 잊고 곧장 로마냐로 향했다. 피렌체에 들를 생각이 있었으면 그리 큰 도정의 허비 없이 들를 수 있었는데도 그것조차 하지 않았다.

구이차르디니와는 이미 아는 사이다. 자기 생각을 이해해주는 얼마 안되는 친구 가운데 한 사람이다. 그와 함께라면 무언가를 할 수 있을 것이었다. 더욱이 교황의 마음도 움직였다. 쉰여섯 살의 마키아벨리는 오랜만에 자기의 나이까지 잊은 기분이었을 것이다. 그토록 그렸던 로마인데도 채 한 달도 안되는 체재로 끝났다. 6월 10일, 벌써 완전히 여름으로 접어든 로마를 그는 뒤로했다. 총독

관저는 중부 이탈리아의 도시 파엔차에 있었다.

출세하는 사람쯤 되면 상사와 떨어진 곳에 주재하는 경우, 상사와 연락만 취하고 있으면 된다고 생각하지는 않는 모양이다. 교황청 영토인 로마냐 지방의 총독 구이차르디니도 로마에 사설 비서를 고용해놓고 있었다. 정보를 수집하게도 하고, 공적으로 거북한 접촉 따위도 맡기고 하기 위해서다. 이번 마키아벨리의 일도 이 비서를 통해 즉각 보고가 들어간다.

마키아벨리가 아직 플라미니아 가도를 말을 달려 오고 있을 때, 구이차르디니는 로마의 사설 비서에게 다음과 같은 지령을 보냈다.

"내가 그런다고 말씀드리고, 교황님께 어떤 생각으로 이 안을 받아들이셨는지 여쭈어봐라. 만일 현상 타개를 도모하기 위한 것이라면 시간이 모자란다고 여쭈어라."

파엔차에 도착한 마키아벨리는 구이차르디니에게 열변을 토한다. 이번에는 허물없는 사이라, 식탁에 앉아서도 이야기를 그치지 않았을 것이다. 그토록 냉정하고 침착한 구이차르디니도 자기보다 열네 살이나 위이고, 인생도 이제 종말에 가까워지고 있는 사나이의 정열을 눈 앞에 보고는 따뜻한 감정에 잠기지 않을 수 없었는지도 모른다. 로마의 비서에게 이런 편지를 보내고 있다.

"만일 이 안이 현실화된다면, 교황 클레멘스 님은 가장 유익하고도 가장 칭송받을 일을 하시게 되는 것이다."

그러나 구이차르디니의 생각은 변하지 않았다. 그가 비현실적이라고 본 이유에는 시간이 없다는 것 이외에 질서 없기로 유명한 로마냐의 민중에게 무기를 쥐어준다면, 그러잖아도 힘드는 판에 점점 더 수습하기 어려워진다는 것이 들어 있었다. 하물며 그들의 충성을 도저히 기대할 수 없는 이상, 무기를 주기가 무섭게 적국측으로 달려갈 위험마저 있다는 구이차르디니의 의견에 클레멘스 7세는 금방 동요했다.

파엔차에서는 총독님의 마음이 내키지 않는다. 로마에서 오는 편지의 내용은 자꾸만 차가워질 뿐이다. 마침내 마키아벨리를 이해하고 있던 살비아티 추기경까지, 교황청에서는 우선 좀더 검토한 후에 결론을 내려야 한다는 데에 의견의 낙착을 보았다는 편지를 보내온다. 이 이상 파엔차에 머물러 있는 것은 헛일임을 깨달은 마키아벨리는 7월에 접어들자 피렌체로 돌아가기로 했다.

마키아벨리는 멀리 보는 사나이였다.

구이차르디니는 가까이밖에 보지 못했다.

클레멘스는 멀리도 가까이도 볼 줄 모르는 군주였다.

그러나 구이차르디니는 비록 정책에는 동의할 수 없어도 우정은 별도라고 생각하는 인물이었던 모양이다. 힘없이 떠나간 마키아벨리에게 조금은 버젓하지 못한 느낌을 가졌는지도 모른다. 뒤를 쫓기라도 하듯 편지를 보낸다.

"선생이 떠나신 뒤, 마리스코타는 선생을 매우 칭찬하고 있었습니다. 나도 그 말을 듣고 여간 기쁘지 않았습니다. 왜냐하면 나의 소원은 무엇보다 선생이 만족해하시는 것이니까요."

마키아벨리는 즉시 회답을 쓴다.

"마리스코타에 대해 언급하신 선생의 편지, 잘 받아보았습니다. 그것으로 더없이 내 마음은 훈훈해졌습니다. 그녀의 말은 내가 이 세상에서 받은 것 가운데서도 가장 영광으로 느끼는 것입니다."

마리스코타는 총독과도 교제가 있는 유녀 같은 여자였던 모양이다. 이 시기에 마키아벨리가 사귄 여자 친구의 한 사람이기도 했다.

　그로부터 두 주일도 지나지 않은 8월 중순경, 마키아벨리에게 새로운 일이 주어졌다. 피렌체공화국 정부의 동지중해과에서 온 것으로, 베네치아에 출장가라는 명령이었다. 피렌체 상인들이 동지중해에서 화물을 가지고 귀국하는 도중, 베네치아 감시선을 만나 검사를 받은 끝에 짐을 몰수당하는 사건이 일어난 것이다. 그것을 부당하다고 본 피렌체 정부는 배상 지불의 협상자로서 누군가를 파견할 필요가 있었다. 무료하게 지내고 있었던지, 마키아벨리는 두말 않고 수락한다. 8월의 더위도 아랑곳없이 또다시 북쪽을 향해 말을 달렸다. 파엔차는 길목이 되므로, 돌아오는 길에 들르겠다고 구이차르디니에게 편지로 알렸다.

　여행이라면 공용 출장밖에 모르는 마키아벨리로서는 베네치아는 처음 가보는 땅이었다. 그러나 『정략론』에서 베네치아공화국에 대해 그토록 정확한 평가를 내린 마키아벨리이다. 첫 방문이라는 생각 같은 것은 안 들었을지 모른다. 또 자연의 풍물에 흥미를 느껴본 적이 없는 것도 마키아벨리의 특색이다. 유일무이한 도시, 바다 위의 도시 베네치아의 풍물에 접한 글을 그는 한 줄도 남기지 않았다. 그 대신 일을 처리하기가 무섭게 이곳에 주재하는 교황청 대사와 국제정세를 논하며 시간을 보낸 모양이다. 그밖에 베네치아에 머무는 동안 그가 한 일이라고는 공화국에서 발행한 복권을 사서 얼마간의 돈이 당첨된 것이다. 모데나의 장관으로 마키아벨리를 형처럼 생각한 필리포 데 네리는 마키아벨리가 당첨된 금액이 3천 두카토였다고 했는데, 이건 아무리 무어라 해도 믿어지지 않는 말이다. 필리포는 0을 한 개, 어쩌면 두 개 잘못 듣지 않았나 하는 생각이 든다.

당시에 최고의 명성을 자랑하던 티치아노가 그리는 초상화 값이 200두카토. 미켈란젤로가 만든 조상 피에타가 150두카토. 딸만 넷이나 되어 지참금 대책에 골머리가 아픈 구이차르디니도 한 사람 앞에 5천 두카토만 마련하면 체면이 깎일 걱정이 없었다. 늘 돈이 없는 마키아벨리가 만일 3천 두카토나 당첨되었다면, 누군가에게 편지를 쓰지 않았을 턱이 없고, 300두카토만 당첨되었어도 친구들을 불러다가 진탕 잔치를 벌이지 않고는 배기지 못했을 마키아벨리이다. 그런 기색이 전혀 없는 것을 보면, 마키아벨리가 베네치아에서 산 복권은 한 30두카토쯤 그에게 베풀어졌을지도 모른다.

그러나 이것도 한여름 밤의 쾌사로 끝나고, 가을도 깊어지기 전에 마키아벨리는 피렌체에 돌아가 있었다. 돌아오는 길에 파엔차에 들러 옛 우정을 다시 돈독히 하고 온 듯, 구이차르디니와의 사이에 편지의 교환이 재개되고 있다.

이번에 나눈 서한의 내용은 프랑스 왕의 포로 상태가 아직 계속되고 있어서 국제정세의 움직임이 적었기 때문인지, 구이차르디니의 딸들의 지참금 조달 방법이라든가, 구이차르디니가 사고 싶어 한 별장을 마키아벨리가 대신 돌아본 소감이라든가, 이에 대한 구이차르디니의 생각 등 사적인 정보의 교환이 주가 되어 있다. 유쾌한 것은 현대풍으로 생각하면 스트레스 때문이었던지 두 사람 다 소화기 계통의 장애로 고생하고 있었던 듯, 마키아벨리가 친구에게 자기가 처방하여 조제시킨 환약을 보낸 것이다.

"갓 조제시킨 환약 25정을 보냅니다. 약의 성분은 이 편지 말미에 적어놓은 대로입니다. 나한테는 제법 효과가 있더군요. 한 알씩, 매일 저녁 식사 후에 드십시오. 효과가 나타나거든 복용을 중지하십시오. 효과가 나타나지 않거든 2일이나 3일 혹은 5일쯤 계속해보십시오. 나는 두 알 이상 계속해본 적이 없습니다. 그것도 1주일에 한 번, 위나 머리가 무거울 때 복용하는 것입니다."

이 편지의 말미에 적혀 있는 대로 만들어본 현대의 한 약학자는, 이 환약의 효용은 먹어도 상태가 좋아지지도 나빠지지도 않는 점일 것이라고 말하고 있다. 이 편지를 쓴 당시 마키아벨리는 쉰여섯 살, 구이차르디니는 마흔두 살이었다.

두 사람이 이런 종류의 정보 교환으로 시간을 보내고 있는 동안에 국제관계에도 움직임이 보이기 시작하고 있었다. 다만 그것들은 마키아벨리 특제의 환약이 더 필요해지는 따위의 것이었다.

밀라노 공작 스포르차의 비서관 모로네는, 마치 나아가는 곳에 적이 없는 느낌의 카를로스 앞에 밀라노공국의 운명이 풍전등화나 다름없다고 걱정하고 있었다. 여기까지의 예측은 틀리지 않았다. 틀린 것은 이 상황을 타개하기 위한 동지의 선택이었다. 그는 나폴리 왕의 왕위를 주겠다면서 반카를로스 음모 계획을 카를로스의 가신 가운데 한 사람인 페스카라 후작 다발로스에게 밝혔던 것이다. 페스카라 후작은 에스파냐인이라도 이탈리아 태생이므로, 자기 주인에 대한 충성이 이탈리아인 못지않게 희박한 줄 알았기 때문이다. 페스카라 후작의 왕에 대한 충성심이 어떠했는지 모르지만, 그는 바보는 아니었다. 에스파냐 왕이 '부왕'이라고까지 부르는 총독을 파견하여 직할령으로서 다스리고 있는 나폴리왕국을 그리 호락호락 내놓지 않으리라는 것을 알고 있었다. 페스카라 후작은 에스파냐 땅에 있는 카를로스에게 모든 것을 알렸다.

카를로스가 파견한 군대는 순식간에 밀라노 공의 영토를 거의 전부 제압해버렸다. 남은 것은 크레모나 시와 시 성벽을 둘러친 밀라노뿐이었다. 이 상태에서 카를로스는 모로네를 체포하게 하고, 공작 스포르차에게는 밀라노에서 퇴거하라고 요구했다. 스포르차는 이를 거부한다. 북서부 이탈리아 일대는 언제 폭풍우가 불어닥쳐도 이상하지 않을 정세가 되었다.

10월 21일, 피렌체의 마키아벨리는 파엔차에 있는 구이차르디니에게 이때부터 20개월 후에 일어나는 일을 예언이라도 하는 듯한 편지를 보낸다.

모로네는 체포되었습니다. 밀라노공국은 운을 다한 것입니다. 불행하게도 그가 생각한 것을 다른 군주들도 생각하게 될 것 같습니다. 고칠 약은 이미 없습니다.

이 뒤에 단테의 『신곡』에서 한 구절을 인용하고 있다. 그리스도의 대리인(교황)이 붙잡히는 것이 눈에 보인다는 대목이다. 그리고 체념이라도 한 듯한 어조로, 파엔차에서 『만드라골라』를 상연하고 싶다는 구이차르디니의 제안에 답하여 다음과 같이 쓰고 편지를 마감한다.

하다못해 사육제라도 즐겁게 보냅시다그려, 수도원에 바르바라의 숙소라도 정해놓고. 그 녀석들 미치겠지만 말이오. 내 몫은 필요없소. 마리스코타에게 안부 전해주시오. 그리고 상연은 어떻게 실현시킬 참인지 알려주시기 바랍니다.

나는 『역사』를 쓰기 위해 100두카토를 받는 신분이 되었소. 지금 새로 쓰기 시작했지요. 우리를 현재 이런 상황에 몰아넣은 군주들을 비난함으로써 시름을 달래면서 말이오.

역사가, 희극작가, 비극작가
니콜로 마키아벨리

구이차르디니도 동감이었던 모양이다. 다음 사육제는 이듬해인 1526년 1월에서 2월에 걸친다. 그 시기에 『만드라골라』를 로마냐 총독인 자신이 후원자가 되어 상연할 것이며, 작가인 마키아벨리를 사육제 기간에 초대하고 싶다고 써 보내왔다.

이것은 결국 실현되지 않았다. 상연은 되었으나, 총독 각하 임석 아래 이루어진 것은 아니었다. 정세가 일변하여 구이차르디니가 급거 로마로 소환되었기 때문이다. 마키아벨리는 친구 없는 파엔차에 가지 않았다.

1526년 1월 14일, 에스파냐 왕과 프랑스 왕 사이에 강화가 조인되었다. 프랑수아 1세는 자유를 얻는 대신 다음과 같은 약속을 해야 했다.

1. 부르고뉴 지방을 양도한다.

2. 카를로스의 누이로 포르투갈 왕에게 출가했다가 미망인이 된 엘레오노라와 결혼한다. 단, 엘레오노라의 지참금 40만 두카토는 프랑스 왕이 제공한다.

3. 프랑스 왕의 장남이나 아니면 왕자 2명을 인질로서 마드리드

궁정에 보낸다.

4. 나폴리왕국과 밀라노공국에 대한 주권을 포기한다.

프랑스 왕 프랑수아 1세가 만일 이런 조건을 지킨다면 유럽의 패자는 카를로스가 되고, 이탈리아는 합스부르크 왕가의 지배 아래 완전히 들어가게 된다. 반대로 만일 프랑스 왕이 자유를 손에 넣자마자 태도를 바꾸어 강요된 강화는 지킬 의무가 없다고 대든다면, 그래도 이탈리아는 두 왕의 대결장이 되는 것을 피할 수 없었다.

아직도 서른한 살로 젊은 강국 프랑스의 왕이 전자의 길을 밟으리라고는 생각되지 않았다. 마키아벨리도 그렇게 예측했고 이 점은 아무도 의심하지 않았다. 구이차르디니가 급거 로마로 불려간 것도 거의 100퍼센트의 확률로 일어날 것임에 틀림없는 후자의 경우에 대한 대책 때문이었다.

2월 그리고 3월, 로마에서는 교황궁 깊숙이에서 은밀히 대 카를로스 동맹의 결성이 진행되고 있었다. 교황 클레멘스 7세는 몇 사람의 측근이 있었는데, 이때의 두뇌는 구이차르디니였다.

마키아벨리는 3월 15일, 비록 친구라도 이 일에 대해서는 아무 암시도 주지 않는 구이차르디니에게 갑자기 이런 편지를 보냈다.

선생께 한마디 하려고 합니다. 선생이 들으면 머리가 돌았나 싶겠지만, 그래도 역시 해야겠소.

내가 생각하는 것은 선생 같은 신중한 사람이 보면 무모하고 당돌하고 어이가 없어서 말도 되지 않을지도 모릅니다. 그러나 이 시기에 이르러 우리에게 가장 필요한 것은 대담하고 비상하고 터무니없는 결단입니다.

피렌체인은 이런 말을 하고 있습니다. 조반니 데 메디치 님은 용병대장이라 돈을 많이 주는 쪽에 붙어서 싸운다, 그런 인물에게 동국인이라고 해서 나라의 방위 같은 것을 맡길 수는 없다고 말입니다. 이런 소리를 들으면 나는 시민은 언제나 옳다는 설에 반대하고 싶어집니다.

확실히 그는 용병대장이기는 하지요. 하지만 현재 이탈리아에서 그 이상으로 군의 지휘가 능하고, 장병들의 신뢰가 두텁고, 외국인까지 달리 보는 무장이 또 있을까요? 시민들도 이만한 것은 다 알고 있습니다. 조반니 님만큼 대담하고 맹렬하고, 자긍심이 강하고, 큰 무대에 걸맞은 무인은 없다는 것을 알고 있다는 말입니다.

그래서 지금이야말로 이 인물을 은밀히 크게 길러서, 말하자면 가능한 데까지 많은 수의 병사와 말과 무기를 주어서 이탈리아 방위의 주축으로 삼으면 어떻겠느냐는 말을 하고 싶은 것입니다.

여기서 조반니 님이라 불리고 있는 사람은 메디치 가의 분가의 한 사람과 포를리 백작부인 사이에 태어난 외아들로, 아버지는 첫돌이 되기 전에 여의고, 어머니도 열 살 때 잃었다. 이 어머니야말로 관료가 된 지 얼마 안 되는 마키아벨리가 처음으로 대외 접촉을 하게 된 '이탈리아의 여걸' 카테리나 스포르차 바로 그 여인이었다.

아들 조반니는 메디치 가의 피보다 이 어머니의 피를 더 많이 이

어받은 듯했다. 메디치 가의 일원이라고는 하나 분가의 사람이고 확실한 보호자도 없는 처지라면 상업이나 성직으로 입신할 필요가 있는데, 그는 그 어느 쪽에도 관심을 보이지 않았다. 실업이고 학문이고 다 제쳐놓고, 부하들을 거느리고 다니며 장난을 치는 데만 정신을 쏟았다. 이탈리아에서는 한 집안의 골칫거리를 '검은 양'이라고 부르는데, 조반니는 바로 메디치 가의 검은 양이었다.

장가라도 보내면 차분해질까 하고, 메디치 가의 성을 가졌으니 피렌체의 명문 중의 명문인 살비아티 집안의 딸과 결혼시켜보았으나, 그의 소행은 도무지 가라앉지 않았다. 아주 악질로 노는 것은 아니지만, 하나에서 열까지 만사가 다음과 같은 식이었다.

한번은 여느 때와 같이 부하들을 거느리고 자기 집 앞으로 지나가던 조반니는 2층 창가에 갓난 아들 코시모를 안고 서 있는 아내를 보았다. 그 아내에게 조반니는, 아기를 던져라, 내가 밑에서 받을 테니까 하고 소리쳤다. 젊은 아내는 눈을 감고 싶은 심정이었겠지만, 하라는 대로 했다. 떨어져내리는 아기를 받아든 조반니는, 사내 자식은 이래야 한다며 주위의 부하들에게 한바탕 설교를 늘어놓고는 새파란 얼굴로 내려온 아내의 손에 아들을 돌려주었다고 한다.

그래서 점점 더 귀족적으로 되어가고 있던 메디치 가로서는 어떻게 처우해야 할지 난처한 존재인 조반니였지만, 교황 레오 10세만은 어쩐지 이 젊은이를 좋아하여 로마에 불러와서 뒤를 돌봐주곤 했다. 나날이 불어나는 부하들도 함께였으니, 돌봐준다고 하더라도 누구나 할 수 있는 일이 아니었다. 레오 10세는 조반니와 그 부하들에게 교황의 근위대 같은 임무를 맡겼다. 이것은 조반니도 마음에 들어 했다. 지금까지와 비슷한 일을 하고 있으면 되는데다

혹색대의 조반니

가 급료까지 받게 되었으니 말이다.

조반니도 교황 레오에게는 은혜를 느끼고 있었던 모양이다. 이 교황이 죽었을 때, 조반니 데 메디치는 자기 군대의 깃발과 병사들의 군복과 창과 칼을 모조리 검은색으로 바꾸어버렸다. 그후부터 그는 '혹색대의 조반니'라 불리게 된다. 그 무렵 부하들의 수도 평소에 2천을 넘을 정도가 되어 있었다.

마키아벨리가 혹색대의 조반니를 지도자의 이상형으로 본 것은 아니다. 조반니에게는 사자의 마음은 있었으나, 여우의 두뇌가 없었기 때문이다. 그러나 이 스물일곱 살의 무장은 그를 위해서라면 죽어도 좋다는 부하들에게만은 부족함이 없었다. 마키아벨리는 이 위기에 즈음하여 사자의 마음만이라도 없는 것보다는 낫다고 본 것이다. 그리고 여우의 두뇌는 구이차르디니가 있지 않느냐고 생각한 것이다.

마키아벨리의 이 편지에 구이차르디니는 회답을 보내지 않았다. 보냈으나 남아 있지 않다고 생각할 수도 있으나, 그 반달 후에 역시 교황 측근인 필리포 스트로치가 로마에서 마키아벨리에게 보낸 편지를 보면 역시 회답은 쓰지 않은 것임에 틀림없다는 생각을 하게 된다. 다만 마키아벨리의 '미친 것 같은 제안'의 편지만은 교황과 그 측근들에게 보여주었다. 스트로치의 편지에 구이차르디니 앞으로 보낸 편지를 읽어보았다는 구절이 있기 때문이다.

그렇다면 정책 결정권을 가진 교황과 구이차르디니를 비롯한 측근들의 반응은 어떠했을까? 아울러 필리포 스트로치는 마키아벨리가 『전략론』을 바친 인물로, 지난날 '오리첼라리의 정원'의 일원이다.

반응은 한마디로 '안된다'였다. 이유는 교황과 피렌체가 흑색대의 조반니를 고용하면, 반드시 카를로스를 자극하게 된다는 것이었다. 카를로스에 대항할 동맹 결성을 토의하는 단계에 이르러서까지 그런 걱정을 하다니 하는 생각이 들지만, 아무튼 마키아벨리는 두 번이나 친구들에게 거절당한 셈이다. 스트로치의 편지도 참으로 친근하고 부드러운 문면이지만, 마키아벨리의 제안을 거부한 데는 변함이 없었다.

그러나 신중한 사람들이 그토록 마음을 쓰고 있었는데도, 정세는 봄이 다 가기 전에 급격히 전개된다. 프랑수아 1세가 자유를 회복하여 귀국하고, 이어 5월 23일에는 코냐크 동맹이 결성되었다.

프랑스의 코냐크 지방에 있는 성에서 조인되었다고 하여 이 이름으로 불리는 동맹에는 다음 각국이 참가했다. 프랑스왕국, 교황청 국가, 베네치아공화국, 피렌체공화국, 밀라노공국, 제노바공화국, 그리고 헨리 8세의 영국도 참가가 확인되었다. 이 동맹이 상정하는 적은 물론 신성로마제국 황제이자 에스파냐 왕이기도 한 카를로스이다. 얼핏보아 신사의 약속을 믿고 프랑스 왕을 석방해준 카를로스 혼자만 바보가 된 듯하지만, 실상은 그렇게 단순하지 않다.

우선, 군사력으로 보아 두말할 것 없이 참가국 중 최강인 프랑스가 어느 규모로 참가할 것인가의 마무리가 전혀 되어 있지 않았다. 동맹군 최고사령관도 당연히 프랑스에서 나와야 할텐데, 그 인선조차 분명치 않았다. 교황청은 부르봉이 떠난 뒤의 프랑스군 제1인자 로트레크 장군의 출마를 희망했으나, 그가 언제 도착할 것인지 결정도 나기 전에 조인이 이루어지고 만 것이다.

제2의 문제점은, 영국의 참전이 어떤 형태로 실현될 것인지 분명치 않다는 것이었다. 영국과 프랑스가 힘을 합쳐 서쪽에서 에스파냐를 공격하고, 동쪽으로부터의 공세는 이탈리아 제국군이 맡았다면, 이 동맹은 효력을 발휘할 수 있었을 것이다. 그런데 영국의 의무도 막연한 채로 발족해버린 것이다. 요컨대 이탈리아 제국만이 실전을 떠맡게 된 셈이었다.

제3의 문제점은, 베네치아 육군 총지휘관의 인선이었다. 베네치아가 추천한 우르비노 공을 교황청과 피렌체가 아무 조건 없이 받아들인 것이다. 이것은 베네치아가 이탈리아 여러 나라 가운데 가장 강력하고 정돈된 군사력을 갖고 있었기에 치명적인 문제가 되지 않을 수 없게 된다.

베네치아공화국으로서는 의도하는 바가 있어 우르비노 공을 출마시킨 것인데, 교황도 피렌체도 받아들이지 말았어야 했다. 우르비노 공작은, 현 교황 클레멘스와 같은 메디치 가 출신의 교황 레오 10세가 조카에게 영토를 줄 목적으로 추방했던 인물이며, 한때 베네치아에 망명해 있었다. 몇 해 전 다시 우르비노공국에 복귀했으나, 그의 지방 두 군데는 아직도 피렌체 영토로 남아 있었다. 이런 인물이 메디치 가와 피렌체에 어떤 감정을 품을 것인지를 미리 고려해야 했던 것이다. 강국 베네치아의 의향을 거절할 수 없는 처지라면, 두 지방을 먼저 우르비노 공에게 반환하고 공작의 기분이 정리된 단계에서 모든 일을 시작했어야 옳았다.

제4의 문제점은, 페라라 공작 알폰소 데스테를 동맹에 가담하라고 청하지 않았다는 것이다.

페라라공국은 이탈리아에서는 중간 정도의 군주국이다. 그러나 나라 자체는 역대 당주들이 선정을 편 결과 속이 참으로 옹골찼다. 마키아벨리가 『군주론』에서 세습 군주국의 좋은 본보기로 들고 있을 정도다. 페라라의 힘은 그뿐이 아니었다. 알폰소 공은 당시로는 보기 드물게 대포의 위력에 착안한 유럽의 군주로, 공 자신이 엔지니어라고 해도 될 만큼 이 방면의 충실화에 노력과 돈을 아끼지 않았다. 페라라의 대포에 대항할 수 있는 군대는 유럽에 한 나라도 없었으며, 고작해야 터키 정도가 아니었을까 하는 얘기다. 그것은 14년 전의 라벤나 전투에서 이미 증명된 일이었다.

이 페라라를 적으로 돌려버린 것이다. 동맹에 참가하라는 권유조차 하지 않은 것은 페라라공국령이었던 모데나와 레조를 교황청이 몰수했기 때문에, 권유해봐야 거절할 것임에 틀림없을 것 같았기 때문이다.

아무 조건도 달지 않았다면, 알폰소 데스테는 아마도 거절했을 것이다. 그러나 모데나와 레조를 반환한다는 조건부라면 대답은 달랐을지도 모른다. 설령 대답은 변하지 않더라도, 중립은 확보되었을 것이다. 적어도 적으로 돌리는 것만은 절대로 피해야 했던 것이다.

제5의 문제점은, 지휘 계통이 명확하지 않다는 것이었다. 실질적으로는 이탈리아 각국의 군대만으로 구성된 동맹군이지만, 총사령관은 아직도 공석이다. 프랑스 왕이 로트레크를 파견해주기를 기다리고 있었겠지만, 호령할 사람이 없다는 것은 책임의 소재가 확실치 않다는 말이 된다.

베네치아군은 우르비노 공이 지휘하고, 피렌체군은 용병대장 비텔리가 지휘하고, 교황군의 지휘는 흑색대의 조반니가 맡게 되었으나, 이것도 카를로스를 자극하지 않기 위해 명목상은 프랑스의 용병대장인 것으로 되어 있었다. 아무리 사자의 마음을 가졌더라도, 운신이 자유롭지 못해서야 말이 되지 않는다. 게다가 이 세 사람의 무장 위에 앉은 것이 임기응변의 군사 능력을 무기로 하는 무관 총사령관이 아니라, 교황 대리라고는 하나 무인들의 관리가 본래의 임무인 문관 구이차르디니였다. 이래 가지고 군사적으로 유효한 행동을 취할 수 있었다면, 그 편이 오히려 이상하지 않겠는가.

지휘 계통이 명확해야 한다는 것은 교황이나 그 측근들이나 다 알고 있었다. 그래서 아무래도 로트레크의 조속한 도착을 기대할 수 없는 것이 확실해진 단계에서, 총사령관의 물색이 시작되었다.

로마 교황이 소집하여 성립되는 동맹을 보통 신성동맹이라고 부른다. 그런 경우의 총사령관을 위해 교회군 총사령관이라는 지위가 마련되어 있다. 그리스도교도로서 더없는 명예인 이 자리에 앉는 사람은, 로마교회의 적은 설령 신성로마제국의 황제라도 적대하겠다는 선서를 한 후에 취임하게 되어 있다.

그래서 마지막으로 교회군 총사령관의 선서를 한 사람이 누구인지 알아보게 되었다. 그것을 찾기는 어렵지 않았다. 7년 전에 만토바 후작 프란체스코 곤차가가 했다는 것을 알아냈다. 그렇다면 이 역시 코냐크 동맹에 모호한 태도를 보이고 있는 만토바의 군주 곤자가를 불러내어 선서문을 들이대고 총사령관을 강요한다면, 지휘계통도 명확해지고 만토바를 동맹측에 끌어넣을 수 있어 일거양득이라고 교황 주변에서는 좋아했으나, 그 선서문이라는 것이 아무리 찾아도 나타나지 않았다.

그럴 수밖에 없는 것이 교황 레오 10세의 비서관이었던 아르딩겔리가, 교황이 죽은 뒤 당시의 로마 주재 만토바 대사에게 1천 두카토를 받고 팔아버렸기 때문이다. 대사는 이것을 주군 만토바 후작에게 보낸다. 남편보다 훨씬 정치적 센스가 풍부했던 후작부인은 에스파냐 왕과 프랑스 왕의 대립에 교황이 초연할 수 없다고 깨달은 단계에서 이 선서문을 태워버린다. 만토바 후작부인은 이사벨라 데스테. 페라라 공 알폰소의 손위 누이이다. 이 시대의 만토바 후작은 이미 이사벨라의 남편인 프란체스코는 아니고 장남 페데리코였지만, 공인으로서의 아버지가 한 선서는 공인의 지위를 승계한 아들도 준수할 의무가 있다. 이사벨라의 셋째 아들 페란테는 에스파냐군의 부대장이었다. 교황청은 한 어머니의 장남과 셋째 아들을 서로 적으로 돌릴 수 없다는 생각 앞에서 어찌하지도 못했다. 더욱이 그것은 정치적 센스가 뛰어난 이사벨라가 내세운 대의명분에 지나지 않았으니, 이중으로 바보 취급을 당한 셈이다.

이것이 이름만은 프랑스적인 코냐크 동맹의 진상이다. 이런 상태로 발족시켜버린 최대의 책임자가 교황 클레멘스 7세인 것은 분명하다. 그러나 이 동맹의 두뇌는 구이차르디니였다.

동서를 막론하고, 마키아벨리즘을 생각해낸 마키아벨리 본인은 조금도 마키아벨리스트가 아니고, 진짜 마키아벨리스트는 프란체스코 구이차르디니였다고 보는 사람이 적지 않다. 나는 그것을 고대 로마제국 붕괴 후 수백 년의 참상을 모르고, 중세는 암흑이 아니었다고 말하는 사람과 비슷해서 참으로 피상적인 판단이라는 생각이 든다.

진짜 마키아벨리스트라면, 당연히 정치적 판단력이 있어야 한다. 정치를 조금이라도 아는 사람이면, 어떻게 코냐크 동맹 같은 것을 그런 형태 그대로 밀고나갈 수 있었겠는가.

코냐크 동맹의 구상 자체는 나쁘지 않았다. 그러나 실행을 너무 서둘렀다. 너무 서둘렀기 때문에 마무리가 좋지 않은 채 출발하지 않을 수 없었던 것이다.

확실히 그때 이탈리아는 위기에 처해 있었다. 그렇다고 그토록 허둥지둥 대책을 실행에 옮길 필요는 없었던 것이다. 정작 서둘러야 했던 것은 지킬 수도 없는 강화를 해버린 프랑스 왕이었다. 그는 조만간에 움직이지 않을 수 없는 상태였다. 이탈리아 제국은, 특히 교황청은 그때까지 기다려도 되었던 것이다. 그리고 외교의 최대 목적을 프랑스와 에스파냐의 대결장이 브르타뉴 지방으로나 옮겨가도록 초점을 모아야 했던 것이다. 만일 이 외교가 성공했더

라면, 이탈리아의 종말이 그렇게 빨리, 그렇게 비참하게 일어나지
는 않았을 것이다.

관여할 길이 전혀 없는 마키아벨리와는 달리 구이차르디니는 방
침 결정의 자리에 연결되어 있었고, 그것을 완벽하게 행사할 수 있
는 권력을 가지고 있었다. 능력도 있었던 교황 클레멘스 7세의 결
점은 결심이 봄날씨처럼 변덕스럽다는 것과, 큰 일에 우유부단하
다는 것이었다. 고위 측근으로서 10년 이상 그 밑에서 일해온 구이
차르디니가 상사의 이 성격을 파악하지 못했을 까닭이 없다. 이런
상사 밑에서 일할 때 주의해야 할 첫째의 것은 상사의 결정이 어떻
게 좌우되거나 큰 줄거리에는 그리 큰 영향이 없는 상태를 먼저 확
보하고, 그 바탕 위에서 실행을 시작하는 마음가짐이 아닐까. 그런
경우 지나치게 서두는 것은 최대의 적이 되는 것이다.

프란체스코 구이차르디니의 대저 『이탈리아사』는 친구 마키아
벨리의 『피렌체사』를 의식해서인지, 마키아벨리가 펜을 놓은 자리
에서 시작한, 이른바 그의 동시대 역사이다. 이것을 그는 어차피
쓰지 않을 수 없었을 것으로 여겨진다. 객관적인 기술로 평이 좋은
이 역사서도 당시의 사정을 염두에 두고 읽는 사람은 교묘히 쓴 자
기 변호의 서라는 것을 알 수 있을 것이다.

교황의 신임이 두터운 측근으로서 코냐크 동맹의 추진자가 되는
구이차르디니는 단순한 발안자가 아니었다. 교황은 마흔세 살의
그에게 '교황 대리'의 지위를 주어, 동맹군 본부에 들여보낸다. 그
것은 문관으로서 최고의 지위에 오른 것을 의미하며, 결과적으로
교황이 주도하는 꼴이 된 동맹군에서 가장 권위있는 발언자는 구
이차르디니였다는 말이 된다. 그런 그가 모든 책임을 클레멘스에

게 전가할 수 있을까?

한편 마키아벨리는 흑색대의 조반니에게 군의 전권을 맡기자고 제안한 것이 거절당하고도 반달이 채 안되어 또다시 새로운 제안을 내놓았다. 이번에는 피렌체 시를 둘러싸는 시 성벽을 보강하자는 것이었다. 그에 의하면, 싸움이 있고 없고 간에 시 성벽의 보강이 필요한 단계에 와 있고, 또 시민의 국방 의식을 높이는 데도 도움이 된다는 것이 이유였다.

클레멘스 7세는 이것을 수용했다. 즉각 메디치 가의 젊은 후계자들인 알레산드로와 이폴리토를 보좌하여 피렌체공화국을 통치하고 있는 파세리니 추기경에게, 교황이 승인한 마키아벨리의 제안이 하달된다.

5월 9일, 피렌체 정부는 시 성벽 보강위원회를 발족시켜 위원장에 마키아벨리를 임명했다. 그로서는 13년 만의 정청 복귀였다. 또다시 모든 것을 잊은 마키아벨리는 구이차르디니에게 기쁨의 편지를 보낸다.

"머릿속은 성채로 가득 차서, 다른 것은 아무것도 들어갈 여지가 없소."

"오, 신의 사랑에 맹세코, 이 호기가 헛일이 되지 않기를!"

로마에서 축성 전문 기사가 파견되어 오고, 이 기사와 함께 현장을 답사한 마키아벨리는 마치 자기도 엔지니어가 된 것처럼 토목공학적인 보고서를 만드는 데 열중했다. 이것은 지금도 남아 있는데, 20세기의 전문가가 보아도 별로 손색이 없는 것이라고 한다.

다만 마키아벨리의 열중도 두 달 남짓밖에 계속되지 않았다. 교황이 다른 일에 마음이 빼앗겨 피렌체에 대한 지령이 뜸해지기 시작하고, 교황의 명령 없이는 움직이지 않는 파세리니 추기경이 지원 확보에 열을 올리지 않게 되었기 때문이다. 피렌체에서 할 일이 없어진 마키아벨리는 마음이 조급해졌던지 동맹군이 집결중인 피아첸차로 향한다. 이때의 북이탈리아행이 피렌체 정부가 파견한 것인지, 아니면 자기 뜻으로 간 것인지는 분명치 않다. 피아첸차에는 대임을 맡은 구이차르디니가 있었다.

1526년 5월 23일에 정식으로 발족한 코냐크 동맹이지만, 집결지에 모인 병력은 7월 초의 시점에서 다음과 같은 규모였다.

교황군—보병 8천에 기병 400. 프랑스 왕 휘하의 용병대장이라는 명목으로 흑색대의 조반니가 지휘.

피렌체군—보병 4천에 기병 300. 지휘는 용병대장 비텔리.

베네치아군—보병 1만에 기병 600. 베네치아공화국에 고용된 우르비노 공이 지휘.

이 병력만도 2만 3천이 넘는다. 밀라노를 포위중인 에스파냐 왕의 병력은 보병과 기병을 합쳐도 1만 2천에 이르지 않았다.

시간을 벌 필요가 있었던 것은 카를로스 쪽이었다. 실제로 코냐크 동맹 결성을 안 카를로스는 먼저 외교전부터 개시하고 있었다. 동맹군도 문제가 없는 정도가 아니었다. 포위된 밀라노를 구하러 달려가느냐 않느냐를 가지고, 장군들의 의견이 일치하지 않았기 때문이다.

피아첸차에 도착한 마키아벨리가 목격한 것은 이런 때의 동맹군이었다. 소설가 반델로가 쓴 정경도 이 시기의 이야기였던 것으로 짐작된다. 반델로에 의하면, 어느 더운 날, 진중에서 마키아벨리를 발견한 흑색대의 조반니가 그를 불러세우고 말했다.

"이봐, 마키아벨리, 너는(조반니는 말투가 고약하기로 유명했다) 뭐 전략인가 전술인가 하는 것을 만들었다던데, 한번 실천해보지 않겠나? 내 병력 2천을 빌려줄 테니까."

마키아벨리는 보병 2천을 앞에 놓고 어떤 심경이었는지는 알 수 없지만, 이 도전에 응한 모양이다. 그런데 호령으로 2천 명의 사나이들을 움직이려 하지만, 도무지 잘 되지 않는다. 행진은커녕 정렬조차 마음대로 안되는 것이다. 마키아벨리는 땀을 뻘뻘 흘리며 목이 쉬도록 호령하지만, 상황은 점점 더 나빠질 뿐이다. 아마도 구이차르디니를 비롯한 군 고관들도 지켜보고 있었을 것이다.

잠시 후, 사람은 나쁘지 않은 조반니가 웃으면서 말했다.

"이 정도로 해두자고. 그러잖으면 점심을 얻어먹지 못할 테니까."

그리고 앞으로 나선 조반니는 자기와 같은 검정 일색의 병사 2천과 마주보고 선다. 먼저 고수에게 큰북을 치게 하고는, 시선을 약간 움직여 뭐라고 말했다. 그뿐이었다. 그것만으로 병사들은 즉각 진형 편성을 끝냈다. 덕분에 사람들은 점심을 먹으러 갈 수 있었다.

이 에피소드에는 나도 웃어버리게 되지만, 마키아벨리에게는 가없은 생각이 들지 않는 것도 아니다. 무장은 소리를 내는 방법부터 다르다. 그 길에는 그 길의 프로가 있는 법이다. 그러나 『전략론』은 인쇄가 되었기 때문에 읽는 사람도 많아서 『군주론』이나 『정략론』에서보다 저자를 탁상의 공론가라고 비웃는 경향도 강했을 것이다. 웃은 것은 소설가만이 아니었다. 마키아벨리의 동향인 엘리트 관료 두 사람도 이런 편지를 교환하고 있다.

먼저 구이차르디니가 프랑스 주재 피렌체 대사 로베르토 아차이올리에게 보낸 편지다.

"마키아벨리가 이곳에 와 있다. 군대에 질서를 부여하는 것이 그가 온 목적이다. 그러나 와 보니 너무나 형편없는 상태라, 그 명예로운 임무를 내동댕이쳐버렸다. 그리고 곁에서 관전하며 병사들이 실수할 때마다 웃고 있다. 이래서는 절망적이라면서."

이번에는 아차이올리가 구이차르디니에게 보낸 편지다.

"만일 마키아벨리가 군대를 교정하는 데 성공한다면, 나는 누구보다도 먼저 그에게 감사할 것이다. 그러나 그의 머릿속에 있는 것을 실현하는 것은 신이 아니면 불가능할 것이다. 플라톤의 공화국이나 다름없으니까. 나는 마키아벨리가 피렌체로 돌아가서 시 성벽의 보강에 전념해주는 것이 남을 돕는 일이라고 생각한다. 상황은 점점 그쪽을 더 필요로 하고 있다."

이런 의견들이 아마도 당시에는 상식이었을 것이다.

이야기는 이보다 조금 앞으로 거슬러 올라가지만, 에스파냐에 있는 카를로스는 이론적으로는 온 유럽을 적으로 돌려버린 상황이었으나 조금도 당황하지 않았다. 스물여섯 살의 젊은 군주는 즉각 대군을 이탈리아에 파견하는 대신, 우선 노련한 가신 한 사람을 이탈리아에 보냈다.

30년이나 이탈리아에 살아서 이탈리아와 이탈리아인을 구석구석 알고 있는 우고 다 몬카다는, 이탈리아의 에스파냐군 본거지인 나폴리로 가는 데 기묘한 길을 택했다.

에스파냐 배가 그를 내려놓은 곳은 북이탈리아의 항구 제노바였다. 몇 사람의 수행원만 거느린 몬카다는 아무 의심도 받지 않고 밀라노로 향한다. 밀라노를 포위중인 에스파냐군을 진중 위문하기 위해 간다는 것이 표면상의 이유였다.

그후 곧장 남하한 것도 아니다. 아이밀리아 가도를 지나 아드리아 해로 빠졌다가, 이번에는 플라미니아 가도를 지나 로마로 향하는 한가한 도정을 잡았다. 여행 도중에는 우호 사절임을 전면에 내세워 집결중인 동맹군을 진중 위문까지 한다. 동맹군의 부대장들은 전군을 정렬까지 시켜 그를 환영했다. 우고 다 몬카다가 지금은 외교 사절로 이탈리아에 와 있지만, 그전의 30년은 뛰어난 무장이었다는 것을 흑색대의 조반니 이외는 아무도 떠올리지 않았던 모양이다.

아무 방해도 받지 않고 시찰을 마친 몬카다는, 이윽고 본래의 임무에 착수한다. 교황을 각개격파하는 일이다. 물론 카를로스의 이름은 표면에 드러내지 않는다. 교황 선출 회의에서 패배한 후로, 메디치 교황을 미워하고 있던 폼페오 콜론나 추기경을 이용한다. 콜론나 가는 로마 남쪽에서 큰 세력을 떨치는 명문으로, 나폴리왕국과는 지리적으로 가까운 데서도 친에스파냐적인 태도를 숨기지 않았다. 또 메디치 가의 인척인 오르시니 가에 대한 반감도 가지고 있다. 오르시니와 콜론나는 로마의 북쪽과 남쪽에 진을 치고 앉아, 이 또한 숙명적인 라이벌 관계에 있었다.

이 콜론나 일당과 몬카다 사이에 하나의 밀약이 성립된다. 콜론나의 주도로 로마에서 소동을 일으켜, 교황 클레멘스를 궁지에 몰아넣는다는 것이었다.

그동안 카를로스는 다음 수를 쓰기 시작하고 있었다. 파비아 전투의 승리자 샤를 드 부르봉을 이탈리아에 파견한 것이다. 20대 중반의 이 젊은 무장은 교황청 해군 제독 안드레아 도리아의 엄중한 봉쇄망을 뚫고 제노바 근처의 해안에 상륙하는 데 성공한다. 그리고 지체없이 밀라노로 향하여 포위중인 우군의 지휘권을 인수했다.

실인즉 결심만 했더라면, 동맹군은 6월 말에 전투를 개시할 수 있는 태세를 이미 갖추고 있었다. 아무리 질서 없는 군대지만, 그 시점에서는 밀라노를 포위중인 에스파냐군보다 양적으로 단연 우세했기 때문이다. 그런데 동맹군 수뇌 회의에서 군사 행동 개시의 시기를 놓고 의견이 통일되지 않았던 것이다.

전 병력을 움직여 즉각 밀라노로 달려가 포위중인 에스파냐군을 쳐야 한다고 주장한 것은 흑색대의 조반니뿐이었다. 나머지는, 도착할 예정인 스위스군 1만 중에서 하다못해 3천이라도 도착할 때까지 행동 개시를 보류하자고 맞섰다. 구이차르디니는 속으로는 흑색대의 조반니에게 동조하고 있었던 모양이나, 야전 장교형이 아닌 그는 상사의 명확한 지시 없이는 움직이지 않았다. 게다가 로마 교황 클레멘스는 어떻게 해야 할지 결정을 내리지 못하고 있었다.

그렁저렁하는 동안에 스위스군 3천 명이 도착했다. 그러나 그때는 이미 부르봉도 도착해 있었다. 부르봉이 거느리고 온 병력은 300에 지나지 않았지만, 1년 전 파비아 전투에서 승리한 자라는 것만으로도 1만 병력 못지않은 인상을 주었다. 양식이 떨어져서 아사 직전에 있던 밀라노 방위군도 같은 기분이었을 것이다. 7월

25일, 1년에 이르는 포위를 견디어온 밀라노가, 마침내 부르봉 앞에 성문을 열었다. 공작 스포르차는 항복 문서에 서명한다.

밀라노에서 남동으로 70킬로미터도 안되는 피아첸차에 본거를 둔 동맹군은 이 소식을 듣고 경악한다. 흑색대의 조반니는 화가 나서 미쳐 날뛰고, 구이차르디니는 심각한 표정으로 입을 다문다. 조반니는 부대를 이끌고 나가서 에스파냐군을 급습하여 약간의 전과를 올리고 돌아오지만, 그것으로는 고작해야 사기를 더 떨어뜨리지 않는 정도의 효과밖에 없다. 그러는 동안에 스위스 병사 8천이 도착한다.

동맹군 수뇌는 벌써 몇 번째인가의 작전 회의를 열었다. 흑색대의 조반니는 단호하게 밀라노를 갓 함락시킨 에스파냐군과의 결전을 주장한다. 피아첸차에 집결한 것은 밀라노를 구원하기 위한 것이 아니었던가 하고 그는 역설했다. 구이차르디니도 이번에는 찬성으로 돌았다. 그의 독단이 아니었나 싶다. 교황의 지령이 있었다는 흔적이 없다. 그런데 베네치아군을 지휘하는 우르비노 공이 다음과 같이 주장하면서 전투 개시에 반대했다.

"지금까지는 밀라노 구원이라는 족쇄를 차고 있었으나, 이제는 자유로이 행동할 수 있다. 우리의 목적은 밀라노 따위의 탈환에 있는 것이 아니다."

그리고 만일 밀라노 탈환을 기대하고 싶다면, 자기를 총사령관에 임명하라고 요구했다. 이에는 우르비노 공을 믿지 않는 구이차르디니가 반대했다. 작전 회의 석상에서까지 우르비노를 서슴지 않고 겁쟁이라 불러대는 흑색대의 조반니의 의견은 물어보는 것조차 헛수고였다.

이렇게 하여 3만 5천의 대군을 거느리고 있으면서 동맹측은 공연히 시간만 허송하고 있었다. 7월이 무위로 지나가고 8월로 접어들었다. 그리고 그 다음 충격이 남쪽 로마에서 전해졌다.

콜론나 일당이 일으킨 로마 시내의 소요는 가혹한 세금 때문에 교황에게 호의를 갖고 있지 않은 시민들의 무관심에 힘입어, 몬카다가 생각한 것 이상의 효과를 올리고 있었다. 공포에 질린 클레멘스 7세는 교황궁의 요새라는 카스텔 산탄젤로로 달아났다가 난동자들에게 포위되고 만다. 더욱이 클레멘스는 시간을 버는 일조차 하지 않았다. 달아난 날 밤에 벌써 테베레 강 대안에 있는 콜론나의 저택에 강화 사절을 보낸 것이다. 교황은 콜론나가 내놓은 조건을 모두 수락했다.

콜론나 세력이 로마를 떠나 영지로 철수하는 대신 교황은,

1. 동맹군 병력을 포 강 남쪽으로 후퇴시킨다.

2. 도리아가 지휘하는 교황청 해군 함선으로 하여금 제노바 항의 봉쇄를 풀게 하고, 치비타베키아 항으로 철수시킨다.

3. 로마를 지키는 4천 병사 가운데, 교황궁 경비병으로 스위스병사 400만 남기고 나머지는 모두 해산한다.

4. 이상의 항목을 준수한다는 보증으로, 교황의 조카사위 필리포 스트로치를 인질로서 나폴리로 귀환하는 몬카다와 동행시킨다.

이 강화가 조인된 것은 놀랍게도 9월 말이 되어서였다. 동맹군은 그동안 8월과 9월 두 달을 또다시 허송한 것이다. 더욱이 이것은 평화를 약속하는 강화가 아니었다. 불과 4개월의 휴전을 얻기 위한 강화에 지나지 않았던 것이다.

클레멘스의 동요는 이것으로 그치지 않았다. 몬카다와 콜론나 일당이 남으로 사라지기가 무섭게, 구이차르디니에게 연거푸 명령을 내려보냈다.

동맹군을 포 강 남안으로 후퇴시킬 것.

동맹군 가운데 되도록 많은 병력을 흑색대의 조반니의 지휘 아래로 전속을 바꿀 것. 다만 조반니의 명목상의 지위, 곧 프랑스 왕 휘하의 무장이라는 지위는 그대로 둘 것.

스위스 병력 2천과 흑색대 조반니 부대의 병력 2천을 무방비 도시가 된 로마를 수호하기 위해 들여보낼 것.

이런 형편이니 제아무리 우수한 관료 구이차르디니라도, 곁에서 지켜본 마키아벨리가 전하고 있듯이 '속이 상해 화만 내는' 상태가 되는 것은 당연한 일이었다. 원래 통제가 잘 되어 있었다고 할 수 없는 동맹군은 이 전속 변경과 임지 변경으로 점점 더 수습할 수 없는 상태가 되어버렸다. 게다가 구이차르디니가 간신히 보낸 군대를 클레멘스는 로마의 수호를 강화하는 데 전념시키기는커녕, 콜론나의 영지에 약탈을 하러 보내어 울분을 푸는 데 사용했다. 콜론나 일당의 중요 인물들은 모두 나폴리에 있었으므로, 그것은 그야말로 단순한 분풀이에 지나지 않았다.

교황의 명령으로 군대와 함께 포 강을 건너는 구이차르디니의 심경은 망연(茫然)이라는 한 마디 말로 족하지 않았을까 싶다. 그도 클레멘스가 정말 그럴 줄은 예상치 못했을 것이다. 이 몇 달 동안의 동맹군에 관해 나중에 그는 『이탈리아사』에서 율리우스 카이사르의 전격 작전과 비교하여 이렇게 평하고 있다. 전쟁에 승리한 후 카이사르는 조국에 마치 전보문 같은 보고를 보냈다.

Veni, vidi, vici(왔노라, 보았노라, 이겼노라).

이에 비하여 우리 군은,

Veni, vidi, fugi(왔노라, 보았노라, 달아났노라).

였다고.

구이차르디니와 동행한 마키아벨리도, 만일 그때 전쟁을 시작했더라면 이틀 만에 이길 수 있었다고 말하고 있다. 젊은 친구인 카발칸티에게 보낸 편지에는, 교황은 마치 어린애 같았다고 쓰고 있다.

가을이 되자, 알프스 북쪽에서부터 일어난 불길한 소문이 이탈리아 반도를 천천히 북에서 남으로 내려왔다. 신성로마제국 황제로서 독일의 최고 군주이기도 한 카를로스의 명령으로, 란치케네키가 티롤에 집결중이라는 것이었다. 란치케네키는 루터파 개신교도인 독일인 용병의 호칭으로, 싸움터 안팎에서 광포하기로 이름이 나 있었다. 이탈리아에 본격적으로 등장하기는 파비아 전투 때이다. 티롤에 집결하고 있는 것은, 후른즈베르그 휘하의 병력 1만 2천이라는 것이었다.

가톨릭교도와 그 본산인 로마 교황청에 대한 증오를 노골적으로 드러내는 란치케네키에 대해, 그런 종류의 종교적 광신과는 무관한 르네상스의 이탈리아인들은 1만 2천으로만 그치지 않을 것이라는 불안을 느낄 수밖에 없었다. 다만 이때는 아직도 막연한 불안과 불길한 소문에 머물러 있었고, 확신에는 이르지 않고 있었다. 그래도 불안은 일반 시민에게 널리 퍼져서, 마키아벨리의 친구 도나토 델 코르노는 가게를 닫아야 하나 고민하고 있었다.

피렌체 정부도 불안하기는 마찬가지였다. 피렌체는 공화국이라 지만, 실정은 메디치 가의 친정 아래 있다. 란치케네키가 죽여도 좋다고 공언하고 있는 교황은 메디치 가 출신의 클레멘스이다. 당시의 피렌체공화국은 메디치 가를 통해서 로마 교황청과 하나의 운명 공동체가 되어 있었던 것이다.

이 시기에 마키아벨리는 자주 구이차르디니에게 파견되었다. 정세의 시찰과 위급할 때의 피렌체 방위를 의논하기 위해서였다. 그해의 공화국 대통령은 구이차르디니의 형 루이지 구이차르디니였다. 루이지는 서기관 시대의 마키아벨리와 막역한 친구 사이기도 했다.

이 시기 마키아벨리의 직분은 분명치 않다. 피렌체공화국이 파견한 사절인가 하면, 진중에 도착하자마자 교황 대리인 구이차르디니의 비서관으로 변신한다. 어쩌면 쉰일곱 살이 되어도 마키아벨리는 제1선에 있을 수 있는 것이 못내 즐거워 직분이 분명치 않은 것쯤은 문제로 삼지 않았는지도 모른다. 겨울인데도 그 험한 아펜니노 산맥을 군소리 없이 되풀이해 넘어다녔다.

구이차르디니도 마키아벨리를 단순한 심부름꾼으로 이용한 것은 아니다. 지령을 들고 달려가달라고 부탁한 적도 있지만, 그런 때는 그곳에 대한 마키아벨리의 관찰이 필요했던 것이다. 그래서 마키아벨리의 보고서를 수뇌 회의에서 낭독하는 일도 자주 있었고, 회의 개최 때 마침 그가 진중에 있으면 그를 동석시키기도 했다. 우르비노 공에게 행동 개시를 요청하러 갈 때도 마키아벨리를 데리고 갔고, 어떤 자격이었는지는 모르지만 공을 설득시키는 역할까지 맡기곤 했다.

정말 이 시기의 두 사람은 일심 동체였다는 느낌이지만, 마키아벨리에 대한 경애의 정을 숨기지 않은 구이차르디니도 때로는 노발대발하는 일이 있었다.

세번째인가 동맹군 본부에 출장갔다가 피렌체로 돌아가는 도중, 마키아벨리는 구이차르디니의 부탁으로 시찰을 하기 위해 도시 두 군데에 들렀다. 그리고 그곳에서의 시찰 보고서를 여느 때나 다름없이 구이차르디니에게 보낸 것까지는 좋았으나, 보고서에 약간 많은 '경비' 지불 청구서를 첨부했다.

1526년 10월 30일, 본영의 구이차르디니가 마키아벨리에게 보낸 편지는 서두부터 공기가 이상했다. 형님에 대한 경애의 마음과 더불어, 하고 시작한 데까지는 좋았는데, 피렌체의, 아니면 어디에 있거나 마키아벨리에게, 하고 이어지는 투가 평소와 달랐다.

그래도 예의바른 엘리트 관료는 마키아벨리가 보내온 보고서를 수뇌 회의에서 토의했다는 것을 먼저 쓴다. 그러나 계속하여, 수다는 이만 떨기로 하고, 하고는 시작된 후반은 자못 구이차르디니웠다.

"선생은 누구하고였는지는 모르지만, 먹고 마시는 데 5두카토나 썼다고 하지 않았소…… 뭔지 유쾌한 듯한 이 이야기는, 선생에게는 희극이었는지 몰라도 나한테는 비극이 되어버렸소."

구이차르디니는 마키아벨리에게 잔소리를 늘어놓는 것만으로는 성이 풀리지 않았던지, 마키아벨리가 들른 도시의 하나인 모데나의 장관 필리포 데 네리에게도 감독 소홀을 꾸짖는 편지를 보냈다.

필리포는 '오리첼라리의 정원' 이래 마키아벨리의 젊은 친구였으므로, 아마도 둘이서 한바탕 야단법석을 떨고 놀았던 모양이다.

프란체스코 구이차르디니는 야심가이기도 하고, 동시에 청렴결백한 인물이었던 모양이다. 딸의 결혼 지참금을 교황에게 대달라고 부탁해보라는 마키아벨리의 누차에 걸친 권유에도, 그런 사사로운 일로 교황님을 괴롭히기에는 시기가 좋지 않다고 대답하고 있지만, 그의 본심은 그런 짓을 해서는 안된다는 데에 있었던 것이다. 자기에게 엄한 사람은 흔히 남에게도 엄한 법이다. 교황 대리로서 동맹군의 살림을 맡아 1두카토의 지출까지 꼼꼼히 챙기는, 그리고 그것을 긍지로 아는 구이차르디니로서는 마키아벨리의 공사 혼동에 화가 난 것이 당연했다.

두 사람의 이런 면에서의 차이가 역사가로서의 인물 평가에 나타나지 않을 까닭이 없다. 공사의 분간이 분명치 않은 돈을 쓰더라도 그 목적이 공익과 일치하면 너그러이 본 마키아벨리와는 반대로, 역사가 구이차르디니는 이 점에서 참으로 엄격했다. 교황청 금고를 자기 개인의 금고와 동일시한 체사레 보르자는 물론이고, 메디치 가의 로렌초 일 마니피코조차 그런 일에서는 절대로 용서하지 않았다.

두 사람의 기질 차이는 경비 남용에 화를 낸 구이차르디니의 편지에 마키아벨리가 보낸 회답을 보아도 확연하다. 마키아벨리는 죄송해하기는커녕 그에 대해서는 대답도 하지 않았다. 그러나 친구지만 고관인 구이차르디니의 비난을 무시해버릴 수는 없는 일이라 회답을 한 것이다. 다만 다음과 같은 투가 자못 마키아벨리답다.

교황 대리님, 모데나에서 보낸 보고서에는 쓰지 않았지만, 그 다음은 이렇게 계속됩니다.

필리포(데 네리)가 내게 말했습니다.

"정말이지, 내가 하는 일마다 사사건건 이렇게도 잘 안 풀릴 수가 있을까요?"

나는 웃으면서 대답했습니다.

"장관님, 한탄하실 필요는 없습니다. 장관님 탓이 아니니까요. 금년(1526년)이라는 해의 탓입니다. 지난 1년 동안 무슨 일이건 할 수 있었던 사람이 있었던가요. 황제(카를로스)는 그만한 병력을 보냈으니, 더 효과를 올릴 수 있었을텐데도 올리지 못했습니다. 에스파냐인도 더 동란을 일으킬 수 있었는데 하지 않았고요. 우리들(이탈리아인)에 이르러서는 이길 수 있었는데도 승리를 차지할 줄 몰랐습니다. 교황은 1천 명의 병사보다 강화의 조문을 더 믿고 있어요……. 놀라 한탄할 것은 없습니다. 미친 시대에는 미친 인간만이 무언가를 할 수 있는 것입니다. 그러니까, 장관님, 금년에 장관께서 무슨 일을 할 수 있었다면, 그 편이 오히려 걱정스러울 것입니다."

필리포는 말했습니다

"허, 그렇다면 안심하고, 불쾌한 일은 잊기로 하십시다."

이런 식으로 희극의 제1막이 끝난 것입니다…….

마키아벨리는, 이틀 동안에 5두카토나 써버린 야단법석은 그 뒤에 이어진 희극의 제2막에 지나지 않는다는 것을 완곡히 보고하는 형태로 편지를 끝맺고 있다. 직설적인 변명은 어디를 찾아보나 한

마디도 없다. 그러나 구이차르디니도 이탈리아인이 좋아하는 말투를 직역하면 '정신의 사나이'였다. 마키아벨리식 변명에는 웃을 수밖에 없었던지, 즉각 성을 푼 편지를 보내왔다. 함께 있지 않으면 서로 편지를 주고받는 두 사람의 사이는 다시 원래대로 되돌아간 것이다.

그러나 이때의 왕복 서한이 그들 사이의 마지막 것이 된다. 사태의 급격한 전개는 두 사람이 성를 내고 웃고 하는 편지를 더는 교환할 수 없게 만들었기 때문이다. 11월에 마키아벨리는 눈이 깊게 쌓인 아펜니노 산맥을 넘어 북으로 향하고 있었다. 피렌체 정부의 명령으로 동맹군 본부의 구이차르디니를 만나기 위해서였다. 독일 용병(란치케네키)이 남하를 개시했다는 보도가 남이탈리아를 으스스한 기류로 휘덮기 시작했다.

19 르네상스의 종언

1527

이탈리아 제1의 대하 포 강은 프랑스·알프스에서 발원하여 토리노를 지나, 북이탈리아를 서에서 동으로 횡단하듯이 흐른다. 크레모나 근처에서는 몇 가닥의 하천도 합류하여 대하의 이름에 걸맞게 수량이 불어나면서 만토바의 남쪽을 가로질러 페라라의 북쪽을 지나, 베네치아의 아득히 남쪽에서 아드리아 해로 흘러들어간다. 16세기 당시에는 밀라노 남동의 크레모나에서 뱃길을 더듬어 내릴 수도 있었다. 독일·알프스에서 남하해오는 군대는 먼저 이 포 강이 앞을 가로막는다.

후른즈베르그가 거느리는 란치케네키 1만 2천 명은 브레네르 고개를 넘어 가르다 호의 동쪽 가를 지나 베로나로 향하는 길로 들어섰다. 이 길은 독일에서 이탈리아에 오는 사람들의 전통적인 통로로, 브레네르 고개를 넘어서는 순간 햇빛의 따스함과 바람의 부드러움과 요염한 나무의 모양까지, 남쪽에 들어섰음을 절실히 느끼게 한다. 베로나까지 내려오면 독일의 그 두툼한 납빛 하늘은 거짓말이었나 싶을 만큼, 남풍이 머리칼 한 올 한 올을 애무하듯 빗어준다. 독일 용병들은 베로나를 크게 돌아나갔다. 베네치아공화국의 영토이기 때문이다. 그들도 이탈리아 제1의 강국이 어디라는 것은 알고 있었다. 그리고 그들은 만토바 근처를 지나 포 강에 접근하고 있었다.

거기서 서쪽으로 100킬로미터 지점에 있는 동맹군 본영에서는 입에 게거품을 무는 격론이 한창 벌어지고 있었다.

흑색대의 조반니는 즉각 출격하자고 주장했다. 겨울의 만토바 주변은 늪으로 변하기 때문에, 대형도 제대로 갖추지 않은 상태로 남하중인 적을 격파하기에 가장 알맞다는 것이 그의 논거였다. 구이차르디니도 출격에 찬성이었다. 지금 적은 둘로 나뉘어 있다. 남하중인 독일군과 밀라노에 들어간 에스파냐군과의 사이는 200킬로미터 거리로 떨어져 있다. 이 둘이 합류하기 전에 그 중간쯤에 있는 동맹군이 움직여 먼저 한 쪽 적을 친다. 수적으로는 동맹군이 훨씬 우세하다. 좋이 두 배가 넘는 병력으로 남하중인 란치케네키를 습격하는 것이다. 이것이 구이차르디니가 찬성하는 이유였다.

그런데 그때까지도 분명치 않은 태도를 보여왔던 우르비노 공이 이 지경에 이르러서 완강히 출격에 반대했다. 여태까지 그가 보인 미적지근한 태도는 다분히 메디치 가에 대한 개인 감정 때문이었지만, 이번에는 고용주의 명령이 없다는 명분을 내세웠다.

베네치아공화국은 지난 1년 동안 보아온 클레멘스 7세의 방식에 진절머리를 내고 있었다. 베네치아는 동맹군의 군사적 효력까지 의심하기 시작했다. 게다가 알프스 저편으로부터는 굶주린 이리떼의 대군이 몰려오고 있었다. 베네치아공화국의 돈으로 고용한 군대는 전적으로 베네치아공화국의 국경 경비에 사용해야 한다고 주장하는 사람들이 본국 정부에서 발언권이 강해진 결과였다.

여기서 동맹군에서 기구상으로 최고의 지위에 있던 구이차르디니가 마지막으로 쓸 수 있는 수가 있었다고 보는 연구자가 적지 않다. 우르비노 공 휘하의 베네치아군 1만은 없는 것으로 치고, 나머지 2만 5천, 구이차르디니의 직접 감독 아래 있는 2만 5천여 병력을 과감하게 흑색대의 조반니에게 주어 작전을 개시할 수도 있지 않았겠느냐는 것이다. 조반니는 동으로 출격하여 남하하는 독일군을 두들기고, 그 기세를 돌려서 밀라노에 있는 에스파냐군을 급습한다는 전술을 주장하고 있었다.

그러나 프란체스코 구이차르디니는 베네치아군 1만을 버리는 전투 같은 것을 상사의 승인 없이 결행할 수 있는 사나이가 아니었다. 그리고 교황 클레멘스는 이때도 역시 몬카다와 맺은 강화조약에 어긋나는 행동을 명령할 생각을 하지 못하고 있었다.

만토바 근방을 남하하고 있는 독일군을 습격하려면, 포 강을 북으로 건너가야 한다. 교황은 군대를 포 강 남쪽으로 후퇴시킨다고 약속했고 또 그렇게 실행하고 있었다. 클레멘스는 몬카다의 얼굴 뒤에 카를로스가 보이는 것 같아 무서웠는지도 모른다.

더 참을 수 없게 된 것은 흑색대의 조반니였다. 스물여덟 살의 그는 자기를 따르는 부대만 거느리고 남하중인 독일군에 쳐들어갔다. 그리하여 상당한 전과를 거두었으나 그 대가가 너무 컸다. 다리를 부상당해, 자르지 않으면 죽는다는 의사의 진단으로 후송된 그는 만토바에서 수술을 받는다. 한쪽 다리를 절단하는 수술중 내내 손수 촛대를 들고 있었다는 이 호기에 찬 무인도 죽음은 끝내 이기지 못했다.

11월 25일 흑색대의 조반니 부상.

28일 독일군, 포 강을 건너다.

30일 조반니 사망.

본영에 막 도착한 마키아벨리는 이것을 알고, 조반니 데 메디치의 죽음은 모든 사람의 불행이며 유감스럽기 짝이 없는 통분할 일이라고 피렌체에 보낸 보고서에 쓰고 있다. 이탈리아는 오직 한 사람 남은 귀한 무장마저 잃은 것이다. 더욱이 아무 소득도 없이.

그래도 아직 운명은 이탈리아를 완전히 버린 것은 아니었다. 비록 독일 용병이 포 강을 건넜어도, 카를로스의 병력은 여전히 둘로 갈라져 있었다.

왜냐하면 부르봉과 그 휘하의 에스파냐군은 밀라노를 점령하기는 했으나, 밀라노에서 나와 우군과 합류하고 싶어도 할 수 없는 형편에 있었기 때문이다. 에스파냐군이라지만 용병들의 집합이다. 용병료를 지불하지 않으면, 대장의 명령이라도 듣지 않는다. 밀라노에 있는 병사들의 급료는 밀리기 일쑤였으며, 그들은 계속 출진을 거부하고 있었다.

이런 상태로 동결된 채 1526년의 12월과 1527년의 1월이 지나간다. 동맹측이 무언가를 할 수 있었다면, 이 기간밖에 없었다. 적어도 군대만은 건재했기 때문이다. 그런데 이 동결 상태의 해소에 적극적으로 움직인 것은 교황도 구이차르디니도 아니고 샤를 드부르봉이었다.

무인인 부르봉은, 오합지졸에 지나지 않는 군대는 평화도 아니고 그렇다고 전쟁도 아닌 상태가 계속되면 될수록 불리하다는 것을 잘 알고 있었다. 그는 밀라노의 유지들을 불러 3만 두카토를 제공해주면 당장 밀라노에서 나가겠다고 제의했다. 정복자의 군대가 눌러앉아 있다는 것은 누구에게나 바람직스러운 일이 아니다. 온갖 만행을 줄곧 참고 견뎌야 하는 것보다 훨씬 낫다고 생각한 밀라노 시민은 3만 두카토를 지불하겠다고 응낙했다. 2월 초, 에스파냐 군은 포 강을 건넌 지점에서 대기중인 독일군과 합류하기 위해 밀라노를 뒤로했다.

합류가 목적이므로, 파르마 가까이에 본영을 둔 동맹군은 거들떠보지도 않았다. 50킬로미터의 거리를 두고 통과했을 뿐이다. 동맹군에는 흑색대의 조반니는 이미 없었다. 숨을 죽이고 움츠리고 있는 동안에 적군의 합류를 허용해버리고 말았다.

그동안 구이차르디니가 한 일이라고는, 일단 피렌체로 돌아갔다가 다시 본영에 돌아온 마키아벨리를 데리고 우르비노 공의 진영에 찾아가 군사행동 개시를 설득한 것뿐이다. 우르비노 공은 레오 10세 시대에 빼앗겨 지금은 피렌체 영토가 되어 있는 두 지방의 반환을 조건으로 내세웠다. 구이차르디니는 동의했다. 교황의 지시도 받지 않고 독단으로 결정한 것이다. 교황에게는 사후 승인을 요청했다. 그러고 보니 교황 대리로 동맹군에 와 있는 구이차르디니는 할 생각만 있으면 무슨 일이든 할 수 있는 권력을 가지고 있었다는 말이 된다.

그러나 이미 너무 늦었다. 우르비노 공은 군사행동 개시는 약속하되, 에스파냐·독일 연합군이 볼로냐까지 내려감으로써 베네치아공화국의 국경에 아무 걱정도 없어졌을 때, 그때 하겠다고 말했다. 그리 현명하다는 소리를 듣지 못하는 우르비노 공에게까지 얕잡아 보인 것이다.

나쁜 소식은 이것으로 그치지 않았다. 동맹군에 들어오라는 권유도 받지 않았고, 그렇다고 카를로스측에 붙겠다는 태도도 명확히 표명하지 않고 있던 페라라 공이 하필이면 이때 태도를 정했다. 그렇다고 부르봉의 군대에 원군을 보낸다는 것은 아니었다. 대포와 식량을 제공한 것이다. 부르봉에게는 이 두 가지가 아마도 5천 병력을 보내주는 것보다 반가웠을 것이다. 계절은 겨울이라 약탈도 뜻대로 되지 않았다. 또 대포는 에스파냐도 독일도 후진국이었다. 이 소식에 당황한 교황이 구이차르디니를 통해서 모데나와 레조를 반환할 테니 동맹측에 붙어달라고 페라라 공을 설득했으나 때는 이미 늦었다. 공의 대답은 마드리드에서 이미 조인이 끝났으니 찾아올 필요도 없다는 것이었다.

합류를 완료하여 3만으로 늘어난 카를로스군은 이제 대포까지 끌고 남진을 재개했다. 2월이면 중부 이탈리아의 평원이 눈에 덮인다. 대군의 행군중에는, 병사들을 쉬게 할 만한 기능을 가진 큰 도시가 일주일에 한 번쯤은 나타나야 한다. 총사령관 부르봉과 독일군 지휘관 후른즈베르그는 우선 볼로냐로 향하기로 작전을 세웠다.

둘로 갈라진 것은 이제 동맹군 쪽이었다. 구이차르디니는 우르비노 공에게 남하를 청하는 편지를 연일 띄워 보내는 한편, 자기 밑에 남은 교황 · 피렌체군만을 이끌고 한 걸음 앞서서 볼로냐에 들어갔다. 그러고는 성문을 열라는 부르봉의 요구에, 볼로냐 시에 둘러친 시 성벽 문을 모두 닫게 하고 한 발짝도 들어오지 못하게 한다는 의지를 밝혔다.

이때만 해도 구이차르디니와 두 달이나 행동을 같이 해온 마키아벨리는 노고도 용기도 아끼지 않는, 그리고 대포도 두려워하지 않는 친구의 태도에 감격했을 것이다. 이 시기에 그토록 현실주의자였던 구이차르디니도 이상주의자라고 비웃기도 한 마키아벨리와 우국의 정을 공유한 것 같다. 믿을 수 없는 상사를 가진 구이차르디니는 전력을 투입했다. 1년 이상이나 쓸모없이 먹여 살린 동맹군이 그나마 이산을 모면한 것은 구이차르디니의 공으로 돌리지 않으면 안된다. 마키아벨리는 피렌체에 있는 친구 베트리에게 편지를 쓴다.

나는 구이차르디니 님을 사랑한다. 내 영혼보다도 내 조국을 더 사랑한다.

나는 육십 평생의 경험으로도 단언할 수 있지만, 지금처럼 어려운 시기는 없다. 평화는 필요하다. 그러나 전쟁을 피할 수는 없다. 더욱이 우리의 운명을 결정하는 군주(클레멘스 7세)는, 평화와 전쟁 가운데 택일하는 것조차 힘겨워하고 있다.

클레멘스 7세는 항상 평화를 희망해왔다. 다만 그가 평화를 위하는 마음으로 무언가를 할 때마다, 왠지 그것은 언제나 전쟁을 지향하는 쪽에 도움이 되곤 했다. 1527년 3월에 그가 한 행동 역시 그러한 예를 하나 더 보탠 데 지나지 않았다.

부르봉이 이끄는 독일·에스파냐 연합군이 볼로냐 시 성벽 밖에 도착한 것은 3월 7일이었다. 그리고 앞에서 말한 것처럼, 구이차르디니에게 입성을 거부당한다. 이것은 온통 눈에 덮인 들판에서 노숙을 해야 한다는 것과 같은 얘기다. 페라라 공이 식량을 보내주었지만, 만족시켜주어야 하는 입이 3만이나 된다. 약탈을 하고 싶어도 겨울에는 약탈거리가 보잘것없다. 먼저 식량이 바닥났다. 게다가 겨울에 야영을 해야 한다는 것이었다. 병사들의 불만이 폭발했다.

폭동이 일어난 것은 볼로냐에 도착한 지 엿새가 지난 3월 13일이었다. 규모도 기세도 대단해서, 지휘관 후른즈베르그는 중상을 입었으며, 즉시 고국 독일로 후송되었으나 곧 죽는다. 부르봉은 재빨리 달아나 목숨만은 건졌다. 그런데 부르봉에게는 심각한 위기이고, 클레멘스에게는 다시 없는 호기인 이 사건에서 부르봉을 구해준 것은 다름 아닌 교황 클레멘스였다.

구이차르디니로부터 정확한 정보를 받고 있었는데도, 클레멘스는 실로 이 시기에 강화 교섭을 시작한 것이다. 그것도 강화를 요청한 것은 교황이 아니라 황제였다. 그러면서 황제 카를로스가 교황에게 요구한 조건은 참으로 가혹한 것이었다.

1. 독일 용병에게 지급하기 위해 배상금 20만 두카토를 지불한다.

2. 오스티아, 피사, 리보르노, 치비타베키아 등 제 항구를 양도한다.

3. 파르마와 피아첸차 두 도시는 카를로스에게 양도하고, 모데나와 레조는 페라라 공에게 반환한다.

4. 스포르차 가의 밀라노공국 귀환은 카를로스의 승인을 얻어 실현한다.

5. 강화 교섭을 위해 8개월 간 휴전한다. 그동안 부르봉이 지휘

하는 군대는 전투 개시 이전의 선까지 후퇴한다.

6. 교섭 기간 중 스트로치와 살비아티 추기경은 인질이 된다.

7. 강화가 체결되는 날, 교황과 황제는 터키에 대한 십자군 결성을 위해 같이 노력한다.

오로지 전쟁을 피하고 싶은 일념이었다고는 하지만, 클레멘스가 어떤 심경으로 이런 조건을 수락했는지 상상하기가 어렵다. 더욱이 이 강화는 단독 강화였다. 교황과 카를로스 사이에 맺어진 것이며, 코냐크 동맹의 다른 참가국인 프랑스도 영국도 베네치아도 사전에 한마디 의논도 받지 않았다. 3월 26일 이것이 정식으로 체결된 것을 안 3국은 로마 주재 대사들을 통해 엄중히 항의했다.

교황을 단념한 베네치아공화국은 우르비노에게 비밀 지령을 내려 가능한 한 전투를 피하라고 지시한다. 프랑스도 로트레크가 지휘하는 군대를 파견하는 일을 진지하게 생각하지 않게 되었다. 그래도 프랑수아 1세는 군대를 파견하지 않는 데 대한 봉창이라도 해주듯, 동맹군 자금으로 8만 두카토를 보내기는 했다. 그런데 교황은 그 가운데 6만을 두 사람의 인질을 찾는 몸값으로 써버린다.

교황의 태도에 경악한 것은 이들 대국의 군주들보다도 전선에서 교황의 뜻을 실행해야 하는 처지의 구이차르디니였을 것이다. 그나마 이것으로 휴전이라도 실현된다면 그도 한숨 돌릴 수나 있었겠지만, 카를로스의 병력을 실제로 움직이는 부르봉이 이런 조건에도 만족하지 않았다. 부르봉은 인질의 몸값을 제한 나머지 돈, 그것을 어째서인지 15만 두카토로 알고, 그것으로는 안되니 24만 두카토를 가져오라고 요구했다. 그래서 피렌체 사절이 급한 대로 우선 8만을 들고 그를 찾아갔으나, 공교롭게도 서로 길이 어긋나고 만다. 자기의 요구가 거부당했다고 오해한 부르봉은 이제 남은 것은 로마로 진격하는 것밖에 없다고 공언하고, 정말로 실행에 옮기기 시작한다. 로마로 가자고 그가 한 번 호령하자, 로마의 부(富)를 상상하고 교황을 증오하는 란치케네키는 신이 나서 그를 따랐다.

볼로냐로부터는 아펜니노 산맥만 넘으면 바로 거기가 토스카나이다. 토스카나 지방의 요충은 피렌체이다. 그러나 부르봉은 아직도 눈이 남아 있는 산을 넘어야 하는 험로를 택하지 않고, 거리는 멀어도 옛 로마 가도로 가는 평탄한 길을 골랐다. 아이밀리아 가도를 지나 리미니로 가서, 다시 플라미니아 가도를 따라 로마에 이르는 길이다. 당시의 행군은 약탈행이나 다름없는 경우가 많았으므로, 그러기 위해서도 사람들이 많이 모여 사는 평지를 가는 편이 더 좋았던 것이다.

강화조약을 중시하는 클레멘스로부터는 충돌만 피하라는 지령밖에 오지 않았다. 아무것도 할 수 없는 구이차르디니는 교황과 피렌체가 고용한 병력을 거느리고, 앞서 가는 부르봉을 쫓았다. 쫓는다고는 하나 양군 사이에는 40킬로미터나 거리가 있었다. 대포가 무서웠기 때문이다. 그리고 또 그 뒤에는 10여 킬로미터의 거리를 좁히지도 벌리지도 않고, 우르비노 공이 이끄는 군대가 따랐다. 이 굴욕적인 행군을 강요당한 구이차르디니 곁에는 이제 함께 있는 것이 자연스러워 보이는 마키아벨리가 따라가고 있었다. 며칠 후, 이 두 사람뿐 아니라 누구나가 경악했을 놀라운 소식이 로마에서 전해진다.

부르봉이 다시 남하하기 시작했다는 보고에 놀란 교황 클레멘스

7세가 나폴리 총독의 권유를 받아들여 로마를 지키고 있던 4천 명의 병사를 해산해버린 것이다. 불과 몇백 명의 스위스 병사들만이 교황궁을 지키기 위해 남아 있을 뿐이었다.

로마는 무방비 도시가 되었다.

공식적으로 당시의 로마는 교황청 국가의 수도였을 뿐이다. 그러나 가톨릭교회의 본거인 바티칸이 있다는 것 이외에, 로마는 유럽인들에게도 그랬지만 특히 이탈리아인에게는 단순한 도시 이상의 존재였다. 그 로마의 무방비화는 이탈리아의 무방비화와 같은 인상을 준다. 불길한 전조로 받아들인 것은 이제 로마와 공동 운명체가 된 피렌체인이었다.

부르봉이 이끄는 '황제군'의 실체는 독일 용병과 에스파냐 용병, 그리고 이것도 용병인 이탈리아인으로 구성되어 있었다. 비율은 독일 2분의 1, 에스파냐와 이탈리아가 각각 4분의 1을 차지했다. 이 혼성군의 지휘관은 프랑스인 부르봉이다. 독일군을 완벽하게 장악하고 있던 후른즈베르그는 죽고, 그 후계자는 아직 없었다. 이같은 군대가 로마 진격을 공언했으니, 그 길목에 있는 도시의 주민들이 누가 안심할 수 있겠는가? 볼로냐를 떠나 로마에 도착할 때까지 도중의 대도시는 피렌체밖에 없다. 피렌체인은 부르봉의 군대가 언제 어디서 길을 서쪽으로 꺾어 피렌체를 향해 습격해올지 모르는 불안에 떨었다.

이런 경우 근교의 농촌이 마수걸이로 희생의 제물이 되게 마련이다. 피렌체에서 10킬로미터 거리에 있는 마키아벨리의 가족도 시 성벽을 둘러친 피렌체로 피난하기로 했다. 4월 17일, 마키아벨리의 셋째 아들 구이도가 구이차르디니를 찾아가서 돌아오지 않는 아버지에게 소년다운 편지를 보내고 있다.

　사랑하는 아버지께,

　아버지께서 주신 4월 2일자 편지에 회답을 드립니다. 그 편지로 이제야 우리들은 아버지께서 무사하시고 건강하시다는 것을 알 수 있었지요. 신께서 앞으로도 줄곧 그것을 베풀어주시기를 빌겠습니다(이 아이는 나중에 성직자가 된다)……

　란치케네키는 이제 걱정하지 않기로 하였어요. 아버지께서 무슨 일이 일어나면 꼭 우리에게로 돌아와주시겠다고 약속하셨기 때문이지요. 어머니께서도 이제 걱정을 하지 않기로 하였다고 말씀하십니다.

　그래도 만일 적군이 피렌체를 향해서 오게 되거든 얼른 알려주셔야 해요. 산장에는 아직도 많은 것이 그대로 놓여 있거든요, 포도주도 올리브유도요. 하지만 시내의 우리 집에다 통을 20개에서 23개쯤 운반해놓았답니다. 침대도 옮겼고요. 나머지를 산카시아노 마을에 옮기려면 2, 3일이 걸립니다.

　가족들은 다 건강합니다. 특히 저는 잘 있어요. 누이가 병이 다 낫고 부활절이 돌아오면, 모두 노래도 부르고 악기도 연주하고 할 참입니다.

　문법은 분사(分詞)를 공부하고 있습니다. 라틴어는 오비디우스를 읽기 시작했습니다. 아버지께서 돌아오시면 제 머릿속에 있는 것을 죄다 이야기하겠어요.

　어머니께서 몸조심하시라고 전하시랍니다. 그리고 셔츠 두

장, 수건 두 장, 모자 두 개, 구두 세 켤레, 손수건 넉 장을 보내
신답니다.

될 수 있는 대로 빨리 돌아와주세요. 모두 기다리고 있으니까
요. 그리스도께서 아버지를 지켜주시기를 빌겠습니다.

피렌체에서, 아들 구이도 마키아벨리 올림

마키아벨리라는 사나이는 가족에게 부지런히 편지를 써 보내는
인물이 아니었지만, 그래도 아들들에게 보낸 편지가 몇 통 남아 있
다. 그 가운데 하나가 이 셋째 아들에게 보낸 것인데, 공부를 해라,
공부만 하면 아버지처럼 높은 사람들과 사귈 수도 있게 된다고 쓰
고 있다.

나는 이것을 읽고 웃지 않을 수 없었다. 아버지 마키아벨리는 의
외로 평범하지 않은가. 세상은 난세다. 난세에는 구이차르디니처
럼, 무슨 일이 있더라도 언제나 승자 쪽에 있게 해달라고 신께 빌
라고나 교육했어야 했다. 그 편이 훨씬 도움이 될 것이니 말이다.

그건 그렇고, 마키아벨리의 아들 넷 가운데서 조금이나마 학문
이 있는 것은 셋째 아들 구이도뿐이었다. 장남과 둘째 아들은 아버
지가 학문을 닦은 끝에 가진 교우 관계를 보고, 굳이 공부 따위를
할 기분이 나지 않았는지도 모른다. 그렇다고 늘 승자 쪽에 있을
만큼 능력도 운도 없었다.

셋째 아들 구이도가 이 편지를 쓴 지 얼마 안 되어 마키아벨리는
가족과의 약속 때문은 아니었으나 한때 피렌체에 돌아가 있었다.
부르봉군의 행군 방향을 예측할 수 없게 된 구이차르디니가 하다
못해 피렌체만이라도 방위하기 위해 자기가 거느리는 군대를 피렌

체로 돌렸기 때문이다. 실제로 마키아벨리가 피렌체에 돌아온 다음날, 구이차르디니도 피렌체에 들어왔다.

구이차르디니는 그러나 5월 2일에는 벌써 피렌체를 떠난다. 로마로 향하고 있는 부르봉군을 그대로 방치해둘 수 없었기 때문이다. 또 아무리 우군이라도 많은 군인들이 주둔하면 사람들의 불만을 사서 피렌체 시민들 사이에 다시 고개를 들기 시작한 반메디치 기운을 조장할 위험도 있었다. 구이차르디니는 공화국 대통령인 형 루이지와 의논한 끝에, 군대를 철수하는 편이 낫겠다고 판단한 것이다. 부르봉군도 이제 간단히 돌아서서 피렌체를 습격할 수 없는 거리로 멀어져 있었다.

군대를 가지고 있어도 교황의 지령이 없는 한 구이차르디니는 아무 일도 하지 못한다. 일정한 거리를 두고 부르봉군을 따라가는 수밖에 없다. 이때도 구이차르디니 곁에는 여느 때나 다름없이 마키아벨리의 그림자를 볼 수 있었다. 그리고 그들 뒤에는, 이 또한 일정한 거리를 두고 베네치아군이 따랐다. 행군보다 한가로운 산책이 더 어울릴 듯한 봄이 한창 무르익고 있었다.

그 이후 마키아벨리는 아무것도 쓴 것이 없다. 어쩌면 편지 한 통쯤은 썼을지도 모르지만 남아 있지 않다. 생전의 그가 쓴 마지막 글은 1527년 4월 18일자로 베트리에게 보낸 편지다. 이날부터 같은 해 6월 22일 죽을 때까지의 두 달 동안, 그의 내면을 살펴볼 수단을 우리는 갖고 있지 않은 것이다.

이것은 역사에 대한 관심으로 말하면, 참으로 유감스럽다고 아니할 수 없다. 왜냐하면 이 두 달이야말로 이탈리아 르네상스가 종언을 고한 시기이기 때문이다. 마키아벨리는 몸소 이에 입회했다.

마키아벨리라면 단순한 현장 증인으로 그치지는 않았을 것이다. 15세기 말에서 16세기의 이 시기를 아는 데 가장 믿을 만한 사료는 베네치아공화국 외교 담당자들이 써 보낸 보고서와, 베네치아 시민 마리노 사누도가 기록한 58권에 이르는 『일기』, 서기관 시대의 보고서를 포함한 마키아벨리의 전 저작인 것으로 되어 있다. 그것은 같은 시대를, 베네치아 외교관들은 객관적으로, 사누도는 모든 것을 빼놓지 않고 기록함으로써, 그리고 마키아벨리는 유례 없이 날카롭고 깊은 통찰력으로 파악했기 때문일 것이다. 그러기에 마키아벨리가 무언가를 적어놓았더라면, 르네상스의 종언을 거의 만족할 만한 형태로 파악할 수 있었을 것이다. 그런데 마키아벨리만 쓰지 않은 것이다.

그러나 인간 마키아벨리에 대한 관심으로 말하면, 그가 이 시기에 아무것도 쓰지 않았다는 것은 반드시 절망적인 것만은 아니잖는가 하는 생각이 든다. 이 시기의 그의 내면을 사료에 의해서 들여다본다는 것은 불가능할 것이다. 하지만 상상으로 느끼는 일이라면, 독자 여러분의 생각 여하에 달려 있다.

자, 그렇다면 내가 할 일은 이 두 달 동안의 정세 변화와 마키아벨리의 행동을 16세기 당시의 연대기 작가나 오늘날의 보도 기자처럼 하나하나 열거해 나가는 것이라고 여겨진다. 사실(史實)을 충실히 제공함으로써 독자 여러분의 상상을 돕는 역할을 철저히 하고 싶다는 말이다. 이것은 때로 나를 엄습하는, 인간에 대한 존중심의 발로이기도 하다.

다만 사실의 열거에 들어가기 전에, 독자 여러분이 유념해주었으면 하는 것이 있다.

마키아벨리가 자국 군비를 가질 필요가 있다고 처음으로 제창한 것은 1503년이었다. 종신 대통령 소데리니에 대한 답신 형태로, 나라를 지키려면 힘과 사려가 다 불가결하고, 특히 자기 방위력을 갖지 않은 국가는 파괴와 예속으로 끝나는 운명을 갖는다고 단언했다. 24년 전의 일이다.

또 『군주론』을 써서, 시대가 변하면 통치 방식도 따라서 변할 필요가 있다고 주장한 것은 1513년이었다. 14년 전의 일이다.

그리고 공화 정체를 유지하고 싶으면, 때로는 공화 정체의 정신에 어긋나는 일도 감행할 용기를 갖지 않으면, 공화 정체 자체를 망쳐버리는 결과가 된다고 역설한 것은 1516년에 탈고한 『정략론』에서였다. 11년 전의 얘기다.

1521년에 간행된 『전략론』에서는 시민군제도의 필요성을 철저히 논하고 있다. 6년 전의 일이다.

이런 마키아벨리를 당시의 '상식'은 비현실적이다, 이상주의다, 시기상조다, 탁상공론이다 하고 계속 단정해왔다. 그런데 20년이 넘도록 계속 비현실적이라는 말은 대체 무엇을 의미하는 것일까?

쉰여덟 살의 마키아벨리는 1527년 봄, 자기의 생각이 단 하나도 받아들여지지 않은 '사실'의 행군에 동행하고 있었던 것이다. 베트리에게 보낸 그의 마지막 편지는 이렇게 끝을 맺고 있다.

"이 용병들처럼 싸움으로 이익을 얻는 자들이 평화를 바란다면, 오히려 그 편이 미친 것이다. 운명은 우리가 상상하는 것 이상으로 처참한 싸움을 그들에게 시킬 것 같은 생각이 든다."

5월 2일, 부르봉이 이끄는 독일·에스파냐 연합군은 로마에서 100킬로미터도 안되는 비테르보에 도착한다. 구이차르디니가 이끄는 교황군은 8일 간의 거리를 두어 그 뒤를 따르고, 다시 2일 간의 거리를 유지하며 베네치아군이 따라간다. 피렌체군은 이 4일 후에 피렌체를 떠날 예정이었다. 비테르보에서 로마까지는 카시아 가도가 똑바로 이어진다.

5월 3일, 교황은 로마를 둘러싸는 시 성벽의 모든 문을 닫으라고 명령한다. 부랴부랴 5명의 추기경을 임명하고, 그들로부터 각각 4만 두카토씩 걷은 20만 두카토로 용병 4천과 대학생까지 긁어모은 방위군을 급조한다. 지휘는, 용기는 있지만 지장(智將)이라고는 할 수 없는 용병대장 렌초 다 체리가 맡는다.

5월 4일, 로마의 시문 밑에 도착한 부르봉이 성문을 열라고 요구한다. 안에서는 대답이 없다.

5월 5일, 카를로스군 3만이 로마의 북서쪽 바티칸의 배후를 둘러친 시 성벽 아래 포진한다. 이 근처의 성벽이 가장 낮고, 주민이 적어서 저항을 고려할 필요가 없기 때문이다.

5월 6일 첫새벽, 포격을 신호로 공격이 개시된다. 방위측의 저항이 격렬하여 시 성벽을 사이에 두고 격전이 벌어지는 가운데, 샤를 드 부르봉이 총탄을 맞고 전사한다. 부관 오랑주 공이 즉각 지휘를 인수한다.

부르봉에 비하면 오랑주 공의 통솔력은 매우 떨어졌으나, 기세가 등등해진 병사들에게는 지휘관의 능력은 이제 문제가 되지 않는다. 전투는 6시간에서 8시간 계속되었다고 한다. 그리하여 열세를 깨달은 렌초의 전선 포기로 정오에는 대세가 판가름난다.

노도처럼 난입한 독일군과 에스파냐군은 순식간에 교황궁을 중심으로 하는 바티칸 일대를 제압한다. 교황은 추기경들과 함께 카스텔 산탄젤로로 피신한다. 테베레 강 대안의 추기경과 각국 대사 관저가 늘어선 캄포 디 피오리와 나보나 광장 일대가 적의 수중에 들어가는 데는 그날 밤까지 기다릴 필요도 없었다.

역사상,

"사코 디 로마"(Sacco di Roma)

라는 한 마디로 통하는, 또 이 이탈리아어 명칭이 영어나 프랑스어에서 그대로 사용되는, 6개월에 걸친 '로마의 약탈'이 시작된 것이다. 공격측에 있던 에스파냐 왕의 가신 가티날레는 카를로스에게 다음과 같이 보고했다.

"전 로마는 파괴되었습니다. 산 피에트로 대성당도 교황궁도 이제 마구간으로 변했습니다. 우리 대장 오랑주 공은 병사들의 질서를 잡으려고 노력했습니다만, 이제 야도(野盜)의 무리로 변한 용병들을 어떻게 할 수도 없습니다. 란치케네키에 이르러서는, 그야말로 로마교회에 아무런 경의도 갖고 있지 않은 루터 교도란 이런 것인가 싶은 만행을 자행하고 있습니다. 모든 귀중품은 손상되고 도난당했습니다."

오늘날의 로마가 바로크 도시 같은 인상이 짙은 것은 이때의 약탈로 르네상스 건물의 8할이 불타거나 파괴되었기 때문이다. 이처럼 철저한 파괴는, 5세기의 서로마제국 붕괴 때까지 거슬러 올라가야 예를 볼 수 있다고 한다. 주민들도 몸값을 낼 만한 사람은 다 포로가 되고, 그렇지 않거나 조금이라도 반항하는 자는 깡그리 살해된다. 그리고 여름에 페스트가 덮친다.

클레멘스 7세가 버티고 있는 카스텔 산탄젤로를 포위중인 카를로스군

이 6개월 동안에 로마의 인구는 9만에서 3만으로 줄어든다. 살해된 자 2만, 도망친 자 2만, 페스트로 죽은 자 2만. 승자인 독일 용병들조차 1만 2천이나 되던 것이 7천으로 줄어 있었다.

교황군을 따라가고 있던 마키아벨리가 로마의 함락을 안 것은 5월 10일이다. 실제의 함락에서 4일이 지나서야 비로소 알게 된 셈이다. 거리와 사항의 중대성을 생각하면 4일 후의 보고는 너무 늦지만, 카스텔 산탄젤로 안에 포위 상태로 있는 교황으로서는 파발꾼을 보낼 수단도 없었을 것이다.

너무나 싱거운 함락에 마키아벨리도 구이차르디니도 할 말을 잊었을 것이다.

로마 시를 둘러싸는 시 성벽은 길이가 21킬로미터나 된다. 주민은 9만을 헤아렸고, 방위 병력도 1만을 기대할 수 있었다. 이런 로마가 설마 하루 만에 함락될 줄이야 아무도 예상치 못했을 것이다.

이보다 74년 전에 일어난 동로마제국의 수도 콘스탄티노플의 함락 때는 도시에 둘러친 시 성벽의 길이 21킬로미터, 주민 3만 5천, 방위병 7천 미만으로 터키군의 격렬한 포격을 덮어쓰면서도 50여 일이나 버티어냈다. 아무리 천연의 요새라 일컬어진 지세와 3중의 시 성벽이라는 좋은 조건을 가지고 있었더라도, 공격하는 터키군은 16만이 훨씬 넘었던 것이다.

또 이보다 불과 5년 전인 로도스 섬 공방전에서도 길이 5킬로미터의 시 성벽을 방패삼아 2천 병력으로 10만 터키군을 맞아 6개월이나 싸워냈던 것이다. 이 공방전은 결국 공격측의 승리로 끝나지만, 그것은 끝내 외부의 원군이 도착하지 않았기 때문이다.

1527년의 '로마의 약탈' 때는 원군이 될 수 있는 우군이 불과 2일 거리에 있었다. 그런데도 속절없이 하루에 패하고 만 것은, 앞의 두 예에서 볼 수 있는 최고 책임자의 단호한 의지와 주민의 협력이 없었기 때문이다.

최고 책임자인 교황이나 주민인 로마 시민은 그 뒤에 이어진 참극을 보고, 그때 철저하지 못했던 것과 협력하지 않았던 것을 몹시 후회했을 것이다. 적이지만 같은 그리스도교도니까 하는 생각에서 방심했던 것이다.

로마 함락의 소식을 들은 구이차르디니는 그 4일 후인 5월 14일, 30킬로미터쯤 군을 전진시킨 몬테피아스코네 땅에 베네치아군 지휘관 우르비노 공을 불렀다. 앞으로의 방침을 정하기 위해서였다.

수뇌 회의 석상에서는 격론이 벌어졌으며, 우르비노 공은 군을 이 이상 로마로 진군시키는 것은 어리석은 짓이라는 주장을 굽히지 않았다. 교황·피렌체 양군의 진퇴를 결정해야 하는 구이차르디니는 자기 휘하 부대만 이끌고 로마로 진군하는 것을 망설이지 않을 수 없었을 것이다. 그의 생각으로는, 선결 문제는 어디까지나 인질과 다름없는 교황 클레멘스를 구출하는 일이었다. 교황이 인질로 잡혀 있어서야 불리한 조건으로 강화에 응하지 않을 수 없기 때문이었다.

구이차르디니는 교황을 구출하려면 교황청 해군 제독 안드레아 도리아의 협력이 불가결하다고 생각했다. 도리아가 있는 치비타베키아 항으로 마키아벨리가 급파되었다. 그러나 도리아의 협력은 결국 얻어내지 못한 모양이다. 교황의 해상 탈출이 실현되지 않았기 때문이다. 마키아벨리가 치비타베키아에 도착한 것은 5월 22일 전후였다고 한다.

5월 31일, 교황과 베네치아와 피렌체의 병력으로 구성된 동맹군은 로마에서 이틀 걸리는 거리까지 갔으면서 북으로 발길을 돌리기로 했다. 사실상의 해산이었다.

6월 5일, 교황 클레멘스 7세는 거의 무조건 항복에 가까운 꼴로 카를로스에게 굴복한다.

마키아벨리는 치비타베키아에서 중대한 소식을 하나 듣는다. 피렌체공화국이 메디치 가를 추방하고, 공화 정체가 부활된다는 소식이었다.

마키아벨리는 이제 친구에게로 돌아가지 않았다. 구이차르디니에게는 보고서만 보내고, 완전히 자기 의사로 피렌체로 급행한다. 5월 말에는 확실히 피렌체에 돌아가 있었던 것으로 짐작된다. 먼저 피사로 빠져, 거기서 아르노 강을 거슬러 올라가는 길을 택했을 것으로 보인다. 내륙 지대는 한번도 싸워보지 못하고 진 동맹군 패잔병들이 출몰해서 위험했다.

마키아벨리는 설레는 마음으로 귀국했다. 메디치 없는 피렌체공화국이라면 자기 자리도 있겠구나 하는 확신을 가지고. '오리첼라리의 정원' 시절의 젊은 제자들, 자노비 본델몬티와 루이지 알라만니도 귀국했다는 소식이었다.

6월 초 마키아벨리는 메디치 가의 추방과 더불어 공석이 된 제2서기국 서기관에 입후보한다. 10인 위원회가 예비 심사한 후보자를 공화국 국회가 최종적으로 선출하게 되어 있었다.

6월 10일, 정청 내의 500인 회의장에서는 제2서기국 서기관을 선출하기 위한 국회가 열리고 있었다. 출석 의원수 567명, 결석 43명. 공화국 대통령에 막 선출된 카포니가 의장 자리에 앉았다.

투표의 결과는,

찬성을 의미하는 흰 강낭콩을 던진 자 12명.

반대를 의미하는 검은 강낭콩을 던진 자 555명.

마키아벨리가 낙선한 주된 이유는 메디치로부터 돈을 받기도 하고, 메디치를 위해 일을 했기 때문인 듯했다. 반대표를 던진 사람 가운데 하나는, 우리가 필요한 것은 지(知)의 사람이 아니라 충(忠)의 사람이라고 말했다고 한다. 본델몬티와 알라만니의 지지 연설도 효과가 없었던 모양이다.

공화국 대통령에 선출된 카포니라는 성만 보아도, 1527년의 피렌체 공화 정체라는 것이 마키아벨리가 활약한 피에로 소데리니 시대의 것보다 그 이전의 더 광신적인 사보나롤라 시대의 것에 가깝다는 것을 예상할 수 있을 것이다. 소데리니 정부에서도 일했고, 그후의 메디치 참주 정체 아래서도 일한 구이차르디니와 베트리는 고관이기도 했고 하여 카포니 공화 정체에 환상을 품지 않았다. 구이차르디니는 일찌감치 교외의 산장에 몸을 숨겼고, 베트리는 피렌체에서 피신했다.

조국을 위해 다시 한번 일하고 싶어한 마키아벨리의 소원은 조국에 의해 거절되었다. 쉰여덟이라는 나이 때문도 아니다. 마키아벨리 대신 선출된 토싱기도 마키아벨리와 같은 연배이다. 더욱이 이 인물은 메디치 타도를 위해 노력하지도 않았다. 다만 메디치 가가 피렌체에 복귀해 있는 동안 눈에 띄는 일을 아무것도 하지 않았을 뿐이다.

낙선 소식은 정청에서 5분 거리인 자택에서 대기하고 있던 마키아벨리에게 즉각 전해졌다. 그리고 열흘 동안, 마키아벨리가 집 안에서 어떻게 보냈는지는 알려져 있지 않다. 10일째인 6월 20일, 그는 병으로 쓰러진다. 동시대인 역사가 바르키에 의하면 낙선이 원인이었다고 한다.

병상으로 피렌체에 있는 친구들이 모두 달려왔다. 필리포 스트로치, 루이지 알라만니, 자노비 본델몬티, 자코모 나르디, 그리고 제일 젊은 제자라고 해도 되는 스물네 살의 바르톨로메오 카발칸티.

그 이틀 후, 마키아벨리는 죽었다. 쉰여덟 살 1개월이었다. 그의 넷째 아들로 열세 살 먹은 피에로 마키아벨리는 한 친척에게 다음과 같은 편지를 보냈다.

이 달 22일, 우리 아버지가 돌아가신 것을 알려 드리려고 하니까 자꾸만 눈물이 나서 못 견디겠어요. 20일에 잡수신 환약 때문에 배가 아프기 시작했는데, 그것이 원인이었던 것 같아요. 아버지는 돌아가실 때까지 곁에 있던 마테오 신부님께 마지막 고해를 하고 편안히 돌아가셨어요.

아시겠지만, 우리 아버지는 가족을 아주 가난한 채로 남겨두고 돌아가셨어요.

피렌체에 돌아오시면 여러 가지 말씀을 드리겠어요. 그래서 지금은 우선 알려만 드립니다.

마키아벨리의 유해는 산타 크로체 성당에 묻혔다. 그러나 몇십 년이 지나지 않아, 마키아벨리 집안의 남자 계통이 끊어지는 바람에 묘의 유지에 마음을 쓰는 사람이 없어져서 임자 없는 무덤으로 다루어진다.

또 산타 크로체에 묻힌 것은 믿은 성당이 그곳이었다는 것뿐이다. 지금은 피렌체의 웨스트민스터 사원이라 일컬어지면서 단테를 비롯한 피렌체 출신 위인들의 묘가 많은 산타 크로체지만, 단테와 마찬가지로 마키아벨리도 죽을 당시에는 전혀 조국의 자랑으로 여겨지지 않았다.

오늘날 우리가 보는 산타 크로체 내의 장려한 그의 무덤은 18세기에 마키아벨리의 애독자였던 한 영국인이 건립한 것이다. 이 무덤 밑에 그의 뼈는 없다.

그후

'로마의 약탈' 2년 후인 1529년 2월, 바르셀로나에서 클레멘스와 카를로스 사이에 강화조약이 맺어진다. 교황이 카를로스의 이탈리아 반도 지배권을 인정한 것이다. 이탈리아를 에스파냐에 팔아넘긴 클레멘스가 얻은 것은 메디치 가가 피렌체 복귀를 실현하기 위해 무력을 사용하는 경우에 카를로스도 협력한다는 한 조항이었다.

같은 해 10월, 메디치의 복귀를 거부한 피렌체에 카를로스는 오랑주 공이 지휘하는 군대를 보낸다. 10개월에 걸친 포위전의 시작이었다.

이듬해인 1530년 2월, 교황과 에스파냐 왕은 볼로냐에서 회동했으며, 카를로스는 클레멘스에 의해 정식으로 신성로마제국 황제가 된다. 신성로마제국 황제의 대관식은 로마에서 거행되는 것이 관례지만, 3년 전 카를로스의 이름으로 자행된 '로마의 약탈'에 대한 기억이 뿌리가 깊어 차마 로마 시민의 원한 속에서 대관식을 치를 수가 없었다.

같은 해 8월, 피렌체공화국은 멸망한다. 성문이 열린 후, 두려워하던 로마 때와 같은 약탈은 자행되지 않았다. 복귀한 메디치 가에 에스파냐 여인을 출가시킴으로써 군주국이 된 피렌체를 간접적으로나마 자기의 지배 아래 두고 싶은 카를로스가 시민의 분노를 자극하는 행동을 자제시켰기 때문이다.

1537년, 일족의 한 사람에게 암살된 알레산드로 데 메디치(교황 클레멘스의 사생아라고 한다)의 뒤를 이어, 흑색대 조반니의 외아들로 열일곱 살이 된 코시모 데 메디치가 피렌체의 지배권을 손에 넣는다. 전제 군주 정체의 시작이었다. 얼마 안 가서 이 코시모는 초대 토스카나 대공이 된다.

피렌체는 이제 도시국가의 두뇌도 심장도 아니었으며, 영토형 국가의 수도에 지나지 않게 되었다. 이탈리아는 간신히 베네치아 공화국을 제외하고, 실질적으로 에스파냐의 지배 아래 들어간다. 르네상스 탄생의 땅 이탈리아에 반종교개혁의 폭풍이 휘몰아치는 것도 이제 시간 문제에 지나지 않았다.

1532년, 교황 클레멘스 7세의 동의를 얻어 마키아벨리의 주요 저작이 인쇄, 간행된다.

1559년, 교황 파울루스 4세는 마키아벨리의 전 저작을 선량한 그리스도교도에게는 적당치 않다며 금서로 지정한다.

마키아벨리가 자칭한,

역사가, 희극작가, 비극작가

는, 이탈리아어에서는 명사인 동시에 형용사로도 사용된다.

역사적

희극적

비극적

처럼.

독자 여러분

이 책을 다 읽고 나신 지금, 여러분에게도
마키아벨리가 '나의 친구'가 되었습니까?

인물은 스캔들로 살아난다

• 옮긴이의 말

좀 부끄럽지만, 한길사의 시독회에 나온 대부분의 독자들과 마찬가지로, 나도 시오노 나나미라는 작가를 잘 알지 못했다. 그러다가 먼저 그가 발췌해 엮은 『마키아벨리 어록』을 훑어보고, 『나의 친구 마키아벨리』를 읽은 다음 그의 작품목록을 들여다보았다. 솔직히 큰 충격을 받았다. 그 방대한 연구와 시야의 깊이와 넓이, 명쾌한 자기 주관의 전개, 다이내믹한 필치……. 게다가 저작이 이미 30종을 넘을 뿐더러, 그게 또 나오는 족족 베스트셀러요 문제작이었다고 하지 않는가! 대단한 여성이라는 탄성을 지르지 않을 수 없었다.

시오노 나나미는 일본 여성으로서는 좀 색다른, 개성이 아주 독특하고도 강한 사람이라는 인상이 짙다. 한길사 김언호 사장과 로마의 그에게 전화를 건 적이 있다. 김 사장이 신문기자와 함께 찾아가 선생의 서재에서 인터뷰하며 사진을 찍고 싶어한다고 했더니, 여지껏 아무에게도 자기 서재를 공개한 적이 없다면서, 이번에 한국 기자에게 첫 공개를 하는 셈이네요 하고 웃는다. 그 다음번 통화 때, 금년 5월 일본에 오는 기회에 한국에도 와달라는 한길사의 초청을 재확인하자, 일본에는 휴식하러 가는 것이라 일체의 공식 행사에 나가지 않을 참이지만, 한국의 독자를 만나러 가는 데 며칠이야 못 내겠어요 하고 호호 웃는다. 일본인에게 흔한 그 겉치레 인사나 형식이 도무지 없다. 그러면서도 나이답지 않게(1937년생이라니 올해로 59세다) 젊은 목소리의 톤이 퍽 호의적이다.

그에 관한 짤막한 평전에 보면, 호메로스의 『일리아스』를 읽고 지중해 세계에 매료되었다는 그는 그럼에도 그리스를 택하지 않고 이탈리아로 갔고, 이탈리아인 의사와 결혼하여 아예 그곳에 눌러앉아 살았으니 퍽 이색적이다. 하기야 역사를 오락으로 아는 그에게, 로마와 이탈리아 도시국가군의 흥망사와 르네상스의 시말은 더없이 매력적인 피할 수 없는 미끼였는지도 모른다. 그리고 평자들의 말마따나 가벼이 "역사와 문학을 종횡으로 넘나들면서" 르네상스와 이탈리아의 역사물 이외에 『콘스탄티노플의 함락』을 비롯한 대형 전쟁 3부작과 『주홍색 베네치아―산 마르코 살인사건』 등 미스터리 3부작까지 써낸 것도 놀라운데, 1992년에 시작하여 2006년까지 해마다 한 권씩 15권 예정으로 『로마인 이야기』를 집필하고 있다니, 작가로서 매우 보기 드물게 큰 스케일의 역량을 지녔다 아니할 수 없다.

그러나 무엇보다도 그를 색달리 보이게 하는 것은 마키아벨리를 '나의 친구'라 부르고 있는 점이다. 목적을 위해서는 수단·방법을 가리지 말라는 '음흉하고 비열한' 마키아벨리즘의 주인공을 그는 어떻게 친구로 삼게 되었을까?

한 인터뷰에서 그는, 1960년 초 일본에서 깊은 관심을 갖고 참여한 학생운동이 좌절되자, 고민에 빠졌다가 이탈리아로 건너가 마키아벨리를 읽게 되었으며, 역사와 상황의 변화에 따라 자기를 변화시키고 그에 적응할 수 있어야 한다는 그의 논리에 큰 영향을 받았다고 밝히고 있다.

마키아벨리의 '역사인식이 비관에 빠진 나를 다시 일으켜 세워' 주었기 때문인지, 마키아벨리에 대한 그의 애정이 『나의 친구 마키아벨리』에 진하게 우러나 있다. 무엇보다도 마키아벨리를 쓰게 된 계기가 퍽 인상적이다. 피렌체 시문(市門)에서 10킬로미터쯤 떨어진 산탄드레아에 있는 마키아벨리의 산장을 방문하여, 그 정원에서서 멀리 피렌체의 상징인 꽃의 성모 마리아 대성당을 발견했을 때, 그는 "가슴이 예리한 칼 같은 것으로 콱 찔리는 듯한 육체적 아픔"을 느꼈다고 한다. 그리고 이유없이 관직에서 쫓겨난 40대의 마키아벨리가, 산장에서 피렌체를 바라보며 자기 자신에게 쏟아부었을 들끓는 분노를 생각하고 그의 생애를 쓰기로 마음 먹었다고 한다. 책의 제목도 그때 정했다. 그 15년 후에 쓴 것이 바로 이 『나의 친구 마키아벨리』이다.

시오노 나나미는 마키아벨리의 생애를 셋으로 나누어서 그리고 있다. 태어나서 중앙 정청의 관리가 될 때까지의 29년과 관료 생활 15년, 그리고 실직 후 죽을 때까지의 14년을, 마키아벨리는 무엇을 보았고, 무엇을 하였고, 무엇을 생각하였는가의 세 부에서 각각 다루고 있다.

'피렌체의 존망'이라는 원서에 실려 있는 부제로도 짐작할 수 있듯이, 그는 르네상스의 황혼이 짙어가는 피렌체에서 벌어진 잦은 정변과 음모, 내분과 외침, 세도가의 끊임없는 흥망성쇠를 현란한 두루마리 그림처럼 바닥에 깔고, 토스카나 지방의 아름다운 경관을 배경으로 나타났다 사라지는 무수한 군상들 사이를 "의자가 뜨뜻해질 겨를도 없이" 동분서주하는 마키아벨리를 넘치는 애정으로 그려나간다.

그가, 수재에 아무리 대(大)자를 붙여봐야 필경 천재를 따를 수 없다고 치켜올린 마키아벨리는 1469년 5월 3일 피렌체에서 태어난 순 피렌체내기다. 대학도 나오지 않았고, 중키에 작은 머리, 용모도 빈상이었다. 거동도 경망해서 점잖과는 거리가 멀었다. 자신의 안전을 생각하는 사람이면 절대로 하지 않을 실수를 예사로 저지른다. 한마디로 약지 못한 사나이다. 게다가 놀기를 좋아해서 지난날의 젊은 제자와 어울려 야단법석을 떨고, 이가 우글거리는 창녀와 자고는 그 경위를 또 소상히 친구에게 적어 보내는 주책바가지다. 그가 사귄 것은 이런 "세계에서 가장 오랜 직업"의 여자가 아니면 이웃 과부였다. 살롱에 드나드는 명류 부인들이 아니었다. 이같은 마키아벨리에게 웬만하면 미간을 찌푸릴 법도 한데, 저자는 "인물은 스캔들로 살아난다"면서 솟아오르는 웃음을 누르고 지켜보고 있다.

마키아벨리는 이른바 천재형은 아니었던 모양이다. 그러나 그의 싱싱한 감각과 장난기는 어느새 그를 정청 서기국의 중심인물로 만들었고, 동료들의 인기를 독차지하게 된다. 일을 시키면 시킨 쪽의 기대 이상으로 해치울 뿐 아니라, "욕심꾸러기 할망구"처럼 스스로 일을 찾아 신나게 해낸다.

멀리 앞을 내다보는 그의 날카로운 통찰력은 냉철하고 끈기있게 해결책을 모색하여 상부에 건의한다. 그는 대외적으로 협상할 일이 생길 때마다 가볍게 불려나가서 여러 나라에 파견되어 왕과 군주, 지도자들을 만나 교섭하고 협상하고 한다. 그러나 신분이 낮아 결정권이 없는 그의 진언은 그대로 채택되지 않는 경우가 많았다. 무슨 일이 일어날 때마다 임시 미봉책으로 눈앞의 위기를 모면하는 데 급급해하는 피렌체공화국 지도자들의 우유부단한 태도에, 그는 아마도 수없이 발을 동동 구르고 이를 갈고 허공에 주먹을 휘둘렀을 것이다.

"자기 방위력을 갖지 않은 국가는 파괴와 예속으로 끝나는 숙명을 갖는다"며 자국 군비를 갖추자고 역설했고, "시대가 변하면 통치 방식도 따라서 변할 필요가 있다"(『군주론』), "공화 정체를 유지하고 싶으면 때로 공화정의 정신에 어긋나는 일도 감행할 용기가 있어야 한다"(『정략론』), "시민군제도를 확립해야 한다"(『전략론』)고 강력히 주장하는 그를, 당시의 '상식'은 비현실주의자, 이상주의자, 시기상조론자, 탁상공론자 등으로 단정하고 귀를 기울이지 않았다.

고전 명저의 서열에 올라 있는 『군주론』을 비롯한 마키아벨리의 주된 저작은 그가 관직에서 해직당하고 난 다음에 이루어졌다. 반메디치 음모에 가담하였다는 혐의로 체포되어 고문당하고, 피렌체에서 추방되어 산탄드레아 산장에 들어박혀, 낮에는 선술집에서 노동자들과 어울려 노름이나 하고 싸우고 하다가, 밤에는 "예절을 갖춘 복장으로 몸을 정제한 다음, 옛사람들이 있는 옛 궁정에 입궐하여, 그들의 친절한 영접을 받고, 그 음식물, 나만을 위한, 그것을 위해서 나의 삶을 점지받은 음식물을 먹으면서……그들의 세계에 전신전령(全身全靈)으로 들어가……그들과 나눈 대화를 『군주론』이라는 소논문으로 정리할 생각"이라고 그는 친구에게 보낸 편지에서 말하고 있다.

다분히 추상적인 이 문면으로 우리는 비운의 은둔 생활에서 비로소 발현되는 그의 천재성의 발아를 본다. 이 단계에서 마키아벨리는 문인으로서의 인생을 다시 살게 된다. 시오노 나나미는 '글 쓰는 사람'으로서의 그를 여간 높이 평가하지 않는다. 『마키아벨리 어록』의 모두에서 그는, "마키아벨리와 내가 지금까지 써온 남녀들이……결정적으로 다른 것은……그가 작품을 남겼다는 것"이라고 말하고 있다.

그리고 마키아벨리의 문장력에 대해서도, "그의 평만큼 간결하고 적절한, 그러면서도 아름다운 묘사를 발견하지 못했다"(로렌초 데 메디치에 관하여), "글을 쓰는 사람이면 선망의 느낌 없이 읽지 못할 명문"(프란체스코 파치에 관하여), "로렌초 데 메디치가 '일 마니피코', 위대한 사람이라 일컬어진 참된 이유를, 마키아벨리는 단순한 역사가 따위는 발치에도 미치지 못할 아름다움으로 쓰고 있다"고 격찬하고 있다.

독일인 용병을 주축으로 하는 에스파냐군에 의해 '로마의 약탈'이 자행된 1527년에 마키아벨리는 병사한다. 그의 죽음과 거의 때를 같이하여 그의 조국 피렌체공화국도 멸망하고, 미켈란젤로, 다빈치와 같은 대천재들이 찬란한 문예부흥의 꽃을 피운 르네상스도 종언을 고한다. '그의 비극이 시대의 비극으로' 이어진 것이다. 그리고 1559년, 그의 전 저작이 선량한 그리스도교도의 읽을거리가 못된다며 교황으로부터 금서 조치를 당한다.

마키아벨리가 죽은 것은, 로마 함락의 해에 메디치 가가 추방되고 공화정이 되살아난 피렌체의 옛 서기관직에 입후보했다가 낙선한 것이 원인이었다는 추측이다. 여기서 우리는 다시 지난날 마키아벨리즘이라는 말과 더불어 그릇 연상되던 가차없이 가혹한 인간 상과 판이한 마키아벨리를 본다. 취직을 부탁하기 위해 유력자에게 자기 저서를 바치고, 외국에 대사로 나가 있는 친구에게 일자리의 알선을 간청하는, 새 환경에 의젓하게 자적하지 못하는, 위대한 사상가의 통념과는 거리가 먼 우리들 속물에 더 가까운 인간적인, 너무나 인간적인 마키아벨리를 보고 마음을 놓는다. 일종의 킨십 (kinship)을 느끼는 것이다.

실로 시오노 나나미는 그를 많은 사람들의 '나의 친구'로 만들고 있다.

1996년 3월
옮긴이 오정환

『나의 친구 마키아벨리』
창작 뒷이야기

──시오노 선생의 작품에서는, 이 『나의 친구 마키아벨리』뿐 아니라, 마키아벨리의 사상이, 때로 그림자를 드리우고 있는 것처럼 여겨집니다만.

　　■ 때로가 아니라 전체예요.

　　──그러시다면, 마키아벨리와 시오노 선생은 언제 만나셨습니까? 물론, 사상적으로 말씀이지만요.

　　■ 나이로 말하자면 스물두 살 때이고, 시대로 말하자면 1960년의 안보(安保) 소동 직후라고 할 수 있죠.

　　──시오노 선생은 학생운동도 체험하셨습니까?

　　■ 워낙, 젊었을 때의 나는 부화뇌동의 전형이었어요. 부화뇌동을 사전에서 찾아보면, 견식도 없이 경솔하게 남의 주장에 동조하는 일이라고 되어 있는데, 정말 나는 바로 그런 여학생이었어요.

　　당시의 각슈인(學習院)대학에는 좌익 논단의 스타 교수가 두 분 있었어요. 한 분은 시미즈 이쿠타로(淸水幾太郎) 선생이고, 또 한 분은 히사노 오사무(久野收) 선생이었죠. 히사노 선생은 그 해의 내 영미철학 세미나의 담당 교수이기도 했어요. 그런 고명한 히사노 선생인데도, 영미 철학 세미나에 참석하는 학생은 10명 안팎에 지나지 않았는데, 그 학생들에게 어느 날 선생은 말씀하셨어요.

　　"군들에게 안보 반대의 데모에 나가라는 말은 하지 않겠다. 그러나 나는 나가고 싶다. 다만 내가 나가면, 군들을 위한 오후 세미나가 휴강이 된다. 휴강이 되면, 데모에 나가지 않는 학생 제군들에게는 미안한 일이고, 또 데모에 나가고 안 나가고 간에 학문을 하고 싶어하는 학생들에게도 미안하기는 마찬가지야. 그래서 오후

세미나를 오전으로 옮기기로 했다. 세미나가 끝난 후에 나와 함께 국회 앞에 나가고 안 나가고는 전적으로 제군들의 자유다."

히사노 오사무라는 분은 참으로 양심적인 학자였어요. 가르치는 방법도 친절 정중했고, 어려운 내용도 명쾌하게 논리적으로 설명 해주었고요. 당시의 각슈인대학 철학과는 아베 요시시게(安倍能成) 원장이 특별히 힘을 기울였던지 우수한 학자들이 많았는데, 그 중에서도 내가 존경한 교수가 인도철학의 나카무라 겐(中村元), 고대 그리스 · 로마 문학의 구레 시게이치(吳茂一), 그리고 히사노 오사무 세 분이었어요.

그 히사노 선생한테 그런 말을 들었으니, 확고한 견식 따위는 약으로 하고 싶어도 없었던 당시의 나로서는, 오전 중은 영미 철학, 오후는 국회 앞, 이렇게 된 것은 당연하지요. 그런 히사노 선생이라, 아마도 선생의 본심은 각자의 견식에 따라 가고 안 가고는 자신이 판단하라는 것이었을 텐데, 아마도 나는 불초(不肖) 제자였나봐요. 게다가 국회 앞에 나간 것까지는 좋은데, 거기서 다시 또 불초의 제자가 되었으니 처치 곤란이죠 뭐.

처음 각슈인 그룹은 주류파에 속해 있어서, 프랑스 데모라고 부르는, 그 손에 손을 잡고 도로를 나아가는 식의 얌전한 데모 행진에 참가했었지요. 그런데 옆을 보니 "안보 반대, 안보 분쇄" 하고 리드미컬하게 외치면서 지그재그로 데모를 벌이는 일단이 있지 않겠어요. 어머, 저쪽이 더 보기 좋잖아 하고, 정경학부 리더와 내가 공모해서 각슈인 그룹을 반주류파로 옮겨버린 거예요. 주류파에서 반주류파로 전향한 것도, 뭐 생각의 차이에서가 아니라 데모 방법이 보기 좋아서 결정해버렸으니, 경박도 이쯤 되면 기가 막히죠.

히사노 선생은 주류파에 남은 것 같았는데, 이제 그런 건 아무래도 좋았어요. 후년에, 당시 국무대신으로 기시(岸) 내각의 일원이었던 나카소네 야스히로(中曾根康弘) 씨가, "대체, 군은 일미(日美) 안전보장조약을 읽기나 했는가?" 하고 묻길래, "읽기요. 학생제(學生祭)의 흥으로 참가했는 걸요" 하고 대답했지만, 실제로 길바닥에 앉아 팥빵을 뜯어먹는다든가, 돌을 던진다든가, 큰소리를 지른다든가, 해서는 안 된다고 배운 짓들을 모두 할 수 있으니 참 재미있었지요.

그래도 60년 안보 소동은 우리 세대들에게는 하나의 사건이기는 했던 것입니다. 현장을 경험하는 날이 거듭되면서 나 같은 인간도 생각을 하게 되더라고요. 기동대원을 향해서 "이 세금 도둑아" 하고 소리를 지르고 돌아오는 길에 문득, 우리 학생들은 세금을 안 내는데, 세금을 내고 있는 것은 정작 그들이 아닌가라든가, 또 안보조약의 체결 강행 반대라는 것도, 민주주의 정체라면 50퍼센트 플러스 1표를 얻은 쪽에 정치를 할 권리가 있는 것이니까, 그 사람들의 체결 방법이 강행이건 뭐건 관계없는 일이 아닌가라든가, 데모 참가자 가운데 한 사람이 죽은 것만으로 매스컴의 논조가 확 바뀌어버린 것은 어째서인가 하는 등의 생각을 말이지요. 말하자면 내 머릿속이 온갖 생각으로 착잡하게 뒤얽혀서, 리더들이 절규하는 선동 연설도 귀에들리지 않게 되더군요. 그런 상태에 있던 내게 최후의 일격을 가한 것은, 안보가 자연 통과된 밤이었어요.

그날 밤, 나는 남자 친구 한 사람과 행동을 같이하고 있었기 때문에, 각슈인 그룹이 아니고 게이오(慶應)대학 그룹에 있었는데,

이 그룹이 배치된 것이 총리 관저의 정문 앞이었어요. 주어진 임무는 안에 있는 기시 노부스케(岸信介) 총리를 밤새도록 가두어두라는 것이었죠. 더욱이 왜 게이오대학 그룹을 문전에 배치했는가 하면, 게이오 학생들은 온건하니까 관저 돌입 같은 과격한 행동으로 나가지 않겠지 하는 것이 그 이유였어요. 그리고 총리 관저와 국회 주위를 메운 데모의 대 군중은, "이겼다, 이겼다" 하고 일대 합창을 되풀이하면서 연좌로 밤을 새우는 거예요.

뭐가 이겼다는 거야, 하고 나는 생각했지요. 우리가 분쇄를 외치고 있던 일미 안보조약은 그 동안에 이미 국회를 자연 통과해서, 말하자면 성립해 있었으니까요. 총리를 관저에 가둔 것과 무슨 상관이 있는가? 하룻밤을 밖에 나오지 못하게 한 것만으로, 이겼다, 이겼다 하고 외칠 수 있는가? 이건 거짓말이다, 졌는데도 이겼다는 것은 거짓말이다, 위선 이외에 아무것도 아니다 하고 생각했지요.

위선이란, 사전에 의하면, 겉을 장식하기 위한 선행이라는 설명이 붙어 있어요. 그러니까 1960년 6월 18일 밤의 '선행'은, 우리들 데모 참가자에게 행해진 연설에 따르면, 이치가야(市ケ谷)에 자위대가 대기하고 있으니, 우리는 그들의 도발에 끌려들어서는 안 된다, 이 이상의 희생을 내지 않기 위해서라도 오늘은 자중하는 것이 중요하다, 말하자면, 이런 느낌의 것이었어요. 국회 돌입이나 총리 관저 돌입을 '자중' 하는 것이 '선행' 이라면, 그건 나도 알 수 있어요. 수단으로서는 유효하지 않다는 것이니까. 하지만 목적 완수에 실패했는데도 어째서 이겼다, 이겼다 하고 외칠 수 있는가. 이것은 위선임을 모르고 위선을 행하는 사람의 생각에 지

나지 않는다고 당시의 나는 느낀 겁니다. 다시 말해서, 현실을 직시하지 않는 증거라고 말이지요. 내가, 좌익 특유의 것이라고 할 수 있는, 이런 종류의 위선을 혐오하게 된 것은 그날 밤부터였습니다.

하지만 감상적인 생각에 의한 위선과 결별은 했어도, 그것을 대신할 무엇을 갖게 되는 것은, 금방은 되지 않더군요. 눈앞을 가로막고 서 있던 두터운 장벽이 사라지고, 창문이 모두 활짝 열린 듯한 생각을 갖게 된 것은, 졸업 논문을 준비하기 시작하고부터였어요. 졸업 논문의 테마는 15세기 피렌체의 미술사였으니까, 우선 시대를 아는 것이 먼저라고 해서 르네상스 시대의 역사를 공부하기 시작했는데, 여기서, 당연한 일이기는 하지만, 마키아벨리와 부딪치게 된 거예요.

그의 사상 어디가 내게 해방감을 주었는지는 모르겠어요. 다만, 마키아벨리가 주장하는, 인간성의 현실을 냉철하게 살피는 일이 무엇보다도 선결한다는 생각을 알고, 마음 속이 후련해진 것을 기억합니다. 목적과 수단의 명쾌한 분리의 필요성도 이해할 수 있었고, 무엇보다도 져놓고 이겼다고 말하지 않는 점이 마음에 들었어요. 요컨대 위선을 철저하게 배제하는 그의 생각이, 거짓이다 거짓이다 하고 생각하면서도 왜 거짓인지 모르고 있던 자리에서 나를 구출해준 거지요.

그리고 그 후에도 줄곧 어두운 길을 나아가는 내 앞을 칸델라로 비추어주는 사람의 하나로, 그도 되어준 셈입니다. 냉전 체제 붕괴를 계기로 탈이데올로기가 외쳐지기 시작하는데, 내 개인으로 말하면 30년이나 전에 이미 이데올로기에서 벗어난 셈이에요. 그 계기가 60년의 안보이고, 탈이데올로기로의 길을 비추어준 것이 마키아벨리였습니다.

——길을 비추어준 사람의 하나가 마키아벨리라고 하셨는데, 다른 사람들은 누구입니까?

■『나의 친구 마키아벨리』를 쓰고 나서 착수한 것이 『로마인 이야기』지요. 이번 주역들은, 마키아벨리처럼 생각은 있어도 그것을 실행에 옮기는 데 없어서는 안 되는 권력이라는 것의 혜택을 입지 못한 사나이들이 아니예요. 생각을 갖는 동시에 권력도 가진 사나이들이지요. 더욱이 피렌체공화국이라든가, 이탈리아 반도 같은 조그만 세계의 이야기가 아니고, 유럽과 중근동과 북아프리카를 망라한 로마 제국이 무대입니다. 그 큰 무대에서 사상과 실행력을 겸비한 사나이들은 어떻게 행동했을까 하는 것이 내 관심을 자극한 거예요. 이번에는 한 도시국가의 서기관이 아니라, 대제국의 최고권력자인 황제들입니다. 이 사나이들이 자기들의 생각을 실천에 옮긴다면 어떻게 될 것인가 하는 것이 나를 자극한 거지요.

정말이지, 작금의 세계 정세를 보면, 평화, 평화 하고 주창하지만 도무지 평화는 실현되지 않고 있어요. 목적과 수단의 명확화를 등한시했기 때문이라고밖에 생각되지 않아요. 나 같은 사람은, 평화는 너무나 중요한 문제이기 때문에 평화주의자에게 맡겨둬서는 실현되지 않는다고까지 생각하고 있지만요. 에스파냐 화가 고야는, "나의 스승은 자연과 티치아노와 벨라스케스"라고 했다는데, 이것을 알았을 때, 내 경우는 누구일까 하고 생각했지요. 그래서 떠오른 대답이, "나의 스승은 인간과 카이사르와 마키아벨리"였어요.

"천국에 가는 가장 유효한 방법은, 지옥에 가는 길을 숙지하는 것이다."

이 한 마디를 남겨준 것만으로도, 마키아벨리는 내 스승의 자격이 충분히 있지요. 한쪽의 카이사르는 다음 한 마디를 남기고 있습니다.

"아무리 나쁜 결과로 끝난 일이라도, 그것이 시작된 당초의 동기는 훌륭한 것이었다."

이에 더해서,

"인간은 누구나 현실 전부가 보이는 것은 아니다. 많은 사람들은 보고 싶은 현실밖에 보고 있지 않다."

우연이기는 하지만, 작가의 길로 들어선 나의 입지점(立地点)이 어디에 놓이게 되었는지, 이제 알아주시겠지요.

──작품으로서의 『나의 친구 마키아벨리』에 대해서 여쭈어보고 싶은데요, 시오노 선생의 작품 가운데 이른바 '글 쓰는 이'를 주인공으로 앉힌 것은, 『나의 친구 마키아벨리』가 유일하다고 생각합니다. 동업자라고 해도 좋은 인물을 대상으로 해서 쓰는 데 곤란을 느끼셨습니까? 아니면 반대로, 동업자이기에 알 수 있다는 생각을 품으면서 집필을 진행하셨습니까?

■ 나로서는, 동업자라고 해도 좋은 인물을 대상으로 쓰는 데 곤란을 느꼈느냐는 질문에 대한 대답은, 노. 동업자이기에 알 수 있다는 생각을 품었느냐는 질문에 대한 대답이라면, 예스예요.

하지만 그런 것은 나한테는 사실상 큰 문제가 아니었어요. 그보다는 르네상스를 본격적으로 논한 최초의 사람인 야코브 부르크하르트의 지론에 입각한다면, 다시 말해서, 르네상스란 예술적인 시대였다는 지론에 입각한다면, 르네상스인은 작품을 남긴 예술가와 작품을 남기지 않은 예술가로 양분됩니다. 작품이란 500년 후인 지금도 원하면 감상할 수 있는 것이 남아 있다는 말이니까, 이런 종류의 예술가에는 레오나르도도 미켈란젤로도 마키아벨리도 들어오지요.

한편, 작품을 남기지 않은 예술가는 누구냐 하면, 정치 지도자, 종교 지도자, 그리고 무인(武人)이 들어옵니다. 그러기에 르네상스는 예술적인 시대였다는 말이 되지요. 그런데 내가 내 자신에게 부과해온 것은, 『르네상스를 만든 사람들』에도 썼지만, 예술 작품이란 중개자 없이 1 대 1로 마주 대하여 작자가 표현하려고 애쓴 것을 허심하게 받아들여야 하며, 그러기에 제3자에 의한 해설은 무용하다 못해 유해하다는 것이었어요. 레오나르도의 전기도 결국 쓰지 않았고, 미켈란젤로의 생애는 쓸 생각조차 한 적이 없어요. 내가 취급한 인물들은, 체사레 보르자나 교황들이나 바다의 도시 베네치아의 리더들이나 그 누구도, 후세의 사람들이 감상할 수 있는 작품을 남기지는 않았습니다. 그러기에 그들의 생전의 업적을, 내가 대신 작품으로 꾸며내는 이유가 있었던 것이지요.

그럼 왜, 작품을 남긴 마키아벨리를 주인공으로 앉혔느냐 하는 것인데, 그의 생애가 피렌체공화국의 쇠퇴기와 중첩하기 때문입니다. 공동체 의식이 강했던 베네치아공화국과는 달리 피렌체공화국은 개인주의의 도가니 같았으니까, 피렌체의 통사를 쓰려면 그 시대를 반영하는 개인의 생애를 쓰면 다 됩니다. 홍륭기는 단테를 쓰면 되고, 안정기는 메디치 가의 코시모와 로렌초 두 사람에게 초점을 맞추면 되고, 쇠퇴기는 마키아벨리를 묘사하면 반영할 수 있는 셈이지요. 다만, 쇠퇴기를 다루더라도 왜 그것이 쇠퇴기인지를 설명할 필요는 있습니다. 그렇다면 당연히 안정기에도 붓이 미치게 되고, 흥륭기도 조금은 언급하지 않을 수 없게 되지요. 그래서 『바다의 도시 이야기』에서 르네상스 도시 국가의 한쪽 웅(雄)이었던 베네치아를 다룬 다음, 『나의 친구 마키아벨리』에서는 또 한쪽의 웅이었던 피렌체공화국을 그리는 것이 내 목적이었던 거예요. 마키아벨리를 충분히 묘사하면 피렌체공화국의, 그리고 그 피렌체에서 태어난 르네상스의 쇠퇴를 그릴 수 있다고 생각한 겁니다.

그렇기는 하나, 마키아벨리는 작품을 남긴 창작자입니다. 아직도 완전한 일본어본은 없지만, 원어인 이탈리아어는 물론이고 영역본이나 불역본이나 독역본 등, 그의 전 작품의 완역본은 있습니다. 후세의 우리가 읽고 싶으면 읽을 수 있는 형태로 작품은 남아 있어요.

이 같은 인물을 어떻게 요리하느냐. 그래서 나는 마키아벨리라는 소재를 철저히 살리는 수밖에 없다고 생각했지요. 자기의 개성을 살리느니 어쩌니 하는 대의명분을 내걸고, 소재가 뭔지 알 수 없는 요리를 내놓는 요리사가 있잖아요. 나는 그걸 하지 않기로 한 거예요. 묘사되는 개성은 마키아벨리지 내 것이 아니라고 말이지요. 구체적으로는, 전집을 세 질 사다가 한 질은 그대로 두고, 나머지 두 질은 한눈에 볼 수 있도록 한 페이지씩 다 풀어버렸어요. 그러고는 그의 작품을 철저하게 읽는 것만으로 내 작품도 완성하기로 한 겁니다. 『나의 친구 마키아벨리』에는, 예외적으로 권말 참고문헌이 없어요. 문헌표를 붙여봐야 마키아벨리의 작품이 전부거든요. 그런데 그것들은 내가 지금까지 쓴 르네상스사 관계의 모든 작품 권말에 실은 참고문헌에 몇 번이나 나옵니다. 게다가 나는 마키아벨리를 지금까지의 모든 작품의 최종 주자로 생각하고 취급했으니까요. 조형 미술이 아니고 문필에 의한 작품이라도, 가능한 한 작품과의 1 대 1의 관계는 유지해야 한다고 생각한 거지요. 아니, 그런 관계가 아니면 그의 생각에 근접할 수 없다고 생각했기 때문이기도 해요. 그러니까 동업자를 선정해서 쓰는 것 자체에는 조금도 곤란을 느끼지 않았어요. 그보다는 동업자이기에 오히려 작품이 남아 있는 창작자를 어떻게 다루어야 육박이 가능한가 하는 것을, 동업자가 아닌 학자들보다는 더 잘 알고 있었다고 생각할 정도랍니다. 원체, 작품 이상으로 그 작자를 말해주는 것은 없으니까요.

이것이 당신이 두번째로 질문한, 동업자이기에 알 수 있다는 생각을 품으면서 집필했느냐는 질문에 대한 대답이 예스가 된 이유인데, 구체적으로도 그와 나는 묘사하는 대상에 대한 접근 방법도 비슷해요. 마키아벨리의 가장 유명한 편지라면 이것인데, 그 일부는 다음과 같이 되어 있어요.

"밤이 되면 집에 돌아가서 서재에 들어가는데, 들어가기 전에 흙 같은 것으로 더러워진 평상복을 벗고 관복으로 갈아입네.

예의를 갖춘 복장으로 몸을 정제한 다음, 옛사람들이 있는 옛 궁정에 입궐하지. 그곳에서 나는 그들의 친절한 영접을 받고, 그 음식물, 나만을 위한, 그것을 위해서 나의 삶을 점지받은 음식물을 먹는다네. 그곳에서 나는 부끄럼 없이 그들과 이야기를 나누고, 그들의 행위에 대한 이유를 물어보곤 하지. 그들도 인간다움을 그대로 드러내고 대답해준다네.

그렇게 보내는 네 시간 동안, 나는 전혀 지루함을 느끼지 않는다네. 모든 고뇌를 잊고, 가난도 두렵지 않게 되고, 죽음에 대한 공포도 느끼지 않게 되고 말일세. 그들의 세계에 전신전령(全身全靈)으로 들어가 머물기 때문이겠지.”

이것은 나의 일상이기도 해요. 남자인 마키아벨리의 네 시간은 밤이고, 나의 네 시간은 아들이 학교에 가 있는 오전 중이라는 것만 다른데, 내실은 완전히 같아요. 다만 그의 경우, 그 자신이 쓴 ‘일상’은 『군주론』과 『정략론』, 그리고 어쩌면 『전략론』까지 쓴, 10년이 채 안 되는 세월에 지나지 않지만, 내 경우는 벌써 30년이 넘었어요. 마키아벨리는 책상을 향하지 않아도 되는 상태가 되면 곧 현장으로 달려간 사람이지만, 관료를 한 적이 없는 나에게는 마키아벨리의 ‘현장’이 없어요. 책상 위밖에는 승부의 자리가 없는 거지요. 그래서 여지껏 옛사람들을 찾아가서 그들에게 질문하는 나날이 계속되고 있는데, 아마도 이 일상은, 내 경우는 행인지 불행인지 죽을 때까지 계속되겠지요.

그런 까닭도 있고 해서, 집필할 때 관복으로 갈아입었다는 마키아벨리를 조금은 흉내를 냈지요. 다만 나는 ‘관복’이 없으니까 피렌체의 어느 가게에 주문한, 겨울은 비로드로, 여름은 실크로 클래식하게 만든 실내복으로 갈아입기로 하고 있어요. 옛사람들을 만나러 가는 것이니까, 예의를 갖춘 복장으로 단정하게 치장하는 정도는 당연하지요. 이탈리아의 집은 천장이 높아서 우리 집도 4미터는 되니까, 긴 가운도 안 어울리지는 않아요. 게다가 그런 복장을 하면 행동거지도 자연 거기에 맞게 달라지는 기분이 들어요. 인간이란 외면의 영향을 받나보지요. 그래서 마키아벨리도 일부러 관복으로 갈아입었다고 생각합니다. 그런 점을 보면 마키아벨리도 참으로 이탈리아적이에요. 인간이란 속에서 솟아나는 것만으로 성립되어 있지 않다는 것을 알고 있었다는 점에서도, 참으로 르네상스적이고 지중해적입니다.

율리우스 카이사르도 브루투스와 그 일파의 칼에 찔려 절망적이라는 것을 안 순간 무엇을 했는가 하면, 쓰러진 모습이 보기 흉하지 않도록 입고 있던 토가 자락을 몸에 두른 거예요. 카이사르가 한 마지막 행위가 이것이었어요. 나는 그런 일에 신경을 쓰는 남자를 좋아하는 모양이죠. 소크라테스가 말하는, 인생을 얼마나 잘 사는가 하는 것도 중요하기 짝이 없지만, 인생도 따지고 보면 하찮은 일들로 성립되어 있어요. 그 하찮은 것이라도 소홀히 하지 않는 것이 품위라고 생각합니다. 그 사람의 스타일이라고나 할까요.

——작가로서의 마키아벨리에 대해서, 시오노 선생은 어떻게 생각하십니까?

■ 누가 썼는지는 잊었지만, 오려서 붙여놓은 것이 일본어니까, 일본 작가 중 누군가가 한 말이겠는데, 이런 글이 있어요.

"잘 쓰는 작가나 훌륭한 작가는 몇 사람이나 있지만, 굉장한 작가는 별로 없다. 작가는 성장함에 따라 기술 수준을 높여가서, 작품을 장인(匠人) 솜씨로 완성해 나가기 때문이다. 역으로 말하면, 쓰지 않을 수 없는 내적 충동이 희박해지는 것이기도 하다. 교묘한 장인 기술로 잘 쓰게 되지만, 그만큼 굉장한 맛을 잃어가는 것이다."

마키아벨리는 굉장한 맛을 잃지 않은 작가지요. 나도 마지막까지 그러고 싶네요.

2001년 가을, 로마에서.

나의 친구 마키아벨리

시오노 나나미 ▌르네상스 저작집 7

지은이 **시오노 나나미**
옮긴이 **오정환**
펴낸이 **김언호**
펴낸곳 **(주)도서출판 한길사**

등록 • 1976년 12월 24일 제74호
주소 • (413-832) 경기도 파주시 교하읍 문발리 520-11
　　　www.hangilsa.co.kr
　　　E-mail: hangilsa@hangilsa.co.kr
전화 • 031-955-2000~3
팩스 • 031-955-2005

제1판 제 1 쇄 1996년　3월 30일
제1판 제12쇄 2001년　7월 30일
제2판 제 1 쇄 2002년　6월 20일
제2판 제 8 쇄 2006년 12월 25일

값 15,000원

ISBN 89-356-1066-6 03900

● 잘못된 책은 구입하신 서점에서 바꿔드립니다.